KU-358-479

PROLETAIRES DE TOUS LES PAYS, UNISSEZ-VOUS!

LÉNINE

ŒUVRES

14

L'EDITION RUSSE EST PUBLIEE
PAR DECISION DU IXe CONGRES DU P.C.(b)R.
ET DU IIe CONGRES DES SOVIETS DE L'U.R.S.S.

ИНСТИТУТ МАРКСИЗМА-ЛЕНИНИЗМА ПРИ ЦК КПСС

В. И. ЛЕНИН

СОЧИНЕНИЯ

Издание четвертое

ГОСУДАРСТВЕННОЕ ИЗДАТЕЛЬСТВО
ПОЛИТИЧЕСКОЙ ЛИТЕРАТУРЫ
МОСКВА

V. LÉNINE

ŒUVRES

TOME
14
1908

EDITIONS SOCIALES * PARIS
EDITIONS EN LANGUES ETRANGERES * MOSCOU
1962

PREFACE

Le tome 14 contient le principal ouvrage philosophique de V. Lénine, *Matérialisme et Empiriocriticisme*, rédigé en 1908 et publié en 1909, et qui a constitué la préparation théorique du parti bolchévik.

Dans ce livre, Lénine critique à fond les conceptions antimarxistes des disciples russes de Mach et de leurs maîtres étrangers. Il défend les principes théoriques du marxisme, le matérialisme dialectique et historique, et dresse le bilan, à la lumière du matérialisme, des acquisitions les plus importantes de la science, notamment des sciences de la nature, depuis la mort d'Engels jusqu'à la parution de *Matérialisme et Empiriocriticisme.*

Cet ouvrage est un modèle de lutte intransigeante, dans l'esprit de parti, contre les ennemis du matérialisme dialectique et historique.

Le volume contient également les thèses « Dix questions au conférencier », rédigées par Lénine au printemps 1908, qui ont servi de fondement à la fraction bolchévique pour se désolidariser publiquement des conceptions philosophiques de Bogdanov, disciple de Mach, et de ses partisans, ralliés en 1905 aux bolchéviks.

Le texte publié ici est conforme à la première édition (1909) collationnée avec la deuxième édition (1920). On a tenu compte des indications faites par Lénine dans ses lettres à des parents, lors de la préparation du manuscrit pour l'impression en 1908-1909, et de la correction des épreuves de la première édition.

DIX QUESTIONS AU CONFERENCIER[1]

Rédigé en mai, avant 15 (28) 1908
Publié pour la première fois en 1925
dans le Recueil Lénine III

Conforme au manuscrit

1. — Le conférencier admet-il que le *matérialisme dialectique* est la philosophie du marxisme ?

Dans la négative, pourquoi n'examina-t-il pas les innombrables déclarations d'Engels à ce sujet ?

Dans l'affirmative, pourquoi les disciples de Mach appellent-ils « philosophie du marxisme » leur « revision » du matérialisme dialectique ?

2. — Le conférencier admet-il la division essentielle des systèmes philosophiques, telle que l'énonce Engels, en *matérialisme* et *idéalisme*[2], étant donné que la *tendance* de Hume dans la philosophie nouvelle, tendance appelée « agnostique » par Engels, qui déclare que le kantisme est une variété de l'agnosticisme, est une tendance médiane, hésitante entre les deux précédentes ?

3. — Le conférencier admet-il que la théorie de la connaissance du matérialisme dialectique se fonde sur l'admission de l'univers extérieur reflété dans le cerveau humain ?

4. — Le conférencier reconnaît-il la justesse des réflexions d'Engels sur la transformation de la « chose en soi » en « chose pour nous » ?[3]

5. — Le conférencier reconnaît-il la justesse de l'affirmation d'Engles selon laquelle « l'unité réelle du monde consiste en sa matérialité » ? (*Anti-Dühring*, 2e éd., 1886, p. 28, 1re partie, § IV, sur le schéma de l'univers.)[4]

6. — Le conférencier reconnaît-il la justesse de l'affirmation d'Engels selon laquelle « la matière sans mouvement est tout aussi inconcevable que le mouvement sans matière » ? (*Anti-Dühring*, 1886, 2e éd., p. 45, § 6, sur la philosophie de la nature, la cosmogonie, la physique et la chimie.)[5]

7. — Le conférencier admet-il que les idées de causalité, de nécessité, d'action de lois, etc., reflètent dans la tête de l'homme les lois de la nature, les lois du monde réel ? Ou Engels aurait-il eu tort de l'affirmer ? (*Anti-Dühring*,

pp. 20 et 21, § III, sur l'apriorisme, et pp. 103 et 104, § XI, sur la liberté et la nécessité.)[6]

8. — Le conférencier sait-il que Mach a exprimé son accord avec le chef de l'école immanente, Schuppe, et lui a même dédié son dernier ouvrage philosophique, le plus important ?[7] Comment le conférencier explique-t-il cette adhésion de Mach à la philosophie manifestement idéaliste de Schuppe, défenseur de la *cléricaille* et, de façon générale, manifestement réactionnaire en philosophie ?

9. — Pourquoi le conférencier a-t-il passé sous silence la « mésaventure » de son camarade d'hier (à la rédaction des *Essais*), le menchévik Iouchkévitch, qui (après Rakhmétov) déclare aujourd'hui Bogdanov *idéaliste* ?[8] Le conférencier sait-il que Petzoldt classe, dans son dernier livre, divers élèves de Mach parmi les *idéalistes* ?[9]

10. — Le conférencier confirme-t-il le fait que la doctrine de Mach n'a rien de commun avec le bolchévisme ? que Lénine a maintes fois protesté contre cette doctrine ?[10] que les menchéviks Iouchkévitch et Valentinov sont de « purs » empiriocriticistes ?

MATERIALISME ET EMPIRIOCRITICISME

NOTES CRITIQUES SUR
UNE PHILOSOPHIE REACTIONNAIRE[11]

Ecrit en février-octobre 1908;
le Supplément au § 1 du chapitre IV,
en mars 1909
Imprimé en mai 1909, en volume,
à Moscou, aux Editions « Zvéno »

Conforme au texte
du livre publié en 1909,
collationné sur celui
publié en 1920

ВЛ. ИЛЬИНЪ.

МАТЕРІАЛИЗМЪ И ЭМПИРІОКРИТИЦИЗМЪ

критическія замѣтки объ одной реакціонной философіи.

ИЗДАНІЕ „ЗВЕНО"
МОСКВА
1909

Couverture du *Matérialisme et empiriocriticisme* (Ire édition). — 1909.

Réduction

PREFACE A LA PREMIERE EDITION

Nombre d'écrivains qui se réclament du marxisme ont entrepris parmi nous, cette année, une véritable campagne contre la philosophie marxiste. En moins de six mois quatre livres ont paru, consacrés surtout, presque entièrement, à des attaques contre le matérialisme dialectique. Ce sont tout d'abord les *Essais sur* (? il aurait fallu dire : contre) *la philosophie marxiste*, Saint-Pétersbourg, 1908, recueil d'articles de Bazarov, Bogdanov, Lounatcharski, Bermann, Hellfond, Iouchkévitch, Souvorov ; puis *Matérialisme et réalisme critique*, de Iouchkévitch ; *La Dialectique à la lumière de la théorie contemporaine de la connaissance*, de Bermann ; *Les Constructions philosophiques du marxisme*, de Valentinov.

Tous ces personnages ne peuvent ignorer que Marx et Engels qualifièrent maintes fois leurs conceptions philosophiques de matérialisme dialectique. Tous ces personnages qu'unit, — malgré les divergences accusées de leurs opinions politiques, — la haine du matérialisme dialectique, se prétendent cependant des marxistes en philosophie ! La dialectique d'Engels est une « mystique », dit Bermann ; les conceptions d'Engels ont « vieilli », laisse tomber incidemment Bazarov, comme une chose qui va de soi ; et le matérialisme serait, paraît-il, réfuté par ces hardis guerriers, qui invoquent fièrement la « théorie contemporaine de la connaissance », la « philosophie moderne » (ou « positivisme moderne »), la « philosophie des sciences de la nature contemporaines », voire même la « philosophie des sciences de la nature du XXe siècle ». Forts de toutes ces doctrines prétendument modernes, nos pourfendeurs du matérialisme dialectique en arrivent sans crainte à reconnaître purement et simplement le fidéisme*[12] (on le voit bien mieux chez Lounatcharski, mais il n'est pas le seul[13] !) ; ils perdent, par contre, toute hardiesse, tout respect de leurs propres convictions quand il s'agit de définir nettement leur attitude envers Marx et Engels. En fait, abandon complet du matérialisme dialectique, c'est-à-dire du marxisme. En paroles, des subterfuges sans fin, des tentatives de tourner le fond du problème, de masquer leur dérobade, de substituer un matérialiste quelconque au matérialisme en général, le refus net d'analyser de près les nombreuses thèses matérialistes de Marx et d'Engels. Véritable « révolte à genoux », selon la juste expression d'un marxiste.Révisionnisme philosophique typique,car seuls les révisionnistes se sont acquis une triste renommée en s'écartant des conceptions fondamentales du marxisme, trop conscients de leur crainte et impuissance à « régler leur compte » ouvertement, avec netteté, énergie et clarté, aux idées qu'ils ont abandonnées. Quand les marxistes orthodoxes avaient à combattre certaines conceptions vieillies de Marx (ainsi que l'a fait Mehring à l'égard de certaines affirmations historiques), ils l'ont toujours fait avec tant de précision, de façon tellement circonstanciée que jamais personne n'a pu relever dans leurs travaux la moindre équivoque.

On trouve d'ailleurs dans les *Essais « sur » la philosophie marxiste* une phrase qui ressemble à la vérité. C'est cette phrase de Lounatcharski : « Nous » (il s'agit évidemment des auteurs des *Essais*) « nous fourvoyons peut-être, mais nous cherchons » (p. 161). Que la première moitié de cette phrase soit une vérité absolue, et la seconde une vérité relative, c'est ce que je m'efforcerai de démontrer complètement dans le livre que j'offre à l'attention du lecteur. Je me bornerai pour l'instant à faire observer que si nos philosophes, au lieu de parler au nom du marxisme, parlaient au nom de quelques « chercheurs » marxistes, ils

---

* Fidéisme : doctrine substituant la foi à la science ou, par extension, attribuant à la foi une certaine importance.

témoigneraient d'un plus grand respect d'eux-mêmes et du marxisme.

En ce qui me concerne je suis aussi un « chercheur » en philosophie. Plus précisément : je me suis donné pour tâche, dans ces notes, de rechercher où se sont égarés les gens qui nous offrent, sous couleur de marxisme, quelque chose d'incroyablement incohérent, confus et réactionnaire.

L'auteur

Septembre 1908.

PREFACE A LA DEUXIEME EDITION

Cette édition, à quelques corrections près, ne diffère en rien de la précédente. J'espère qu'elle ne sera pas inutile, indépendamment de la polémique avec les disciples russes de Mach, en tant qu'introduction à la philosophie du marxisme, au matérialisme dialectique et aux conclusions philosophiques tirées des découvertes récentes des sciences de la nature. L'article du camarade V. Nevski, qui fait suite à ce livre, donne sur les dernières œuvres de A. Bogdanov, dont je n'ai pas eu la possibilité de prendre connaissance, les éclaircissements nécessaires.[14] Le camarade V. Nevski, qui a travaillé non seulement comme propagandiste en général, mais aussi et surtout comme militant de l'école du Parti, a pu parfaitement se convaincre que A. Bogdanov propage des idées bourgeoises et réactionnaires sous les apparences de « culture prolétarienne ».[15]

N. Lénine

2 septembre 1920.

EN GUISE D'INTRODUCTION

COMMENT CERTAINS « MARXISTES » REFUTAIENT LE MATERIALISME EN 1908 ET CERTAINS IDEALISTES EN 1710

Quiconque connaît un peu la littérature philosophique doit savoir qu'on aurait peine à trouver aujourd'hui un professeur de philosophie (ou de théologie) qui ne s'occupât, ouvertement ou par des procédés obliques, à réfuter le matérialisme. Des centaines et des milliers de fois on a proclamé que le matérialisme était réfuté, et l'on continue à le réfuter pour la cent et unième, voire pour la mille et unième fois. Les révisionnistes de chez nous ne font que réfuter le matérialisme, tout en feignant de ne réfuter en somme que le matérialiste Plékhanov, et non le matérialiste Engels, ni le matérialiste Feuerbach, ni les conceptions matérialistes de J. Dietzgen, — et de réfuter le matérialisme en se plaçant au point de vue du positivisme « moderne » et « contemporain », des sciences de la nature, etc. Sans recourir aux références que chacun trouvera à volonté, par centaines, dans les ouvrages cités plus haut, je rappellerai les arguments à l'aide desquels Bazarov, Bogdanov, Iouchkévitch, Valentinov, Tchernov* et quelques autres disciples de Mach battent le matérialisme. Le terme « machiste »**, plus bref et plus simple, a con-

* V. Tchernov, *Etudes de philosophie et de sociologie*. Moscou, 1907. Disciple zélé d'Avenarius, l'auteur est un adversaire du matérialisme dialectique, tout comme Bazarov et consorts.

** Dans la suite nous avons préféré au terme de « machiste », en raison de sa déplorable consonnance française, l'expression « disciple de Mach ». [*N.R.*]

quis le droit de cité dans la littérature russe, et j'en userai dans le texte à l'égal du mot « empiriocritiques ». Ernst Mach est généralement reconnu dans la littérature philosophique* comme le plus populaire des représentants actuels de l'empiriocriticisme, et les écarts de Bogdanov et de Iouchkévitch de la doctrine de Mach « pure » sont, comme nous le montrerons plus loin, d'importance absolument secondaire.

Les matérialistes, nous dit-on, reconnaissent l'impensable et l'inconnaissable, la « chose en soi », la matière placée « au-delà de l'expérience », au-delà de notre connaissance. Ils tombent dans un véritable mysticisme en admettant quelque chose au-delà, qui est situé hors des limites de l'« expérience » et de la connaissance. Quand ils déclarent que la matière agissant sur les organes de nos sens suscite des sensations, les matérialistes se basent sur l'« inconnu », sur le néant, puisque eux-mêmes, disent-ils, reconnaissent nos sens comme la seule source de la connaissance. Les matérialistes tombent dans le « kantisme » (c'est le cas de Plékhanov qui admet l'existence de la « chose en soi », c'est-à-dire des choses existant en dehors de notre conscience), ils « doublent » le monde et prêchent le « dualisme », puisque derrière les phénomènes, d'après eux, il y a encore la chose en soi, puisque derrière les données immédiates des sens, ils admettent autre chose, on ne sait quel fétiche, une « idole », un absolu, une source de « métaphysique », un double de la religion (la « sainte matière », selon Bazarov).

Tels sont les arguments des disciples de Mach contre le matérialisme, arguments que répètent et ressassent sur tous les tons les auteurs précités.

Pour voir si ces arguments sont neufs et ne visent vraiment qu'un matérialiste russe « tombé dans le kantisme », nous citerons en détail quelques passages tirés des œuvres du vieil idéaliste George Berkeley. Cette référence historique est d'autant plus nécessaire dans l'introduction à nos notes que nous aurons plus d'une fois, dans la suite de notre exposé, à nous référer à Berkeley et au courant qu'il fit naître en philosophie, car les disciples de Mach

---

* Voir par ex. Dr. Richard Hönigswald : *Über die Lehre Hume's von der Realität der Außendinge*, Berlin, 1904, p. 26.

présentent sous un faux jour aussi bien l'attitude de Mach à l'égard de Berkeley que l'essence de la philosophie de ce dernier.

L'œuvre de l'évêque George Berkeley, parue en 1710 sous le titre de *Traité sur les principes de la connaissance humaine**, commence par les raisonnements suivants : « Pour quiconque étudie les *objets* de la connaissance humaine, il est évident qu'ils représentent ou des idées (ideas) effectivement perçues par les sens, ou des idées acquises par l'observation des émotions et des actes de l'intelligence,ou enfin des idées formées à l'aide de la mémoire et de l'imagination. . . Je me représente, à l'aide de la vue, la lumière et la couleur, leurs gradations et leurs variétés. Je perçois, à l'aide du toucher, le mou et le dur, le chaud et le froid, le mouvement et la résistance. . . L'odorat me renseigne sur les odeurs ; le goût sur la saveur ; l'ouïe sur les sons. . . Comme les différentes idées s'observent combinées les unes aux autres, on leur donne un nom commun et on les considère comme telle ou telle chose. On observe, par exemple, une couleur, un goût, une odeur, une forme, une consistance déterminés dans une certaine combinaison (to go together) ; on reconnaît cet ensemble comme une chose distincte qu'on désigne du mot *pomme* ; d'autres collections d'idées (collections of ideas) constituent ce qu'on appelle la pierre, l'arbre, le livre et les autres choses sensibles. . . » (§1).

Tel est le contenu du premier paragraphe de l'œuvre de Berkeley. Retenons que l'auteur prend pour base de sa philosophie « le dur, le mou, le chaud, le froid, les couleurs, les saveurs, les odeurs », etc. Les choses sont pour Berkeley des « collections d'idées » et, par idées, il entend précisément les qualités ou sensations que nous venons d'énumérer, et non pas les idées abstraites.

Berkeley dit plus loin que, outre ces « idées ou objets de la connaissance », il existe encore ce qui les perçoit : « l'intelligence, l'esprit, l'âme ou le *moi* » (§2). Il va de soi, conclut le philosophe, que les « idées » ne peuvent exister en dehors de l'intelligence qui les perçoit. Il suffit pour s'en

---

* George Berkeley, *Treatise concerning the Principles of Human Knowledge*, vol. I of Works, edited by A. Fraser, Oxford, 1871. Il y a une traduction russe.

convaincre d'analyser le sens du mot exister. « Quand je dis que la table sur laquelle j'écris existe, cela veut dire que je la vois et que je la sens ; et si je sortais de ma chambre, je dirais encore que la table existe en ce sens que je pourrais la percevoir si j'étais dans la chambre »... Ainsi s'exprime Berkeley au §3 de son ouvrage,et c'est là qu'il engage la polémique avec ceux qu'il qualifie de matérialistes (§§ 18, 19, etc.). Je ne parviens pas à comprendre, dit-il, que l'on puisse parler de l'existence absolue des choses sans s'occuper de savoir si quelqu'un les perçoit.Exister,c'est être perçu (their,il s'agit des objets *esse* is *percipi*, § 3,—maxime de Berkeley, citée dans les précis d'histoire de la philosophie). « L'opinion prévaut de façon singulière, parmi les gens, que les maisons, les montagnes, les fleuves, en un mot les choses sensibles, ont une existence naturelle ou réelle,en dehors du fait que l'esprit les perçoit » (§4). Cette opinion, dit Berkeley, est « une contradiction évidente ». « Car que représentent donc ces objets, sinon des choses perçues par nos sens ? Or, que percevons-nous, sinon nos idées ou nos sensations (ideas or sensations) ? Et n'est-il pas simplement absurde de croire que des idées ou des sensations ou leurs combinaisons peuvent exister sans être perçues ? » (§4).

Berkeley remplace maintenant le terme « collections d'idées » par l'expression équivalente selon lui de *combinaisons de sensations*, accusant les matérialistes d'avoir cette tendance « absurde » à aller plus loin encore, à rechercher la source de ce complexe. . . pardon, de cette combinaison de sensations. Au § 5 les matérialistes sont accusés de s'embarrasser d'abstractions, car séparer les sensations de l'objet, c'est, de l'avis de Berkeley, une pure abstraction. «En réalité, dit-il à la fin du §5 omis dans la seconde édition, l'objet et la sensation ne sont qu'une seule et même chose (are the same thing) et ne peuvent être abstraits l'un de l'autre. » « Vous direz, écrit Berkeley, que les idées peuvent être des copies ou des reflets (resemblances) des choses existant en dehors de l'esprit dans une substance dépourvue de pensée. Je réponds que l'idée ne peut ressembler à rien d'autre qu'à une idée ; une couleur ou une forme ne peuvent ressembler qu'à une autre couleur ou à une autre forme. . . Je demande : pouvons-nous percevoir ces originaux supposés ou les choses extérieures dont nos idées seraient les clichés ou les représentations, ou ne le pouvons-nous pas ? Si vous dites oui, ce sont alors des idées et nous n'avons pas avancé d'un pas ; et si vous me répondez non, je demanderai à n'importe qui s'il est sensé de dire que la couleur ressemble à quelque chose d'invisible ; que le dur ou le mou ressemble à quelque chose que l'on ne peut pas toucher, etc. » (§ 8).

Les « arguments » de Bazarov contre Plékhanov sur l'existence possible des choses en dehors de nous, sans action sur nos sens, ne diffèrent en rien, comme le lecteur le voit, des arguments produits par Berkeley contre les matérialistes qu'il ne nomme pas. Berkeley considère l'idée de l'existence « de la matière ou de la substance matérielle » (§ 9) comme une telle « contradiction », comme une telle « absurdité » qu'il est inutile de perdre son temps à la réfuter. « Mais, dit-il, étant donné que cette thèse (tenet) de l'existence de la matière paraît s'être profondément ancrée dans les esprits des philosophes et fait naître tant de déductions dangereuses, je préfère paraître prolixe et fatigant que de rien omettre pour dévoiler à fond et déraciner ce préjugé » (§ 9).

Nous verrons tout à l'heure quelles sont les déductions dangereuses auxquelles Berkeley fait allusion. Finissons-en d'abord avec ses arguments théoriques contre les matérialistes. Niant l'existence « absolue » des objets, c'est-à-dire l'existence des choses en dehors de la connaissance humaine, Berkeley expose explicitement les idées de ses adversaires, donnant à entendre qu'ils admettent la « chose en soi ». Au § 24, Berkeley souligne que cette opinion qu'il réfute reconnaît « *l'existence absolue des choses sensibles en soi* (objects in themselves) *ou en dehors de l'esprit* » (pp. 167-168 de l'édition citée). Les deux principaux courants philosophiques sont marqués ici avec la rectitude, la clarté et la précision qui distinguent les philosophes classiques des faiseurs contemporains de « nouveaux » systèmes. Le matérialisme consiste à reconnaître l'existence de « choses en soi » ou en dehors de l'esprit ; les idées et les sensations sont, pour lui, des copies ou des reflets de ces choses. La doctrine opposée (idéalisme) : les choses n'existent pas « en dehors de l'esprit » ; les choses sont des « combinaisons de sensations ».

Ce fut écrit en 1710, c'est-à-dire quatorze ans avant la naissance d'Emmanuel Kant. Et nos disciples de Mach, se basant sur une philosophie prétendument « moderne », découvrent que la reconnaissance de la « chose en soi » résulte de la contamination ou de la perversion du matérialisme par le kantisme ! Leurs « nouvelles » découvertes résultent de leur ignorance déconcertante de l'histoire des principaux courants en philosophie.

Une autre de leurs idées « nouvelles », c'est que les concepts de « matière » ou de « substance » ne sont que vestiges d'anciennes doctrines dépourvues d'esprit critique. Mach et Avenarius ont, paraît-il, poussé plus avant la pensée philosophique, approfondi l'analyse et éliminé ces « absolus », ces « essences immuables », etc. Ces assertions sont faciles à contrôler : il n'y a qu'à remonter à la source première, à Berkeley, et l'on verra qu'elles se réduisent à des élucubrations prétentieuses. Berkeley affirme de façon très précise que la matière est une « non-entity » (essence inexistante, § 68) ; que la matière est *néant* (§ 80). Et d'ironiser sur les matérialistes : « Vous pouvez, si vous y tenez vraiment,user du mot « matière » là où d'autres emploient le mot « néant » (pp.196-197 de l'éd.cit.).On crut d'abord, dit Berkeley, que les couleurs, les odeurs,etc., « existent réellement » ; on renonça plus tard à cette manière de voir pour reconnaître qu'elles n'existent qu'en fonction de nos sensations.Mais cette élimination des vieux concepts erronés n'a pas été poussée jusqu'au bout : il en reste le concept de la « substance » (§ 73), « préjugé » analogue (p.195) définitivement réfuté par l'évêque Berkeley en 1710 ! Or il se trouve chez nous,en 1908,des plaisantins pour prendre au sérieux Avenarius,Petzoldt,Mach et Cie, selon lesquels seuls le « positivisme moderne » et les « sciences de la nature modernes » sont parvenus à éliminer ces notions « métaphysiques ».

Ces mêmes plaisantins (Bogdanov y compris) affirment aux lecteurs que précisément la nouvelle philosophie a démontré l'erreur du « dédoublement du monde » dans la doctrine des matérialistes qui,perpétuellement réfutés,parlent d'on ne sait quel « reflet » — dans la conscience humaine — des choses existant en dehors d'elle.Sur ce « dédoublement » les auteurs précités ont écrit une infinité de choses émouvantes. Mais, ignorance ou oubli, ils ont négligé d'ajouter que ces découvertes avaient déjà été faites en 1710.

« Notre connaissance (des idées ou des choses), écrit Berkeley, a été obscurcie, brouillée, déviée à l'excès dans la voie des erreurs les plus dangereuses par l'hypothèse de la double (twofold) existence des choses sensibles, notamment de l'existence *intelligible* ou de l'existence dans l'intelligence d'une part, et de l'existence *réelle*, en dehors de l'intelligence » (c'est-à-dire en dehors de la conscience), « d'autre part. » Berkeley raille cette opinion « absurde » qui admet la possibilité de penser l'impensable ! L'origine de cette « absurdité » est naturellement dans la distinction des « choses » et des « idées » (§ 87), dans l'« admission des objets extérieurs ». C'est à la même origine que remonte, comme le découvrait Berkeley en 1710 et comme le redécouvre Bogdanov en 1908, la croyance aux fétiches et aux idoles. « L'existence de la matière, dit Berkeley, ou des choses non perçues n'a pas seulement été le principal point d'appui des athées et des fatalistes ; l'idolâtrie, sous toutes ses formes, repose sur le même principe » (§ 94).

Nous en venons aux déductions « dangereuses » auxquelles mène l'« absurde » doctrine de l'existence du monde extérieur, et qui ont fait obligation à l'évêque Berkeley non seulement de réfuter cette doctrine, au point de vue théorique, mais encore à en poursuivre avec passion les partisans comme des ennemis. « Toutes les constructions impies de l'athéisme et de la négation de la religion, déclare-t-il, s'érigent sur la doctrine de la matière ou de la substance matérielle. . . Point n'est besoin de dire quelle grande amie les athées ont trouvée de tout temps dans la substance matérielle. Tous leurs monstrueux systèmes en dépendent de façon si évidente, si inévitable que leur édifice s'écroulerait fatalement dès qu'on en aurait ôté cette pierre angulaire. Aussi n'avons-nous pas à prêter une attention particulière aux doctrines absurdes des différentes sectes misérables des athées » (§ 92, pp. 203 et 204 de l'éd. cit.).

« La matière, une fois bannie de la nature, emporte avec elle tant de constructions sceptiques et impies, tant de discussions et de questions embrouillées » (« principe de l'économie de la pensée », découvert par Mach entre 1870 et 1880 ! « philosophie, en tant que conception du monde fondée sur le principe du moindre effort », exposée par Avenarius en 1876 !), « qui ont été, pour les théologiens et les philosophes,une sorte de taie obscurcissant la vue ; la matière a donné à l'espèce humaine tant de travail inutile que si même les arguments que nous apportons contre elle étaient reconnus peu probants (je les considère pour ma part comme parfaitement évidents),je n'en serais pas moins convaincu que tous les amis de la vérité, de la paix et de la religion ont toutes les raisons de désirer que ces arguments soient reconnus suffisants » (§ 96).

L'évêque Berkeley raisonnait avec une franchise un peu simpliste ! De notre temps,les mêmes idées sur l'élimination « économique » de la « matière » en philosophie sont présentées sous une forme beaucoup plus artificieuse et obscurcie par l'emploi d'une terminologie « nouvelle », destinée à les faire prendre par les gens naïfs pour une philosophie « moderne ».

Berkeley ne parlait pas seulement en toute franchise des tendances de sa philosophie ; il s'efforçait aussi d'en voiler la nudité idéaliste, de la dépeindre comme exempte d'absurdités et acceptable pour le « sens commun ».Notre philosophie, disait-il en se défendant d'instinct contre l'accusation de ce qu'on appellerait maintenant idéalisme subjectif et solipsisme, notre philosophie « ne nous prive d'aucune chose dans la nature » (§ 34). La nature subsiste, et aussi la distinction entre réalités et chimères, mais « les unes et les autres existent également dans la conscience ». « Je ne conteste nullement l'existence d'une chose, quelle qu'elle soit, que nous pouvons connaître par nos sens ou par notre entendement. Que les choses que je vois de mes yeux et que je touche de mes mains existent, existent dans la réalité, je n'en ai pas le moindre doute. La seule chose dont nous niions l'existence est celle que les *philosophes* (c'est Berkeley qui souligne) appellent matière ou substance matérielle. La négation de celle-ci ne porte aucun préjudice au reste du genre humain qui, j'ose le dire, ne s'apercevra jamais de son absence. . . L'athée, lui, a besoin de ce fantôme d'un nom vide de sens pour fonder son athéisme »...

Cette pensée est exprimée avec plus de clarté encore dans le § 37, où Berkeley répond au reproche adressé à sa philosophie, d'anéantir les substances matérielles : « Si l'on entend la *substance* au sens vulgaire (vulgar) du mot, c'est-à-dire comme une combinaison de qualités sensibles, d'étendue, de solidité, de poids, etc., on ne peut m'accuser de l'anéantir. Mais si l'on entend la substance au sens philosophique, comme la base d'accidents ou de qualités (existant) hors de la conscience, alors je reconnais en effet l'anéantir, si tant est qu'on puisse parler de l'anéantissement d'une chose qui n'a jamais existé, même en imagination. »

Le philosophe anglais Fraser, idéaliste et partisan de Berkeley, qui a édité avec des notes les œuvres du maître, appelle non sans raison la doctrine de Berkeley un « réalisme naturel » (p. X de l'éd. cit.). Cette curieuse terminologie doit être retenue, car elle exprime bien le désir de Berkeley de jouer au réalisme. Nous retrouverons maintes fois, dans la suite de cet exposé, des « positivistes » « modernes » répétant sous une autre forme, par d'autres moyens d'expression, la même manœuvre ou la même contrefaçon. Berkeley ne nie pas l'existence des choses réelles ! Berkeley ne rompt pas avec l'opinion de l'humanité entière ! Berkeley nie « seulement » la doctrine des philosophes, c'est-à-dire la théorie de la connaissance, qui met sérieusement et résolument à la base de tous ses raisonnements la reconnaissance du monde extérieur et de son reflet dans la conscience des hommes. Berkeley ne nie pas les sciences de la nature fondées, et qui le furent toujours (le plus souvent inconsciemment), sur cette théorie, c'est-à-dire la théorie matérialiste de la connaissance. « Nous pouvons, lisons-nous au § 59, déduire très justement de notre expérience » (Berkeley : philosophie de l'« expérience pure »)* « concernant la coexistence et la succession des idées dans notre conscience... ce que nous éprouverions (ou verrions) si nous étions placés dans des conditions sensiblement différentes de celles où nous nous trouvons en ce moment. C'est en cela que consiste la connaissance de la nature qui » (écoutez bien !) « peut garder, en toute logique, sa valeur et sa certitude, conformément à ce qui a été dit plus haut. »

Considérons le monde extérieur, la nature, comme une « combinaison de sensations » suscitées dans notre esprit

---

* Fraser souligne dans sa préface que Berkeley « n'en appelle qu'à l'expérience », de même que Locke (p. 117).

par la divinité. Admettez cela, renoncez à chercher l'« origine » de ces sensations en dehors de la conscience, en dehors de l'homme, et je reconnaîtrai, dans le cadre de ma théorie idéaliste de la connaissance, *toutes* les sciences de la nature, toute la valeur et la certitude de leurs conclusions. J'ai justement besoin de ce cadre, et je n'ai besoin que de ce cadre pour justifier mes déductions en faveur « de la paix et de la religion ». Telle est la pensée de Berkeley. Nous retrouverons par la suite, en examinant l'attitude des disciples de Mach envers les sciences de la nature, cette pensée qui exprime bien l'essence de la philosophie idéaliste et sa signification sociale.

Maintenant notons encore une découverte récente empruntée au cours du XXe siècle, par le positiviste moderne et le réaliste critique P. Iouchkévitch, à l'évêque Berkeley. C'est l'« empiriosymbolisme ». La « théorie favorite » de Berkeley, dit Fraser, est celle du « symbolisme naturel universel » (p. 190 de l'éd. citée) ou du « symbolisme de la nature » (Natural Symbolism). Si ces mots ne se trouvaient pas dans une édition parue en 1871, on pourrait suspecter le philosophe fidéiste anglais Fraser de plagier le mathématicien et physicien Poincaré, notre contemporain, et le « marxiste » russe Iouchkévitch !

La théorie même de Berkeley, qui a fait l'admiration de Fraser, est exposée par l'évêque en ces termes :

« La liaison des idées » (n'oubliez pas que, pour Berkeley, les idées ne diffèrent pas des choses) « ne suppose pas le rapport de *cause* à *effet*, mais seulement celui du signe ou du *symbole* à la chose *désignée* de façon ou d'autre » (§ 65). « Il s'ensuit donc que les choses qui, au point de vue de la catégorie de causalité (under the notion of a cause) contribuant ou concourant à la production de l'effet, sont absolument inexplicables et nous mènent à de formidables absurdités, peuvent être expliquées, et cela de façon tout à fait naturelle... dès qu'on les envisage comme des signes ou des symboles servant à nous renseigner » (§ 66). Pour Berkeley et Fraser c'est, bien entendu, la divinité ni plus ni moins qui nous renseigne au moyen de ces « empiriosymboles ». Quant à la valeur gnoséologique du *symbolisme*, elle consiste, dans la théorie de Berkeley, en ce que le symbolisme doit remplacer la « doctrine » qui « prétend expliquer les choses par des causes matérielles » (§ 66).

Nous voici en présence, sur le problème de la causalité, de deux tendances philosophiques. L'une «prétend expliquer les choses par des causes matérielles », et elle est manifestement liée à cette « absurde doctrine de la matière » réfutée par l'évêque Berkeley. L'autre ramène le « concept de la cause » au concept de « signe ou de symbole » (divin) « servant à nous renseigner ». Nous retrouverons ces deux tendances adaptées à la mode du XXe siècle en analysant l'attitude du machisme et du matérialisme dialectique envers cette question.

Il faut noter ensuite, en ce qui concerne la réalité, que Berkeley, se refusant à reconnaître l'existence des choses en dehors de la conscience, s'efforce de trouver un critère de distinction entre le réel et le fictif. Parlant, au § 36, des « idées » que l'esprit humain évoque à son gré, il dit : « elles sont pâles, débiles, instables en comparaison de celles que nous percevons par nos sens. Ces dernières, imprimées en nous suivant certaines règles ou lois de la nature, témoignent de l'action d'une intelligence plus puissante et plus sage que l'intelligence humaine. Elles ont, comme on dit, une *réalité* plus grande que les premières ; elles sont, en d'autres termes, plus claires, plus ordonnées, plus distinctes, elles ne sont pas des fictions de l'esprit qui les perçoit »... Ailleurs (§ 84), Berkeley tâche de lier le concept du réel à la perception de sensations identiques par de nombreuses personnes à la fois. Comment, par exemple, résoudre cette question : une transformation d'eau en vin que, supposons, on nous relate, a-t-elle été réelle ? « Si tous les assistants attablés avaient vu le vin, s'ils en avaient perçu l'odeur, s'ils l'avaient bu et en avaient senti le goût, s'ils en avaient éprouvé l'effet, la réalité de ce vin serait pour moi hors de doute. » Et Fraser commente : « La conscience simultanée chez différentes personnes des mêmes idées *sensibles* est considérée ici, contrairement à la conscience purement individuelle ou personnelle des objets ou des émotions *imaginées*, comme la preuve de la *réalité* des idées de la première catégorie. »

On voit d'ici que l'idéalisme subjectif de Berkeley ne peut être compris en ce sens que ce dernier ignore la différence entre la perception individuelle et la perception collective. Il tente, au contraire, de bâtir sur cette différence son critère de la réalité. Expliquant les « idées » par l'action de la divinité sur l'esprit humain, Berkeley se rapproche ainsi de l'idéalisme objectif : le monde n'est plus ma représentation, mais l'effet d'une cause divine suprême, créatrice tant des « lois de la nature » que des lois d'après lesquelles on distingue les idées « plus réelles » des idées qui le sont moins, etc.

Dans un autre ouvrage intitulé : *Trois dialogues entre Hylas et Philonoüs* (1713),Berkeley s'efforce d'exposer ses vues en un langage très populaire et formule ainsi la différence entre sa doctrine et la doctrine matérialiste :

« J'affirme comme vous » (les matérialistes) « que si quelque chose agit sur nous du dehors, il nous faut admettre des forces existant en dehors (de nous), des forces appartenant à un être différent de nous. Ce qui nous sépare ici, c'est la question de savoir de quel ordre est cet être puissant. J'affirme que c'est l'esprit ; vous, que c'est la matière ou je ne sais quelle (je puis ajouter que vous ne le savez pas non plus) troisième nature »... (p. 335 de l'éd. cit.).

Fraser commente : « C'est là le nœud de la question.De l'avis des matérialistes, les phénomènes sensibles sont dus à une *substance matérielle*, ou à une « troisième nature » inconnue ; de l'avis de Berkeley,à la Volonté Rationnelle ; de l'avis de Hume et des positivistes,leur origine est absolument inconnue, et nous ne pouvons que les généraliser, suivant l'usage,par la méthode inductive, comme des faits. »

Fraser, disciple anglais de Berkeley, aborde ici, de son point de vue d'idéaliste conséquent, les « voies » fondamentales de la philosophie, si bien caractérisées chez le matérialiste Engels.Dans son *Ludwig Feuerbach*, Engels divise les philosophes en « deux grands camps » : les matérialistes et les idéalistes. Examinant plus profondément que Fraser les théories de ces deux courants sous leurs formes les plus développées, les plus variées et les plus riches, Engels y voit cette différence capitale : pour les matérialistes la nature est première et l'esprit second ; pour les idéalistes, c'est l'inverse. Engels situe entre les uns et les autres les partisans de Hume et de Kant, qu'il appelle *agnostiques*, puisqu'ils nient la possibilité de connaître l'univers, ou tout au moins de le connaître à fond[16] . Dans ce livre,Engels n'applique ce terme qu'aux partisans de Hume (appelés par Fraser « positivistes », comme ils aiment à s'intituler eux-mêmes) ; mais,dans son étude sur le *Matérialisme historique*,il traite des vues de l'«*agnostique néokantien*»[17] et considère le néokantisme[18] comme une variété de l'agnosticisme*.

Nous ne pouvons nous arrêter ici sur cette réflexion remarquablement juste et profonde de F. Engels (réflexion que les disciples de Mach ne se font pas scrupule d'ignorer). Nous y reviendrons plus loin en détail.Nous nous bornerons, pour l'instant, à indiquer cette terminologie marxiste et cette rencontre des contraires : les vues du matérialiste conséquent et de l'idéaliste conséquent sur les deux courants principaux de la philosophie. Notons sommairement,pour illustrer ces tendances (auxquelles nous aurons constamment affaire par la suite), les idées des plus grands philosophes du XVIIIe siècle qui suivirent une voie différente de celle de Berkeley.

Voici les raisonnements de Hume dans son *Essai sur l'entendement humain*, au chapitre (12) de la philosophie sceptique : « On peut considérer comme évident que les hommes sont enclins, par leur instinct naturel ou prédisposition, à se fier à leurs sens et que, sans le moindre raisonnement, ou même avant de recourir au raisonnement, nous supposons toujours l'existence d'un monde extérieur (external universe), qui ne dépend pas de notre perception et qui existerait si même nous disparaissions ou étions anéantis avec tous les êtres doués de sensibilité. Les animaux mêmes sont guidés par une opinion de ce genre et conservent cette foi en les objets extérieurs dans toutes leurs pensées, dans tous leurs desseins, dans toutes leurs actions... Mais cette opinion primordiale et universelle est promptement ébranlée par la philosophie la plus superficielle (slightest) qui nous enseigne que rien d'autre que l'image ou la perception ne sera jamais accessible à notre esprit et que les sensations ne sont que des canaux (inlets) suivis par ces images et ne sont pas en état d'établir elles-mêmes un

* F. Engels, *Über historischen Materialismus*, *Neue Zeit*[19], XI, Jg., t. I (1892-1893), n° 1, p. 18. La traduction de l'anglais est d'Engels. La traduction russe du recueil *Matérialisme historique* (Saint-Pétersbourg, 1908, p. 167) comporte des inexactitudes.

rapport direct (intercourse), quel qu'il soit, entre l'esprit et l'objet. La table que nous voyons paraît plus petite quand nous nous en éloignons, mais la table réelle qui existe indépendamment de nous ne change pas ; notre esprit n'a donc perçu autre chose que la représentation de la table (image). Telles sont les indications évidentes de la raison ; et nul homme qui raisonne n'a jamais douté que les objets (existences) dont nous parlons, « cette table », « cet arbre », ne soient autre chose que des perceptions de notre esprit... Au moyen de quel argument peut-on prouver que les perceptions doivent être suscitées dans notre esprit par des objets extérieurs complètement différents de ces perceptions mêmes, quoique semblables à elles (si cela est possible), et qu'elles ne sont pas dues à l'énergie de notre intelligence même, ou à l'action de quelque esprit invisible et inconnu, ou bien encore à quelque cause moins connue encore ?... Comment cette question peut-elle être tranchée ? Par l'expérience, évidemment, comme toutes les questions de ce genre. Mais l'expérience se tait sur ce point et ne peut pas ne pas se taire. L'intelligence n'a jamais devant elle autre chose que les perceptions et ne peut se livrer à aucune expérience sur la corrélation entre les perceptions et les objets. C'est pourquoi l'hypothèse de l'existence d'une semblable corrélation n'a pas de fondement logique. Recourir à la véracité de l'Etre Suprême pour démontrer celle de nos sens, c'est tourner la question de façon tout à fait imprévue... Dès que nous aurons posé la question du monde extérieur, tous les arguments susceptibles de prouver l'existence de cet Etre nous échapperont* . »

Dans son *Traité de la nature humaine* (IVe partie, 2e section, « Du scepticisme à l'égard des sens »), Hume dit de même : « Nos perceptions sont nos seuls objets » (p. 281 de la traduction française de Renouvier et Pillon, 1878). Hume appelle scepticisme le refus d'expliquer les sensations par l'action des choses, de l'esprit,etc.,le refus de ramener les perceptions au monde extérieur d'une part, à la divinité ou à un esprit inconnu, de l'autre.L'auteur de la préface à la traduction française de Hume, F. Pillon, appartenant en

* David Hume, *An Enquiry concerning Human Understanding, Essays and Treatises*, Lond., 1822, vol. II, pp. 124-126.

philosophie à une tendance apparentée à celle de Mach (comme on le verra plus loin), dit avec raison que pour Hume le sujet et l'objet se ramènent à des « groupes de perceptions diverses », aux « éléments de la connaissance, aux impressions, aux idées, etc. », et qu'il ne doit être question que « du groupement et de la combinaison de ces éléments* ». De même, le disciple anglais de Hume, Huxley, créateur du terme exact et juste d'« agnosticisme », souligne dans son livre sur Hume que ce dernier, considérant les « sensations » comme des « états primitifs et indécomposables de la conscience »,n'est pas tout à fait conséquent avec lui-même lorsqu'il se demande s'il faut expliquer l'origine des sensations par l'action des objets sur l'homme ou par la force créatrice de l'esprit. « Il (Hume) admet le réalisme et l'idéalisme comme deux hypothèses également probables**. » Hume ne va pas au-delà des sensations. « La couleur rouge ou bleue,l'odeur de la rose sont des perceptions simples... La rose rouge nous donne une perception complexe (complex impression), qui peut être décomposée en perceptions simples de couleur rouge,d'odeur de rose,etc. » (*ibid.*,pp.64 et 65).Hume admet le « matérialisme » et l'« idéalisme » (p. 82) : la « collection des perceptions » peut être engendrée par le « moi » de Fichte ; elle peut aussi être « l'image ou du moins le symbole » de quelque chose de réel (real something). Tels sont les commentaires de Huxley sur Hume.

Quant aux matérialistes, le maître des encyclopédistes, Diderot, dit de Berkeley : « On appelle *idéalistes* ces philosophes qui, n'ayant conscience que de leur existence et des sensations qui se succèdent au-dedans d'eux-mêmes, n'admettent pas autre chose : système extravagant qui ne pouvait,ce me semble, devoir sa naissance qu'à des aveugles ; système qui,à la honte de l'esprit humain et de la philosophie,est le plus difficile à combattre, quoique le plus absurde de tous***. » Et Diderot, abordant de près les vues du matérialisme contemporain (d'après lesquelles des déductions et des syllogis-

* *Psychologie de Hume*, *Traité de la nature humaine*, etc. Trad. par. Ch. Renouvier et F. Pillon, Paris, 1878, Introduction, p. X.

** Th. Huxley, *Hume*, Lond., 1879, p. 74.

*** *Œuvres complètes* de Diderot, éd. par J. Assézat, Paris, 1875, vol. I, p. 304.

mes ne suffisent pas à réfuter l'idéalisme, car il ne s'agit pas ici d'arguments théoriques), marque la ressemblance entre les principes de l'idéaliste Berkeley et ceux du sensualiste Condillac.Ce dernier aurait dû,de l'avis de Diderot, se donner pour tâche de réfuter Berkeley, afin d'éviter que l'on tire d'absurdes conclusions de la thèse selon laquelle les sensations sont la source unique de nos connaissances.

Dans son *Entretien avec d'Alembert* Diderot expose ainsi ses conceptions philosophiques : « ...Supposez au clavecin de la sensibilité et de la mémoire, et dites-moi s'il ne se répétera pas de lui-même les airs que vous aurez exécutés sur ses touches. Nous sommes des instruments doués de sensibilité et de mémoire. Nos sens sont autant de touches qui sont pincées par la nature qui nous environne, et qui se pincent souvent elles-mêmes ; et voici,à mon jugement,tout ce qui se passe dans un clavecin organisé comme vous et moi. » D'Alembert répond que ce clavecin devrait être doué de la faculté de se nourrir et de se reproduire. — Sans doute, réplique Diderot. Voyez-vous cet œuf. « C'est avec cela qu'on renverse toutes les écoles de théologie et tous les temples de la terre. Qu'est-ce que cet œuf ?Une masse insensible avant que le germe y soit introduit ; et après que le germe y est introduit, qu'est-ce encore ? Une masse insensible,car ce germe n'est lui-même qu'un fluide inerte et grossier. Comment cette masse passera-t-elle à une autre organisation, à la sensibilité, à la vie ?Par la chaleur.Qui produira la chaleur ? Le mouvement. » L'animal sort de sa prison, de la coque ; il a toutes vos affections ; toutes vos actions, il les fait. « Prétendrez-vous, avec Descartes, que c'est une pure machine imitative ? Mais les petits enfants se moqueront de vous,et les philosophes vous répliqueront que si c'est là une machine, vous en êtes une autre. Si vous avouez qu'entre l'animal et vous il n'y a de différence que dans l'organisation, vous montrerez du sens et de la raison,vous serez de bonne foi ; mais on en conclura contre vous qu'avec une matière inerte, disposée d'une certaine manière,imprégnée d'une autre matière inerte, de la chaleur et du mouvement,on obtient de la sensibilité, de la vie, de la mémoire, de la conscience, des passions, de la pensée. » De deux choses l'une, poursuit Diderot : ou bien il faut imaginer dans la masse inerte de l'œuf un « élément caché » qui s'y est insinué à travers la coque dans un instant déterminé du développement, — élément dont on ne sait pas s'il occupe de l'espace, s'il est matériel ou créé à l'instant du besoin. « Vous renoncez au sens commun, et vous précipitez dans un abîme de mystères, de contradictions et d'absurdités. » Ou bien il reste à faire « une supposition simple qui explique tout », à savoir que « la sensibilité » est la « propriété générale de la matière, ou produit de » son « organisation ». Et Diderot de répondre à l'objection de d'Alembert que cette supposition admet une qualité essentiellement incompatible avec la matière :

« Et d'où savez-vous que la sensibilité est essentiellement incompatible avec la matière, vous qui ne connaissez l'essence de quoi que ce soit,ni de la matière, ni de la sensibilité ?Entendez-vous mieux la nature du mouvement,son existence dans un corps, et sa communication d'un corps à l'autre ? » D'Alembert : « Sans concevoir la nature de la sensibilité, ni celle de la matière,je vois que la sensibilité est une qualité simple une,indivisible et incompatible avec un sujet ou suppôt divisible. » Diderot : « Galimatias métaphysico-théologique ! Quoi ? est-ce que vous ne voyez pas que toutes les qualités, toutes les formes sensibles dont la matière est revêtue, sont essentiellement indivisibles ? Il n'y a ni plus ni moins d'impénétrabilité. Il y a la moitié d'un corps rond, mais il n'y a pas la moitié de la rondeur »... « Soyez physicien et convenez de la production d'un effet lorsque vous le voyez produit,quoique vous ne puissiez expliquer la liaison de la cause à l'effet. Soyez logique et ne substituez pas à une cause qui est et qui explique tout, une autre cause qui ne se conçoit pas, dont la liaison avec l'effet se conçoit encore moins, qui engendre une multitude infinie de difficultés, et qui n'en résout aucune. » D'Alembert : « Mais si je me dépars de cette cause ? » Diderot : « Il n'y a plus qu'une substance dans l'univers, dans l'homme, dans l'animal. La serinette est de bois, l'homme est de chair. Le serin est de chair, le musicien est d'une chair diversement organisée ; mais l'un et l'autre ont une même origine, une même formation, les mêmes fonctions et la même fin. » D'Alembert : « Et comment s'établit la convention des sons entre vos deux clavecins ? » Diderot : « ...L'instrument sensible ou l'animal a éprouvé qu'en rendant tel son il s'ensuivait tel effet hors de lui, que d'autres instruments sensibles pareils à lui ou d'autres animaux semblables s'approchaient, s'éloignaient,demandaient, offraient, blessaient, caressaient, et ces effets se sont liés dans sa mémoire et dans celle des autres à la formation de ces sons ; et remarquez qu'il n'y a dans le commerce des hommes que des bruits et des actions. Et pour donner à mon système toute sa force, remarquez encore qu'il est sujet à la même difficulté insurmontable que Berkeley a proposée contre l'existence des corps. Il y a un moment de délire où le clavecin sensible a pensé qu'il était le seul clavecin qu'il y eût au monde,et que toute l'harmonie de l'univers se passait en lui*. »

Ces pages furent écrites en 1769. Notre courte référence historique se termine ici. Nous retrouverons maintes fois au cours de notre analyse du « positivisme moderne » ce « clavecin en délire » et l'harmonie de l'univers qui se passe en l'homme.

Bornons-nous pour l'instant à cette conclusion : les disciples « modernes » de Mach n'ont produit contre les matérialistes aucun, mais littéralement aucun argument qu'on ne puisse trouver déjà chez l'évêque Berkeley.

Notons comme un fait curieux que l'un d'eux, Valentinov, sentant confusément la fausseté de sa position, s'est efforcé d'« effacer les traces » de ses affinités avec Berkeley, et il s'y est pris d'une manière assez plaisante. Nous lisons à la page 150 de son livre : « ...Lorsque, parlant de Mach, on invoque Berkeley, nous demandons : de quel Berkeley il s'agit ? De celui que la tradition range (Valentinov veut dire : que nous rangeons) parmi les solipsistes, ou de celui qui affirme l'intervention directe de la divinité et la providence ? S'agit-il, de façon générale, de l'évêque philosophe Berkeley, destructeur de l'athéisme, ou de l'analyste pénétrant Berkeley ? Le fait est que Mach n'a rien de commun avec Berkeley le solipsiste et le propagateur de la métaphysique religieuse. » Valentinov crée de la confusion, incapable qu'il est de bien se rendre compte des raisons pour lesquelles il s'est vu obligé de défendre l'« analyste pénétrant », l'idéaliste Berkeley, contre le matérialiste Diderot. Diderot a opposé nettement les principales tendances philosophiques ; Valentinov les confond et nous

* Ouvrage cité, t. II, pp. 114-118.

console d'un ton plaisant : « nous ne croyons pas, écrit-il, que l'« affinité » de Mach avec les conceptions idéalistes de Berkeley, si même elle était réelle, constitue un crime en philosophie » (149). Confondre deux tendances fondamentales inconciliables en philosophie, qu'y a-t-il là de « criminel » ? N'est-ce pas à cette confusion que se réduit la grande sagesse de Mach et d'Avenarius ? Nous en venons à l'analyse de cette sagesse.

CHAPITRE PREMIER

LA THEORIE DE LA CONNAISSANCE DE L'EMPIRIOCRITICISME ET DU MATERIALISME DIALECTIQUE. I

1. LES SENSATIONS ET LES COMPLEXES DE SENSATIONS

Les principes de base de la théorie de Mach et d'Avenarius ont été exposés avec franchise, simplicité et clarté dans les premières œuvres philosophiques de ces auteurs. Nous en abordons l'examen dès maintenant, remettant à plus tard l'analyse des corrections et retouches qu'ils firent par la suite.

« La science, écrivait Mach en 1872, ne peut avoir pour mission que : 1. Rechercher les lois des rapports entre les représentations (psychologie). 2. Découvrir les lois des rapports entre les sensations (physique). 3. Expliquer les lois des liaisons entre les sensations et les représentations (psychophysique) *. » Voilà qui est parfaitement clair.

La physique a pour objet les liaisons entre les sensations, et non entre les choses ou les corps dont nos sensations sont l'image. Mach reprend la même idée, en 1883, dans sa *Mécanique* : « Les sensations ne sont pas des « symboles des choses ». La « chose » est au contraire un symbole mental pour un complexe de sensations d'une stabilité relative. Ce ne sont pas les choses (les corps), mais bien les couleurs, les sons, les pressions, les espaces, les durées

---

* E. Mach, *Die Geschichte und die Wurzel des Satzes von der Erhaltung der Arbeit.* Vortrag gehalten in der K. Böhm. Gesellschaft der Wissenschaften am 15. Nov., 1871, Prag, 1872, pp. 57-58.

(ce que nous appelons d'habitude des sensations) qui sont les véritables *éléments* du monde * ».

Nous reparlerons plus loin de ce petit mot « éléments », fruit de douze années de « méditations ». Retenons seulement pour l'instant que Mach reconnaît ici, explicitement, que les choses ou les corps sont des complexes de sensations, qu'il oppose très nettement son point de vue philosophique à la théorie contraire, selon laquelle les sensations sont des « symboles » des choses (il serait plus exact de dire : des images ou des reflets des choses). Cette dernière théorie constitue le *matérialisme philosophique*. Ainsi, le matérialiste Friedrich Engels, collaborateur bien connu de Marx et fondateur du marxisme, parle constamment et sans exception dans ses œuvres des choses et de leurs reproductions ou reflets dans la pensée (Gedanken-Abbilder), ces images mentales n'ayant, cela va de soi, d'autre origine que les sensations. Il semblerait que cette conception fondamentale de la « philosophie marxiste » dût être connue de tous ceux qui en parlent et, à plus forte raison, de ceux qui s'*en* réclament dans la presse. Mais, en raison de l'extrême confusion créée par nos disciples de Mach, force nous est de répéter des truismes. Prenons l'introduction de l'*Anti-Dühring* et lisons ce qui suit : « ... les choses et leurs reflets dans la pensée... »**. Ou encore la première partie du chapitre « philosophie » : « Mais où la pensée prend-elle ces principes ? » (il s'agit des premiers principes de toute connaissance). « En elle-même ? Non... Des formes de l'Etre... la pensée ne peut jamais tirer et dériver ces formes d'elle-même, mais, précisément, du monde extérieur seul... Les principes ne sont pas le point de départ de la recherche » (comme le veut Dühring qui voudrait être un matérialiste mais n'arrive pas à appliquer le matérialisme avec esprit de suite) ; « mais son résultat final ; ils ne sont pas appliqués à la nature et à l'histoire des hommes, mais abstraits de celles-ci ; ce ne sont pas la nature et l'empire de l'homme qui se conforment aux principes, mais les principes ne sont exacts que dans la mesure où ils sont

* E. Mach, *Die Mechanik in ihrer Entwicklung historisch-kritisch dargestellt*, 3. Auflage, Leipzig, 1897, p. 473.

** F. Engels, *Herrn Eugen Dührings Umwälzung der Wissenschaft*, 5. Auflage, Stuttg., 1904, p. 6.

conformes à la nature et à l'histoire. Telle est la seule conception matérialiste de la question, et celle que lui oppose M. Dühring est idéaliste, elle met la chose entièrement sur la tête et construit le monde réel en partant de l'idée » (*ibid.*, p. 21)[20] . Et cette « seule conception matérialiste », Engels l'applique, répétons-le, partout et sans exception, dénonçant sans merci chez Dühring le moindre petit écart du matérialisme à l'idéalisme. Tout lecteur un peu attentif de l'*Anti-Dühring* et de *Ludwig Feuerbach* trouvera des dizaines de passages où Engels parle des choses et de leurs reproductions dans le cerveau de l'homme, dans la conscience, dans la pensée, etc. Engels ne dit pas que les sensations ou les représentations soient des « symboles » des choses, car le matérialisme conséquent doit substituer ici les « images », les reproductions ou les reflets aux « symboles », comme nous le montrerons en détail en son lieu et place. Or, il ne s'agit pas pour l'instant de telle ou telle définition du matérialisme, mais de l'antinomie entre matérialisme et idéalisme, de la différence entre les deux *voies* fondamentales de la philosophie. Faut-il aller des choses à la sensation et à la pensée ? Ou bien de la pensée et de la sensation aux choses ? Engels s'en tient à la première voie, celle du matérialisme. Mach s'en tient à la seconde, celle de l'idéalisme. Aucun subterfuge, aucun sophisme (dont nous retrouverons encore une multitude infinie) ne voileront ce fait indiscutable et bien clair que la doctrine d'Ernst Mach, suivant laquelle les choses sont des complexes de sensations, n'est qu'idéalisme subjectif, que rabâchage de la théorie de Berkeley. Si, d'après Mach, les corps sont des « complexes de sensations », ou, comme disait Berkeley, des « combinaisons de sensations », il s'ensuit nécessairement que le monde entier n'est que représentation. Partant de ce principe, on ne peut admettre l'existence des autres hommes, mais seulement de soi-même : pur solipsisme. Mach, Avenarius, Petzoldt et Cie ont beau le réfuter, ils ne peuvent en réalité se défaire du solipsisme sans recourir à de criantes absurdités logiques. Pour mieux faire ressortir cet élément fondamental de la philosophie de Mach, citons encore quelques passages des œuvres de cet auteur. En voici un spécimen tiré de l'*Analyse des sensations* (traduction russe de Kotliar, éd. Skirmount. M., 1907) :

« Nous avons devant nous un corps pointu S. Quand nous touchons la pointe, la mettant en contact avec notre corps, nous ressentons une piqûre. Nous pouvons voir la pointe sans éprouver de piqûre. Mais quand nous éprouvons la piqûre, nous trouvons la pointe. Ainsi, la pointe visible est l'élément constant, et la piqûre un élément accidentel qui peut, suivant les circonstances, être ou ne pas être lié à l'élément constant. La fréquence de phénomènes analogues habitue enfin à considérer *toutes* les propriétés des corps comme des « actions » émanant de ces éléments constants et atteignant notre *Moi* par l'intermédiaire de notre corps, « actions » que nous appelons « *sensations* »... (p. 20).

Autrement dit : les hommes « s'habituent » à se placer au point de vue du matérialisme, à voir dans les sensations les résultats de l'action des corps, des choses, de la nature sur nos organes des sens. Cette « habitude » néfaste pour les philosophies idéalistes (adoptée par l'humanité entière et par toutes les sciences de la nature !) déplaît fort à Mach, et le voilà qui entreprend de la détruire :

«. . .Mais, par là même, les éléments constants perdent tout leur contenu sensible et deviennent de purs symboles de la pensée »...

Vieux refrain, très-honorable professeur ! Répétition textuelle des dires de Berkeley, selon lequel la matière est un pur symbole abstrait. Mais c'est plutôt Ernst Mach qui, à la vérité, se promène dans l'abstraction pure, car s'il ne reconnaît pas que la réalité objective existant indépendamment de nous est tout simplement notre « contenu sensible », il ne lui reste que le *Moi* « purement abstrait », le *Moi* avec une majuscule et en italique, « le clavecin en délire imaginant qu'il est seul au monde ». Si le « contenu sensible » de nos sensations n'est pas le monde extérieur, c'est donc que rien n'existe hors ce *Moi* tout nu, qui s'abandonne à de vaines élucubrations « philosophiques ». Métier absurde et stérile !

« ...Il est vrai alors que le monde n'est fait que de nos sensations. Mais nous ne connaissons en ce cas *que* nos sensations, et l'hypothèse de l'existence des éléments constants, ainsi que leur interaction qui n'engendre que des sensations, devient tout à fait oiseuse et superflue. Ce point de vue ne peut convenir qu'à un réalisme *flottant* ou à un criticisme *flottant.* »

Nous avons reproduit intégralement le paragraphe 6 de « remarques antimétaphysiques » de Mach. Ce n'est d'un bout à l'autre qu'un plagiat de Berkeley. Pas un jugement, pas une lueur de pensée, si ce n'est que « nous ne percevons que nos sensations ». De là, une seule conclusion : « le monde n'est fait que de *mes* sensations ». Mach n'a pas le droit de mettre comme il le fait, « nos » au lieu de « mes ». Déjà ce seul mot révèle chez Mach ces mêmes « flottements » qu'il reproche aux autres. Car si l'« hypothèse » du monde extérieur est « oiseuse », celle de l'aiguille existant indépendamment de moi et d'une interaction entre mon corps et la pointe de l'aiguille, si toute cette hypothèse est vraiment « oiseuse et superflue », il est, au premier chef, oiseux et superflu de « faire l'hypothèse » de l'existence des autres hommes. *Moi* seul j'existe, tandis que tous les autres hommes ainsi que le monde extérieur tout entier tombent dans la catégorie des « éléments constants » oiseux. A ce point de vue il n'est pas permis de parler de « *nos* » sensations, et du moment que Mach en parle, c'est que ses flottements sont flagrants. Ce qui prouve simplement que sa philosophie se réduit à une phraséologie oiseuse et vaine, à laquelle l'auteur lui-même ne croit pas.

Voici chez Mach un exemple frappant de flottement et d'équivoque. Nous lisons au paragraphe 6 du XIe chapitre de l'*Analyse des sensations* : « Si je pouvais ou si quelqu'un pouvait, à l'aide de divers procédés physiques et chimiques, observer mon cerveau au moment où j'éprouve une sensation, il serait possible de déterminer à quels processus s'effectuant dans l'organisme sont liées telles ou telles sensations... » (p. 197).

Très bien! Ainsi nos sensations sont liées à des processus déterminés s'effectuant dans notre organisme en général et dans notre cerveau en particulier? Oui, Mach forme très nettement cette « hypothèse », — il serait plutôt difficile de ne pas la former au point de vue des sciences de la nature. Mais, permettez, c'est cette même « hypothèse » de ces mêmes « éléments constants et de leur interaction » que notre philosophe a proclamée oiseuse et superflue ! Les choses, nous dit-on, sont des complexes de sensations ; aller au-delà, nous assure Mach, — considérer les sensations comme des produits de l'action des choses sur nos organes des sens, c'est de la métaphysique, une hypothèse oiseuse, superflue, etc., à la Berkeley. Or le cerveau est une chose. Il n'est donc, lui aussi, qu'un complexe de sensations. Il s'ensuit qu'à l'aide d'un complexe de sensations, moi (car le *moi* n'est lui aussi qu'un complexe de sensations), je perçois des complexes de sensations. Charmante philosophie ! On commence par décréter que les sensations sont les « vrais éléments du monde », et on construit sur cette base un berkeleyisme « original » ; puis on introduit sournoisement des vues opposées, d'après lesquelles les sensations sont liées à des processus déterminés s'effectuant dans l'organisme. Mais ces « processus » ne sont-ils pas liés à l'échange de matières entre l'« organisme » et le monde extérieur ? Cet échange de matières pourrait-il avoir lieu si les sensations de l'organisme en question ne lui donnaient pas une idée objectivement exacte de ce monde extérieur ?

Mach ne se pose pas de questions aussi embarrassantes : il réunit mécaniquement des fragments de la doctrine de Berkeley et des conceptions tirées des sciences de la nature, qui s'inspirent spontanément de la théorie matérialiste de la connaissance... « On se pose parfois cette question, écrit-il au même endroit : la « matière » (inorganique) n'a-t-elle pas, elle aussi, la faculté de sentir »... Ainsi, la question de la sensibilité de la matière *organique* ne se pose même pas ? Les sensations ne sont donc pas primordiales, elles ne représentent qu'une des propriétés de la matière ? Mach saute ici par-dessus toutes les absurdités du berkeleyisme !... « Cette question, dit-il, est tout à fait naturelle si l'on part des représentations physiques habituelles, généralement répandues, d'après lesquelles la matière est la donnée *réelle*, *immédiate* et certaine, servant de base à tout, tant à l'organique qu'à l'inorganique »... Retenons bien cet aveu précieux de Mach que, d'après les représentations *physiques* habituelles et généralement répandues, la matière est considérée comme la réalité immédiate, dont une variété seule (la matière organique) est douée de la faculté nettement exprimée de sentir... « Car s'il en est ainsi, poursuit Mach, la sensation doit apparaître à l'improviste à partir d'un certain degré de complication de la matière ou doit exister, pour ainsi dire, dans les fondements mêmes de l'édifice. Cette question, selon *nous*, est erronée quant au fond. Pour nous, la matière n'est pas la donnée première. Cette donnée première est plutôt représentée par les *éléments* (qu'on appelle sensations dans un certain sens bien déterminé) »...

Les sensations sont donc les données premières, bien qu'elles ne soient « liées » qu'à des processus déterminés dans la matière organique ! Et, en énonçant cette énormité, Mach semble reprocher au matérialisme (à la « représentation physique habituelle, généralement répandue »), de ne pas trancher la question de l'« origine » des sensations. Bel exemple des « réfutations » du matérialisme par les fidéistes et leurs caudataires. Quel autre point de vue philosophique « tranche » un problème pour la solution duquel on n'a pas encore réuni suffisamment de données ? Mach lui-même ne dit-il pas, dans le même paragraphe : « tant que ce problème (savoir « jusqu'où les sensations sont répandues dans le monde organique ») ne sera résolu dans aucun cas spécial, il sera impossible de répondre à cette question » ?

La différence entre le matérialisme et le « machisme » se réduit, par conséquent, en ce qui concerne cette question, à ce qui suit : le matérialisme, en plein accord avec les sciences de la nature, considère la matière comme la donnée première, et la conscience, la pensée, la sensation comme la donnée seconde, car la sensation n'est liée, dans sa forme la plus nette, qu'à des formes supérieures de la matière (la matière organique), et l'on ne peut que supposer « dans les fondements de l'édifice même de la matière » l'existence d'une propriété analogue à la sensation. Telle est, par exemple, l'hypothèse du célèbre savant allemand Ernst Haeckel, du biologiste anglais Lloyd Morgan et de bien d'autres, sans parler de l'intuition de Diderot que nous avons citée plus haut. La doctrine de Mach se place à un point de vue opposé, idéaliste, et conduit d'emblée à une absurdité, car, premièrement, la sensation y est considérée comme donnée première, bien qu'elle ne soit liée qu'à des processus déterminés s'effectuant au sein d'une matière organisée de façon déterminée ; en second lieu, son principe fondamental selon lequel les choses sont des complexes de sensations, se trouve infirmé par l'hypothèse de l'existence d'autres êtres vivants et, en général, de « complexes » autres que le grand *Moi* donné.

Le petit mot « élément », que nombre de gens naïfs prennent (comme on le verra) pour une trouvaille, ne fait en réalité qu'embrouiller la question par un terme qui ne veut rien dire et crée un faux semblant de solution ou de progrès. Faux semblant, car en fait il reste encore à étudier et à étudier comment la matière qui n'est prétendument douée d'aucune sensibilité se lie à une autre matière, composée des mêmes atomes (ou électrons), et pourvue en même temps de la faculté très nette de sentir. Le matérialisme pose clairement cette question encore irrésolue, incitant par là même à sa solution et à de nouvelles recherches expérimentales. La doctrine de Mach, variété d'un idéalisme confus, obscurcit la question et en dévie l'étude du droit chemin au moyen d'un subterfuge verbal vide de sens : « élément ».

Voici un passage de l'écrit philosophique de Mach, son dernier ouvrage, récapitulatif et final, qui montre tout ce qu'il y a de faux dans ce subterfuge idéaliste. Nous lisons dans *Connaissance et Erreur* : « Alors qu'il n'y a aucune difficulté à construire (aufzubauen) *tout* élément *physique* avec des sensations, c'est-à-dire avec des éléments *psychiques*, il est absolument impossible de se figurer (ist keine Möglichkeit abzusehen) la possibilité de se représenter (darstellen) un état *psychique* à l'aide des éléments, c'est-à-dire à l'aide de masses et de mouvements, en usage dans la physique moderne (en prenant ces éléments dans leur rigidité — Starrheit, — état qui n'est propre qu'à cette science spéciale) *. »

Engels parle souvent avec toute la précision voulue, des conceptions rigides d'un grand nombre de savants contemporains, de leurs vues métaphysiques (au sens marxiste du mot, c'est-à-dire de leurs vues antidialectiques). Nous verrons plus loin que c'est justement sur ce point que Mach perd le nord, faute de comprendre ou de connaître les rapports entre relativisme et dialectique. Mais il n'est pas question de cela pour le moment. L'important pour nous, c'est de noter ici avec quel relief s'affirme l'*idéalisme* de Mach, en

---

* E. Mach, *Erkenntnis und Irrtum*. 2. Auflage, 1906, p. 12. Anmerkung.

dépit d'une terminologie confuse que l'on prétend neuve. Il n'y a, paraît-il, aucune difficulté à construire tout élément physique avec des sensations, c'est-à-dire avec des éléments psychiques ! Evidemment ! De telles constructions sont certainement faciles, parce qu'elles sont purement verbales, parce qu'elles ne sont que de la scolastique creuse servant à introduire en fraude le fidéisme. Rien d'étonnant après cela que Mach dédie ses œuvres aux immanents, et ceux-ci, partisans de l'idéalisme philosophique le plus réactionnaire, se jettent à son cou. Le « positivisme moderne » d'Ernst Mach n'a en somme que près de deux siècles de retard : Berkeley a suffisamment démontré en son temps qu'« avec des sensations, c'est-à-dire avec des éléments psychiques », on ne peut « construire » rien d'autre que le *solipsisme*. Quant au matérialisme, auquel Mach oppose ici encore ses conceptions, sans nommer tout franc et tout net l'« ennemi », l'exemple de Diderot nous a montré quelle était la véritable façon de voir des matérialistes. Elle ne consiste pas à dégager la sensation du mouvement de la matière ou à l'y ramener, mais à considérer la sensation comme une des propriétés de la matière en mouvement. Sur ce point Engels partageait le point de vue de Diderot. Il se séparait des matérialistes « vulgaires » tels que Vogt, Büchner et Moleschott, pour la raison, entre autres, qu'ils inclinaient à penser que le cerveau sécrète la pensée *comme* le foie sécrète la bile. Mais Mach, qui oppose sans cesse ses conceptions au matérialisme, ignore, bien entendu, tous les grands matérialistes, Diderot aussi bien que Feuerbach, Marx et Engels, exactement comme le font tous les professeurs officiels de la philosophie officielle.

Pour caractériser les principes de base d'Avenarius, prenons son premier ouvrage philosophique personnel paru en 1876 : *La Philosophie, conception du monde d'après le principe du moindre effort.* (*Prolégomènes à la Critique de l'expérience pure.*) Bogdanov dit dans son *Empiriomonisme* (livre I, 2e édition, 1905, p. 9, en note) : « l'idéalisme philosophique a servi de point de départ au développement des conceptions de Mach, tandis que pour Avenarius, ce qui le caractérise dès le début, c'est une tendance réaliste. » Bogdanov dit cela parce qu'il a cru Mach sur parole (voir l'*Analyse des sensations*, traduction russe, page 288). Mais bien à tort, et son assertion est diamétralement opposée à la vérité. L'idéalisme d'Avenarius ressort, au contraire, avec tant de relief dans l'ouvrage cité de 1876, qu'Avenarius lui-même a dû en convenir en 1891. Il écrit dans sa préface à la *Conception humaine du monde* : « Le lecteur de mon premier travail systématique : *La Philosophie*, etc., pensera aussitôt que je vais essayer de traiter des problèmes que comporte la *Critique de l'expérience pure* en partant avant tout du point de vue idéaliste » (*Der menschliche Weltbegriff*, 1891, Vorwort, p. IX), mais la « stérilité de l'idéalisme philosophique » m'a fait « douter que ma première voie fût la bonne » (p. X). Ce point de départ idéaliste d'Avenarius est généralement admis dans la littérature philosophique ; j'en appelle à Cauwelaert, auteur français, qui qualifie le point de vue d'Avenarius tel qu'il est exposé dans les Prolégomènes, d'« idéalisme moniste » *; parmi les auteurs allemands j'en appelle à l'élève d'Avenarius, Rudolf Willy, qui dit que, « dans sa jeunesse et surtout dans son premier écrit de 1876, Avenarius fut entièrement sous le charme (ganz im Banne) de ce qu'on appelle l'idéalisme gnoséologique » **.

Il serait du reste ridicule de nier l'idéalisme des *Prolégomènes* dans lesquels Avenarius dit lui-même explicitement que « *seule la sensation peut être conçue comme existante* » (pp. 10 et 65 de la seconde édition allemande ; c'est nous qui soulignons). C'est ainsi qu'Avenarius expose lui-même le contenu du paragraphe 116 de son ouvrage. Voici ce paragraphe en entier : « Nous avons reconnu que l'être (das Seiende) est une substance douée de sensibilité ; la substance enlevée... » (admettre qu'il n'y a ni « substance » ni monde extérieur est, paraît-il, « plus économique » et demande « moins d'effort » !) « ...reste la sensation : l'être sera dès lors conçu comme une sensation dépourvue de tout substratum étranger à la sensation » (nichts Empfindungsloses).

Ainsi la sensation existe sans la « substance », c'est-à-dire que la pensée existe sans le cerveau ! Existe-t-il vrai-

---

* F. Van Cauwelaert, « L'empiriocriticisme » dans la *Revue Néo-Scolastique*[21], 1907, février, p. 51.

** Rudolf Willy, *Gegen die Schulweisheit. Eine Kritik der Philosophie*, München, 1905, p. 170.

ment des philosophes capables de défendre cette philosophie sans cervelle ? Il en existe. Le professeur Richard Avenarius est du nombre. Force nous est de nous arrêter un peu à cette défense, si difficile qu'il soit à un homme sain d'esprit de la prendre au sérieux. Voici le raisonnement d'Avenarius aux §§ 89-90 du même ouvrage :

« ...La thèse selon laquelle le mouvement engendre la sensation ne repose que sur une expérience apparente. Cette expérience, dont certains actes constituent la perception, consisterait à susciter la sensation dans une substance déterminée (cerveau) grâce à un mouvement (excitation) transmis à cette dernière et avec le concours d'autres conditions matérielles (du sang, par exemple). Or, outre que ce fait n'a jamais été observé de façon directe (selbst) pour que cette expérience hypothétique fût dans tous ses détails une expérience véritable, il faudrait tout au moins avoir la preuve empirique que la sensation prétendument suscitée dans une substance déterminée par le mouvement transmis, n'y existait pas auparavant sous une forme quelconque ; de sorte que l'apparition de la sensation ne pourrait être expliquée que par un acte de création dû au mouvement transmis. Ainsi donc, seule la preuve qu'il n'y avait auparavant aucune sensation, si minime fût-elle, là où la sensation apparaît maintenant, seule cette preuve pourrait établir un fait qui, marquant un certain acte de création, serait en contradiction avec toutes les autres expériences et transformerait foncièrement tout le reste de notre conception de la nature (Naturanschauung). Mais aucune expérience ne fournit ni ne peut fournir cette preuve. Au contraire, l'état d'une substance absolument dépourvue de sensation acquérant par la suite cette propriété, n'est qu'une hypothèse. Et cette hypothèse complique et obscurcit notre connaissance au lieu de la simplifier et de la clarifier.

« Si la prétendue expérience d'après laquelle le mouvement transmis *fait naître* la sensation dans une substance qui, dès ce moment, commence à sentir, s'est révélée à un examen plus attentif n'être qu'une apparence, elle contient par ailleurs, pourrait-on dire, assez de données pour pouvoir constater l'origine, tout au moins relative, de la sensation dans le mouvement, à savoir : constater que la sensation existante, mais latente ou infime ou pour d'autres raisons inaccessible à notre conscience, est libérée ou accrue, ou élevée à la conscience par l'action du mouvement transmis. Mais ce mince vestige du contenu de l'expérience n'est, lui aussi, qu'apparence. Si, par une observation idéale, nous analysons un mouvement qui, émanant d'une substance en mouvement A et transmis par divers centres intermédiaires, atteint la substance B, douée de sensibilité, nous établirons tout au plus que la sensibilité de la substance B se développe ou s'accroît au fur et à mesure que le mouvement est communiqué à cette dernière, mais nous n'établirons pas que c'est là une *conséquence* du mouvement »...

Nous citons à dessein, entièrement, cette réfutation du matérialisme par Avenarius, afin que le lecteur puisse voir vraiment de quels piètres sophismes se sert la philosophie empiriocriticiste « moderne ». Confrontons le raisonnement de l'idéaliste Avenarius et le raisonnement *matérialiste* de... Bogdanov, ne serait-ce que pour le punir d'avoir trahi le matérialisme !

En des temps très reculés — il y a bien neuf ans de cela, — quand Bogdanov, alors à demi rallié au « matérialisme des sciences de la nature » (c'est-à-dire partisan de la théorie matérialiste de la connaissance, adoptée d'instinct par l'immense majorité des savants contemporains), quand Bogdanov donc n'était encore qu'à moitié dérouté par le confusionniste Ostwald, il écrivait : « Depuis l'antiquité jusqu'à nos jours, la coutume, en psychologie descriptive, consiste à diviser les faits de conscience en trois groupes : les sensations et les représentations, les sentiments, les impulsions... Le premier groupe comporte les *images* des phénomènes du monde extérieur ou intérieur, prises en elles-mêmes par la conscience... Pareille image est appelée « sensation » lorsqu'elle est directement suscitée, au moyen des organes des sens, par un phénomène extérieur correspondant *. » Un peu plus loin : « la sensation... surgit dans la conscience à la suite d'une impulsion du milieu extérieur, transmise par les organes des sens » (p. 222). Ou bien encore : « Les sensations forment la base de la vie de la conscience, sa liaison directe avec le monde extérieur » (p. 240). « A chaque moment du processus de la sensation,

* A. Bogdanov, *Les Eléments fondamentaux de la conception historique de la nature.* Saint-Pétersbourg, 1899, p. 216.

l'énergie de l'excitation extérieure se transforme en un fait de conscience » (p. 133). En 1905 même, Bogdanov ayant réussi, avec le concours bienveillant d'Ostwald et de Mach, à quitter la conception matérialiste en philosophie pour une conception idéaliste, écrit (par oubli !) dans l'*Empiriomonisme* : « On sait que l'énergie de l'excitation extérieure, après sa transformation dans l'appareil terminal du nerf en une forme « télégraphique » de courant nerveux, encore peu étudiée, mais étrangère à tout mysticisme, atteint d'abord les neurones disposés dans les centres dits « inférieurs » — ganglionnaires, médullaires et sous-corticaux » (livre I, 2e édition, 1905, p. 118).

Pour tout savant que la philosophie professorale n'a pas dérouté, de même que pour tout matérialiste, la sensation est en effet le lien direct de la conscience avec le monde extérieur, la transformation de l'énergie de l'excitation extérieure en un fait de conscience. Cette transformation, chacun l'a observée des millions de fois et continue de l'observer effectivement à tout instant. Le sophisme de la philosophie idéaliste consiste à considérer la sensation non pas comme un lien entre la conscience et le monde extérieur, mais comme une cloison, comme un mur séparant la conscience d'avec le monde extérieur ; non pas comme l'image d'un phénomène extérieur correspondant à la sensation, mais comme la « seule donnée existante ». Avenarius n'a donné qu'une forme légèrement modifiée à ce vieux sophisme éculé de l'évêque Berkeley. Ne connaissant pas encore toutes les conditions des liaisons que nous observons constamment, entre la sensation et la matière organisée de façon déterminée, nous n'admettrons que l'existence de la sensation : voilà à quoi se ramène le sophisme d'Avenarius.

Mentionnons brièvement, pour achever de caractériser les principes idéalistes fondamentaux de l'empiriocriticisme, les représentants anglais et français de cette tendance philosophique. En ce qui concerne l'Anglais Karl Pearson, Mach déclare tout net « souscrire sur tous les points essentiels à ses conceptions gnoséologiques (erkenntniskritischen) » (*Mécanique*, édit. citée, p. IX). K. Pearson s'affirme à son tour d'accord avec Mach *. Pour Pearson, les

* Karl Pearson, *The Grammar of Science*, 2 nd ed. Lond., 1900, p. 326.

« choses réelles » sont des « impressions des sens » (sense impressions). Reconnaître l'existence des choses au-delà des impressions des sens n'est, pour Pearson, que métaphysique. Pearson combat de la façon la plus décidée le matérialisme (sans connaître ni Feuerbach, ni Marx-Engels) ; ses arguments ne diffèrent pas de ceux qui ont été analysés plus haut. Avec cela, Pearson est si loin de vouloir simuler le matérialisme (ce qui est la spécialité des disciples russes de Mach), et tellement... imprudent que, sans imaginer de « nouvelles » appellations pour sa philosophie, il donne tout bonnement à ses propres conceptions, aussi bien qu'à celles de Mach, le nom d'« *idéalistes* » (ouvrage cité, p. 326) ! La généalogie de Pearson remonte en ligne droite à Berkeley et à Hume. La philosophie de Pearson, nous le verrons plus d'une fois dans la suite, se distingue de celle de Mach par une cohérence bien plus grande et bien plus profonde.

Mach a soin d'exprimer spécialement sa solidarité avec les physiciens français P. Duhem et Henri Poincaré *. Dans le chapitre consacré à la nouvelle physique, nous traiterons des conceptions philosophiques de ces écrivains, conceptions singulièrement contradictoires et inconséquentes. Il suffira de retenir ici que pour Poincaré les choses sont des « séries de sensations ** », et que Duhem *** émet incidemment une opinion analogue.

Voyons maintenant de quelle manière Mach et Avenarius, convenant du caractère idéaliste de leurs premières conceptions, les ont *corrigées* dans leurs œuvres ultérieures.

2. LA « DECOUVERTE DES ELEMENTS DU MONDE »

Tel est le titre qu'a choisi, pour son ouvrage sur Mach, Friedrich Adler, privat-docent de l'Université de Zürich, peut-être le seul auteur allemand désireux, lui aussi, de

---

* *Analyse des sensations*, p. 4. Cf. la préface à *Erkenntnis und Irrtum*, 2e éd.

** Henri Poincaré, *la Valeur de la Science*, Paris, 1905, passim. Il y a une traduction russe.

*** P. Duhem, *la Théorie physique, son objet et sa structure*, Paris, 1906, cf. pp. 6 et 10.

compléter Marx à l'aide de Mach *. Il faut rendre justice à ce naïf privat-docent qui, dans son ingénuité, lance le pavé de l'ours à la doctrine de Mach. Lui, au moins, pose la question haut et clair : Mach a-t-il vraiment « découvert les éléments du monde » ? Alors, bien entendu, les ignorants et les hommes arriérés peuvent seuls demeurer matérialistes. Ou bien cette découverte est-elle un retour de Mach aux vieilles erreurs de la philosophie ?

Nous avons vu Mach en 1872 et Avenarius en 1876 se placer à un point de vue purement idéaliste ; le monde pour eux n'était que notre sensation. En 1883, parut la *Mécanique* de Mach ; l'auteur s'en référait, notamment dans la préface à la première édition, aux *Prolégomènes* d'Avenarius dont il louait les conceptions philosophiques, « très apparentées » (sehr verwandte) aux siennes. Voici les réflexions sur les éléments exposées dans la *Mécanique* : « Les sciences de la nature ne peuvent que représenter (nachbilden und vorbilden) les complexes des *éléments* que nous appelons ordinairement des *sensations*. Il s'agit des liaisons existant entre ces éléments. La liaison entre A (chaleur) et B (flamme) est du domaine de la *physique* ; la liaison entre A et N (nerfs) est du domaine de la physiologie. Ni l'une ni l'autre de ces liaisons n'existe *séparément* ; elles sont toujours ensemble. Nous ne pouvons nous abstraire de l'une ou de l'autre que momentanément. Il semble même qu'ain si les processus purement mécaniques soient toujours, à la fois, des processus physiologiques » (p. 499 de l'éd. allemande). Mêmes thèses dans l'*Analyse des sensations* : « ...Lorsqu'on emploie à côté des termes : « élément », « complexe d'éléments » ou, à leur place, les termes : « sensation », « complexe de sensations », il faut toujours se rappeler que les éléments *ne sont des sensations que* dans ces *liaisons* » (à savoir dans celles de A, B, C avec K, L, M, c'est-à-dire dans les liaisons des « complexes appelés généralement les corps », avec « le complexe que nous appelons notre corps »), « en cette relation, dans cette dépendance

---

* Friedrich W. Adler, *Die Entdeckung der Weltelemente* [*Zu E. Machs 70. Geburtstag*], *Der Kampf*[22], 1908, n° 5 (Februar). Traduit dans *The International Socialist Review*[23], 1908, n° 10 (April). Un article d'Adler est traduit en russe dans le recueil le *Matérialisme historique*.

fonctionnelle. Ils sont en même temps, dans une autre dépendance fonctionnelle, des objets physiques » (trad. russe, pp. 23 et 17). « La couleur est un objet physique quand, par exemple, nous l'étudions au point de vue de sa dépendance de la source lumineuse qui l'éclaire (autres couleurs, chaleur, espace, etc.). Mais si nous l'étudions au point de vue de sa *dépendance* de la *rétine* (des éléments K, L, M...), nous sommes en présence d'un objet *psychique* d'une *sensation* » (*ibid.*, p. 24).

Ainsi, la découverte des éléments du monde consiste à

1° déclarer sensation tout ce qui est,

2° appeler les sensations éléments,

3° diviser les éléments en physiques et psychiques, — ces derniers étant ceux qui dépendent des nerfs de l'homme et, en général, de l'organisme humain ; les premiers n'en dépendant point ;

4° affirmer que les liaisons des éléments physiques et des éléments psychiques ne peuvent exister séparément ; elles ne peuvent exister qu'ensemble ;

5° affirmer qu'on ne peut faire abstraction de l'une de ces liaisons que momentanément ;

6° déclarer la « nouvelle » théorie exempte d'« exclusivisme » *.

Cette théorie est, en effet, exempte d'exclusivisme, mais elle présente l'assemblage le plus incohérent de conceptions philosophiques opposées. En prenant les sensations pour point de départ *unique*, vous ne corrigez pas à l'aide du petit mot « élément » l'« exclusivisme » de votre idéalisme, vous ne faites que brouiller les choses et, pusillanimes, vous vous dérobez à votre propre théorie. En paroles vous écartez la contradiction entre le physique et le psychique **, entre le matérialisme (pour lequel la matière, la nature est la donnée première) et l'idéalisme (pour lequel c'est l'esprit, la conscience, la sensation qui est la donnée

* Mach dit dans l'*Analyse des sensations* : « Les éléments sont d'ordinaire appelés sensations. Cette dénomination servant à désigner une théorie exclusive bien déterminée, nous préférons ne parler que brièvement des éléments » (pp. 27-28).

** « La contradiction entre le *Moi* et le monde, entre la sensation ou le phénomène et la chose, disparaît alors et tout se ramène uniquement à la combinaison des éléments. » (*Analyse des sensations*, p. 21.)

première), mais en réalité vous la rétablissez aussitôt, subrepticement, en renonçant à votre principe de base ! Car si les éléments sont des sensations, vous n'avez pas le droit d'admettre un instant l'existence des « éléments » *en dehors de leur dépendance* de mes nerfs, de ma conscience. Mais du moment que vous admettez des objets physiques indépendants de mes nerfs, de mes sensations, qui ne suscitent la sensation qu'en agissant sur ma rétine, vous laissez là honteusement votre idéalisme « exclusif » pour un matérialisme « exclusif » ! Si la couleur n'est une sensation qu'en raison de sa dépendance de la rétine (comme vous obligent à l'admettre les sciences de la nature), il s'ensuit que les rayons lumineux procurent, en atteignant la rétine, la sensation de couleur. C'est dire qu'en dehors de nous, indépendamment de nous et de notre conscience, il existe des mouvements de la matière, disons des ondes d'éther d'une longueur et d'une vitesse déterminées, qui, agissant sur la rétine, procurent à l'homme la sensation de telle ou telle couleur. Tel est le point de vue des sciences de la nature. Elles expliquent les différentes sensations de telle couleur par la longueur différente des ondes lumineuses existant en dehors de la rétine humaine, en dehors de l'homme et indépendamment de lui. Et c'est là la conception matérialiste : la matière suscite la sensation en agissant sur nos organes des sens. La sensation dépend du cerveau, des nerfs, de la rétine, etc., c'est-à-dire de la matière organisée de façon déterminée. L'existence de la matière ne dépend pas des sensations. La matière est le primordial. La sensibilité, la pensée, la conscience sont les produits les plus élevés de la matière organisée d'une certaine façon. Telles sont les vues du matérialisme en général et de Marx et Engels en particulier. S'aidant du petit mot « élément », qui débarrasse *prétendument* leur théorie de l'« exclusivisme » propre à l'idéalisme subjectif et permet, *paraît-il*, d'admettre la dépendance du psychique vis-à-vis de la rétine, des nerfs, etc., d'admettre l'indépendance du physique vis-à-vis de l'organisme humain, Mach et Avenarius introduisent *subrepticement* le matérialisme. En réalité, cette façon d'user du petit mot « élément » n'est assurément qu'un très piètre sophisme. Le lecteur matérialiste de Mach et d'Avenarius ne manquera pas, en effet, de demander : Que sont les « éléments » ? Certes, il serait puéril de croire que l'on puisse éluder, grâce à l'invention d'un nouveau vocable, les principaux courants de la philosophie. Ou l'« élément » est une *sensation* comme le soutiennent tous les empiriocriticistes, Mach, Avenarius, Petzoldt * et autres, mais alors votre philosophie, messieurs, n'est que l'*idéalisme* qui s'efforce en vain de recouvrir la nudité de son solipsisme d'une terminologie plus « objective » ; ou l'« élément » n'est pas une sensation, mais alors votre « nouveau » vocable n'a plus *le moindre sens*, et vous faites beaucoup de bruit pour rien.

Prenez, par exemple, Petzoldt, ce dernier mot de l'empiriocriticisme, à en croire le premier et le plus grand des empiriocriticistes russes, V. Lessévitch **. Après avoir déclaré que les éléments sont des sensations, Petzoldt affirme, au tome II de son ouvrage déjà cité : « Il faut se garder, dans la thèse : « les sensations sont des éléments du monde », de prendre le mot « sensation » comme désignant une chose uniquement subjective et, par conséquent, éthérée et transformant le tableau ordinaire du monde en une illusion (verflüchtigendes) ***. »

La langue va où la dent fait mal ! Petzoldt sent que le monde « s'évapore » (verflüchtigt sich) ou se transforme en une illusion dès que l'on considère les sensations comme ses éléments. Et l'excellent Petzoldt croit pouvoir remédier à la situation en faisant cette restriction : il ne faut pas considérer la sensation comme une chose uniquement subjective ! N'est-ce point là un sophisme ridicule ? Qu'y a-t-il de changé si nous « prenons » les sensations pour des sensations, ou si nous nous efforçons d'étendre le sens de ce mot ? Cela empêchera-t-il que les sensations soient liées chez l'homme au fonctionnement normal des nerfs, de la rétine, du cerveau, etc. ? ou que l'univers extérieur existe

---

* Joseph Petzoldt, *Einführung in die Philosophie der reinen Erfahrung*, t. I, Leipzig, 1900, p. 113. « On appelle éléments les sensations, dans le sens ordinaire de perceptions (Wahrnehmungen) simples, indécomposables. »

** V. Lessévitch, *Qu'est-ce que la philosophie scientifique ?* (entendez par là la philosophie à la mode, la philosophie professorale, éclectique), Saint-Pétersbourg, 1891, pp. 229 et 247.

*** Petzoldt, t. II, Leipzig, 1904, p. 329.

indépendamment de notre sensation ? Si vous ne voulez pas vous tirer de là au moyen de subterfuges, si vous tenez vraiment à « vous garder » du subjectivisme et du solipsisme, il vous faut avant tout vous garder des principes idéalistes de votre philosophie ; il faut substituer à la tendance idéaliste de votre philosophie (qui consiste à aller des sensations à l'univers extérieur) la tendance matérialiste (qui consiste à aller de l'univers extérieur aux sensations) ; il faut rejeter cet ornement verbal, confus et dénué de sens qu'est le mot « élément », et dire tout bonnement : la couleur est le résultat de l'action d'un objet physique sur la rétine, ou ce qui revient au même, la sensation est le résultat de l'action de la matière sur nos organes des sens.

Prenons encore Avenarius. Son dernier ouvrage (le plus important peut-être pour l'intelligence de sa philosophie), *Remarques sur l'objet de la psychologie* *, apporte les indications les plus précieuses sur la question des « éléments ». L'auteur y donne notamment un petit tableau très « frappant » (t. XVIII, p. 410), dont nous reproduisons l'essentiel :

	« Eléments, complexes d'éléments :
I. Choses ou matérialité . . .	choses matérielles
II. Idées ou idéalité (Gedankenhaftes)	choses non matérielles, souvenirs et imaginations».

Confrontez avec cela ce que dit Mach, après tous ses éclaircissements, sur les « éléments » (*Analyse des sensations*, p. 33) : « Ce ne sont pas les corps qui produisent les sensations, mais les complexes d'éléments (complexes de sensations) qui forment les corps.» Voilà donc la « découverte des éléments du monde », qui dépasse l'exclusivisme de l'idéaliste et du matérialiste ! On nous assure d'abord que les « éléments » sont quelque chose de nouveau, à la fois physique et psychique, et on introduit ensuite furtivement une petite correction : au lieu d'une grossière distinction matérialiste de la matière (corps, choses) et du psychique (sensations, souvenirs, imaginations), on nous

* R. Avenarius, *Bemerkungen zum Begriff des Gegenstandes der Psychologie*, dans *Vierteljahrsschrift für wissenschaftliche Philosophie*[24], t. XVIII (1894) et XIX (1895).

sert la doctrine du « positivisme moderne » sur les éléments matériels et les éléments mentaux. Adler (Fritz) n'a pas gagné grand-chose à la « découverte des éléments du monde » !

Bogdanov, répliquant à Plékhanov, écrivait en 1906 : « ...Je ne puis me reconnaître disciple de Mach en philosophie. Pour ce qui est de ma conception philosophique en général, je n'ai emprunté à Mach qu'une chose, la notion de la neutralité des éléments de l'expérience à l'égard du « physique » et du « psychique », ces définitions ne dépendant que des *liaisons* de l'expérience » (*Empiriomonisme*, livre III, Saint-Pétersbourg, 1906, p. XLI). C'est comme si un croyant vous disait : Je ne puis me reconnaître partisan de la religion, n'ayant emprunté aux croyants qu'« une seule chose » : la foi en Dieu. La « seule chose » empruntée par Bogdanov à Mach est précisément *la faute capitale* de ce dernier, l'erreur essentielle de toute cette philosophie. Les points sur lesquels Bogdanov s'écarte de l'empiriocriticisme, et auxquels il attache lui-même une très grande importance, sont en réalité tout à fait secondaires et ne vont pas au-delà de quelques distinctions de détail, partielles, individuelles entre les différents empiriocriticistes qui approuvent Mach et en sont approuvés (nous y reviendrons dans la suite). Aussi, lorsqu'il se fâchait d'être confondu avec les disciples de Mach, Bogdanov révélait seulement son ignorance des divergences *fondamentales* entre le matérialisme et ce qui est commun à Bogdanov et aux autres disciples de Mach. Il n'importe pas de savoir comment Bogdanov a développé, corrigé ou rendu pire la philosophie de Mach. L'important, c'est qu'il a abandonné le point de vue matérialiste, se vouant ainsi inévitablement aux égarements idéalistes et à la confusion.

Bogdanov avait raison, comme on l'a vu, d'écrire en 1899 : « L'image de l'homme qui est devant moi, image qui m'est directement transmise par la vue, est une sensation *. » Bogdanov ne s'est pas donné la peine de faire la critique de son ancien point de vue. Il a cru Mach aveuglément, sur parole, et s'est mis à répéter après lui que les « éléments » de l'expérience sont neutres à l'égard du phy-

* *Les Eléments fondamentaux de la conception historique de la nature*, p. 216. Cf. les passages cités plus haut.

sique et du psychique. « Comme l'a démontré la philosophie positive moderne, écrivait Bogdanov au livre I de l'*Empiriomonisme* (2e éd., p. 90), les éléments de l'expérience psychique sont identiques à ceux de toute expérience en général, comme ils le sont à ceux de l'expérience physique. » Il écrivait encore en 1906 (livre III, p. XX) : « quant à l'« idéalisme », peut-on, pour en parler, se fonder uniquement sur le fait, évidemment indubitable, que les éléments de l'« expérience physique » sont reconnus identiques à ceux de l'expérience « psychique » ou aux sensations élémentaires ? »

Telle est la source véritable de toutes les mésaventures de Bogdanov en philosophie, comme de tous les disciples de Mach en général. On peut et on doit parler d'idéalisme quand on reconnaît l'identité des sensations et des « éléments de l'expérience physique » (c'est-à-dire le physique, le monde extérieur, la matière), car ce n'est pas autre chose que du berkeleyisme. Il n'y a pas trace, ici, ni de philosophie moderne, ni de philosophie positive, ni d'aucun fait certain, il y a là simplement un vieux, très vieux sophisme idéaliste. Et si l'on demandait à Bogdanov de prouver le « fait indubitable » que le physique est identique aux sensations, on n'entendrait pas un seul argument, sinon le perpétuel refrain des idéalistes : Je ne perçois que mes sensations ; « le témoignage de ma conscience » (die Aussage des Selbstbewusstseins, dans les *Prolégomènes* d'Avenarius, p. 56 de la 2e édit. allem., § 93) ; ou bien : « dans notre expérience » (qui nous apprend que « nous sommes des substances douées de sensibilité »), « la sensation nous est donnée avec plus de certitude que la substantialité » (*ibid.*, p. 55, § 91), etc., etc. Bogdanov (croyant Mach sur parole) prend un subterfuge philosophique réactionnaire pour un « fait indubitable ». La vérité est qu'on n'a apporté et que l'on ne peut apporter aucun fait susceptible de réfuter la conception d'après laquelle la sensation est une image du monde extérieur, conception que partageait Bogdanov en 1899 et que les sciences de la nature admettent jusqu'à présent. Dans ses errements philosophiques le physicien Mach s'est tout à fait écarté des « sciences de la nature contemporaines ». Nous aurons à revenir longuement sur ce fait important qui a échappé à Bogdanov.

La doctrine d'Avenarius sur les séries dépendante et indépendante de l'expérience est (abstraction faite de l'influence d'Ostwald) un des facteurs qui ont facilité à Bogdanov sa brusque transition du matérialisme des savants à l'idéalisme confus de Mach. Bogdanov s'exprime lui-même à ce sujet, dans les termes que voici (livre I de l'*Empiriomonisme*) : « Les données de l'expérience créent, *dans la mesure où elles dépendent de l'état d'un système nerveux donné*, *le monde psychique* d'une personnalité donnée, et dans la mesure où nous prenons les données de l'expérience *en dehors de cette dépendance*, nous sommes devant le *monde physique*. Aussi Avenarius désigne-t-il ces deux domaines de l'expérience comme la *série dépendante* et la *série indépendante* de l'expérience » (p. 18).

Le malheur est précisément que cette doctrine de la « série » *indépendante* (des sensations humaines) introduit subrepticement le matérialisme dans la place, de façon illégitime, arbitraire et éclectique du point de vue de la philosophie pour laquelle les corps sont des complexes de sensations, les sensations étant elles-mêmes « identiques » aux « éléments » du physique. En effet, dès que vous avez reconnu l'existence des sources lumineuses et des ondes lumineuses *indépendamment* de l'homme et de la conscience humaine, la couleur étant ainsi conditionnée par l'action de ces ondes sur la rétine, vous avez adopté de fait la conception matérialiste et *détruit jusqu'aux fondements* tous les « faits indubitables » de l'idéalisme, avec tous les « complexes de sensations », d'éléments découverts par le positivisme moderne et autres absurdités du même genre.

Le malheur est précisément que Bogdanov (comme tous les disciples russes de Mach) n'a pas pénétré les premières conceptions idéalistes de Mach et d'Avenarius, n'a pas vu clair dans leurs principes de base idéalistes et n'a pas remarqué, par suite, ce qu'il y avait d'illégitime et d'éclectique dans leur tentative ultérieure d'introduire subrepticement le matérialisme. Or, autant l'idéalisme primitif de Mach et d'Avenarius est universellement reconnu dans la littérature philosophique, autant il est reconnu que l'empiriocriticisme s'est efforcé par la suite de s'orienter vers le matérialisme. L'auteur français Cauwelaert, que nous avons déjà cité, voit dans les *Prolégomènes* d'Avenarius l'« idéalisme moniste », dans la *Critique de l'expérience pure* (1888-1890), le « réalisme absolu », et dans la *Conception humaine du monde* (1891), une tentative pour « expliquer » cette volte-face. Notons que le terme réalisme est employé ici par opposition au terme idéalisme. Suivant en cela l'exemple d'Engels, je n'utilise dans ce sens *que* le mot matérialisme. Je considère cette terminologie comme la seule exacte, d'autant que le mot « réalisme » a été passablement usé par les positivistes, ainsi que par d'autres confusionnistes oscillant entre matérialisme et idéalisme. Il suffit pour l'instant de faire remarquer que Cauwelaert a en vue ce fait indéniable que dans les *Prolégomènes* (1876) d'Avenarius la sensation est considérée comme la seule réalité, la « substance » éliminée (conformément au principe de l'« économie de la pensée » !) et que, dans la *Critique de l'expérience pure*, le physique est considéré comme la *série indépendante*, le psychique et, par suite, les sensations, comme la série dépendante.

Elève d'Avenarius, Rudolf Willy admet aussi que ce dernier, « complètement » idéaliste en 1876, travailla plus tard à la « conciliation » (Ausgleich) de cette doctrine avec le « réalisme naïf » (*ibid.*), c'est-à-dire avec le point de vue matérialiste, instinctif et inconscient, de l'humanité qui admet l'existence du monde extérieur indépendamment de notre conscience.

Oskar Ewald, auteur d'un livre sur *Avenarius, fondateur de l'empiriocriticisme*, affirme que cette philosophie allie les éléments (au sens courant du mot, et non au sens que lui prête Mach) contradictoires de l'idéalisme et du « réalisme » (il eût fallu dire : du matérialisme). Ainsi, « une (analyse) absolue perpétuerait le réalisme naïf, une analyse relative introniserait à jamais un idéalisme exclusif »*. Avenarius appelle analyse absolue ce qui correspond chez Mach aux liaisons des « éléments » en dehors de notre corps, et analyse relative ce qui chez Mach correspond aux liaisons des « éléments » dépendant de notre corps.

L'opinion de Wundt qui se place, lui aussi, comme la plupart des écrivains mentionnés, au point de vue de l'idéa-

* Oskar Ewald, *Richard Avenarius als Begründer des Empiriokritizismus*, Berlin, 1905, p. 66.

lisme confus, mais qui a peut-être analysé l'empiriocriticisme avec le plus d'attention, nous paraît présenter un intérêt particulier. Voici ce qu'en dit P. Iouchkévitch : « Il est curieux que Wundt voie dans l'empiriocriticisme la forme la plus scientifique du dernier type du matérialisme »*, c'est-à-dire de ce type de matérialisme qui tient le psychique pour une fonction de processus matériels (et que Wundt considère — ajouterons-nous pour notre part — comme intermédiaire entre le spinozisme[25] et le matérialisme absolu**).

En vérité, l'opinion de W. Wundt est extrêmement curieuse. Mais ce qu'il y a de plus « curieux » en l'occurrence, c'est la façon dont M. Iouchkévitch étudie les livres et les articles de philosophie dont il parle. Magnifique exemple de la façon dont se comportent tous nos disciples de Mach. Le Pétrouchka[27] de Gogol lisait et trouvait curieux que les lettres forment toujours des mots. M. Iouchkévitch a lu Wundt et trouvé « curieux » que ce dernier ait accusé Avenarius de matérialisme. Si Wundt a tort, pourquoi ne pas le réfuter ? S'il a raison, pourquoi ne pas expliquer l'opposition entre le matérialisme et l'empiriocriticisme ? M. Iouchkévitch trouve « curieux » les dires de l'idéaliste Wundt, mais, disciple de Mach, il considère (sans doute, en vertu du principe de l'« économie de la pensée »), comme peine inutile d'élucider cette question...

Le fait est là : informant le lecteur de l'accusation de matérialisme portée par Wundt contre Avenarius, mais omettant de dire que Wundt qualifie de matérialistes certains aspects de l'empiriocriticisme, en qualifie d'autres d'idéalistes et juge artificielles les liaisons entre ceux-ci et ceux-là, Iouchkévitch *déforme complètement les faits*. Ou ce gentleman ne comprend rien du tout à ce qu'il lit, ou il cède au désir de se faire louer gratuitement par Wundt : Voyez, les professeurs officiels nous traitent, nous aussi, non point de confusionnistes, mais de matérialistes.

L'étude de Wundt constitue un livre volumineux (plus de 300 pages), consacré à l'analyse minutieuse de l'école immanente d'abord et des empiriocriticistes ensuite. Pour-

* P. Iouchkévitch, *Matérialisme et réalisme critique*, St.-Pétersbourg, 1908, p. 15.

** W. Wundt, *Über naiven und kritischen Realismus* dans *Philosophische Studien*[26], t. XIII, 1897, p. 334.

quoi Wundt a-t-il associé ces deux écoles ? Parce qu'il les tient pour des *proches parentes*, et cette opinion partagée par Mach, Avenarius, Petzoldt et les immanents, est parfaitement juste, comme on le verra plus loin. Wundt démontre dans la première partie de son exposé que les immanents sont des idéalistes, des subjectivistes, des partisans du fidéisme. Et c'est encore, comme nous le verrons plus loin, une opinion parfaitement juste, quoique alourdie chez Wundt par un bagage inutile d'érudition professorale, de subtilités et de réserves superflues, d'autant plus explicables que Wundt est lui-même idéaliste et fidéiste. Ce qu'il reproche aux immanents, ce n'est pas d'être des idéalistes et des partisans du fidéisme ; c'est de mal déduire, à son avis, ces grands principes. La deuxième et la troisième partie du travail de Wundt sont consacrées à l'empiriocriticisme. Et il indique très nettement que des conceptions théoriques très importantes de l'empiriocriticisme (sa façon de comprendre l'« expérience » et sa « coordination de principe » dont nous parlerons plus loin) sont *identiques* chez lui à celles des immanents (die empiriokritische in Übereinstimmung mit der immanenten Philosophie annimmt, p.382 de l'article de Wundt). Les autres conceptions théoriques d'Avenarius sont empruntées au matérialisme, et l'empiriocriticisme dans son ensemble est un « *mélange bigarré* » (bunte Mischung, *ibid.*, p. 57), dont « les différentes parties constituantes *n'ont aucun lien entre elles* » (an sich einander völlig heterogen sind, p. 56).

A ces parcelles matérialistes du mélange d'Avenarius et de Mach, Wundt rapporte surtout la doctrine du premier sur la « *série vitale indépendante* ». Si vous prenez pour point de départ le « système C » (Avenarius, grand amateur du jeu scientifique de termes nouveaux, désigne ainsi le cerveau de l'homme ou le système nerveux en général), si le psychique est pour vous une fonction du cerveau, ce « système C », dit Wundt (*ibid.*, p. 64), est une « substance métaphysique », et votre doctrine n'est que matérialisme. Il faut dire que bon nombre d'idéalistes et tous les agnostiques (y compris les disciples de Kant et de Hume) qualifient les matérialistes de métaphysiciens, car reconnaître l'existence du monde extérieur indépendamment de la conscience de l'homme, c'est dépasser, leur semble-t-il, les limites de l'expérience. Nous reviendrons sur cette terminologie et nous verrons qu'elle est absolument erronée du point de vue du marxisme. Nous croyons important de noter pour l'instant que l'hypothèse d'une série « indépendante » est, chez Avenarius (de même que chez Mach, qui exprime la même pensée en d'autres termes), *un emprunt fait au matérialisme*, comme le reconnaissent les philosophes appartenant aux différents partis, c'est-à-dire aux différentes tendances en philosophie. Si vous prenez pour point de départ que tout ce qui existe est sensation ou que les corps sont des complexes de sensations, vous ne pouvez, sans anéantir tous vos principes fondamentaux, toute « votre » philosophie, arriver à conclure que le *physique* existe *indépendamment* de notre conscience et que les sensations sont une *fonction* de la matière organisée de façon déterminée. Mach et Avenarius réunissent dans leur philosophie les principes fondamentaux de l'idéalisme et certaines conclusions matérialistes, justement parce que leur théorie est un échantillon de celle qu'Engels traite de « pauvres soupes éclectiques »[28], et dont il parle avec le mépris qu'elle mérite *.

Cet éclectisme saute aux yeux dans le dernier écrit philosophique de Mach: *Connaissance et Erreur* (2e édition, 1906). Mach y déclare, nous l'avons déjà vu : « il n'y a aucune difficulté à construire tout élément physique en partant des sensations, c'est-à-dire des éléments psychiques. » Nous y lisons encore : « Les rapports indépendants de l'U (=Umgrenzung, c'est-à-dire « les limites spatiales de notre corps », p. 8) constituent la physique au sens le plus large du mot » (p. 323, §4). « Pour définir ces rapports à l'état pur (rein erhalten), il est nécessaire d'exclure autant que possible l'influence de l'observateur, c'est-à-dire des éléments situés à

* Préface à *Ludwig Feuerbach*, datée de février 1888. Ces mots d'Engels se rapportent à la philosophie universitaire allemande en général. Les disciples de Mach se réclamant du marxisme, mais incapables d'approfondir le sens et la portée de cette pensée d'Engels, se dérobent parfois à l'aide de cette piteuse réserve : « Engels ne connaissait pas encore Mach » (Fritz Adler dans le *Matérialisme historique*, p. 370). Sur quoi cette opinion est-elle fondée ? Sur le fait qu'Engels ne cite pas Mach et Avenarius ? Cette opinion n'a pas d'autre fondement, et ce fondement est mauvais. Engels ne nomme *aucun* auteur éclectique. Quant à Avenarius qui publiait depuis 1876 sa revue trimestrielle de philosophie « scientifique »,il est fort douteux qu'Engels l'ait ignoré.

l'intérieur de l'U » (*ibid.*). Très bien, très bien. La mésange se flatta d'abord d'incendier la mer,c'est-à-dire de construire les éléments physiques avec les éléments psychiques, et il s'est avéré que les éléments physiques se trouvent hors des limites des éléments psychiques « situés au dedans de notre corps » ! Belle philosophie, il n'y a pas à dire !

Un autre exemple : « Il n'existe pas de gaz parfait (idéal, vollkommenes), de liquide parfait, de corps parfaitement élastique ; le physicien sait que ses fictions ne correspondent qu'approximativement aux faits, qu'elles les simplifient arbitrairement ; il connaît cet écart, qui ne peut être évité » (p. 418, § 30).

De quel écart (Abweichung) est-il ici question ? De l'écart de quoi par rapport à quoi ? De celui de la pensée (théorie physique) par rapport aux faits. Que sont les pensées, les idées ? Les idées sont les « traces des sensations » (p. 9). Que sont les faits ? Les faits sont des « complexes de sensations ». Il s'ensuit donc que l'écart entre les traces des sensations et les complexes de sensations ne peut être évité.

Qu'est-ce à dire ? Que Mach, traitant des questions de physique, *oublie* sa propre théorie, raisonne avec simplicité, sans subtilités idéalistes, c'est-à-dire en matérialiste. Alors tous les « complexes de sensations » et tous ces raffinements à la Berkeley volent en éclats. La théorie des physiciens devient un reflet des corps, des liquides et des gaz existant en dehors de nous, indépendamment de nous, et ce reflet a, certes,une valeur approximative, sans qu'on puisse pourtant qualifier d'« arbitraire » cette approximation ou cette simplification. *En réalité*, la sensation est considérée ici par Mach telle qu'elle est considérée par l'ensemble des sciences de la nature non « épurées » par les disciples de Berkeley et de Hume, c'est-à-dire comme une *image du monde extérieur*. La théorie propre de Mach est un idéalisme subjectif, mais dès que l'objectivité s'impose, Mach introduit sans façon dans ses raisonnements des principes de la théorie contraire de la connaissance, autrement dit de la théorie matérialiste. Eduard Hartmann, idéaliste conséquent et réactionnaire conséquent en philosophie, qui *voit d'un œil bienveillant la lutte des disciples de Mach contre le matérialisme*, se rapproche beaucoup de la vérité en disant que la philosophie de Mach représente « un mélange confus (Nichtunterscheidung) de réalisme naïf et d'illusionnisme absolu » *. Cela est vrai. La doctrine selon laquelle les corps sont des complexes de sensations, etc., est un illusionnisme absolu, c'est-à-dire un solipsisme, puisque l'univers n'est, de ce point de vue, que mon illusion. Pour ce qui est du raisonnement de Mach que nous venons de citer, il fait partie, avec nombre d'autres raisonnements fragmentaires de cet auteur, de ce qu'on appelle le « réalisme naïf », c'est-à-dire la théorie matérialiste de la connaissance empruntée inconsciemment et spontanément aux savants.

Avenarius et les professeurs qui suivent ses traces cherchent à cacher ce mélange confus à l'aide de la théorie de la « coordination de principe ». Nous allons analyser cette théorie, mais finissons-en d'abord avec l'accusation de matérialisme portée contre Avenarius. M. Iouchkévitch, auquel l'appréciation de Wundt, qu'il n'a pas comprise, a paru curieuse, n'a pas eu la curiosité de s'informer lui-même ou n'a pas daigné faire part au lecteur de la façon dont les élèves et les continuateurs immédiats d'Avenarius ont réagi à cette accusation. La chose est pourtant nécessaire pour éclaircir la question, si nous nous intéressons à l'attitude de la philosophie de Marx, c'est-à-dire du matérialisme, envers la philosophie de l'empiriocriticisme. Et puis, si la doctrine de Mach confond, mêle le matérialisme et l'idéalisme, il s'agit de savoir quel est le sens de ce courant, s'il est permis de s'exprimer ainsi, quand les idéalistes officiels ont commencé à le repousser en raison de ses concessions au matérialisme.

J. Petzoldt et Fr. Carstanjen, deux d'entre les plus purs et les plus orthodoxes élèves d'Avenarius, ont notamment répondu à Wundt. Repoussant avec une noble indignation l'accusation de matérialisme, déshonorante pour le professeur allemand, Petzoldt en appelle... le croiriez-vous ?... aux *Prolégomènes* d'Avenarius, où la notion même de substance est, paraît-il, annihilée ! Théorie commode à laquelle on peut aussi bien rattacher les œuvres purement idéalistes que les principes matérialistes arbitrairement admis ! La *Critique de l'expérience pure* d'Avenarius, écrivait Petzoldt,

* Eduard von Hartmann, *Die Weltanschauung der modernen Physik*, Leipzig, 1902, p. 219.

n'est certes pas en contradiction avec cette doctrine, c'est-à-dire le matérialisme, mais elle est tout aussi peu en contradiction avec la doctrine spiritualiste diamétralement opposée *. Excellente défense ! Engels appelait cela des pauvres soupes éclectiques. Bogdanov, qui ne veut pas se reconnaître disciple de Mach et qui tient à passer pour marxiste (*en philosophie*), suit Petzoldt. A son avis, « l'empiriocriticisme... n'a à se préoccuper ni de matérialisme, ni de spiritualisme, ni d'aucune métaphysique en général » **, et « la vérité... ne se trouve pas au « juste milieu », entre les courants qui s'entrechoquent » (matérialisme et spiritualisme), « mais en dehors d'eux » ***. Or, ce que Bogdanov prend pour la vérité n'est que confusion, flottement entre matérialisme et idéalisme.

Répondant à Wundt, Carstanjen a écrit qu'il répudiait « toute introduction subreptice (Unterschiebung) du principe matérialiste », « absolument étranger à la critique de l'expérience pure » ****. « L'empiriocriticisme n'est que le scepticisme κατ'ἐξοχήν (par excellence) pour ce qui concerne le contenu des notions. » Cette tendance à souligner avec exagération la neutralité de la doctrine de Mach a une certaine raison d'être: les corrections apportées par Mach et Avenarius à leur idéalisme primitif se ramènent entièrement à des demi-concessions au matérialisme. Au lieu du point de vue conséquent de Berkeley : le monde extérieur est ma sensation, intervient parfois la conception de Hume : j'écarte la question de savoir s'il y a quelque chose derrière mes sensations. Et cette conception agnostique condamne inévitablement à balancer entre matérialisme et idéalisme.

3. LA COORDINATION DE PRINCIPE ET LE « REALISME NAIF »

La doctrine d'Avenarius sur la coordination de principe est exposée par lui dans sa *Conception humaine du monde*

---

* J. Petzoldt, *Einführung in die Philosophie der reinen Erfahrung*, t. I, pp. 351 et 352.

** *Empiriomonisme*, 2e édition, livre I, p. 21.

*** *Ibid.*, p. 93.

**** Fr. Carstanjen, *Der Empiriokritizismus, zugleich eine Erwiderung auf W. Wundt's Aufsätze*, *Vierteljahrsschrift für wissenschaftliche Philosophie*, Jahrg. 22 (1898), pp. 73 et 213.

et dans ses *Remarques*. Ces dernières sont postérieures, et Avenarius souligne ici qu'il expose, il est vrai, de façon un peu différente non point des idées qui diffèrent de la *Critique de l'expérience pure* et de la *Conception humaine du monde*, mais *la même chose* (*Bemerk.**, 1894, p. 137 de la revue citée). L'essence de cette doctrine est dans la thèse sur la « *coordination* » (c'est-à-dire la corrélation) « *indissoluble* (unauflösliche) *de notre Moi* (des Ich) *et du milieu* » (p. 146). « En termes philosophiques, dit ici même Avenarius, on peut dire : « le *Moi* et le *non-Moi* ». L'un et l'autre, notre *Moi* et le milieu, nous « les trouvons *toujours* ensemble » (immer ein Zusammen-Vorgefundenes). « Aucune description complète de ce qui est donné (ou de ce que nous trouvons : des Vorgefundenen) ne peut contenir de « milieu » sans un *Moi* (ohne ein Ich) auquel ce milieu soit *propre*, — au moins sans le *Moi* qui décrit ce qui est trouvé » (ou donné : das Vorgefundene, p. 146). Le *Moi* est dit *terme central* de la coordination, et le milieu, *contre-terme* (Gegenglied). (Voir *Der menschliche Weltbegriff*, 2e édition, 1905, pp. 83-84, § 148 et suiv.)

Avenarius prétend que cette doctrine lui permet de reconnaître toute la valeur de ce qu'on appelle le *réalisme naïf*, c'est-à-dire de la conception habituelle, non philosophique, naïve de tous ceux qui ne se donnent pas la peine de se demander s'ils existent eux-mêmes et si le milieu, le monde extérieur, existe. Se solidarisant avec Avenarius, Mach s'efforce, lui aussi, de se poser en défenseur du « réalisme naïf » (*Analyse des sensations*, p. 39). Et tous les disciples russes de Mach, sans exception, ont cru Mach et Avenarius que c'était là vraiment défendre le « réalisme naïf » : le *Moi* est admis, le milieu également, que voulez-vous de plus ?

Remontons un peu plus haut pour établir de quel côté se trouve en l'occurrence la *naïveté* réelle, portée à son plus haut degré. Voici une causerie populaire entre un philosophe et le lecteur :

« *Le lecteur* : il doit y avoir un système des choses (selon l'acception de la philosophie usuelle), et c'est de ces choses que l'on doit déduire la conscience. »

---

* *Bemerkungen zum Begriff des Gegenstandes der Psychologie.*

« *Le philosophe* : Tu suis en ce moment les philosophes de profession... au lieu de te placer au point de vue du bon sens et de la vraie conscience...

Réfléchis bien avant de me répondre et dis-moi : une chose apparaît-elle en toi ou devant toi autrement que par la conscience que tu en as ou à travers cette conscience ?... »

« *Le lecteur* : A la réflexion, je dois me ranger à ton avis. »

« *Le philosophe* : C'est toi-même qui parles maintenant, c'est ton âme, du fond de ton âme. Ne t'efforce donc pas de sortir de toi-même et d'embrasser (ou de saisir) plus que tu ne peux, à savoir : la conscience *et* (c'est le philosophe qui souligne) la chose, la chose *et* la conscience, ou, plus exactement, ni ceci ni cela séparément, mais uniquement ce qui dans la suite se décompose en ceci et en cela, ce qui est absolument subjectif-objectif et objectif-subjectif. »

Toute l'essence de la coordination de principe de l'empiriocriticisme, de la défense moderne du « réalisme naïf » par le positivisme moderne, est là ! L'idée de la coordination « indissoluble » est exposée ici dans toute sa clarté, en partant du point de vue que telle est la vraie défense de l'opinion usuelle de l'humanité, non déformée par les raffinements des « philosophes de profession ». Or, le dialogue que nous venons de citer est tiré d'un ouvrage *paru en 1801* et dû au représentant classique de l'*idéalisme subjectif*, Johann Gottlieb *Fichte* *.

On ne trouve dans la doctrine de Mach et d'Avenarius qu'une paraphrase de l'idéalisme subjectif. Les prétentions de ces auteurs, quand ils affirment s'être élevés au-dessus du matérialisme et de l'idéalisme, et avoir éliminé la contradiction entre la conception qui va de l'objet *à* la conscience et la conception opposée, ne sont que vaines prétentions de la doctrine de Fichte légèrement retouchée. Fichte s'imagine, lui aussi, avoir lié « indissolublement » le « moi » et le « milieu », la conscience et la chose, et « résolu » la question en rappelant que l'homme ne peut sortir de lui-même. Cela revient à répéter l'argument de Berkeley : Je ne per-

---

* Johann Gottlieb Fichte, *Sonnenklarer Bericht an das grössere Publikum über das eigentliche Wesen der neuesten Philosophie. — Ein Versuch die Leser zum Verstehen zu zwingen.* Berlin, 1801, pp. 178-180.

çois que mes sensations, je n'ai donc pas le droit de supposer l'existence d'un « objet en soi », hors de ma sensation. Les différentes façons de s'exprimer de Berkeley en 1710, de Fichte en 1801, d'Avenarius en 1891-1894, ne changent rien au fond, c'est-à-dire à la tendance philosophique essentielle de l'idéalisme subjectif. Le monde est ma sensation ; le non-*Moi* est « supposé » (créé, produit) par notre *Moi* ; la chose est indissolublement liée à la conscience ; la coordination indissoluble de notre *Moi* et du milieu est la coordination de principe de l'empiriocriticisme ; c'est toujours le même principe, la même vieillerie présentée sous une enseigne un peu rafraîchie ou repeinte.

L'appel au « réalisme naïf » que l'on prétend défendre à l'aide d'une semblable philosophie, n'est qu'un *sophisme* de l'espèce la plus médiocre. Le « réalisme naïf » de tout homme sain d'esprit, qui ne sort pas d'une maison d'aliénés ou de l'école des philosophes idéalistes, consiste à admettre l'existence des choses, du milieu, du monde *indépendamment* de notre sensation, de notre conscience, de notre *Moi* et de l'homme en général. L'*expérience* même (au sens humain du mot, et non au sens machiste du mot), qui a créé en nous la ferme conviction qu'il existe, *indépendamment* de nous, d'autres hommes, et non de simples complexes de mes sensations de haut, de bas, de jaune, de solide, etc., c'est cette *expérience* qui crée notre conviction que les choses, le monde, le milieu, existent indépendamment de nous. Nos sensations, notre conscience ne sont que l'*image* du monde extérieur, et l'on conçoit que la représentation ne peut exister sans ce qu'elle représente, tandis que la chose représentée peut exister indépendamment de ce qui la représente. La conviction « naïve » de l'humanité, le matérialisme la met *consciemment* à la base de sa théorie de la connaissance.

Cette appréciation de la « coordination de principe » n'est-elle pas le résultat du parti pris des matérialistes contre le machisme ? Nullement. Les philosophes spécialistes, à qui l'on ne peut reprocher de se montrer sympathiques au matérialisme, qui le détestent même et adoptent des systèmes idéalistes variés, sont unanimes à déclarer que la coordination de principe d'Avenarius et Cie n'est qu'idéalisme subjectif. Ainsi Wundt, dont l'appréciation curieuse n'a pas été comprise de M. Iouchkévitch, dit tout net que la théorie d'Avenarius d'après laquelle il serait impossible de faire, sans un *Moi*, sans un sujet observant ou décrivant, la peinture complète de ce qui est donné ou de ce que nous trouvons, constitue une « confusion erronée du contenu de l'expérience réelle et des raisonnements sur cette expérience ». Les sciences de la nature, dit Wundt, font entièrement abstraction de tout observateur. « Or cette abstraction n'est possible que parce que la nécessité de tenir compte (hinzudenken, littéralement — joindre par la pensée) de l'individu qui expérimente dans le contenu de chaque expérience, que cette nécessité admise par la philosophie empiriocriticiste, d'accord en cela avec la philosophie immanente, est , en général, une hypothèse dépourvue de fondement empirique et qui résulte de la confusion erronée du contenu de l'expérience réelle et des raisonnements sur cette expérience » (ouvr. cité, p. 382). En effet, les immanents (Schuppe, Rehmke, Leclair, Schubert-Soldern), qui, comme on le verra tout à l'heure, marquent eux-mêmes leur vive sympathie pour Avenarius, prennent *justement* pour point de départ l'idée des liens « indissolubles » entre le sujet et l'objet. Mais, avant d'analyser Avenarius, W. Wundt démontre avec force détails que la philosophie immanente n'est qu'une « modification » du berkeleyisme et que les immanents ont beau nier leurs attaches avec Berkeley, pratiquement les différences verbales ne doivent pas dissimuler à nos yeux le « contenu plus profond des doctrines philosophiques », et notamment du berkeleyisme ou du fichtéisme *.

L'écrivain anglais Norman Smith expose, dans son analyse de la *Philosophie de l'expérience pure* d'Avenarius, cette conclusion en termes encore plus nets et plus catégoriques :

« La plupart de ceux qui connaissent la *Conception humaine du monde* d'Avenarius conviendront sans doute que, si probante que soit sa critique (de l'idéalisme), ses résultats positifs sont absolument illusoires. Si nous essayons de commenter sa théorie de l'expérience, telle qu'on veut nous la présenter, c'est-à-dire comme une théorie authentiquement réaliste (genuinely realistic), elle échappe

---

* Ouvrage cité, § C : « La Philosophie immanente et l'idéalisme de Berkeley », pp. 373 et 375. Cf. pp. 386 et 407. Sur l'inévitabilité du solipsisme de ce point de vue, p. 381.

à toute exposition lumineuse : toute sa portée se réduit à nier le subjectivisme qu'elle a la prétention de réfuter. Mais si nous traduisons les termes techniques d'Avenarius en un langage plus ordinaire, nous apercevrons la source véritable de cette mystification. Avenarius a détourné notre attention des points faibles de sa position en dirigeant son attaque principale contre le point faible » (c'est-à-dire l'idéalisme) « fatal à sa propre théorie *. » « Le vague du terme « expérience » rend un signalé service à Avenarius tout au long de ses raisonnements. Ce mot (experience) se rapporte tantôt à celui qui expérimente, tantôt à ce qui est expérimenté ; cette dernière signification est soulignée lorsqu'il est question de la nature de notre *Moi* (of the self). Ces deux significations du mot « expérience » coïncident pratiquement avec sa division importante en analyse absolue et analyse relative » (j'ai indiqué plus haut le sens de cette division chez Avenarius) ; « et ces deux points de vue ne sont pas, en réalité, conciliés dans sa philosophie. Car, s'il considère comme légitime de partir des principes que l'expérience est idéalement complétée par la pensée » (la description complète du milieu est idéalement complétée par la pensée du *Moi* observateur), « il émet ainsi une hypothèse qu'il est incapable d'accorder avec sa propre assertion que rien n'existe en dehors des rapports avec notre *Moi* (to the self). Le complément idéal de la réalité donnée qui s'obtient en décomposant les corps matériels en éléments inaccessibles à nos sens » (il s'agit des éléments matériels découverts par les sciences de la nature : atomes, électrons, etc., et non des éléments inventés par Mach et Avenarius), « ou en décrivant la terre telle qu'elle était aux époques où l'être humain n'existait pas, ce complément idéal n'est pas à strictement parler un complément de l'expérience, mais un complément de ce que nous expérimentons. Il ne fait que compléter un de ces anneaux de la coordination dont Avenarius disait qu'ils étaient indivisibles. Nous sommes ainsi amenés non seulement à ce qui ne fut jamais expérimenté (ne fut pas l'objet d'une expérience, has not been experienced), mais à ce qui ne peut jamais, en aucune

---

* Norman Smith, *Avenarius' Philosophy of Pure Experience* dans *Mind*[29], vol. XV, 1906, pp 27-28.

façon, être expérimenté par des êtres pareils à nous-mêmes. C'est ici justement que le mot à double sens, l'expérience, vient à la rescousse d'Avenarius. Avenarius fait ce raisonnement : la pensée est une forme aussi vraie (véritable, genuine) de l'expérience que la perception des sens, et retourne ainsi au vieil argument éculé (time-worn) de l'idéalisme subjectif, à savoir que la pensée et la réalité sont inséparables, cette dernière ne pouvant être perçue que par la pensée ; or la pensée suppose l'existence de l'être pensant. Les raisonnements positifs d' Avenarius ne nous offrent donc pas une reconstitution originale et profonde du réalisme, mais tout simplement celle de l'idéalisme subjectif sous sa forme la plus rudimentaire (crudest) » (p. 29).

La mystification d'Avenarius qui reprend sans réserve l'erreur de Fichte, est parfaitement bien dévoilée ici. L'élimination fameuse de l'opposition entre le matérialisme (Smith dit à tort : le réalisme) et l'idéalisme, à l'aide du petit mot « expérience », s'avère un mythe dès que nous passons à des questions concrètes bien déterminées. Telle est la question de l'existence de la terre *avant* l'homme, *avant* tout être doué de sensibilité. Nous en reparlerons tout à l'heure plus en détail. Notons pour l'instant que le masque d'Avenarius et de son « réalisme » fictif est arraché non seulement par N. Smith, adversaire de sa théorie, mais aussi par W. Schuppe, philosophe de l'immanence, qui a salué ardemment la parution de la *Conception humaine du monde*, comme une *confirmation du réalisme naïf* *. *Pareil* « réalisme », pareille mystification du matérialisme présentée par Avenarius, W. Schuppe l'approuve *sans réserve*. J'ai toujours prétendu, avec autant de droit que vous, hochverehrter Herr College (très honoré collègue), à un « réalisme » semblable, — écrit-il à Avenarius, — car on m'a calomnié, moi, philosophe de l'immanence, en me qualifiant d'idéaliste subjectif. « Ma conception de la pensée... s'accorde admirablement (verträgt sich vortrefflich), très honoré collègue, avec votre *Théorie de l'expérience pure* » (p. 384). En réalité, seul notre *Moi* (das Ich, c'est-à-dire l'abstraite conscience de

* Voir la lettre ouverte de W. Schuppe à R. Avenarius dans *Vierteljahrsschrift für wissenschaftliche Philosophie*, t. 17, 1893, pp. 364-388.

soi de Fichte, la pensée détachée du cerveau) confère « liaison et indissolubilité aux deux termes de la coordination ». « Ce que vous avez voulu éliminer, vous le supposez implicitement », écrivait Schuppe à Avenarius (p. 388). Et il est difficile de dire lequel des deux démasque plus douloureusement le mystificateur Avenarius, Smith avec sa réfutation nette et directe, ou Schuppe par son éloge enthousiaste de l'œuvre finale d'Avenarius. Le baiser de Wilhelm Schuppe ne vaut pas mieux en philosophie que celui de Piotr Strouvé ou de M. Menchikov[30] en politique.

De même O. Ewald, qui loue Mach de n'avoir pas cédé au matérialisme, dit de la coordination de principe : « S'il faut ériger la corrélation entre le terme central et le contre-terme en nécessité gnoséologique dont on ne peut s'écarter, on se place, de quelques majuscules criardes que soit composée l'enseigne « Empiriocriticisme », à un point de vue qui ne diffère en rien de l'idéalisme absolu. » (Ce terme est employé à tort ; c'est idéalisme subjectif qu'il fallait dire, car l'idéalisme absolu de Hegel s'accommode de l'existence de la terre, de la nature, du monde physique sans l'homme, ne considérant la nature que comme une « forme particulière » de l'idée absolue.) « Si, au contraire, on ne s'en tient pas logiquement à cette coordination et si on laisse aux contre-termes leur indépendance, on voit aussitôt remonter à la surface toutes les possibilités métaphysiques, et surtout celle du réalisme transcendantal » (ouvr. cit., pp. 56-57).

M. Friedländer, qui se cache sous le pseudonyme d'Ewald, qualifie le *matérialisme* de métaphysique et de réalisme transcendantal. Défendant lui-même une des variétés de l'idéalisme, il se range entièrement à l'avis des disciples de Mach et de Kant pour lesquels le matérialisme est une métaphysique, « métaphysique la plus fruste du commencement à la fin » (p. 134). Sur ce point, cet auteur pense comme Bazarov et tous nos disciples russes de Mach, qui parlent, eux aussi, du « transcensus » et de la métaphysique du matérialisme ; nous y reviendrons. Il importe ici de montrer une fois encore qu'*en réalité*, la prétention pseudo-érudite et creuse de vouloir dépasser l'idéalisme et le matérialisme s'évanouit, que la question est posée avec une intransigeance inexorable. « Laisser l'indépendance aux contre-termes », c'est admettre (si l'on traduit le style prétentieux du grimacier Avenarius en un simple langage humain), que la nature, le monde extérieur, sont indépendants de la conscience et des sensations de l'homme ; et c'est là le matérialisme. Bâtir la théorie de la connaissance sur le principe de la liaison indissoluble de l'objet avec les sensations de l'homme (« complexes de sensations »=corps ; identité des « éléments du monde » dans le psychique et le physique ; coordination d'Avenarius, etc.), c'est tomber infailliblement dans l'idéalisme. Telle est la simple, l'inévitable vérité qu'on découvre aisément, pour peu qu'on y prête attention, sous le fatras péniblement amoncelé de la terminologie pseudo-savante d'Avenarius, de Schuppe, d'Ewald et de tant d'autres, terminologie qui obscurcit à dessein la question et éloigne le grand public de la philosophie.

La « conciliation » de la théorie d'Avenarius avec le « réalisme naïf » a fini par susciter le doute chez les élèves mêmes du maître. R. Willy dit, par exemple, que l'assertion coutumière selon laquelle Avenarius serait arrivé au « réalisme naïf » doit être acceptée cum grano salis. « Le réalisme naïf ne serait autre chose, en tant que dogme, que la foi aux choses en soi, existant en dehors de l'homme (ausserpersönliche) sous forme de sensibilité tangible » *. Autrement dit, le matérialisme est, d'après Willy, la seule théorie de la connaissance qui s'accorde réellement, et non fictivement, avec le « réalisme naïf » ! Or Willy le répudie naturellement. Mais il est forcé de reconnaître qu'Avenarius reconstitue dans sa *Conception humaine du monde* l'unité de l'« expérience », l'unité du « moi » et du milieu « à l'aide de diverses conceptions auxiliaires et intermédiaires complexes et parfois très artificielles » (p. 171). La *Conception humaine du monde*, étant une réaction contre l'idéalisme primitif d'Avenarius, « porte entièrement l'empreinte d'une *conciliation* (eines Ausgleiches) entre le réalisme naïf du sens commun et l'idéalisme gnoséologique de la philosophie scolaire. Mais je n'oserais pas affirmer que pareille conciliation puisse rétablir l'unité et l'intégrité de l'expérience (Willy dit : Grunderfahrung, c'est-à-dire de l'expérience fondamentale. Encore un nouveau vocable !) » (p. 170).

---

* R. Willy, *Gegen die Schulweisheit*, p. 170.

Aveu précieux ! L'« expérience » d'Avenarius n'a pas réussi à concilier l'idéalisme et le matérialisme. Willy semble rejeter la *philosophie scolaire* de l'expérience pour lui substituer la philosophie triplement confuse de l'expérience « fondamentale »...

4. LA NATURE EXISTAIT-ELLE AVANT L'HOMME ?

Cette question, nous l'avons déjà vu, est particulièrement venimeuse pour la philosophie de Mach et d'Avenarius. Les sciences de la nature soutiennent positivement que la terre existait dans un état où ni l'homme ni aucun être vivant en général ne l'habitait ni ne pouvait l'habiter. La matière organique est un phénomène plus récent, le produit d'une longue évolution. Il n'y avait donc pas de matière douée de sensibilité, pas de « complexes de sensations », pas de *Moi* d'aucune sorte, « indissolublement » lié au milieu d'après la doctrine d'Avenarius. La matière est primordiale : la pensée, la conscience, la sensibilité sont les produits d'une évolution très avancée. Telle est la théorie matérialiste de la connaissance, adoptée d'instinct par les sciences de la nature.

On se demande si les représentants marquants de l'empiriocriticisme se sont aperçus de cette contradiction entre leur théorie et les sciences de la nature. Ils s'en sont aperçus et ont posé nettement la question de savoir par quels raisonnements cette contradiction peur être éliminée. Du point de vue matérialiste, trois manières de traiter la question, celle de R. Avenarius lui-même et celles de ses élèves J. Petzoldt et R. Willy, offrent un intérêt particulier.

Avenarius tente d'éliminer cette contradiction avec les sciences de la nature au moyen de la théorie du terme central « potentiel » de la coordination. Nous savons que la coordination consiste en un rapport « indissoluble » entre le *Moi* et le milieu. Pour éliminer l'absurdité évidente de cette théorie, on introduit l'idée d'un terme central « potentiel ». Que faire, par exemple, si l'homme se développe à partir de l'embryon ? Le milieu (=« contre-terme ») existe-t-il, si le « terme central » est représenté par un embryon ? Le système embryonnaire C, répond Avenarius, est le « terme central potentiel à l'égard du milieu individuel futur »

(*Remarques*, p. 140 de l'ouvrage cité). Le terme central potentiel n'est jamais égal à zéro, même quand les parents (elterliche Bestandteile) n'existent pas encore, et qu'existent seulement les « parties constituantes du milieu », susceptibles de devenir des parents (p. 141).

Ainsi, la coordination est indissoluble. L'empiriocriticiste est obligé de l'affirmer afin de sauver les bases de sa philosophie, les sensations et leurs complexes. L'homme est le terme central de cette coordination. Et quand l'homme n'existe pas encore, quand il n'est pas encore né, le terme central n'est pas pour autant égal à zéro : il devient seulement un terme central *potentiel* ! On ne peut que s'étonner qu'il y ait encore des gens capables de prendre au sérieux un philosophe qui vous sert des raisonnements pareils ! Wundt même, qui déclare n'être nullement ennemi de toute métaphysique (c'est-à-dire de tout fidéisme), se voit contraint de reconnaître qu'il y a ici un « obscurcissement mystique du concept d'expérience » par le mot « potentiel », qui annule toute coordination (ouvrage cité, p. 379).

Peut-on, en effet, parler sérieusement d'une coordination dont l'indissolubilité consiste en ce que l'un de ses termes est potentiel ?

N'est-ce pas là de la mystique, est-ce que cela ne conduit pas au fidéisme ? Si l'on peut se représenter un terme central potentiel à l'égard du milieu futur, pourquoi ne pas se le représenter à l'égard du milieu *passé*, c'est-à-dire *après la mort* de l'homme ? Avenarius, direz-vous, n'a pas tiré cette conclusion de sa théorie. Oui, mais sa théorie absurde et réactionnaire n'en est que plus pusillanime, elle n'en est pas devenue meilleure. En 1894 Avenarius ne l'a pas exposée à fond, ou bien il a craint de le faire et de la pousser jusqu'à ses dernières conséquences. Or, nous le verrons plus loin, *c'est à cette théorie justement* que se référait Schubert-Soldern en 1896, et *cela* pour en tirer des conclusions théologiques. Mach, en 1906, *approuva* Schubert-Soldern qui, disait-il, suivait « *une voie très proche* » (de la sienne) (*Analyse des sensations*, p. 4). Engels avait parfaitement raison de s'attaquer à Dühring qui, en dépit de son athéisme catégorique, *laissait* illogiquement dans sa philosophie, *la porte ouverte* au fidéisme. A maintes reprises — et à juste titre, — Engels adresse à ce sujet des reproches au matérialiste Dühring qui, de 1870 à 1880 tout au moins, ne formulait pourtant pas de déductions théologiques. Et il s'en trouve chez nous qui, se réclamant du marxisme, propagent dans les masses une philosophie touchant de près au fidéisme !

« ...On pourrait croire, écrit au même endroit Avenarius, que, du point de vue de l'empiriocriticisme précisément, les sciences de la nature n'ont pas le droit d'envisager les périodes de notre milieu actuel qui ont précédé dans le temps l'existence de l'homme » (p. 144). Réponse d'Avenarius : « Quiconque pose cette question ne peut éviter de s'y adjoindre lui-même mentalement » (sich hinzuzudenken, c'est-à-dire s'imaginer assistant à la chose). « En effet, poursuit Avenarius, ce que le naturaliste cherche (même s'il ne s'en rend pas assez nettement compte), n'est au fond que ceci : comment se représenter la terre ou le monde avant l'apparition des êtres vivants ou de l'homme, si je m'y adjoins mentalement en qualité de spectateur, à peu près comme si, de notre terre, on observait, à l'aide d'instruments perfectionnés, l'histoire d'une autre planète ou même d'un autre système solaire. »

La chose ne peut exister indépendamment de notre conscience ; « nous nous y adjoindrons toujours nous-mêmes en tant qu'esprit cherchant à connaître cette chose ».

Cette théorie de la nécessité d'« adjoindre mentalement » la conscience humaine à toute chose, à la nature antérieure à l'homme, est exposée ici en deux alinéas, dont le premier est emprunté au « positiviste moderne » R. Avenarius, et le second à l'idéaliste subjectif J. G. Fichte *. La sophistique de cette théorie est tellement évidente qu'on éprouve quelque gêne à l'examiner. Si « nous nous adjoignons mentalement », notre présence sera *imaginaire*, et l'existence de la terre avant l'homme est *réelle*. En réalité, l'homme *n'a pu*, par exemple, observer en spectateur la terre incandescente ; « concevoir » sa présence en ce cas, c'est faire preuve d'*obscurantisme* tout comme si l'on usait de l'argumentation suivante pour démontrer l'existence de l'enfer : Si je m'y

* J. G. Fichte, *Rezension des Aenesidemus*, 1794, *Sämtliche Werke*, t. I, p. 19.

« adjoignais mentalement » en qualité de spectateur, je pourrais observer l'enfer. La « conciliation » de l'empiriocriticisme avec les sciences de la nature consiste en ce qu'Avenarius veut bien « adjoindre mentalement » ce dont les sciences de la nature *excluent* la possibilité. Nul homme tant soit peu instruit et sain d'esprit ne doute que la terre a existé alors qu'il *ne pouvait* y avoir là aucune vie, aucune sensation, aucun « terme central ». Toute la théorie de Mach et d'Avenarius, d'après laquelle la terre est un complexe de sensations (« les corps sont des complexes de sensations »), ou un « complexe d'éléments dans lequel le psychique est identique au physique », ou un « contre-terme dont le terme central ne peut jamais être égal à zéro », n'est qu'un *obscurantisme philosophique*, développement jusqu'à l'absurde de l'idéalisme subjectif.

J. Petzoldt s'est aperçu de l'absurdité de la position d'Avenarius et en a rougi. Il consacre, dans son *Introduction à la philosophie de l'expérience pure* (t. II), tout un texte (§ 65) à la « question de la réalité des périodes antérieures (frühere) de la terre ».

« Dans la doctrine d'Avenarius, dit Petzoldt, le *Moi* (das Ich) joue un rôle autre que chez Schuppe » (notons que Petzoldt déclare expressément, à plusieurs reprises : Notre philosophie est l'œuvre de *trois* hommes : Avenarius, Mach et Schuppe) ; « toutefois, un rôle peut-être encore trop considérable pour sa théorie » (le fait que Schuppe a démasqué Avenarius en déclarant que, pratiquement, tout chez lui repose en somme sur le *Moi*, semble avoir influé sur Petzoldt ; celui-ci veut se corriger). « Avenarius a dit une fois, reprend Petzoldt : « Nous pouvons naturellement nous représenter un endroit où l'homme n'a jamais mis le pied, mais pour qu'on puisse *penser* (c'est Avenarius qui souligne) un pareil milieu il faut qu'il y ait ce que nous désignons par *Moi* (Ich-Bezeichnetes), un Moi *auquel* (souligné par Avenarius) appartienne cette pensée » (*Vierteljahrsschrift für wissenschaftliche Philosophie*, t. 18, 1894, p. 146, Anmerkung). »

Petzoldt réplique :

« L'important, au point de vue gnoséologique, ce n'est point de nous demander si nous pouvons, en général, concevoir un tel endroit, mais si nous avons le droit de le concevoir comme existant ou ayant existé indépendamment d'une pensée individuelle quelconque. »

Ce qui est vrai est vrai. Les hommes peuvent concevoir et « s'adjoindre mentalement » toutes sortes d'enfers, toutes sortes de loups-garous ; Lounatcharski s'est même « adjoint mentalement »... disons, par euphémisme, des idées religieuses[31]. Mais la théorie de la connaissance a justement pour but de démontrer le caractère irréel, fantastique, réactionnaire de ces adjonctions mentales.

« ...Que le système C (c'est-à-dire le cerveau) soit nécessaire à la pensée, cela va de soi pour Avenarius et pour la philosophie que je défends »...

Ce n'est pas vrai. La théorie d'Avenarius de 1876 est une théorie de la pensée sans le cerveau. Et sa théorie de 1891-1894 n'est pas, elle non plus, comme nous allons le voir, exempte du même élément d'absurdité idéaliste.

« ...Ce système C représente-t-il cependant une *condition de l'existence* (souligné par Petzoldt), par exemple, de l'époque secondaire (Sekundärzeit) de la Terre » ? Citant le raisonnement déjà mentionné d'Avenarius sur l'objet des sciences de la nature et la possibilité pour nous d'« adjoindre mentalement » l'observateur, Petzoldt réplique :

« Non, nous voulons savoir si nous sommes en droit de penser que la terre existait, aussi bien à cette époque lointaine qu'elle existait hier ou il y a un instant. Ou bien faut-il, en effet, n'affirmer l'existence de la terre qu'à la condition (comme le voulait *Willy*) que nous ayons au moins le droit de penser qu'il existe, en même temps que la terre, un système C si peu développé soit-il ? » (nous reviendrons tout à l'heure à cette idée de Willy).

« Avenarius évite cette étrange conclusion de Willy au moyen de l'idée que la personne qui pose la question ne peut mentalement s'écarter elle-même (sich wegdenken, c'est-à-dire : se croire absente), ou ne peut éviter de s'adjoindre mentalement (sich hinzuzudenken ; cf. *Conception humaine du monde*, p. 130, Ire éd. allemande). Mais Avenarius fait ainsi du *Moi* individuel de la personne qui pose la question ou pense à ce *Moi*, une condition non de la simple action de penser à la terre inhabitable, mais de notre droit de penser que la terre existait en ces temps reculés.

« Il est facile d'éviter ces fausses voies en n'accordant

pas à ce *Moi* une aussi grande valeur théorique. La seule chose que la théorie de la connaissance doive exiger, en tenant compte des différentes conceptions sur ce qui est éloigné de nous dans l'espace et dans le temps, c'est qu'on puisse le penser et le déterminer comme identique à lui-même (eindeutig) ; tout le reste est affaire des sciences spéciales »(t. II, p. 325).

Petzoldt a rebaptisé la loi de causalité loi de détermination identique et établi dans sa théorie, comme nous le verrons plus bas, *l'apriorité* de cette loi. C'est dire qu'il échappe à l'idéalisme subjectif et au solipsisme d'Avenarius (qui « accorde une importance exagérée à notre *Moi* », comme on le dit dans le jargon professoral !) grâce aux idées *kantiennes.* L'insuffisance du facteur objectif dans la doctrine d'Avenarius, l'impossibilité de concilier celle-ci avec les exigences des sciences de la nature qui déclarent que la terre (l'objet) existait bien avant l'apparition des êtres vivants (le sujet), obligent Petzoldt à se cramponner à la causalité (détermination identique). La terre existait, car son existence antérieure à l'homme est causalement liée à son existence actuelle. Mais d'abord, d'où la causalité est-elle venue ? Elle est a priori, dit Petzoldt. Ensuite, les idées d'enfer et de loups-garous, et les « adjonctions mentales » de Lounatcharski ne sont-elles pas liées par la causalité ? En troisième lieu, la théorie des « complexes de sensations » est en tout cas détruite par Petzoldt. Cet auteur n'a pas éliminé la contradiction qu'il a constatée chez Avenarius, mais est tombé dans une confusion encore plus grande, car il ne peut y avoir qu'une solution : reconnaître que le monde extérieur, reflété dans notre conscience, existe indépendamment d'elle. Seule cette solution matérialiste coïncide effectivement avec les données des sciences de la nature et écarte la solution idéaliste de la question de la causalité préconisée par Petzoldt et Mach, ce dont nous reparlerons plus spécialement.

Dans un article intitulé : « Der Empiriokritizismus als einzig wissenschaftlicher Standpunkt » (« L'empiriocriticisme, seul point de vue scientifique »), un autre empiriocriticiste, R. Willy, a posé le premier, en 1896, cette question embarrassante pour la philosophie d'Avenarius. Quelle attitude adopter à l'égard du monde antérieur à l'homme ? se demande Willy *. Et il commence par répondre, à l'exemple d'Avenarius : « Nous nous transportons *mentalement* dans le passé. » Mais il dit plus loin qu'on n'est nullement obligé d'entendre par *expérience*, l'expérience humaine. « Car, du moment que nous prenons la vie des animaux dans ses rapports avec l'expérience générale, nous devons considérer le monde animal, fût-il question du ver le plus misérable, comme le monde d'hommes primitifs (Mitmenschen) » (pp. 73-74). Ainsi la terre était, avant l'homme, l'« expérience » du ver qui, pour sauver la « coordination » et la philosophie d'Avenarius, faisait office de « terme central » ! Rien d'étonnant après cela que Petzoldt ait tenté de se désolidariser d'un pareil raisonnement, qui est une perle d'absurdité (une conception de la terre conforme aux théories des géologues est attribuée au ver) et n'offre d'ailleurs aucun secours à notre philosophe, car la terre existait non seulement avant l'homme, mais avant tous les êtres vivants.

Willy revint sur ce sujet une autre fois, en 1905. Cette fois le ver avait disparu **. Mais la « loi de l'identité » de Petzoldt ne satisfait certes pas Willy, qui ne voit là que « formalisme logique ». La question de l'existence du monde avant l'homme, posée à la manière de Petzoldt, nous ramène en somme, dit l'auteur, « aux choses en soi telles que les conçoit le sens commun » (c'est-à-dire au matérialisme! Quelle horreur, en effet!). Que signifient les millions d'années durant lesquelles il n'y eut pas de vie ? « Le temps lui-même n'est-il pas devenu une chose en soi ? Certes non ! *** Mais alors, les choses extérieures à l'homme ne sont que des représentations, des parcelles de fantaisie humaine créée à l'aide des débris que nous trouvons autour de nous. Et pourquoi n'en serait-il pas ainsi, en effet ? Le philosophe doit-il craindre le torrent de la vie ?... Laisse là, me dis-je, les raffinements des systèmes et saisis le moment (ergreife den Augenblick) que tu vis et qui seul procure le bonheur » (pp. 177-178).

Bien. Bien. Ou le matérialisme, ou le solipsisme. Voilà à quoi en arrive R. Willy, malgré ses phrases tapageuses,

* *Vierteljahrsschrift für wissenschaftliche Philosophie*, 1896, t. 20, p. 72.

** R. Willy, *Gegen die Schulweisheit*, 1905, pp. 173-178.

*** Nous en reparlerons plus bas avec les disciples de Mach.

dans l'analyse du problème de l'existence de la nature avant l'homme.

Résultat. Nous venons de voir trois augures de l'empiriocriticisme, qui, à la sueur de leur front, se sont efforcés de concilier leur philosophie avec les sciences de la nature et de boucher les trous du solipsisme. Avenarius a repris l'argument de Fichte et a substitué le monde imaginaire au monde réel. Petzoldt s'est éloigné de l'idéalisme de Fichte pour se rapprocher de l'idéalisme de Kant. Willy, après avoir fait fiasco avec son « ver », a jeté le manche après la cognée et laissé, sans le vouloir, échapper la vérité : ou le matérialisme, ou le solipsisme, ou même l'aveu que rien n'existe en dehors du moment présent.

Il nous reste seulement à montrer au lecteur *comment* nos disciples russes de Mach ont compris et comment ils ont exposé cette question. Voici ce que dit Bazarov dans les *Essais* « sur » *la philosophie marxiste* (p. 11) :

« Il nous reste maintenant, sous la direction de notre fidèle vade-mecum » (il s'agit de Plékhanov) « à descendre dans le dernier cercle, le plus terrible, de l'enfer solipsiste, là où tout idéalisme subjectif est, d'après Plékhanov, menacé de se représenter nécessairement le monde tel que le contemplèrent les ichtyosaures et les archéoptéryx. « Transportons-nous mentalement, écrit-il (Plékhanov), à l'époque où la terre n'était habitée que par les très lointains ancêtres de l'homme, à l'ère secondaire, par exemple. On se demande ce qu'il en était alors de l'espace, du temps et de la causalité. Pour quels êtres étaient-ils en ce temps-là des formes subjectives ? Les formes subjectives des ichtyosaures ? Et quel entendement dictait alors ses lois à la nature ? Celui de l'archéoptéryx ? La philosophie de Kant ne peut répondre à ces questions. Elle doit être écartée comme absolument inconciliable avec la science contemporaine. » (*L. Feuerbach*, p. 117). »

Bazarov interrompt ici sa citation de Plékhanov, tout juste devant la phrase suivante, très importante, comme on la verra : « L'idéalisme dit : pas d'objet sans sujet. L'histoire de la terre montre que l'objet existait bien avant qu'ait apparu le sujet, c'est-à-dire bien avant l'apparition d'organismes doués si peu que ce soit de conscience... L'histoire de l'évolution démontre la vérité du matérialisme. »

Poursuivons la citation de Bazarov :

« ...La chose en soi de Plékhanov nous donne-t-elle la réponse cherchée ? Rappelons-nous que d'après Plékhanov également, nous ne pouvons avoir aucune représentation des choses telles qu'elles sont en soi ; nous n'en connaissons que les manifestations, nous ne connaissons que les résultats de leur action sur nos organes des sens. « En dehors de cette action elles n'ont aucun aspect » (*L. Feuerbach*, p. 112). Quels organes des sens existaient donc à l'époque des ichtyosaures ? Ceux, évidemment, des ichtyosaures et de leurs semblables. Seules les représentations mentales des ichtyosaures étaient alors les manifestations véritables, réelles des choses en soi. Par conséquent, le paléontologiste qui ne veut pas quitter le terrain de la « réalité » devrait, d'après Plékhanov également, écrire l'histoire de l'ère secondaire telle que la contemplèrent les ichtyosaures. Ici encore nous ne faisons pas un pas en avant par rapport au solipsisme. »

Tel est dans son intégralité (que le lecteur nous excuse la longueur de cette citation qu'il n'était pas possible d'écourter) le raisonnement d'un disciple de Mach, raisonnement qu'il faudrait immortaliser comme le plus bel exemple de confusion.

Bazarov croit avoir pris Plékhanov au mot. Si, se dit-il, les choses en soi n'ont aucun aspect en dehors de leur action sur nos organes des sens, c'est qu'elles n'existaient à l'ère secondaire que sous des « aspects » perçus par les organes des sens des ichtyosaures. Et ce serait là le raisonnement d'un matérialiste ? ! L'« aspect » étant le résultat de l'action des « choses en soi » sur les organes des sens, il s'ensuivrait que les choses *n'existeraient pas indépendamment* de tout organe des sens ? ?

Mais admettons un instant (si incroyable que cela puisse paraître) que Bazarov « n'ait vraiment pas compris » Plékhanov ; admettons que le langage de Plékhanov ne lui ait pas paru assez clair. Soit. Nous demandons : Bazarov s'exerce-t-il à des jongleries aux dépens de Plékhanov (que les disciples de Mach élèvent au rang de représentant unique du matérialisme !) ou veut-il éclaircir la question *du matérialisme* ? Si Plékhanov vous a paru peu clair ou contradictoire, etc., que ne prenez-vous d'autres matérialistes ?

Serait-ce que vous n'en connaissiez pas ? L'ignorance n'est pas un argument.

Si en effet Bazarov ignore que le matérialisme part du principe que le monde extérieur existe, que les *choses* existent en dehors de notre conscience et indépendamment d'elle, nous sommes en présence d'un cas d'ignorance extrême vraiment exceptionnel. Nous rappellerons au lecteur que Berkeley reprochait en 1710 aux matérialistes d'admettre l'existence des « objets en soi » indépendamment de notre conscience qui les reflète. Certes, chacun est libre de prendre parti pour Berkeley ou pour n'importe qui *contre* les matérialistes. C'est incontestable. Mais il est tout aussi incontestable que parler des matérialistes et mutiler ou ignorer le principe fondamental du matérialisme *tout entier*, c'est introduire dans la question une confusion sans nom.

Est-il vrai, comme l'a dit Plékhanov, qu'il n'y ait pas pour l'idéalisme d'objet sans sujet, et que l'objet existe pour le matérialisme indépendamment du sujet, étant plus ou moins exactement reflété dans la conscience de ce dernier ? Si ce *n'est pas* vrai, toute personne tant soit peu respectueuse du marxisme devrait signaler *cette* erreur de Plékhanov et, en ce qui concerne le matérialisme et l'existence de la nature antérieurement à l'homme, compter *non* avec Plékhanov, mais avec quelqu'un d'autre : Marx, Engels, Feuerbach. Et si cela est vrai ou, du moins, si vous ne pouvez découvrir ici une erreur, vous commettez, au point de vue littéraire, une incongruité en tentant de brouiller les cartes et d'obscurcir dans la tête du lecteur la notion la plus élémentaire du matérialisme et ce qui le distingue de l'idéalisme.

Nous citerons, pour les marxistes qui s'intéressent à cette question *indépendamment* du moindre mot prononcé par Plékhanov, l'opinion de L. Feuerbach qui, tout le monde le sait (*sauf* peut-être Bazarov?), fut un matérialiste grâce à qui Marx et Engels, abandonnant l'idéalisme de Hegel, sont parvenus à leur philosophie matérialiste. Feuerbach écrivait dans sa réplique à R. Haym :

« La nature, qui n'est pas l'objet de l'homme ou de la conscience, est bien entendu pour la philosophie spéculative, ou tout au moins pour l'idéalisme, une chose en soi au sens de ce terme chez Kant » (nous reparlerons de la confusion établie par nos disciples de Mach entre la chose en soi des matérialistes et celle de Kant), « une abstraction dénuée de toute réalité ; mais c'est justement la nature qui amène la faillite de l'idéalisme. Les sciences de la nature, au moins dans leur état actuel, nous conduisent nécessairement à un point où les conditions de l'existence humaine faisaient encore défaut, où la nature, c'est-à-dire la terre, n'était pas encore un objet d'observation pour l'œil et l'intelligence humaine ; où la nature était, par conséquent, un être absolument étranger à l'humain (absolut unmenschliches Wesen). A cela l'idéalisme peut répliquer : Mais cette nature est une nature conçue par toi (von dir gedachte). Certes, mais il ne s'ensuit pas qu'elle n'ait pas existé dans le temps, comme il ne s'ensuit pas que Socrate et Platon, parce qu'ils n'existent pas pour moi quand je ne pense pas à eux, n'aient pas eu une existence réelle en leur temps, sans moi *. »

Telles sont les réflexions auxquelles se livrait Feuerbach sur le matérialisme et l'idéalisme, en ce qui concerne l'antériorité de la nature par rapport à l'homme. Sans connaître le « positivisme moderne », Feuerbach, qui connaissait bien les vieux sophismes idéalistes, a réfuté le sophisme d'Avenarius (« adjoindre mentalement un observateur »). Or, Bazarov n'apporte absolument rien, ce qui s'appelle rien, si ce n'est la répétition de ce sophisme des idéalistes : « Si j'avais été présent (sur la terre antérieure à l'homme), c'est ainsi que j'eusse vu le monde » (*Essais* « sur » *la philosophie marxiste*, p. 29). Autrement dit : Si je fais cette supposition manifestement absurde et contraire aux sciences de la nature (que l'homme ait pu observer l'univers antérieur à l'homme), je joindrai les deux bouts de ma philosophie !

On peut dès lors juger de la connaissance des choses ou des procédés littéraires de Bazarov, qui ne souffle mot de la « difficulté » avec laquelle Avenarius, Petzoldt et Willy furent aux prises et qui, jetant le tout dans le même tas, présente au lecteur un tel brouillamini qu'on ne voit plus de différence entre le matérialisme et le solipsisme ! L'idéa-

---

* L. Feuerbach, *Sämtliche Werke*, herausg. von Bolin und Jodl, t. VII, Stuttgart, 1903, p. 510 ; ou Karl Grün, *L. Feuerbach in seinem Briefwechsel und Nachlass, sowie in seiner philosophischen Charakterentwicklung*, t. I, Leipzig, 1874, pp. 423-435.

lisme est représenté comme du « réalisme », le matérialisme se voit attribuer la négation de l'existence des choses en dehors de leur action sur les organes des sens ! Oui, oui, ou Feuerbach ignorait la différence élémentaire entre matérialisme et idéalisme, ou Bazarov et Cie ont transformé d'une manière toute nouvelle les vérités premières de la philosophie.

Ou bien, prenez encore Valentinov. Voyez ce philosophe qui se montre, naturellement, ravi de Bazarov : 1. « Berkeley est le fondateur de la théorie selon laquelle le sujet et l'objet ne sont donnés que dans leur corrélation » (p. 148). Ce n'est d'ailleurs nullement l'idéalisme de Berkeley, allons donc! C'est une « analyse pénétrante » ! 2. « Les principes fondamentaux de la théorie sont formulés par Avenarius de la manière la plus réaliste en dehors des formes (!) de son interprétation idéaliste habituelle (rien que de son interprétation !) » (p. 148). La mystification, on le voit, prend avec les bambins ! 3. « La conception d'Avenarius sur le point de départ de la connaissance est celle-ci : chaque individu se trouve dans un milieu déterminé ; autrement dit, l'individu et le milieu sont donnés comme deux termes liés et inséparables (!) d'une seule coordination » (p. 148). Charmant ! Ce n'est pas de l'idéalisme — Valentinov et Bazarov se sont élevés au-dessus du matérialisme et de l'idéalisme, — c'est l'« indivisibilité » la plus « réaliste » de l'objet et du sujet. 4. « L'affirmation contraire : il n'y a pas de contre-terme sans un terme central correspondant, l'individu, est-elle légitime ? Evidemment (!), elle ne l'est pas... A l'ère archéenne les forêts verdissaient... l'homme cependant n'existait pas encore » (p. 148). Indivisibilité signifie que l'*on peut* diviser ! N'est-ce pas « évident » ? 5. « Au point de vue de la théorie de la connaissance, la question de l'objet en soi demeure pourtant absurde » (p. 148). Parbleu ! Quand il n'y avait pas encore d'organismes doués de sensations, les choses étaient néanmoins des « complexes d'éléments » *identiques* aux sensations ! 6. « L'école immanente représentée par Schubert-Soldern et Schuppe a exprimé ces (!) idées sous une forme impropre et s'est engagée dans l'impasse du solipsisme » (p. 149). « Ces idées » elles-mêmes ne contiennent pas de solipsisme, et l'empiriocriticisme n'est nullement une variante de la théorie réactionnaire des immanents qui mentent en déclarant leur sympathie pour Avenarius !

Ce n'est pas une philosophie, messieurs les disciples de Mach, c'est un assemblage incohérent de mots.

5. L'HOMME PENSE-T-IL AVEC LE CERVEAU ?

A cette question Bazarov répond catégoriquement par l'affirmative. « Si la thèse de Plékhanov, écrit-il, selon laquelle « la conscience est un état interne (? Bazarov) de la matière » était exprimée de façon un peu plus satisfaisante, par exemple : « tout processus psychique est fonction d'un processus cérébral », ni Mach ni Avenarius ne la contesteraient »... (*Essais* « sur » *la philosophie marxiste*, p. 29).

La souris ne connaît pas d'animal plus fort que le chat. Les disciples russes de Mach ne connaissent pas de matérialiste plus fort que Plékhanov. Plékhanov aurait-il donc été le *seul* ou le premier à formuler cette thèse matérialiste que la conscience est un état interne de la matière ? Et si cette formule matérialiste énoncée par Plékhanov déplaît à Bazarov, pourquoi compte-t-il avec Plékhanov, et non pas avec Engels ou Feuerbach ?

Parce que les disciples de Mach craignent la vérité. Ils font la guerre au matérialisme tout en feignant de combattre Plékhanov : procédé pusillanime et sans principes.

Mais passons à l'empiriocriticisme. Avenarius « ne contesterait pas » que la pensée est une fonction du cerveau. Ces mots de Bazarov sont une contrevérité pure et simple. Avenarius ne fait pas que *contester* la thèse matérialiste, il bâtit toute une « théorie » précisément pour la réfuter. « Notre cerveau, dit Avenarius dans la *Conception humaine du monde*, n'est pas l'habitat, le siège, le créateur, ni l'instrument ou l'organe, le porteur ou le substratum, etc., de la pensée » (p. 76, cité avec approbation par Mach dans l'*Analyse des sensations*, p. 32). « La pensée n'est pas l'habitant ou le souverain du cerveau, elle n'en est pas la moitié ou l'un des aspects, etc. ; elle n'est pas non plus un produit ou même une fonction physiologique, ou encore un état quelconque du cerveau » (*ibid.*). Avenarius n'est pas moins net dans ses *Remarques* : les « représentations » « ne sont pas des fonctions (physiologiques, psychiques, psycho-physiques) du cerveau » (§ 115, p. 419 de l'ouvrage cité). Les sensations ne sont pas des « fonctions psychiques du cerveau » (§ 116).

Ainsi, pour Avenarius, le cerveau n'est pas l'organe de la pensée, la pensée n'est pas une fonction du cerveau. Consultons Engels et nous trouverons aussitôt des formules nettement matérialistes, diamétralement opposées. « La pensée et la conscience, dit Engels dans l'*Anti-Dühring*, sont des produits du cerveau humain » (p. 22 de la cinquième édition allemande)[32]. Cette pensée est répétée à plusieurs reprises dans le même livre. Nous trouvons dans *Ludwig Feuerbach* l'exposé suivant des vues de Feuerbach et d'Engels : « Le monde matériel (stofflich), perceptible par les sens, auquel nous appartenons nous-mêmes, est la seule réalité », « notre conscience et notre pensée, si transcendantes qu'elles nous paraissent, ne sont que les produits (Erzeugnis) d'un organe matériel, corporel, le cerveau. La matière n'est pas un produit de l'esprit, mais l'esprit n'est lui-même que le produit supérieur de la matière. C'est là, naturellement, pur matérialisme » (4e édition allemande, p. 18). Ou encore page 4 : le reflet des processus de la nature « dans le cerveau pensant » [33], etc., etc.

C'est ce point de vue matérialiste que condamne Avenarius en qualifiant « la pensée du cerveau » de « *fétichisme des sciences de la nature* » (*Conception humaine du monde*, 2e édit. allem., p. 70). Avenarius ne se fait donc pas la moindre illusion sur la contradiction formelle dans laquelle il se trouve sur ce point avec les sciences de la nature. Il admet, comme Mach et tous les immanents, que les sciences de la nature reposent sur la conception matérialiste inconsciente, spontanée. Il admet et déclare tout net *être en désaccord absolu* avec *la « psychologie dominante »* (*Remarques*, p. 150 et bien d'autres). Cette psychologie dominante opère une « introjection » inadmissible (encore un nouveau mot enfanté dans la douleur par notre philosophe !) ; en d'autres termes, elle introduit la pensée dans le cerveau ou les sensations en nous. Ces « deux mots » (en nous, in uns), poursuit Avenarius, contiennent le principe (Annahme) que l'empiriocriticisme conteste. « C'est cette *introduction* (Hineinverlegung) des choses vues, etc., en l'homme que nous appelons *introjection* » (p. 153, § 45).

L'introjection s'écarte « en principe » de la « conception naturelle du monde » (natürlicher Weltbegriff) en disant « en moi », au lieu de dire « devant moi » (vor mir, p. 154), et « en faisant de la partie intégrante du milieu (réel) une partie intégrante de la pensée (idéale) » (*ibid.*). « De l'amécanique » (nouveau mot pour dire : psychique) « qui se manifeste nettement et librement dans le donné (ou dans ce que nous trouvons, im Vorgefundenen), l'introjection fait quelque chose de mystérieusement caché (une chose latitante, pour employer l'expression « nouvelle » d'Avenarius) dans le système nerveux central » (*ibid.*).

Nous voici en présence de la même *mystification* que nous avons aperçue dans la fameuse défense du « réalisme naïf » par les empiriocriticistes et les immanents. Avenarius suit ici le conseil de l'aigrefin [34] de Tourguénev : Elève-toi avec le plus d'énergie contre les vices que tu te reconnais. Avenarius s'efforce de faire semblant de combattre l'idéalisme : on déduit habituellement l'idéalisme philosophique de l'introjection, dit-il en somme, on transforme le monde extérieur en sensation, en représentation, etc. Or, moi, je défends le « réalisme naïf », la réalité adéquate de tout ce qui est donné, et du « *Moi* » et du milieu, sans introduire le monde extérieur dans le cerveau de l'homme.

Même sophistique que celle que nous a révélée l'exemple de la fameuse coordination. Détournant l'attention du lecteur à l'aide d'attaques partielles contre l'idéalisme, Avenarius défend en réalité, sous une terminologie à peine modifiée, ce même idéalisme : la pensée n'est pas une fonction du cerveau, le cerveau n'est pas l'organe de la pensée, les sensations ne sont pas une fonction du système nerveux, ce sont des « éléments » psychiques dans une combinaison déterminée et physiques (quoique « *identiques* ») dans une autre. Avec sa nouvelle terminologie confuse, avec de nouveaux petits mots alambiqués prétendant exprimer une « théorie » nouvelle, Avenarius ne fait que piétiner sur place pour revenir ensuite à son principe idéaliste fondamental.

Et si nos disciples russes de Mach (Bogdanov, par exemple) n'ont pas remarqué la « mystification » et ont vu dans la « nouvelle » défense de l'idéalisme une réfutation de ce dernier, les philosophes de métier ont donné, dans leur analyse de l'empiriocriticisme, une appréciation clairvoyante des idées essentielles d'Avenarius telles qu'elles apparaissent, une fois écartée la terminologie alambiquée.

Bogdanov écrivait en 1903 (« La pensée autoritaire », article paru dans le recueil : *Psychologie sociale*, p. 119 et suivantes) :

« Richard Avenarius a donné le tableau philosophique le plus complet et le plus harmonieux du développement du dualisme de l'esprit et du corps. L'essence de sa « théorie de l'introjection », c'est que » (nous n'observons directement que les corps physiques et ne pouvons que nous livrer à des hypothèses sur les émotions d'autrui, c'est-à-dire sur le psychisme d'autrui) « ... cette hypothèse se complique du fait que les émotions d'un autre homme sont situées en son corps, introduites (introjectées) dans son organisme. C'est là une hypothèse superflue qui conduit même à une foule de contradictions. Avenarius relève systématiquement ces contradictions, en déroulant sous nos yeux la série des phases historiques successives du développement du dualisme d'abord, de l'idéalisme philosophique ensuite. Mais point n'est besoin de le suivre ici »... « L'introjection sert d'explication au dualisme de l'esprit et du corps. »

Bogdanov, croyant l'« introjection » dirigée contre l'idéalisme, a mordu à l'hameçon de la philosophie professorale. Il a admis *sur parole* l'appréciation de l'introjection donnée par Avenarius lui-même, sans apercevoir la *pointe* dardée contre le matérialisme. L'introjection nie que la pensée soit une fonction du cerveau, que la sensation soit une fonction du système nerveux central de l'homme ; elle nie donc, afin de réfuter le matérialisme, la vérité la plus élémentaire de la physiologie. Le « dualisme » est ainsi réfuté à la *manière idéaliste* (en dépit de toute la colère diplomatique d'Avenarius contre l'idéalisme), car la sensation et la pensée ne nous apparaissent pas ici comme des facteurs secondaires, dérivés de la matière, mais comme des facteurs *primaires*. Avenarius n'a réfuté ici le dualisme que dans la mesure où il a « réfuté » l'existence de l'objet sans sujet, de la matière sans pensée, du monde extérieur indépendant de nos sensations, autrement dit, il l'a réfuté à la *manière idéaliste* : il lui a fallu la négation absurde du fait que l'image visuelle de l'arbre est une fonction de ma rétine, de mes nerfs et de mon cerveau, pour renforcer sa théorie des liens

« indissolubles » de l'expérience « complète » embrassant aussi bien notre « *Moi* » que l'arbre, c'est-à-dire le milieu.

La théorie de l'introjection n'est que confusion introduisant le fatras idéaliste contraire aux sciences de la nature, qui soutiennent avec fermeté que la pensée est une fonction du cerveau, que les sensations, *c'est-à-dire* les images du *monde extérieur*, existent *en nous*, suscitées par l'action des choses sur nos organes des sens. L'élimination du « dualisme de l'esprit et du corps » par le matérialisme (c'est-à-dire le monisme matérialiste) consiste en ce que l'esprit n'ayant pas d'existence indépendante du corps, est un facteur secondaire, une fonction du cerveau, l'image du monde extérieur. L'élimination idéaliste du « dualisme de l'esprit et du corps » (c'est-à-dire le monisme idéaliste) consiste en ce que l'esprit *n'est pas* une fonction du corps, qu'il est par conséquent le facteur primaire ; que le « milieu » et le « *Moi* » n'existent que dans la liaison indissoluble des mêmes « complexes d'éléments ». En dehors de ces deux moyens diamétralement opposés d'éliminer le « dualisme de l'esprit et du corps », il ne peut y avoir aucun autre moyen, sauf l'éclectisme, c'est-à-dire la confusion incohérente du matérialisme et de l'idéalisme. Et c'est cette confusion qui a paru à Bogdanov et Cie être chez Avenarius une «vérité étrangère au matérialisme et à l'idéalisme».

Or, les philosophes de métier ne sont pas aussi naïfs et confiants que les disciples russes de Mach. Chacun de ces professeurs ordinaires, il est vrai, défend « *son* » système de réfutation du matérialisme, ou tout au moins de « conciliation » du matérialisme et de l'idéalisme ; ce faisant, il dénonce sans façon chez ses concurrents les bribes incohérentes du matérialisme et de l'idéalisme, éparses dans tous les systèmes « modernes » et « originaux ». Si quelques jeunes intellectuels ont mordu à l'hameçon d'Avenarius, il n'a pas été possible de prendre au piège ce vieux routier de Wundt. L'idéaliste Wundt a, de façon très incivile, arraché le masque du grimacier Avenarius *en louant sa tendance antimatérialiste de la théorie de l'introjection.*

« Si l'empiriocriticisme, écrit Wundt, reproche au matérialisme vulgaire d'exprimer à l'aide de formules telles que : le cerveau « est doué » de pensée, ou « sécrète » la pensée, un rapport qui ne peut pas, en général, être constaté par l'observation et la description des faits » (pour W. Wundt, ce doit être vraisemblablement un « fait » que l'homme pense sans l'aide du cerveau !) « ... le reproche est sans doute fondé » (art. cité, pp. 47-48).

Parbleu ! Les idéalistes marcheront toujours contre le matérialisme avec les équivoques Avenarius et Mach ! Il ne reste qu'à regretter, ajoute Wundt, que cette théorie de l'introjection « ne soit nullement liée à la doctrine de la série vitale indépendante, à laquelle elle n'a évidemment été ajoutée que plus tard de façon assez artificielle » (p. 365).

L'introjection, dit O. Ewald, « n'est autre chose qu'une fiction nécessaire à l'empiriocriticisme pour couvrir ses fautes » (l. c., p. 44). « Nous observons une singulière contradiction : d'une part, l'introjection éliminée et la conception naturelle du monde reconstituée doivent rendre au monde sa réalité vivante; de l'autre, l'empiriocriticisme, en admettant la coordination de principe, mène à la théorie purement idéaliste de la corrélation absolue du contre-terme et du terme central. Avenarius tourne ainsi dans un cercle vicieux. Il est parti en guerre contre l'idéalisme, mais à la veille de croiser le fer avec l'ennemi, il a déposé les armes devant lui. Il voulait libérer le monde des objets du joug du sujet, et il l'a de nouveau attaché au sujet. Ce que sa critique anéantit en réalité, c'est la caricature de l'idéalisme, et non pas son expression gnoséologique véritable » (l. c., pp. 64 et 65).

« L'apophtegme souvent cité d'Avenarius, dit Norman Smith, suivant lequel le cerveau n'est ni le siège, ni l'organe, ni le porteur de la pensée, est une négation des seuls termes que nous ayons pour définir les rapports de ces choses entre elles » (art. cité, p. 30).

Il n'est pas étonnant non plus que la théorie de l'introjection, approuvée par Wundt, soit également goûtée par le franc spiritualiste James Ward*, qui combat systématiquement « le naturalisme et l'agnosticisme », et surtout T. Huxley (non parce que le matérialisme de ce dernier manquait de résolution et de netteté, ce que lui reprocha Engels, mais), parce que son agnosticisme dissimulait au fond le matérialisme.

---

* James Ward, *Naturalism and Agnosticism*, 3rd ed., London, 1906, vol. II, pp. 171, 172.

Notons que le disciple anglais de Mach K. Pearson, sans avoir recours à toute sorte de subterfuges philosophiques, sans admettre ni l'introjection, ni la coordination, ni la « découverte des éléments du monde », arrive aux déductions inévitables de la doctrine de Mach débarrassée de tous ces « voiles », c'est-à-dire au pur idéalisme subjectif. Pearson ne connaît pas d'« éléments ». Les « impressions des sens » (sense impressions), voilà son premier et dernier mot. Il ne doute nullement que l'homme pense à l'aide du cerveau. Et la contradiction entre cette thèse (seule conforme à la science) et le point de départ de sa philosophie demeure entière, frappante. Pearson, en combattant la thèse de l'existence de la matière indépendamment de nos impressions des sens (chapitre VII de sa *Grammaire de la Science*), perd son sang-froid. Reproduisant tous les arguments de Berkeley, il déclare que la matière n'est rien. Mais revenant aux rapports du cerveau et de la pensée, il déclare sur un ton catégorique : « De la volonté et de la conscience, liées à un mécanisme matériel, nous ne pouvons conclure à rien qui ressemble à la volonté et à la conscience sans ce mécanisme*. » Pearson formule même une thèse qui résume cette partie de ses recherches : « La conscience n'a aucun sens en dehors d'un système nerveux pareil au nôtre ; il est illogique d'affirmer que toute la matière est consciente » (il est par contre logique de supposer que toute matière a la propriété de refléter les choses extérieures, propriété qui, au fond, s'apparente à la sensation) ; « il est moins logique encore d'affirmer que la conscience ou la volonté existent en dehors de la matière ». (*Ibid.*, p. 75, thèse 2.) Pearson en arrive à une confusion criante ! La matière n'est faite que de séries d'impressions des sens ; c'est son principe, sa philosophie. Il s'ensuit donc que la sensation et la pensée sont les facteurs primaires et la matière, le facteur secondaire. Non, pas de conscience sans matière et même, paraît-il, sans système nerveux ! Autrement dit, la conscience et la sensation sont des facteurs secondaires. La terre soutient la mer, la baleine soutient la terre, la mer soutient la baleine. Ni les « éléments » de Mach, ni la coordination et l'introjection d'Avenarius n'éliminent cette confusion ; ils ne font

* *The Grammar of Science*, 2nd ed., London, 1900, p. 58.

qu'obscurcir, brouiller les pistes au moyen d'un charabia philosophico-scientifique.

Charabia encore — nous n'en dirons que deux mots — la terminologie spéciale d'Avenarius, qui a créé quantité de « notales », de « sécurales », de « fidentiales », etc., etc. Nos disciples russes de Mach passent le plus souvent sous un silence pudique ce galimatias professoral ; ils n'assènent que de temps à autre au lecteur (pour mieux l'étourdir) quelque « existentiel », etc. Mais si les gens naïfs voient dans cette phraséologie une biomécanique spéciale, les philosophes allemands, amateurs pourtant de mots « subtils », se moquent d'Avenarius. Dire : «notal» (notus=connu) ou dire que je sais telle ou telle chose, c'est tout à fait égal, déclare Wundt au paragraphe intitulé : « Caractère scolastique du système empiriocriticiste ». Il s'agit, en effet, d'une scolastique pure et sans frein. Un des disciples les plus fidèles d'Avenarius, R. Willy, a eu le courage de l'avouer avec franchise. « Avenarius a rêvé, dit-il, d'une biomécanique, mais on ne peut arriver à comprendre la vie du cerveau que par la découverte de faits, et non par des procédés tels que celui d'Avenarius. La biomécanique d'Avenarius ne repose absolument sur aucune observation nouvelle ; elle est caractérisée par des constructions purement schématiques de concepts, constructions qui n'ont pas même le caractère d'hypothèse ouvrant telle ou telle perspective ; ce ne sont que simples clichés spéculatifs (blosse Spekulierschablonen) qui nous ferment, comme un mur, l'horizon lointain*. »

Les disciples russes de Mach ressembleront bientôt à ces amateurs de mode qu'un chapeau depuis longtemps abandonné par les philosophes bourgeois de l'Europe suffit à plonger dans le ravissement.

6. DU SOLIPSISME DE MACH ET D'AVENARIUS

Nous avons vu que l'idéalisme subjectif est le point de départ et le principe fondamental de la philosophie empiriocriticiste. Le monde est notre sensation, tel est ce principe fondamental qu'on s'efforce d'estomper, sans pou-

---

* R. Willy, *Gegen die Schulweisheit*, p. 169. Le pédant Petzoldt ne fera certes pas semblable aveu. Il ressasse la scolastique « biologique » d'Avenarius avec la fatuité d'un philistin (t. I, chap. II).

voir y rien changer, à l'aide de petits mots tels que l'« élément » et de théories de la « série indépendante », de la « coordination » et de l'« introjection ». Cette philosophie a ceci d'absurde qu'elle aboutit au solipsisme, à ne reconnaître que l'existence de l'individu philosophant. Mais nos disciples russes de Mach assurent le lecteur que « l'accusation d'idéalisme et même de solipsisme » portée contre Mach est le fait d'un « subjectivisme extrême ». C'est ce que dit Bogdanov dans sa préface à l'*Analyse des sensations*, p. XI, et c'est ce que répète après lui, sur tous les modes, toute la confrérie machiste.

Force nous est, après avoir examiné les écrans derrière lesquels se cachent, pour se soustraire au solipsisme, Mach et Avenarius, d'ajouter ceci : le « subjectivisme extrême » des assertions est entièrement le fait de Bogdanov et Cie, les écrivains philosophes des plus diverses tendances ayant depuis longtemps découvert, sous ses travestissements, le péché capital de la doctrine de Mach. Bornons-nous à *énumérer* les opinions qui démontrent suffisamment le « subjectivisme » de l'*ignorance* de nos disciples de Mach. Notons aussi que presque tous les philosophes de métier témoignent leur sympathie aux différentes variétés de l'idéalisme: l'idéalisme n'est pas, à leurs yeux, comme pour nous, marxistes, un grief : mais constatant que telle est *en réalité* la tendance philosophique de Mach, ils opposent à un système idéaliste un autre système, non moins idéaliste, qui leur apparaît plus conséquent.

O. Ewald, dans son livre consacré à l'analyse de la doctrine d'Avenarius : *Le créateur de l'empiriocriticisme*, se condamne volens nolens au solipsisme (l. c., pp. 61-62).

Hans Kleinpeter, élève de Mach, qui, dans sa préface à *Erkenntnis und Irrtum*, souligne particulièrement sa solidarité avec lui : « Mach nous offre justement un exemple de la compatibilité de l'idéalisme gnoséologique avec les exigences des sciences de la nature » (toutes choses sont « compatibles » pour les éclectiques !), « exemple qui montre que ces dernières peuvent très bien avoir le solipsisme pour point de départ, sans s'y arrêter (*Archiv für systematische Philosophie* [35], t. VI, 1900, p. 87).

E. Lucka, à propos de l'*Analyse des sensations* de Mach : abstraction faite des malentendus (Missverständnisse),

« Mach se place sur le terrain de l'idéalisme pur ». « On ne comprend pas pourquoi Mach se défend d'être un adepte de Berkeley » (*Kant-Studien* [36], t. VIII, 1903, pp. 416, 417).

W. Jerusalem, kantien réactionnaire s'il en fut, avec lequel Mach se solidarise dans la même préface (« parenté d'idées plus proche » qu'il ne le croyait auparavant : p. X, Vorwort à *Erkenntnis und Irrtum*, 1906) : « le phénoménalisme conséquent conduit au solipsisme », — aussi faut-il bien emprunter quelque chose à Kant ! (Voir *Der kritische Idealismus und die reine Logik*, 1905, p. 26).

R. Hönigswald : ... « l'alternative est, pour les immanents et les empiriocriticistes : ou le solipsisme ou la métaphysique à la Fichte, Schelling ou Hegel » (*Über die Lehre Humes von der Realität der Aussendinge*, 1904, p. 68).

Le physicien anglais Oliver Lodge, dans l'ouvrage où il tance vertement le matérialiste Haeckel, mentionne incidemment comme bien connus les « solipsistes comme Mach et Karl Pearson » (Sir Oliver Lodge : *la Vie et la Matière*, Paris, 1907, p. 15).

La revue *Nature* [37], organe des savants anglais, a exprimé sous la plume du géomètre E. T. Dixon une opinion bien définie sur le disciple de Mach Pearson, opinion qui vaut la peine d'être citée, non pour sa nouveauté, mais parce que les disciples russes de Mach ont naïvement pris le tissu de confusions de Mach pour la « philosophie des sciences de la nature » (Bogdanov, p. XII et autres de la préface à l'*Analyse des sensations*).

« Toute l'œuvre de Pearson, écrit Dixon, repose sur la thèse que nous ne pouvons rien connaître directement en dehors de nos impressions des sens (sense impressions) ; donc, les choses dont nous parlons habituellement comme de choses objectives ou extérieures ne sont que des séries d'impressions des sens. Le professeur Pearson admet pourtant l'existence de consciences autres que la sienne, non seulement de façon tacite en leur adressant son livre, mais encore de façon directe en bien des passages de ce livre. » De l'observation des mouvements des corps des autres hommes, Pearson conclut par analogie à l'existence de la conscience d'autrui, et du moment que la conscience d'autrui existe dans la réalité, il existe également d'autres hommes en dehors de moi ! « Certes, nous ne pourrions réfuter ainsi l'idéaliste conséquent qui affirmerait l'irréalité, l'existence dans sa seule imagination, aussi bien des consciences d'autrui que des objets extérieurs ; mais admettre la réalité des consciences d'autrui, c'est admettre la réalité des moyens grâce auxquels nous concluons à l'existence de ces consciences, c'est-à-dire... la réalité de l'aspect extérieur des corps humains. » La seule issue à cette impasse, c'est l'« hypothèse » qu'une réalité objective, extérieure à nous, correspond à nos impressions des sens. Cette hypothèse fournit une explication satisfaisante de nos impressions des sens. « Je ne puis douter sérieusement que le professeur Pearson y croit comme tout le monde. Mais s'il avait à le reconnaître de façon catégorique, il serait obligé de récrire presque toutes les pages de sa *Grammaire de la Science**. »

La philosophie idéaliste tant admirée de Mach ne suscite, on le voit, que railleries chez les savants réfléchis.

Citons, pour finir, l'appréciation du physicien allemand L. Boltzmann. Les disciples de Mach diront peut-être, comme l'a déjà dit Fr. Adler, que ce physicien appartient à la vieille école. Pourtant il ne s'agit pas *maintenant* des théories de la physique, mais d'une question capitale de la philosophie. Boltzmann a écrit contre ceux qui se laissent « séduire par les nouveaux dogmes gnoséologiques »: « Le manque de confiance aux représentations que nous ne pouvons que déduire des perceptions directes des sens, a conduit à un extrême diamétralement opposé à l'ancienne foi naïve. On dit : seules des perceptions sensibles nous sont données, et nous n'avons pas le droit de faire un pas de plus. Mais si ces gens-là étaient conséquents, ils devraient soulever la question qui s'impose ensuite : Nos propres perceptions d'hier nous sont-elles aussi données ? Rien ne nous est immédiatement donné de plus que la perception sensible ou la pensée seule, précisément celle que nous pensons au moment donné. Aussi faudrait-il, pour être conséquent, nier non seulement l'existence de tous les autres hommes, à l'exception de son propre *Moi*, mais aussi l'existence de toutes les représentations passées**. »

---

* *Nature*, 1892, 21 July, p. 269.

** Ludwig Boltzmann, *Populäre Schriften*, Leipzig, 1905, p. 132. Cf. pp. 168, 177, 187, etc.

Ce physicien a parfaitement raison de traiter le point de vue « phénoménologique » soi-disant « nouveau » de Mach et Cie comme une vieille absurdité relevant, en philosophie, de l'idéalisme subjectif.

Non, la cécité « subjective » affecte ceux qui « n'ont pas remarqué » le solipsisme, erreur capitale de Mach.

CHAPITRE II

LA THEORIE DE LA CONNAISSANCE DE L'EMPIRIOCRITICISME ET DU MATERIALISME DIALECTIQUE. II

1. LA « CHOSE EN SOI », OU V. TCHERNOV REFUTE F. ENGELS

Nos disciples de Mach ont tant écrit sur la « chose en soi » que la réunion de tout cela formerait des monceaux de papier imprimé. La « chose en soi » est la vraie *bête noire** de Bogdanov et de Valentinov, de Bazarov et de Tchernov, de Bermann et de Iouchkévitch. Pas d'épithète « bien sentie » qu'ils ne lui décernent, pas de raillerie dont ils ne l'accablent. Mais contre qui guerroient-ils à propos de cette malencontreuse « chose en soi » ? C'est ici que commence la division, selon les partis politiques, des philosophes machistes russes. Les disciples de Mach se réclamant du marxisme combattent tous la « chose en soi » *plékhanovienne*, accusant Plékhanov d'errer, de tomber dans le kantisme et de s'écarter d'Engels. (Nous envisagerons le premier de ces griefs au chapitre IV ; nous ne traiterons ici que du second.) M. V. Tchernov, disciple de Mach, populiste, ennemi juré du marxisme, part en guerre pour la «chose en soi », *contre Engels.*

On rougit de l'avouer, mais on aurait tort de le celer : cette fois la franche hostilité de M. Victor Tchernov envers le marxisme a fait de lui un adversaire littéraire *plus* à cheval sur les principes que nos camarades du Parti, que

* En français dans le texte. (*N. R.*)

nos contradicteurs en philosophie[38]. Car c'est uniquement par *mauvaise foi* (ou peut-être aussi par ignorance du matérialisme ?) que les disciples de Mach se réclamant du marxisme ont diplomatiquement laissé Engels à l'écart, complètement ignoré Feuerbach pour ne piétiner qu'autour de Plékhanov. Ils ne font en effet que piétiner sur place, chercher à un disciple d'Engels une querelle morne et mesquine, des chicanes, tout en se dérobant avec pusillanimité à l'analyse directe des vues du maître. Le but de ces notes rapides étant de montrer le caractère réactionnaire du machisme et la justesse du matérialisme de Marx et d'Engels, nous ne nous occuperons pas du bruit fait autour de Plékhanov par les disciples de Mach se réclamant du marxisme, pour passer directement à Engels réfuté par l'empiriocriticiste M. V. Tchernov. L'article intitulé «Marxisme et philosophie transcendantale », dans les *Etudes de philosophie et de sociologie* de V. Tchernov (Moscou, 1907 ; recueil d'articles écrits, à peu d'exceptions près, avant 1900), commence d'emblée par une tentative d'opposer Marx à Engels, ce dernier étant accusé de professer un « matérialisme naïvement dogmatique » et le « dogmatisme matérialiste le plus grossier » (pp. 29 et 32). De l'avis de M. V. Tchernov, les arguments opposés par Engels à la chose en soi de Kant et à la philosophie de Hume en sont des preuves « suffisantes ». Commençons donc par ces arguments.

Engels déclare dans son *Ludwig Feuerbach* que le matérialisme et l'idéalisme sont les courants philosophiques fondamentaux. Le matérialisme tient la nature pour le facteur premier et l'esprit pour le facteur second ; il met l'être au premier plan et la pensée au second. L'idéalisme fait le contraire. Engels met l'accent sur cette distinction radicale entre les « deux grands camps » qui séparent les philosophes des « différentes écoles » de l'idéalisme et du matérialisme, et accuse nettement de « confusionnisme » ceux qui emploient ces deux derniers termes dans un autre sens.

« La question suprême de toute philosophie », « la grande question fondamentale de toute la philosophie, et spécialement de la philosophie moderne », dit Engels, est « celle du rapport de la pensée à l'être, de l'esprit à la nature ». Selon la réponse qu'ils faisaient à cette question fondamentale, les philosophes se divisaient en « deux grands camps ». Engels indique que cette question philosophique fondamentale « a encore un autre aspect » : « quelle relation y a-t-il entre nos idées sur le monde environnant et ce monde lui-même ? Notre pensée est-elle en état de connaître le monde réel ? Pouvons-nous dans nos représentations et conceptions du monde réel reproduire une image fidèle de la réalité ?* »

« L'immense majorité des philosophes y répondent d'une façon affirmative », dit Engels, qui range dans cette majorité non seulement la totalité des matérialistes, mais encore les idéalistes les plus conséquents, tels que l'idéaliste absolu Hegel, pour qui le monde réel était la réalisation d'une « idée absolue » existant depuis toujours, que l'esprit humain conçoit dans le monde réel et au moyen de ce monde, dont il prend exactement conscience.

« Mais il existe encore » (c'est-à-dire parallèlement aux matérialistes et aux idéalistes conséquents) « toute une série d'autres philosophes qui contestent la possibilité de la connaissance du monde ou du moins de sa connaissance complète. Parmi les modernes, il faut mentionner Hume et Kant lesquels ont joué un rôle tout à fait considérable dans le développement de la philosophie [39]»...

Ces mots d'Engels cités, M. V. Tchernov se jette dans la bataille. Il fait suivre le nom de « Kant » de la note que voici :

« Il était plutôt singulier de ranger, en 1888, parmi les « modernes », des philosophes tels que Kant et surtout Hume. A cette époque il eût été plus naturel d'entendre nommer Cohen, Lange, Riehl, Laas, Liebmann, Göring et d'autres. Engels n'etait visiblement pas fort en philosophie « moderne » (p. 33, note 2).

M. V. Tchernov est fidèle à lui-même. En économie comme en philosophie, il garde sa ressemblance avec le

* F. Engels : *Ludwig Feuerbach*, etc., 4e édition allemande, p. 15 ; traduction russe, édition de Genève, 1905, pp. 12-13. M. V. Tchernov traduit ici le mot Spiegelbild par « reflet de miroir » et accuse Plékhanov d'avoir « *très sensiblement édulcoré* » dans son exposé la théorie d'Engels, en employant en russe le mot « reflet » tout court au lieu de l'expression « reflet de miroir ». Pure chicane : le mot Spiegelbild s'emploie aussi en allemand dans le sens de Abbild.

Vorochilov [40] de Tourguénev, qui pulvérise tour à tour, par simple référence à des noms « savants », l'ignare Kautsky* ou l'ignare Engels ! Le malheur est que toutes les autorités invoquées par M. Tchernov sont les *néo-kantiens* qualifiés par Engels, *à la même page* de son *Ludwig Feuerbach*, de théoriciens *réactionnaires* mus par le désir de redonner vie au cadavre des doctrines depuis longtemps réfutées de Kant et de Hume. Ce brave M. Tchernov n'a pas compris qu'Engels réfute justement ces professeurs confusionnistes faisant autorité (pour les disciples de Mach) !

Ayant mentionné l'argumentation « décisive » produite par Hegel contre Hume et Kant, et complétée par Feuerbach avec plus d'esprit que de profondeur, Engels continue :

« La réfutation la plus frappante de cette lubie philosophique (ou inventions, Schrullen), comme d'ailleurs de toutes les autres, est la pratique, notamment l'expérience et l'industrie. Si nous pouvons prouver la justesse de notre conception d'un phénomène naturel en le créant nous-mêmes, en le produisant à l'aide de ses conditions, et, qui plus est, en le faisant servir à nos fins, c'en est fini de la « chose en soi » insaisissable de Kant (ou inconcevable : unfassbaren — ce mot important a été omis et dans la traduction de Plékhanov et dans celle de M. V. Tchernov). Les substances chimiques produites dans les organismes végétaux et animaux restèrent de telles « choses en soi » jusqu'à ce que la chimie organique se fût mise à les préparer l'une après l'autre ; par là, la « chose en soi » devient une chose pour nous, comme, par exemple, la matière colorante de la garance, l'alizarine, que nous ne faisons plus pousser dans les champs sous forme de racines de garance, mais que nous tirons bien plus simplement et à meilleur marché du goudron de houille » (p. 16 de l'ouvrage cité) [41].

Ce raisonnement cité, M. V. Tchernov, décidément hors de lui, pulvérise complètement le pauvre Engels. Ecoutez : «Aucun néo-kantien ne sera, certes, étonné d'apprendre qu'on peut tirer l'alizarine du goudron de houille « à meilleur marché et bien plus simplement ». Mais que l'on puisse aussi obtenir de ce goudron, à tout aussi bon marché, la

---

* *La Question agraire*, par V. Iline, Saint-Pétersbourg, 1908, Ire partie, p. 195. (Voir V. Lénine, Œuvres, 4e édition, t. 5, p. 134.—*N.R.*)

réfutation de la « chose en soi », voilà qui paraîtra sans contredit — et pas seulement aux néo-kantiens — une découverte remarquable s'il en fut. »

« Engels, ayant vraisemblablement appris que la « chose en soi » est, d'après Kant, inconnaissable, a changé ce théorème en sa réciproque et conclu que tout ce qui est inconnu est chose en soi... » (p. 33).

Voyons, M. le disciple de Mach, mentez, mais ne dépassez pas la mesure ! Car vous mutilez, sous les yeux du public, la citation d'Engels que vous prétendez « démolir » sans même avoir compris ce dont il y est question !

D'abord, il n'est pas vrai qu'Engels « obtienne une réfutation de la « chose en soi ». Engels dit clairement et nettement qu'il réfute la chose en soi *insaisissable* (ou inconnaissable) *de Kant.* M. Tchernov obscurcit la conception matérialiste d'Engels sur l'existence des choses indépendamment de notre conscience. En second lieu, si le théorème de Kant porte que la chose en soi est inconnaissable, la « *réciproque* » du théorème sera : l'*inconnaissable* est chose en soi. M. Tchernov *a substitué* à l'inconnaissable l'*inconnu*, sans se rendre compte que par cette substitution il obscurcissait et faussait une fois de plus la conception matérialiste d'Engels.

M. V. Tchernov est tellement dérouté par les réactionnaires de la philosophie officielle, dont il a fait ses guides, qu'il s'est mis à faire du tapage et à crier contre Engels *sans avoir absolument rien compris* à l'exemple cité. Essayons d'expliquer à ce représentant du machisme de quoi il retourne.

Engels dit clairement et nettement qu'il objecte à la fois à Hume et à Kant. Or, il n'est même pas question de « chose en soi inconnaissable » chez Hume. Qu'y a-t-il donc de commun entre ces deux philosophes ? C'est qu'ils *séparent en principe* les « phénomènes » et les choses représentées par les phénomènes, la sensation et la chose sentie, la chose pour nous et la « chose en soi ». Hume, d'ailleurs, ne veut rien savoir de la « chose en soi » dont il considère l'idée même comme inadmissible en philosophie, comme de la « métaphysique » (c'est ainsi que s'expriment les disciples de Hume et de Kant). Kant admet, par contre, l'existence de la « chose en soi », mais la déclare « inconnaissable », différente en principe du phénomène, ressortissant à un tout autre domaine, au domaine de « l'au-delà » (Jenseits), inaccessible au savoir, mais révélé par la foi.

Quel est le fond de l'objection d'Engels ? Hier nous ne savions pas que le goudron de houille contient de l'alizarine. Nous le savons aujourd'hui. La question est de savoir si l'alizarine existait hier dans le goudron de houille.

Mais certainement. Le moindre doute à ce sujet serait un défi jeté aux sciences de la nature contemporaines.

Et s'il en est ainsi, trois importantes conclusions gnoséologiques s'imposent :

1. Des choses existent indépendamment de notre conscience, indépendamment de nos sensations, en dehors de nous, car il est certain que l'alizarine existait hier dans le goudron de houille, et il est tout aussi certain que nous n'en savions rien, que cette alizarine ne nous procurait aucune sensation.

2. Il n'y a, il ne peut y avoir aucune différence de principe entre le phénomène et la chose en soi. Il n'y a de différence qu'entre ce qui est connu et ce qui ne l'est pas encore. Quant aux inventions philosophiques sur l'existence d'une limite spéciale entre ces deux catégories, sur une chose en soi située « au-delà » des phénomènes (Kant), sur la possibilité ou la nécessité d'ériger une barrière philosophique entre nous et le problème du monde encore inconnu dans telle ou telle de ses parties, mais existant en dehors de nous (Hume), tout cela n'est que lubie, Schrulle, expédients et inventions.

3. Dans la théorie de la connaissance, comme dans tous les autres domaines de la science, il importe de raisonner dialectiquement, c'est-à-dire de ne pas supposer notre conscience immuable et toute faite, mais d'analyser comment la *connaissance* naît de l'*ignorance*, comment la connaissance incomplète, imprécise, devient plus complète et plus précise.

Sitôt admis que le développement de la connaissance humaine a son point de départ dans l'ignorance, vous verrez des millions d'exemples tout aussi simples que la découverte de l'alizarine dans le goudron de houille, des millions d'observations tirées non seulement de l'histoire de la science et de la technique, mais aussi de la vie quotidienne de chacun de nous, nous montrer la transformation des « choses en soi » en « choses pour nous », l'apparition de « phénomènes » au moment où nos organes des sens reçoivent une impression provenant du dehors, de tel ou tel objet, et la disparition des « phénomènes » au moment où tel ou tel obstacle écarte les possibilités d'action d'un objet manifestement existant sur nos organes des sens. La seule conclusion que tirent inévitablement tous les hommes dans la vie pratique, et que le matérialisme met sciemment à la base de sa gnoséologie, c'est qu'il existe en dehors de nous et indépendamment de nous des objets, des choses, des corps, et que nos sensations sont des images du monde extérieur. La théorie opposée de Mach (les corps sont des complexes de sensations) n'est qu'une lamentable absurdité idéaliste. Quant à M. Tchernov, il s'est une fois de plus rendu semblable à Vorochilov par son « analyse » d'Engels : le simple exemple fourni par Engels lui a paru « naïf et singulier » ! Ne sachant distinguer entre l'éclectisme professoral et la théorie matérialiste conséquente de la connaissance, il n'admet de philosophie que dans les subtilités savantissimes.

Point n'est possible ni besoin d'analyser toutes les autres réflexions de M. Tchernov : c'est toujours la même absurdité prétentieuse (telle, par exemple, l'affirmation selon laquelle l'atome est pour les matérialistes une chose en soi !): Notons seulement une réflexion sur Marx qui se rapporte à notre sujet (et qui semble avoir désorienté quelques personnes) : Marx se séparerait d'Engels. Il s'agit de la *deuxième* thèse de Marx sur Feuerbach et de la traduction par Plékhanov du mot : Diesseitigkeit.

Voici cette deuxième thèse :

« La question de savoir si la pensée humaine peut aboutir à une vérité objective, n'est pas une question théorique, mais une question pratique. C'est dans la pratique qu'il faut que l'homme prouve la vérité, c'est-à-dire la réalité, et la puissance, l'en-deçà de sa pensée. La discussion sur la réalité ou l'irréalité de la pensée, isolée de la pratique, est purement scolastique [42].»

Au lieu de « prouver l'en-deçà de sa pensée » (traduction littérale), il y a chez Plékhanov : prouver que la pensée « ne s'arrête pas en deçà des phénomènes ». Et M. V. Tchernov de s'écrier : « la contradiction entre Engels et Marx est ainsi écartée avec une extrême simplicité », « il en ressort que Marx aurait admis, tout comme Engels, la possibilité de la connaissance des choses en soi et l'au-delà de la pensée » (ouvrage cité, p. 34, note).

Ayez donc affaire à ce Vorochilov, dont chaque phrase est un brouillamini sans nom ! C'est faire preuve d'ignorance, M. Victor Tchernov, que de ne pas savoir que tous les matérialistes admettent la possibilité de connaître les choses en soi. C'est faire preuve d'ignorance, M. Victor Tchernov, ou de négligence sans bornes, que de sauter pardessus la *toute première* phrase de la thèse sans vous rendre compte que la « vérité objective » (gegenständliche Wahrheit) de la pensée ne signifie *pas autre chose* que l'*existence* des objets (=« choses en soi ») reflétés *tels qu'ils sont* par la pensée. C'est ignorance crasse, M. Victor Tchernov, d'affirmer que, de l'exposé de Plékhanov (Plékhanov a fait un exposé et non une traduction), il « ressort » que Marx défend l'*au-delà* de la pensée. Car les adeptes de Hume et de Kant sont seuls à arrêter la pensée humaine « en deçà des phénomènes ». Pour tous les matérialistes, y compris ceux du XVIIe siècle, que l'évêque Berkeley exterminait (voir l'introduction de ce livre), les « phénomènes » sont des «choses pour nous » ou des *copies* des « objets en eux-mêmes ». Ceux qui veulent connaître la pensée de Marx ne sont certes pas tenus de recourir à la libre transposition de Plékhanov, mais ils sont tenus en revanche d'approfondir Marx au lieu de se livrer, à la Vorochilov, à de fantaisistes randonnées.

Fait curieux : si, parmi des gens qui se disent socialistes, il en est qui ne veulent pas ou ne peuvent pas approfondir les « thèses » de Marx, on trouve parfois des philosophes bourgeois rompus aux choses de la philosophie et qui font preuve de plus de bonne foi. Je connais un écrivain qui a étudié la philosophie de Feuerbach et analysé, en relation avec celle-ci, les « thèses » de Marx. Cet écrivain, Albert Lévy, a consacré le troisième chapitre de la deuxième partie de son livre sur Feuerbach à l'étude de l'influence de ce philosophe sur Marx *. Sans nous demander si Lévy interprète

* Albert Lévy, *La Philosophie de Feuerbach et son influence sur la littérature allemande*. Paris, 1904, pp. 249-338 — influence de Feuerbach sur Marx ; pp. 290-298 — analyse des « thèses ».

toujours de façon juste Feuerbach, et comment il critique Marx du point de vue bourgeois habituel, nous citerons seulement son appréciation du contenu philosophique des célèbres « thèses » de Marx. « Marx, dit Lévy à propos de la première thèse, admet d'une part, avec tout le matérialisme antérieur et avec Feuerbach, qu'à nos représentations des choses correspondent des objets réels et distincts hors de nous »...

Albert Lévy, on le voit, saisit bien d'emblée la thèse fondamentale du matérialisme, non pas seulement du matérialisme marxiste, mais de *tout* matérialisme, de « *tout* le matérialisme *antérieur* » : admission des objets réels existant hors de nous, auxquels « correspondent » nos représentations. Cet a b c de *tout* le matérialisme en général n'est ignoré que des disciples russes de Mach. Lévy poursuit :

« ... Marx regrette d'autre part que le matérialisme ait laissé à l'idéalisme le soin d'apprécier l'importance des forces actives » (c'est-à-dire de la vie pratique humaine). «Ce sont donc ces forces actives qu'il faut, selon Marx, enlever à l'idéalisme pour les réintégrer dans le système matérialiste ; mais il faudra naturellement rendre à ces forces actives le caractère réel et sensible que l'idéalisme n'a pu leur reconnaître. L'idée de Marx est donc la suivante : de même qu'à nos représentations correspondent des objets réels hors de nous, de même à notre activité phénoménale correspond une activité réelle hors de nous, une activité des choses ; en ce sens, l'humanité ne participe pas seulement à l'absolu par la connaissance théorique, mais encore par l'activité pratique ; et toute l'activité humaine acquiert ainsi une dignité, une noblesse qui lui permet d'aller de pair avec la théorie : l'activité révolutionnaire a désormais une portée métaphysique »...

A. Lévy est professeur. Or, un professeur qui se respecte ne peut s'empêcher de traiter les matérialistes de métaphysiciens. Pour les professeurs idéalistes, disciples de Hume et de Kant, le matérialisme quel qu'il soit est une « métaphysique », puisque, au-delà du phénomène (la chose pour nous), il voit le réel hors de nous. A. Lévy a donc raison de dire, quant au fond : l'« activité des choses » correspond pour Marx à l' « activité phénoménale » de l'humanité ; autrement dit : la pratique de l'humanité a une valeur non seulement phénoménale (au sens de Hume et de Kant), mais aussi objective et réelle. Le critérium de la pratique, comme nous le montrerons en détail en son lieu et place (§ 6), a une tout autre valeur chez Mach que chez Marx. « L'humanité participe à l'absolu », cela veut dire : la connaissance humaine reflète la vérité absolue (v. plus bas, au § 5), la pratique de l'humanité, en contrôlant nos représentations, y confirme ce qui correspond à la vérité absolue. A. Lévy continue :

« ... Arrivé à ce point, Marx se heurte naturellement aux précautions de la critique ; il a admis l'existence de choses en soi, dont notre théorie est la traduction humaine ; il ne lui est pas possible d'éluder l'objection ordinaire : qu'est-ce qui vous garantit la fidélité de la traduction ? qu'est-ce qui prouve que la pensée humaine vous donne une vérité objective ? C'est à cette objection que Marx répond dans la deuxième thèse » (p. 291).

Le lecteur s'en rend bien compte : A. Lévy ne doute pas un instant que Marx n'admette l'existence des choses en soi !

2. DU « TRANSCENSUS », OU V. BAZAROV « ACCOMMODE » ENGELS

Mais si les disciples russes de Mach se réclamant du marxisme, ont diplomatiquement passé sous silence *une* des déclarations les plus précises et les plus catégoriques d'Engels, ils ont par contre « accommodé » une *autre* affirmation du même auteur tout à fait dans la manière de Tchernov. Quelque ennuyeuse et difficile que soit la tâche de corriger les mutilations et les déformations des textes cités, il est impossible de s'y soustraire pour qui veut parler des disciples russes de Mach.

Voici comment Bazarov accommode Engels.

Dans un article sur « Le matérialisme historique »*

---

* *Socialisme utopique et socialisme scientifique*, préface à la traduction anglaise. Traduit en allemand par Engels lui-même dans la *Neue Zeit*, XI, 1 (1892-1893, n° 1), p. 15 et suivantes. La traduction russe, la seule si je ne me trompe, fait partie du recueil : *le Matérialisme historique*, p. 162 et suivantes. Le passage que nous reproduisons ici est cité par Bazarov dans les *Essais* « sur » *la philosophie marxiste*, p. 64.

Engels dit ce qui suit des agnostiques anglais (philosophes marchant sur les traces de Hume):

« ... Notre agnostique admet aussi que nos connaissances sont basées sur les données (Mitteilungen) fournies par les sens »...

Notons, pour éclairer nos disciples de Mach, que l'agnostique (disciple de Hume) adopte aussi pour point de départ les *sensations* et ne reconnaît aucune autre source de la connaissance. L'agnostique est un « *positiviste* » authentique. Que les partisans du « positivisme moderne » en prennent note !

« ... Mais il (l'agnostique) s'empresse d'ajouter : « Comment savoir que nos sens nous fournissent de correctes représentations (Abbilder) des objets perçus par leur intermédiaire ? » Et il continue, en nous informant que, quand il parle des objets et de leurs qualités, il n'entend pas en réalité ces objets et ces qualités, dont on ne peut rien savoir de certain, mais simplement les impressions par eux produites sur ses sens [43].»

Quelles sont les deux tendances philosophiques qu'Engels oppose ici l'une à l'autre ? D'abord, celle qui considère que les sens nous fournissent une reproduction fidèle des choses, que nous connaissons *ces choses mêmes*, que le monde extérieur agit sur nos organes des sens. Tel est le matérialisme que l'agnostique répudie. Quel est donc le *fond* de sa tendance ? C'est qu'il *ne va pas au-delà* des sensations ; qu'*il s'arrête en deçà des phénomènes*, se refusant à voir quoi que ce soit de « certain » au-delà des sensations. Nous ne pouvons rien savoir de certain de *ces choses mêmes* (c'est-à-dire des choses en soi, des « objets en eux-mêmes », comme s'exprimaient les matérialistes contre lesquels s'élevait Berkeley), telle est la déclaration très précise de l'agnostique. Ainsi, le matérialiste affirme, dans la discussion dont parle Engels, l'existence des choses en soi et la possibilité de les connaître. L'agnostique *n'admettant même pas l'idée* des choses en soi, affirme que nous ne pouvons en connaître rien de certain.

Quelle est donc la différence entre le point de vue de l'agnostique, tel que l'expose Engels, et celui de Mach ? Viendrait-elle du « nouveau » vocable « élément » ? Mais c'est pur enfantillage d'admettre que la terminologie puisse modifier la tendance philosophique et que les sensations cessent d'être des sensations dès qu'on les a qualifiées d'« éléments » ! Serait-elle dans cette idée « nouvelle » que les mêmes éléments constituent le physique dans une connexion et le psychique dans une autre ? Mais n'avez-vous pas remarqué que, chez Engels, l'agnostique substitue *lui aussi* les « impressions » à « ces choses mêmes » ? C'est donc que cet agnostique distingue lui aussi, *quant au fond*, les « impressions » physiques et psychiques ! Cette fois encore la différence réside *exclusivement* dans la terminologie. Quand Mach dit : les corps *sont* des complexes de sensations, il suit Berkeley. Quand il « se corrige » en disant : les « éléments » (les sensations) peuvent être physiques dans une connexion et psychiques dans une autre, il est agnostique, il suit Hume. Dans sa philosophie Mach ne sort pas de ces deux *tendances*, et il faut être d'une naïveté excessive pour ajouter foi aux propos de ce confusionniste affirmant qu'il a « dépassé » en réalité le matérialisme et l'idéalisme.

C'est à dessein qu'Engels ne cite pas de noms dans son exposé, car il veut critiquer non pas tel ou tel représentant de la doctrine de Hume (les philosophes de profession sont fort enclins à considérer comme des systèmes originaux les modifications minuscules que l'un d'eux apporte à la terminologie ou à l'argumentation), mais *toute* la tendance de Hume. Engels critique le fond et non les détails ; il examine les *points fondamentaux* sur lesquels *tous* les disciples de Hume *s'écartent* du matérialisme, et c'est pourquoi sa critique atteint aussi bien Mill et Huxley que Mach. Disons-nous que la matière est une possibilité permanente de sensation (d'après John Stuart Mill), ou qu'elle représente des complexes plus ou moins stables d'« éléments », de sensations (d'après E. Mach), nous demeurons *dans les limites* de l'agnosticisme ou de la doctrine de Hume ; ces deux conceptions, ou plutôt ces deux formules, *sont comprises* dans l'exposé de l'agnosticisme donné par Engels : l'agnostique ne va pas au-delà des sensations, en déclarant qu'il *ne peut* rien savoir de certain de leur origine ou de leur nature vraie, etc. Et si Mach attache une grande importance à son désaccord avec Mill sur cette question, c'est parce qu'il est un « écraseur de puces » (Flohknacker) comme ces professeurs ordinaires dont parle Engels. Au lieu de renoncer à votre conception principale et équivoque, vous n'avez fait qu'écraser une puce, messieurs, avec vos pauvres corrections et vos changements de terminologie !

Comment le matérialiste Engels (au début de son article, Engels oppose franchement et résolument son matérialisme à l'agnosticisme) réfute-t-il ses arguments ?

« ... Il nous semble difficile, dit-il, de combattre avec des arguments cette manière de raisonner. Mais avant l'argumentation était l'action. Im Anfang war die Tat (« Au commencement était l'action »). Et l'action humaine a résolu la difficulté longtemps avant que l'ingéniosité humaine l'eût inventée. The proof of the pudding is in the eating (la preuve du pudding, c'est qu'on le mange). Du moment que nous employons à notre usage ces objets d'après les qualités que nous percevons en eux, nous soumettons à une épreuve infaillible l'exactitude ou l'inexactitude de nos perceptions sensorielles. Si ces perceptions sont fausses, l'usage de l'objet qu'elles nous ont suggéré est faux ; par conséquent, notre tentative doit échouer. Mais si nous réussissons à atteindre notre but, si nous constatons que l'objet correspond à l'idée que nous en avons, c'est la preuve positive que nos perceptions de l'objet et ses qualités concordent jusque-là avec la réalité en dehors de nous...»

La théorie matérialiste, la théorie du reflet des objets par la pensée, est exposée ici en toute clarté : les choses existent hors de nous. Nos perceptions et nos représentations en sont les images. Le contrôle de ces images, la distinction entre les images exactes et les images erronées, nous est fourni par la pratique. Mais suivons Engels un peu plus loin (Bazarov termine ici sa citation d'Engels ou de Plékhanov, estimant visiblement superflu de compter avec Engels) :

« ... Quand nous échouons, nous ne sommes pas longs généralement à découvrir la cause de notre insuccès : nous trouvons que la perception qui a servi de base à notre tentative, ou bien était par elle-même incomplète ou superficielle, ou bien avait été rattachée d'une façon que ne justifiait pas la réalité aux données d'autres perceptions... » (La traduction russe dans le *Matérialisme historique* n'est pas exacte.) « Aussi souvent que nous aurons pris le soin d'éduquer et d'utiliser correctement nos sens et de renfermer notre action dans les limites prescrites par nos perceptions correctement obtenues et correctement utilisées, aussi souvent nous trouverons que le résultat de notre action démontre la conformité (Übereinstimmung) de nos perceptions avec la nature objective (gegenständlich) des objets perçus. Jusqu'ici il n'y a pas un seul exemple que nos perceptions sensorielles, scientifiquement contrôlées, engendrent dans notre esprit des idées sur le monde extérieur, qui soient par leur nature même, en contradiction avec la réalité ou qu'il y ait incompatibilité immanente entre le monde extérieur et les perceptions sensorielles que nous en avons.

Maintenant arrive l'agnostique néo-kantien, et il dit [44]...

Remettons à une autre fois l'analyse des arguments des néo-kantiens. Quiconque est tant soit peu au courant de la question ou tout bonnement attentif, comprendra certainement qu'Engels expose ici le matérialisme toujours et partout combattu par les disciples de Mach. Voyez maintenant les procédés à l'aide desquels Bazarov accommode Engels :

« Engels s'oppose, en effet, sur ce point à l'idéalisme de Kant », écrit Bazarov à propos du fragment de citation que nous venons de produire...

C'est faux. Bazarov brouille les choses. Dans le passage qu'il cite et que nous avons complété, *il n'y a pas une syllabe* qui ait trait au kantisme *ou* à l'idéalisme. Si Bazarov avait vraiment lu en entier l'article d'Engels, il lui eût été impossible de ne pas voir qu'Engels ne parle du néo-kantisme et de toute la tendance de Kant *que dans l'alinéa suivant*, à l'endroit où nous avons interrompu notre citation. Et si Bazarov avait lu avec attention le passage qu'il cite lui-même, s'il y avait réfléchi, il lui eût été impossible de ne pas voir qu'il n'y a *absolument rien* d'idéaliste ni de kantien dans les arguments de l'agnostique, réfutés par Engels, l'idéalisme ne commençant que lorsque le philosophe affirme que les choses sont nos sensations, et le kantisme ne commençant que lorsque le philosophe dit : la chose en soi existe, mais elle est inconnaissable. Bazarov a confondu le kantisme avec la doctrine de Hume, parce qu'en sa qualité de demi-disciple de Berkeley et de demi-disciple de Hume, appartenant à la secte de Mach, il ne comprend pas (nous le préciserons plus loin) la différence entre l'opposition de Hume et l'opposition du matérialisme au kantisme.

« ... Mais, hélas ! continue Bazarov, son argumentation vise aussi bien la philosophie de Plékhanov que celle de Kant. Dans l'école de Plékhanov-Orthodoxe, comme l'a déjà signalé Bogdanov, il règne un malentendu fatal sur la question de la conscience. Plékhanov s'imagine, comme tous les idéalistes d'ailleurs, que tout ce qui est donné par les sens, c'est-à-dire que tout ce qui est conscient est « subjectif » ; que prendre uniquement pour point de départ ce qui est donné en fait, c'est tomber dans le solipsisme, que l'existence réelle ne peut être découverte qu'au-delà de tout ce qui est immédiatement donné... »

Voilà qui est tout à fait dans la manière de Tchernov et de l'assurance qu'il nous donne que Liebknecht fut un populiste russe authentique ! Si Plékhanov est idéaliste et s'est écarté d'Engels, pourquoi vous, prétendu disciple d'Engels, n'êtes-vous pas matérialiste ? C'est bien là une lamentable mystification, camarade Bazarov ! Avec l'expression de Mach : *« ce qui est immédiatement donné »*, vous obscurcissez la différence entre l'agnosticisme, l'idéalisme et le matérialisme. Sachez donc que « ce qui est immédiatement donné », « donné en fait », etc., n'est que confusion imaginée par les disciples de Mach, les immanents et tous autres réactionnaires en philosophie ; qu'une mascarade où l'agnostique (et parfois aussi chez Mach, l'idéaliste) se travestit en matérialiste. Pour le matérialiste, c'est le monde extérieur dont nos sensations sont les images, qui est « donné en fait ». Pour l'idéaliste, c'est la sensation qui est « donnée en fait », et le monde extérieur est déclaré « complexe de sensations ». Pour l'agnostique la sensation est également « immédiatement donnée », mais il *ne va pas au-delà*, ni vers la théorie matérialiste de la réalité du monde extérieur, ni vers la théorie idéaliste qui considère ce monde comme notre sensation. C'est pourquoi votre expression : « l'existence réelle (d'après Plékhanov) ne peut être découverte qu'au-delà de *tout ce qui est immédiatement donné* » est un non-sens, conséquence inévitable de votre point de vue de disciple de Mach. Et si vous êtes en droit d'adopter l'attitude qui vous convient, y compris celle d'un disciple de Mach, vous n'avez pas le droit de falsifier Engels, puisque vous en parlez. Or, Engels fait ressortir en toute clarté que l'existence réelle est, pour le matérialiste, *au-delà des limites* de la « perception des sens », des impressions et des représentations humaines, alors qu'il n'est pas possible, pour l'agnostique, de sortir *des limites* de ces perceptions. Ayant cru Mach, Avenarius et Schuppe prétendant que ce qui est donné « immédiatement » (ou en fait) embrasse à la fois le *Moi* percevant et le milieu perçu dans la fameuse coordination « indissoluble », Bazarov s'évertue à attribuer, à l'insu du lecteur, cette absurdité au matérialiste Engels !

« ... Le passage précité d'Engels semble avoir été écrit spécialement pour dissiper, de la façon la plus populaire, la plus accessible, ce malentendu idéaliste... »

Ce n'est pas pour rien que Bazarov a été à l'école d'Avenarius ! Il continue la mystification de ce dernier : introduire, en contrebande, en feignant de combattre l'idéalisme (dont il n'est pas question dans ce texte d'Engels), la « coordination » *idéaliste*. Ce n'est pas mal, camarade Bazarov !

« ... L'agnostique demande : Comment savons-nous que nos sens subjectifs nous fournissent une représentation exacte des choses ?... »

Vous confondez, camarade Bazarov ! Engels ne formule pas lui-même et n'a garde d'attribuer à son adversaire agnostique une énormité dans le genre des sens « *subjectifs* ». Il n'y a point d'autres sens que les sens humains, c'est-à-dire « subjectifs », car nous raisonnons du point de vue de l'homme, et non de celui du loup-garou. De nouveau vous attribuez sournoisement à Engels la doctrine de Mach : pour l'agnostique, laissez-vous entendre, les sens, ou plutôt les sensations, *ne sont que* subjectifs (telle *n'est pas* l'opinion de l'agnostique !), mais nous avons, de concert avec Avenarius, indissolublement « coordonné » l'objet et le sujet. Ce n'est pas mal, camarade Bazarov !

« ... Mais qu'appelez-vous « exact », objecte Engels. — Ce que notre pratique confirme ; dès lors, comme nos perceptions sensibles sont confirmées par l'expérience, elles ne sont pas « subjectives », c'est-à-dire qu'elles ne sont pas arbitraires ou illusoires, mais exactes, conformes à la réalité, en tant que telles... »

Vous confondez, camarade Bazarov ! Vous avez substitué à la question de l'existence des choses en dehors de nos sensations, de nos perceptions, de nos représentations, celle du critérium de l'exactitude de nos représentations de « ces mêmes » choses ; plus précisément : vous *masquez* la première question par la seconde. Or, Engels dit franchement et nettement que ce qui le sépare de l'agnostique, ce n'est pas seulement le doute de ce dernier sur l'exactitude des reproductions, mais aussi le doute agnostique sur la possibilité de parler des *choses mêmes*, sur la possibilité de connaître « authentiquement » leur existence. Pourquoi Bazarov use-t-il de ce subterfuge ? C'est pour obscurcir, brouiller la question *fondamentale* pour le matérialisme (et pour Engels en tant que matérialiste), de l'existence des choses en dehors de notre conscience, et dont l'action sur nos organes des sens suscite nos sensations. On ne peut être matérialiste sans répondre par l'affirmative à cette question. Mais on reste matérialiste en professant des opinions variées sur le critérium de l'exactitude des reproductions que nous fournissent nos organes des sens.

Bazarov accroît encore la confusion quand il attribue à Engels, dans la discussion de ce dernier avec l'agnostique, l'absurde et ignorante formule suivant laquelle nos perceptions sensibles seraient confirmées par l'« *expérience* ». Engels n'a pas employé ni ne pouvait employer *ici* ce mot, *sachant* que l'idéaliste Berkeley, l'agnostique Hume et le matérialiste Diderot, se réfèrent tous les trois à l'expérience.

« ... Dans les limites où nous avons affaire aux choses dans la pratique, les *représentations des choses et de leurs propriétés coïncident avec la réalité existant hors de nous.* « Coïncider » est autre chose qu'un « hiéroglyphe ». Coïncident, cela signifie que la représentation sensible *est* (souligné par Bazarov) justement, dans les limites données, la réalité existant hors de nous... »

La fin couronne l'œuvre ! Engels, accommodé à la manière de Mach, est rôti et servi à la sauce machiste. Mais que nos honorables cuisiniers prennent garde à ne pas s'étrangler en avalant le morceau.

« La représentation sensible *est* justement la réalité existant hors de nous » !! Mais *c'est* là *justement* l'absurdité fondamentale, la confusion fondamentale et l'hypocrisie de la doctrine de Mach d'où est sorti tout le galimatias ultérieur de cette philosophie, qui vaut à Mach et à Avenarius les embrassades des immanents, ces réactionnaires avérés et prêcheurs de cléricalisme. V. Bazarov a eu beau tergiverser, ruser, diplomatiser pour tourner les points délicats, il n'en a pas moins fini par se trahir et nous livrer sa nature de disciple de Mach ! Dire : « la représentation sensible *est justement* la réalité existant hors de nous », c'est *revenir à Hume ou même à Berkeley* enfoui dans les brumes de la « coordination ». Mensonge idéaliste ou stratagème d'agnostique, camarade Bazarov, car la représentation sensible n'est que l'*image* de la réalité existant hors de nous, et *non pas* cette réalité. Vous voulez vous accrocher au double sens du mot : *coïncider* ? Vous voulez faire croire au lecteur mal informé que « coïncider » signifie ici « être identique », et non pas « correspondre » ? C'est fonder toute la falsification d'Engels à la manière de Mach sur la déformation du sens du texte cité, rien de plus.

Prenez l'original allemand et vous y verrez les mots « stimmen mit », c'est-à-dire correspondent ou s'accordent ; cette dernière traduction est littérale, car Stimme signifie voix. Les mots « stimmen mit » *ne peuvent* signifier *coïncider* dans le sens : « *être* identique ». Au reste, il est tout à fait clair — et il ne peut en être autrement, même aux yeux du lecteur qui, sans connaître l'allemand, lit Engels avec un tout petit peu d'attention, — qu'Engels ne cesse de considérer, tout au long de son raisonnement, la « représentation sensible » comme une *image* (Abbild) de la réalité existant hors de nous et que, par conséquent, le mot « coïncider » ne peut être employé que dans le sens de correspondre, de s'accorder, etc. Attribuer à Engels l'idée que « la représentation sensible *est justement* la réalité existant hors de nous », c'est un tel chef-d'œuvre de déformation à la Mach, de substitution de l'agnosticisme et de l'idéalisme au matérialisme, qu'on ne peut s'empêcher de reconnaître que Bazarov a battu tous les records !

On se demande comment des gens qui n'ont pas perdu la raison peuvent affirmer, sains d'esprit et de jugement, que la « représentation sensible (peu importe dans quelles limites) est justement la réalité existant hors de nous ». La Terre est une réalité existant hors de nous. Elle ne peut ni « coïncider » (au sens : être identique) avec notre représentation sensible, ni se trouver avec cette dernière en coordination indissoluble, ni être un « complexe d'éléments » identiques, dans une autre connexion, à la sensation, puisque la terre existait à des époques où il n'y avait ni êtres humains, ni organes des sens, ni matière organisée sous une forme supérieure laissant voir plus ou moins nettement que la matière a la propriété d'éprouver des sensations.

C'est à masquer toute l'absurdité idéaliste de cette assertion que servent les théories tirées par les cheveux de la « coordination », de l'« introjection », des éléments du monde nouvellement découverts, que nous avons analysées au premier chapitre. La formule imprudente que Bazarov émet par inadvertance a ceci de bon qu'elle révèle nettement une absurdité criante, qu'on aurait peine à exhumer autrement d'un fatras de balivernes professorales, pédantesques et pseudo-savantes.

Gloire à vous, camarade Bazarov ! Nous vous élèverons une statue de votre vivant : nous y graverons, d'un côté, votre devise et, de l'autre : Au disciple russe de Mach qui a enterré la doctrine de Mach parmi les marxistes russes !

* * *

Nous parlerons ailleurs des deux points touchés par Bazarov dans le texte cité : du critérium de la pratique chez les agnostiques (les disciples de Mach y compris) et chez les matérialistes, et de la différence entre la théorie du reflet (ou de la projection) et celle des symboles (ou des hiéroglyphes). Pour l'instant, continuons encore à citer Bazarov :

« ... Et qu'y a-t-il au-delà de ses limites ? Engels n'en souffle mot. Il ne manifeste nulle part le désir d'accomplir ce « transcensus », cette sortie hors des limites du monde sensible, qui est, chez Plékhanov, à la base de la théorie de la connaissance... »

Quelles sont « ces » limites ? Celles de la « coordination » de Mach et d'Avenarius, qui a la prétention de lier indissolublement le *Moi* et le milieu, le sujet et l'objet ? La question posée par Bazarov est en elle-même dépourvue de sens. S'il l'avait posée humainement, il se serait rendu nettement compte que le monde extérieur est « au-delà des limites » des sensations, des perceptions et des représentations de l'homme. Mais le petit mot « transcensus » trahit Bazarov encore et encore. « Expédient » spécifiquement kantien, propre aussi aux disciples de Hume, et qui consiste à marquer une différence *de principe* entre le *phénomène* et la *chose en soi*. Conclure du phénomène ou, si vous voulez, de notre sensation, de notre perception, etc., à la chose existant en dehors de la perception, c'est, dit Kant, un *transcensus* admissible pour la foi, et non pour la science. Le transcensus n'est pas admissible du tout, réplique Hume. Et les kantiens, comme les disciples de Hume, de qualifier les matérialistes de réalistes *transcendantaux*, de « métaphysiciens » qui se permettent le *passage* (en latin, transcensus) d'un domaine dans un autre, différent en principe. Vous pouvez trouver chez les professeurs contemporains de philosophie appartenant à la tendance réactionnaire de Kant et de Hume (prenez, par exemple, les noms cités par Vorochilov-Tchernov), la répétition, sur tous les modes, de ces accusations d'« esprit métaphysique » et de « transcensus », portées contre le matérialisme. Bazarov emprunte ce petit mot, comme tout le mode de penser, aux professeurs réactionnaires et joue de ce mot au nom du « positivisme moderne » ! Le malheur est que l'idée même du « transcensus », c'est-à-dire de la différence *de principe* entre le phénomène et la chose en soi, est une idée absurde, propre aux agnostiques (disciples de Hume et de Kant compris) et aux idéalistes. L'exemple de l'alizarine donné par Engels nous a déjà permis de le montrer ; nous le montrerons encore en faisant appel à Feuerbach et à J. Dietzgen. Mais finissons-en d'abord avec l'«accommodement» d'Engels par Bazarov.

« ... Engels dit, dans un passage de son *Anti-Dühring*, que l'«existence » hors du monde sensible est une « offene Frage », c'est-à-dire une question que nous ne pouvons ni résoudre ni même poser, les éléments nécessaires nous faisant défaut. »

Bazarov répète cet argument à l'exemple du disciple allemand de Mach Friedrich Adler. Et ce dernier argument semble être pire encore que la « représentation sensible » qui « est justement la réalité existant hors de nous ». Engels écrit à la page 31 (cinquième édition allemande) de l'*Anti-Dühring* :

« L'unité du monde ne consiste pas en son Etre, bien que son Etre soit une condition de son unité, puisqu'il doit d'abord *être* avant de pouvoir être *un*. L'Etre est, somme toute, une question ouverte (offene Frage) à partir du point où s'arrête notre horizon (Gesichtskreis). L'unité réelle du monde consiste en sa matérialité, et celle-ci se prouve non pas par quelques boniments de prestidigitateur, mais par un long et laborieux développement de la philosophie et de la science de la nature [45].»

Admirez donc ce nouveau pâté, œuvre de notre cuisinier : Engels parle de l'existence *au-delà* du point où notre horizon s'arrête, c'est-à-dire de l'existence d'habitants sur la planète Mars, par exemple, etc. Il est clair que cette existence est effectivement une question ouverte. Et Bazarov, s'abstenant comme à dessein de citer ce passage dans son intégralité, expose la pensée d'Engels de façon à faire croire que c'est « l'*existence hors du monde sensible* »!! qui devient une question ouverte. Comble de l'absurdité. C'est attribuer à Engels les vues des professeurs de philosophie que Bazarov est accoutumé à croire sur parole et que J. Dietzgen qualifiait à juste titre de laquais diplômés de la cléricaille ou du fidéisme. Le fidéisme, en effet, affirme positivement l'existence de certaines choses « hors du monde sensible ». Solidaires des sciences de la nature, les matérialistes le nient catégoriquement. Les professeurs, les kantiens, les disciples de Hume (disciples de Mach compris) et autres, qui « ont trouvé la vérité hors du matérialisme et de l'idéalisme » et cherchent la « conciliation », tiennent le juste milieu : c'est, disent-ils, une question ouverte. Si Engels avait jamais dit rien de pareil, ce serait honte et déshonneur de se dire marxiste.

Mais en voilà assez ! Une demi-page de citations de Bazarov, c'est un brouillamini tel que nous nous voyons obligé de nous en tenir là, renonçant à suivre plus avant les flottements de la pensée de Mach et de ses disciples.

3. L. FEUERBACH ET J. DIETZGEN SUR LA CHOSE EN SOI

Pour montrer combien les assertions de nos disciples de Mach sont absurdes, d'après lesquelles les matérialistes Marx et Engels nieraient l'existence des choses en soi (c'est-à-dire des choses hors de nos sensations, de nos représentations, etc.) et la possibilité de les connaître, et admettraient une différence de principe entre le phénomène et la chose en soi, nous produirons encore quelques citations empruntées à Feuerbach. Tout le malheur de nos disciples de Mach vient de ce qu'ils se sont mis à traiter du matérialisme dialectique, sur la foi des professeurs réactionnaires, sans connaître *ni* la dialectique *ni* le matérialisme.

« Le spiritualisme philosophique contemporain qui se qualifie d'idéalisme, dit L. Feuerbach, adresse au matérialisme le reproche suivant, accablant à son avis : le matérialisme ne serait que dogmatisme, puisqu'il procède du monde sensible (sinnlichen) comme d'une vérité objective indubitable (ausgemacht) qu'il considère comme un monde en soi (an sich), c'est-à-dire comme existant hors de nous, tandis que le monde n'est en réalité que le produit de l'esprit. » (*Sämtliche Werke*, t. X, 1866, p. 185.)

N'est-ce pas clair ? Le monde en soi est un monde existant *sans nous*. Tel est le matérialisme de Feuerbach, de même que celui du XVIIe siècle que réfutait l'évêque Berkeley, et qui consistait en l'admission des « objets en eux-mêmes » existant en dehors de notre conscience. L'« An sich » (la chose en elle-même ou « en soi ») de Feuerbach est précisément le contraire de l'« An sich » de Kant : rappelez-vous le passage de Feuerbach, cité plus haut, où Kant est accusé de concevoir la « chose en soi » comme une « abstraction dépourvue de réalité ». Pour Feuerbach la « chose en soi » est une « abstraction *pourvue* de réalité », c'est-à-dire le monde existant hors de nous, parfaitement connaissable et ne différant nullement, en principe, du « phénomène ».

Feuerbach explique lumineusement, avec beaucoup d'esprit, combien il est absurde d'admettre un « transcensus » du monde des phénomènes au monde en soi, une sorte d'abîme infranchissable imaginé par les cléricaux et emprunté à ces derniers par les professeurs de philosophie. Voici un de ces éclaircissements :

« Certes, les produits de l'imagination sont aussi ceux de la nature, car la puissance de l'imagination, pareille aux autres forces humaines, est en dernière analyse (zuletzt) par son essence même et ses origines, une force de la nature ; l'homme est néanmoins un être différent du soleil, de la lune et des étoiles, des pierres, des animaux et des plantes, différent, en un mot, de tout ce qui est (Wesen) et à quoi il applique le terme général de nature. Les représentations (Bilder) que se fait l'homme du soleil, de la lune, des étoiles et de tout ce qui est la nature (Naturwesen), sont donc aussi des produits de la nature, mais d'*autres* produits qui diffèrent des objets qu'ils représentent. » (*Werke*, t. VII Stuttg., 1903, p. 516.)

Les objets de nos représentations diffèrent de ces représentations, la chose en soi diffère de la chose pour nous, cette dernière n'étant qu'une partie ou un aspect de la première, comme l'être humain n'est lui-même qu'une parcelle de la nature reflétée dans les représentations.

« ... Mon nerf gustatif est, tout comme le sel, un produit de la nature, mais il ne s'ensuit pas que le goût du sel soit directement la propriété objective de ce dernier ; que le sel tel qu'il est (ist) en qualité d'objet de la sensation le soit aussi par lui-même (an und für sich), — que la sensation du sel sur la langue soit une propriété du sel tel que nous le pensons sans éprouver de sensation (des ohne Empfindung gedachten Salzes)»... Quelques pages plus haut: « La salure est, en tant que saveur, une expression subjective de la propriété objective du sel » (p. 514).

La sensation est le résultat de l'action qu'exercent sur les organes de nos sens les choses existant objectivement, hors de nous, telle est la théorie de Feuerbach. La sensation est une image subjective du monde objectif, du monde an und für sich.

« ... L'homme est aussi un être de la nature (Naturwesen), comme le soleil, l'étoile, la plante, l'animal, la pierre ; mais il diffère néanmoins de la nature ; la nature dans la tête et le cœur de l'homme diffère donc de la nature hors de sa tête et de son cœur. »

« ... L'homme est le seul objet en qui se réalise, de l'aveu des idéalistes eux-mêmes, « l'identité du sujet et de l'objet » ; car l'homme est l'objet dont l'égalité et l'unité avec mon être ne suscitent aucun doute... Est-ce qu'un homme n'est pas pour un autre, même pour l'homme le plus proche, un objet d'imagination, un objet de représentation ? Tout homme ne comprend-il pas son prochain à sa façon, selon son esprit propre (in und nach seinem Sinne) ?... Et si même il existe entre un homme et un autre, entre une pensée et une autre, des différences qu'il n'est pas permis d'ignorer, combien plus grande la différence entre l'être en soi (Wesen an sich) non pensant, non humain, non identique à nous, et le même être tel que nous le pensons, le représentons et le concevons ? » (p. 518, *ibid.*).

Toute différence mystérieuse, ingénieuse et subtile entre le phénomène et la chose en soi n'est qu'un tissu d'absurdités philosophiques. De fait, tout homme a observé des millions de fois la transformation évidente et simple de la « chose en soi » en phénomène, en « chose pour nous ». Cette transformation est justement la connaissance. La « doctrine » de Mach selon laquelle, ne connaissant *que* nos sensations, nous ne pouvons savoir s'il *existe* quoi que ce soit au-delà de ces dernières, n'est qu'un vieux sophisme de la philosophie idéaliste et agnostique, servi sous une autre sauce.

Joseph Dietzgen est un matérialiste dialectique. Nous montrerons plus loin qu'il a une façon de s'exprimer souvent peu précise ; qu'il tombe fréquemment dans des confusions, auxquelles se sont cramponnés des gens de peu d'esprit (dont Eugène Dietzgen) et, naturellement, nos disciples de Mach. Mais ils n'ont pas pris la peine d'analyser la tendance dominante de sa philosophie et d'y séparer nettement le matérialisme des éléments étrangers, — ou ils n'ont pas su le faire.

« Considérons le monde comme une « chose en soi », dit Dietzgen dans son ouvrage *Essence du travail cérébral* (éd. allemande de 1903, p. 65) ; on comprend aisément que le « monde *en soi* » et le monde tel qu'il nous *apparaît*, les phénomènes du monde, ne se distinguent pas plus l'un de l'autre que le tout de l'une de ses parties. » « Le phénomène ne diffère pas plus de ce dont il est le phénomène que dix lieues de route ne diffèrent de la route tout entière » (pp. 71-72). Il n'y a, il ne peut y avoir ici aucune différence de principe, aucun « transcensus », aucun « vice inné de coordination ». Mais il existe naturellement une différence, il y a transition *au-delà des limites* des perceptions sensibles à l'*existence* des choses hors de nous.

« Nous apprenons (erfahren), dit Dietzgen (voir *Excursions d'un socialiste dans le domaine de la théorie de la connaissance*, éd. allemande de 1903, *Kleinere philosophi-*

sche Schriften, p. 199), que toute expérience est une partie de ce qui, pour nous exprimer comme Kant, sort des limites de toute expérience. » « Pour la conscience qui conçoit sa propre nature, toute particule, que ce soit une particule de poussière ou de pierre ou de bois, est une chose *qu'on ne peut connaître à fond* (Unauskenntliches), autrement dit : toute particule est pour notre faculté de connaître une source inépuisable et, par suite, une chose sortant des limites de l'expérience » (p. 199).

Pour nous exprimer comme Kant, c'est-à-dire acceptant à des fins exclusivement vulgarisatrices, par simple antithèse, la terminologie *erronée* et confuse de Kant, Dietzgen, on le voit, admet la sortie « des limites de l'expérience ». Bel exemple de ce à quoi se cramponnent les disciples de Mach dans leur transition du matérialisme à l'agnosticisme : nous ne voulons pas, disent-ils, dépasser les « limites de l'expérience », « la représentation sensible *est justement* » à nos yeux la « réalité existant hors de nous ».

« Une mystique malsaine, réplique justement Dietzgen à cette philosophie, distingue la vérité absolue non scientifique de la vérité relative. Elle fait du phénomène de la chose et de la « chose en soi », c'est-à-dire du phénomène et de la vérité, deux catégories distinctes toto coelo (tout à fait, sur toute la ligne, foncièrement) et qui n'appartiennent à aucune catégorie commune » (p. 200).

Jugez maintenant de la bonne information et de l'esprit du disciple russe de Mach Bogdanov, qui ne veut pas se reconnaître pour tel et tient à passer pour un marxiste en philosophie.

« Le juste milieu » entre « le panpsychisme et le panmatérialisme » (*Empiriomonisme*, livre II, 2e édit., 1907, pp. 40-41) « est occupé par les matérialistes de nuance plus critique, qui, tout en refusant d'admettre l'inconnaissable absolu de la « chose en soi », considèrent en même temps que cette dernière diffère *en principe* (souligné par Bogdanov) du « phénomène » et que, par suite, elle ne peut jamais être « connue que confusément » dans le phénomène, qu'elle est extra-expérimentale par son essence même (sans doute, par des « éléments » autres que ceux de l'expérience), mais placée dans les limites de ce qu'on appelle les formes de l'expérience, c'est-à-dire le temps, l'espace et la causalité.

Tel est, à peu de chose près, le point de vue des matérialistes français du XVIIIe siècle et, parmi les philosophes modernes, celui d'Engels et de son disciple russe Beltov [46]. »

Ce n'est d'un bout à l'autre qu'un tissu d'incohérences. 1. Les matérialistes du *XVIIe siècle*, combattus par Berkeley, considèrent « les objets en eux-mêmes » comme parfaitement connaissables, nos représentations, nos idées n'étant que des copies ou des reflets de ces objets existant « en dehors de l'esprit » (voir notre « Introduction »). 2. *Feuerbach* et, à sa suite, J. Dietzgen contestent résolument qu'il y ait une différence « de principe » entre la chose en soi et le phénomène ; Engels réfute de son côté cette opinion en donnant un bref exemple de la transformation des « choses en soi » en « choses pour nous ». 3. Enfin, il est tout bonnement absurde, comme on l'a vu dans la réfutation de l'agnosticisme par Engels, d'affirmer que les matérialistes considèrent les choses en soi comme « n'étant jamais connues que confusément dans le phénomène ». La cause de la déformation du matérialisme réside, chez Bogdanov, dans l'incompréhension des rapports entre la vérité absolue et la vérité relative (dont nous parlerons plus loin). Pour ce qui est de la chose en soi « extra-expérimentale » et des « éléments de l'expérience », c'est là que commence le confusionnisme de Mach, dont nous avons assez parlé plus haut.

Répéter les absurdités invraisemblables que les professeurs réactionnaires attribuent aux matérialistes, répudier Engels en 1907, tenter d'« accommoder » Engels à l'agnosticisme en 1908, voilà bien la philosophie du « positivisme moderne » des disciples russes de Mach !

4. Y A-T-IL UNE VERITE OBJECTIVE ?

Bogdanov déclare : « le marxisme implique pour moi la négation de l'objectivité absolue de toute vérité quelle qu'elle soit, la négation de toutes les vérités éternelles » (*Empiriomonisme*, livre III, pp. IV et V). Que veut dire : objectivité *absolue* ? La « vérité éternelle » est une « vérité objective au sens absolu du mot », dit encore Bogdanov, qui ne consent à admettre de « vérité objective que dans les limites d'une époque déterminée ».

Deux questions y sont manifestement confondues :

1. Existe-t-il une vérité objective, autrement dit : les représentations humaines peuvent-elles avoir un contenu indépendant du sujet, indépendant de l'homme et de l'humanité ? 2. Si oui, les représentations humaines exprimant la vérité objective peuvent-elles l'exprimer d'emblée, dans son entier, sans restriction, absolument, ou seulement de façon approximative, relative ? Cette seconde question est celle de la corrélation entre la vérité absolue et la vérité relative.

Bogdanov y répond de façon claire, directe et précise, en rejetant la moindre admission de vérité absolue et accusant Engels d'*éclectisme* pour l'avoir admise. De cet éclectisme d'Engels, découvert par Bogdanov, nous reparlerons spécialement plus loin. Arrêtons-nous pour l'instant à la première question, que Bogdanov, sans le dire nettement, résout aussi par la négative. Car on peut nier l'existence d'un élément de relativité dans telle ou telle représentation humaine sans nier la vérité objective ; mais on ne peut nier la vérité absolue sans nier l'existence de la vérité objective.

« ... Il n'existe pas de critère de la vérité objective, au sens où l'entend Beltov, écrit Bogdanov un peu plus loin, p. IX ; la vérité est une forme idéologique, une forme organisatrice de l'expérience humaine »...

Le « sens où l'entend Beltov » n'a rien à voir ici, car il s'agit d'un des problèmes fondamentaux de la philosophie, et non point de Beltov ; il en est de même du *critère* de la vérité, qu'il faut traiter à part sans confondre cette question avec celle de l'*existence* de la vérité objective. La réponse négative de Bogdanov à cette dernière question est bien claire : si la vérité *n'est qu*'une forme idéologique, il ne peut y avoir de vérité indépendante du sujet ou de l'humanité, car, pas plus que Bogdanov, nous ne connaissons d'autre idéologie que l'idéologie humaine. La réponse négative de Bogdanov ressort encore plus clairement du second membre de sa phrase : si la vérité est une forme de l'expérience humaine, il ne peut pas plus y avoir de vérité indépendante de l'humanité qu'il ne peut y avoir de vérité objective.

La négation de la vérité objective par Bogdanov, c'est de l'agnosticisme et du subjectivisme. L'absurdité de cette négation ressort nettement, ne serait-ce que du seul exemple que nous avons cité, emprunté à l'histoire scientifique de la nature. Les sciences de la nature ne permettent pas de douter que cette affirmation : la terre existait avant l'humanité, soit une vérité. Cela est parfaitement admissible du point de vue matérialiste de la connaissance : l'existence de ce qui est reflété indépendamment de ce qui reflète (l'existence du monde extérieur indépendamment de la conscience) est le principe fondamental du matérialisme. Cette affirmation de la science : la terre est antérieure à l'homme, est une vérité objective. Et cette affirmation des sciences de la nature est incompatible avec la philosophie des disciples de Mach et leur théorie de la vérité : si la vérité est une forme organisatrice de l'expérience humaine, l'assertion de l'existence de la terre *en dehors* de toute expérience humaine ne peut être vraie.

Ce n'est pas tout. Si la vérité n'est qu'une forme organisatrice de l'expérience humaine, la doctrine du catholicisme, par exemple, serait aussi une vérité. Car il est hors de doute que le catholicisme est une « forme organisatrice de l'expérience humaine ». Bogdanov s'est lui-même rendu compte de cette erreur flagrante de sa théorie, et il est très curieux de voir comment il a tenté de se sortir du marais où il s'est enlisé.

« Le fondement de l'objectivité, lisons-nous au livre premier de l'*Empiriomonisme*, doit se trouver dans la sphère de l'expérience collective. Nous qualifions d'objectives les données de l'expérience dont la signification vitale est identique pour nous et pour les autres hommes, données sur lesquelles nous fondons sans contradiction notre activité et sur lesquelles les autres hommes doivent eux aussi, selon notre conviction, se fonder pour ne pas aboutir à la contradiction. Le caractère objectif du monde physique vient de ce qu'il n'existe pas pour moi seul, mais pour tous » (c'est faux ! il existe *indépendamment* de « tous »), « et qu'il a, telle est ma conviction, pour tous la même signification déterminée que pour moi. L'objectivité de la série physique, c'est sa *valeur générale* » (p. 25, souligné par Bogdanov). « L'objectivité des corps physiques auxquels nous avons affaire dans notre expérience repose, en dernière analyse, sur le contrôle mutuel et le jugement concordant d'hommes différents. D'une façon générale, le monde physique c'est l'expérience socialement concertée, socialement harmonisée, en un mot, l'*expérience socialement organisée* » (p. 36, souligné par Bogdanov).

Nous ne répéterons pas que c'est là une affirmation idéaliste radicalement fausse, que le monde physique existe indépendamment de l'humanité et de l'expérience humaine, qu'il existait à des époques où il n'y avait encore aucune « socialité » ni aucune « organisation » de l'expérience humaine, etc. Nous entreprenons maintenant de dénoncer sous un autre aspect la philosophie machiste : l'objectivité est définie en des termes tels qu'on peut y faire rentrer la doctrine religieuse qui a sans contredit une « valeur générale », etc. Ecoutons encore Bogdanov : « Rappelons une fois de plus au lecteur que l'expérience « objective » n'est nullement la même chose que l'expérience « sociale »... L'expérience sociale est loin d'être socialement organisée tout entière et implique toujours diverses contradictions, de sorte que certaines de ses parties ne concordent pas avec les autres ; les loups-garous et les lutins peuvent exister dans la sphère de l'expérience sociale d'un peuple donné ou d'un groupe donné du peuple, par exemple de la paysannerie ; mais ce n'est pas une raison pour les intégrer à l'expérience socialement organisée ou objective, parce qu'ils ne s'harmonisent pas avec l'expérience collective en général et ne rentrent pas dans ses formes organisatrices, par exemple dans la chaîne de la causalité » (p. 45).

Certes, il nous est agréable d'apprendre que Bogdanov lui-même « n'intègre pas » à l'expérience objective l'expérience sociale concernant les loups-garous, les lutins, etc. Mais ce léger amendement, bien intentionné, conforme à la négation du fidéisme, n'amende en rien l'erreur fondamentale de toute la pensée de Bogdanov. La définition de l'objectivité et du monde physique que donne Bogdanov tombe sans contredit, car la religion a une « valeur générale » plus étendue que la science : la majeure partie de l'humanité s'en tient encore aujourd'hui à la première. Le catholicisme est « socialement organisé, harmonisé, concerté » par son évolution séculaire ; il « *entre* » incontestablement dans « la chaîne de la causalité », car les religions n'ont pas surgi sans cause, ce n'est nullement par l'effet du hasard qu'elles se maintiennent, dans les conditions actuelles, au sein des masses populaires, et les professeurs de philosophie ont des raisons parfaitement « légitimes » de s'en accommoder. Si cette expérience sociale-religieuse hautement organisée et d'une indéniable valeur générale « ne s'harmonise pas » avec l'« expérience » scientifique, c'est qu'il existe entre elles une différence de principe fondamentale, que Bogdanov a effacée en répudiant la vérité objective. Et Bogdanov a beau « s'amender » en disant que le fidéisme ou le cléricalisme ne s'harmonise pas avec la science, il n'en reste pas moins que la négation par Bogdanov de la vérité objective « s'harmonise » entièrement avec le fidéisme. Le fidéisme contemporain ne répudie nullement la science ; il n'en répudie que les « prétentions excessives », notamment celle de découvrir la vérité objective. S'il existe une vérité objective (comme le pensent les matérialistes), si les sciences de la nature, reflétant le monde extérieur dans l'« expérience » humaine, sont seules capables de nous donner la vérité objective, tout fidéisme doit être absolument rejeté. Mais s'il n'y a point de vérité objective, si la vérité (y compris la vérité scientifique) n'est qu'une forme organisatrice de l'expérience humaine, alors le principe fondamental du cléricalisme est admis, la porte est largement ouverte à ce dernier, la place est faite aux « formes organisatrices » de l'expérience religieuse.

On se demande si cette répudiation de la vérité objective est le fait personnel de Bogdanov, qui ne veut pas se reconnaître disciple de Mach, ou si elle découle des fondements mêmes de la doctrine de Mach et d'Avenarius. On ne peut répondre à cette question que dans ce dernier sens. S'il n'y a que des sensations (Avenarius, 1876), si les corps sont des complexes de sensations (Mach, *Analyse des sensations*), il est clair que nous sommes en présence d'un subjectivisme philosophique conduisant infailliblement à répudier la vérité objective. Et si les sensations sont appelées des « éléments » donnant le physique dans une connexion et le psychique dans une autre, le point de départ fondamental de l'empiriocriticisme, on l'a vu, ne s'en trouve qu'obscurci, au lieu d'être écarté. Avenarius et Mach admettent que les sensations sont la source de nos connaissances. Ils se placent donc au point de vue de l'empirisme (tout savoir dérive de l'expérience) ou du sensualisme (tout savoir dérive des sensations). Or, cette conception, loin d'effacer la différence entre les courants philosophiques fondamentaux, idéalisme et matérialisme, y conduit au contraire, quelle que soit la « nouvelle » parure verbale (« éléments ») dont on la revêt. Le solipsiste, c'est-à-dire l'idéaliste subjectif, peut, tout aussi bien que le matérialiste, voir dans les sensations la source de nos connaissances. Berkeley et Diderot relèvent tous deux de Locke. Le premier principe de la théorie de la connaissance est, sans aucun doute, que les sensations sont la seule source de nos connaissances. Ce premier principe admis, Mach obscurcit le second principe important : celui de la réalité objective, donnée à l'homme dans ses sensations ou constituant la source des sensations humaines. A partir des sensations, on peut s'orienter vers le subjectivisme qui mène au solipsisme (« les corps sont des complexes ou des combinaisons de sensations »), et l'on peut s'orienter vers l'objectivisme qui mène au matérialisme (les sensations sont les images des corps, du monde extérieur). Du premier point de vue — celui de l'agnosticisme ou, allant un peu plus loin, celui de l'idéalisme subjectif — il ne saurait y avoir de vérité objective. Le second point de vue, c'est-à-dire celui du matérialisme, reconnaît essentiellement la vérité objective. Cette vieille question philosophique des deux tendances, ou plutôt des deux conclusions autorisées par les principes de l'empirisme et du sensualisme, n'est ni résolue, ni écartée, ni dépassée par Mach : elle n'est qu'*obscurcie* sous une débauche verbale avec le mot « élément » et autres. La répudiation de la vérité objective par Bogdanov n'est pas une déviation de la doctrine de Mach ; elle en est la conséquence inévitable.

Engels, dans son *L. Feuerbach*, qualifie Hume et Kant de philosophes « qui contestent la possibilité de la connaissance du monde ou du moins de sa connaissance complète ». Engels fait donc ressortir au premier plan ce qui est commun à Hume et à Kant, et non ce qui les sépare. Il signale en outre que « l'essentiel en vue de la réfutation de cette façon de voir (celle de Hume et de Kant) a déjà été dit par Hegel » (pp. 15-16 de la 4e édition allemande) [47]. Il ne me semble pas dépourvu d'intérêt de noter à ce propos qu'après avoir déclaré le *matérialisme* « système conséquent de l'empirisme », Hegel écrivait : « Pour l'empirisme, en général, l'extérieur (das Äusserliche) est le vrai ; et si l'empirisme admet ensuite le suprasensible, c'est en lui refusant la possibilité d'être connu (soll doch eine Erkenntnis desselben (d. h. des Übersinnlichen) nicht statt finden können) et en jugeant nécessaire de s'en tenir exclusivement à ce qui est du domaine de la perception (das der Wahrnehmung Angehörige). Ce principe fondamental a néanmoins abouti dans ses applications successives (Durchführung) à ce qu'on a appelé plus tard le *matérialisme*. Pour ce matérialisme la matière est, comme telle, la réalité vraiment objective » (das wahrhaft Objektive) *.

Toutes les connaissances procèdent de l'expérience, des sensations, des perceptions. Soit. Mais il y a lieu de se demander si la *réalité objective* « est du domaine de la perception », autrement dit : si elle en est la source. Si oui, vous êtes un matérialiste. Sinon, vous n'êtes pas conséquent et vous en arriverez inéluctablement au subjectivisme, à l'agnosticisme, que vous niiez la connaissance de la chose en soi, l'objectivité du temps, de l'espace et de la causalité (avec Kant), ou que vous n'admettiez même pas l'idée de la chose en soi (avec Hume), peu importe. L'inconséquence de votre empirisme, de votre philosophie de l'expérience consistera dans ce cas à contester le contenu objectif de l'expérience,la vérité objective de la connaissance empirique.

Les disciples de Kant et de Hume (parmi ces derniers Mach et Avenarius, dans la mesure où ils ne sont pas de purs disciples de Berkeley) nous traitent, nous matérialistes, de « métaphysiciens », parce que nous admettons la réalité objective qui nous est donnée dans l'expérience, parce que nous admettons que nos sensations ont une source objective indépendante de l'homme. Matérialistes, nous qualifions avec Engels les kantiens et les disciples de Hume d'*agnostiques* parce qu'ils nient la réalité objective en tant que source de nos sensations. Le mot agnostique vient du grec : *a*, préfixe négatif, et *gnosis*, *connaissance*. L'agnostique dit : *J'ignore* s'il existe une réalité objective reflétée, représentée par nos sensations, et je déclare impossible de le savoir (voir plus haut ce qu'en dit Engels, exposant le point de vue de l'agnostique). D'où la négation de

---

* Hegel, *Enzyklopädie der philosophischen Wissenschaften im Grundrisse*, *Werke*, t. VI (1843), p. 83. Cf. p. 122.

la vérité objective par l'agnostique et la tolérance petite-bourgeoise, philistine, pusillanime envers la croyance aux loups-garous, aux lutins, aux saints catholiques et à d'autres choses analogues. Usant prétentieusement d'une terminologie « nouvelle », d'un point de vue prétendument « nouveau », Mach et Avenarius ne font en réalité que répéter, avec force hésitations et confusions, la réponse de l'agnostique : d'une part, les corps sont des complexes de sensations (pur subjectivisme, pur berkeleyisme) ; d'autre part, les sensations rebaptisées « éléments » peuvent être conçues comme existant indépendamment de nos organes des sens !

Les disciples de Mach déclarent volontiers qu'ils sont des philosophes ayant une confiance absolue dans le témoignage de nos sens ; qu'ils considèrent le monde comme étant réellement tel qu'il nous paraît, rempli de sons, de couleurs, etc., tandis que pour les matérialistes il serait mort, dépourvu de sons, de couleurs, et distinct du monde tel qu'il nous paraît, etc. J. Petzoldt, par exemple, s'exerce à des déclamations de ce genre dans son *Introduction à la philosophie de l'expérience pure* et dans le *Problème du monde au point de vue positiviste* (1906). M. Victor Tchernov, enthousiasmé par l'idée « nouvelle », la ressasse après Petzoldt. Or, les disciples de Mach ne sont en réalité que des subjectivistes et des agnostiques, car ils n'ont *pas suffisamment* confiance dans le témoignage de nos organes des sens et appliquent le sensualisme de façon inconséquente. Ils ne reconnaissent pas que nos sensations ont leur source dans la réalité objective, indépendante de l'homme. Ils ne voient pas dans nos sensations le cliché exact de cette réalité objective, se mettant ainsi en contradiction flagrante avec les sciences de la nature et ouvrant la porte au fidéisme. Par contre, pour le matérialiste, le monde est plus riche, plus vivant, plus varié qu'il ne paraît, tout progrès de la science y découvrant de nouveaux aspects. Pour le matérialiste nos sensations sont les images de la seule et ultime réalité objective ; ultime non pas en ce sens qu'elle soit déjà entièrement connue, mais parce qu'en dehors d'elle, il n'en existe ni ne peut en exister aucune autre. Cette conception ferme définitivement la porte à tout fidéisme, mais aussi à la scolastique professorale qui, ne voyant pas dans la vérité objective la source de nos sensations, « déduit » à l'aide de laborieuses constructions verbales le concept de l'objectif en tant qu'il a une valeur générale, qu'il est socialement organisé, etc., etc., sans pouvoir et souvent sans vouloir séparer la vérité objective d'avec les croyances aux loups-garous et aux lutins.

Les disciples de Mach haussent dédaigneusement les épaules à l'évocation des idées « surannées » des matérialistes « dogmatiques », qui s'en tiennent à la conception de la *matière*, soi-disant réfutée par la « science moderne » et par le « positivisme moderne ». Nous reparlerons spécialement des nouvelles théories physiques sur la structure de la matière. Mais il n'est pas permis de confondre, comme le font les disciples de Mach, les doctrines sur telle ou telle structure de la matière et les catégories gnoséologiques ; de confondre la question des propriétés nouvelles des nouvelles formes de la matière (des électrons, par exemple) avec l'ancienne question de la théorie de la connaissance, des sources de notre savoir, de l'existence de la vérité objective, etc. Mach a, nous dit-on, « découvert les éléments du monde »: le rouge, le vert, le dur, le mou, le sonore, le long, etc. Nous demandons : la réalité objective est-elle oui ou non donnée à l'homme, quand il voit le rouge ou touche un objet dur ? Cette vieille, très vieille question philosophique a été obscurcie par Mach. Si la réalité objective n'est pas donnée, vous tombez infailliblement, avec Mach, au subjectivisme et à l'agnosticisme, dans les bras des immanents, c'est-à-dire des Menchikov de la philosophie, et vous le méritez bien. Si la réalité objective nous est donnée, il faut lui attribuer un concept philosophique ; or, ce concept est établi depuis longtemps, très longtemps, et ce concept est celui de la *matière*. La matière est une catégorie philosophique servant à désigner la réalité objective donnée à l'homme dans ses sensations qui la copient, la photographient, la reflètent, et qui existe indépendamment des sensations. Par conséquent, dire que ce concept peut « vieillir », c'est *balbutier puérilement*, c'est ressasser les arguments de la philosophie *réactionnaire* à la mode. La lutte de l'idéalisme et du matérialisme a-t-elle pu vieillir en deux mille ans d'évolution de la philosophie ? La lutte des tendances ou des lignes de développement de Platon et de Démocrite a-t-elle vieilli ? Et la lutte de la religion et de la science ? Et la lutte entre la négation et l'admission de la vérité objective ? Et vieillie de même la lutte des adeptes de la connaissance suprasensible contre ses adversaires ?

La question de savoir s'il faut admettre ou répudier le concept de matière est pour l'homme une question de confiance dans le témoignage de ses organes des sens, la question des sources de notre connaissance, question posée et débattue depuis les origines de la philosophie, et qui peut être travestie de mille manières par les clowns titrés professeurs, mais qui ne peut vieillir comme ne peut vieillir la question de savoir si la vue et le toucher, l'ouïe et l'odorat sont la source de la connaissance humaine. Considérer nos sensations comme les images du monde extérieur — reconnaître la vérité objective, — se placer sur le terrain de la théorie matérialiste de la connaissance, cela revient au même. Afin d'illustrer cette affirmation, et pour que le lecteur puisse voir combien cette question est élémentaire, je me contenterai d'une citation de Feuerbach et de deux citations empruntées à des manuels de philosophie.

« Quelle platitude, écrivait L. Feuerbach, de nier que la sensation est l'évangile, l'annonce (Verkündung) d'un sauveur objectif *. » Terminologie singulière, monstrueuse, vous le voyez, mais tendance philosophique bien nette : la sensation révèle à l'homme la vérité objective. « Ma sensation est subjective, mais son fondement — ou sa cause (Grund) — est objectif » (p. 195). Comparez ce passage à celui que nous avons cité plus haut, où Feuerbach dit que le matérialisme prend pour point de départ le monde sensible, qu'il considère comme l'ultime (ausgemachte) vérité objective.

Le sensualisme, lisons-nous dans le *Dictionnaire des sciences philosophiques* de Franck **, est une doctrine qui fait dériver toutes nos idées « de l'expérience des sens, en réduisant l'intelligence... à la sensation ». Le sensualisme se présente sous trois formes : le sensualisme subjectif (scepticisme et berkeleyisme), moral (épicurisme) [48] et objectif. « Le sensualisme objectif c'est le matérialisme ; car la

---

* Feuerbach, *Sämtliche Werke*, t. X, 1866, pp. 194-195.
** *Dictionnaire des sciences philosophiques*, Paris, 1875.

matière ou les corps sont, d'après les matérialistes, les seuls objets que nos sens puissent atteindre. »

« Quand le sensualisme, dit Schwegler dans son *Histoire de la philosophie*, affirma que la vérité ou l'être ne peut être connu que par l'intermédiaire des sens, il ne resta plus (à la philosophie française de la fin du XVIIIe siècle) qu'à formuler cette proposition avec objectivité, et nous arrivâmes à la thèse matérialiste : le perçu existe seul ; il n'est pas d'autre existence que l'existence matérielle *. »

Ces vérités premières entrées dans les manuels, nos disciples de Mach les ont oubliées.

5. DE LA VERITE ABSOLUE ET RELATIVE, OU DE L'ECLECTISME D'ENGELS DECOUVERT PAR A. BOGDANOV

Cette découverte de Bogdanov fut faite en 1906 dans la préface au livre III de l'*Empiriomonisme*. « Dans l'*Anti-Dühring*, écrit Bogdanov, Engels se prononce *presque* dans le sens où je viens de définir la relativité de la vérité » (p. V), c'est-à-dire au sens de la négation de toutes les vérités éternelles, « négation de l'objectivité absolue de toute vérité quelle qu'elle soit ». « Engels a, dans son indécision, le tort de reconnaître, à travers toute son ironie, on ne sait quelles « vérités éternelles », pitoyables il est vrai » (p. VIII)... « L'inconséquence seule admet ici, comme chez Engels, des restrictions éclectiques ...» (p. IX). Citons un exemple de la réfutation de l'éclectisme d'Engels par Bogdanov. « Napoléon est mort le 5 mai 1821 », dit Engels dans l'*Anti-Dühring* (chapitre des « vérités éternelles »), en expliquant à Dühring de quelles « platitudes » (Plattheiten) doivent se contenter ceux qui prétendent découvrir des vérités éternelles dans les sciences historiques. Et voici la réplique de Bogdanov à Engels : « Quelle est cette « vérité » ? Et qu'a-t-elle d'« éternel » ? C'est la constatation d'une corrélation isolée qui n'a probablement plus d'importance réelle pour notre génération et ne peut servir ni de point de départ ni de point d'arrivée à aucune activité » (p. IX). Et à la

* Dr. Albert Schwegler, *Geschichte der Philosophie im Umriss*, 15-te Aufl., p. 194.

page VIII : « Peut-on donner aux platitudes (« Plattheiten ») le nom de vérités (« Wahrheiten » ? Les « platitudes » sont-elles des vérités ? La vérité est une forme vivante, organisatrice, de l'expérience, elle nous mène quelque part dans notre activité, et nous donne un point d'appui dans la lutte pour la vie. »

Ces deux extraits montrent clairement que Bogdanov nous sert des *déclamations* au lieu de réfuter Engels. Du moment qu'on ne peut pas affirmer que la proposition : « Napoléon est mort le 5 mai 1821 », est erronée ou inexacte, on la reconnaît vraie. Du moment qu'on n'affirme pas qu'elle pourrait être réfutée dans l'avenir, on reconnaît que cette vérité est éternelle. Par contre, qualifier d'objections des phrases disant que la vérité est une « forme vivante, organisatrice, de l'expérience », c'est essayer de faire passer pour de la philosophie un simple *assemblage de mots*. La terre a-t-elle eu l'histoire exposée par la géologie ou a-t-elle été créée en sept jours ? Est-il permis de se dérober à cette question avec des phrases sur la vérité « vivante » (qu'est-ce que cela veut dire ?) qui nous « mène » on ne sait où, etc. ? La connaissance de l'histoire de la terre et de l'humanité « n'a-t-elle pas d'importance réelle » ? Voilà de quel amphigouri prétentieux Bogdanov cherche à couvrir sa *retraite*. Car c'est bien une retraite : ayant entrepris de démontrer que l'admission de vérités éternelles par Engels c'est de l'éclectisme, il élude la question avec des mots bruyants et sonores, sans réfuter l'affirmation que Napoléon est réellement mort le 5 mai 1821, et qu'il est absurde de croire cette *vérité* susceptible de réfutation.

L'exemple choisi par Engels est d'une simplicité élémentaire,et chacun trouvera sans peine maints exemples de *vérités* éternelles et absolues dont il n'est permis de douter qu'aux fous (comme le dit Engels, qui donne encore cet exemple : « Paris est en France »). Pourquoi Engels parle-t-il ici de « platitudes » ? Parce qu'il réfute et raille le matérialiste dogmatique et métaphysique Dühring, incapable d'appliquer la dialectique aux rapports entre la vérité absolue et la vérité relative. Il faut, pour être matérialiste, admettre la vérité objective qui nous est révélée par les organes des sens. Admettre la vérité objective, c'est-à-dire indépendante de l'homme et de l'humanité, c'est admettre de façon ou d'autre la vérité absolue. Ce « de façon ou d'autre » sépare le matérialiste métaphysicien Dühring du matérialiste dialecticien Engels. A propos des problèmes les plus complexes de la science en général et de la science historique en particulier, Dühring prodiguait à droite et à gauche les mots : vérité éternelle, ultime, définitive. Engels le railla : certes, lui répondait-il, les vérités éternelles existent, mais ce n'est pas faire preuve d'intelligence que d'employer de grands mots (gewaltige Worte) pour des choses très simples. Il faut, pour faire avancer le matérialisme, en finir avec le jeu banal du mot : vérité éternelle ; il faut savoir poser et résoudre dialectiquement la question des rapports entre la vérité absolue et la vérité relative. Tel fut, il y a trente ans, l'objet de la joute Dühring-Engels. Et Bogdanov, qui a trouvé moyen de « *ne pas remarquer* » l'éclaircissement donné par Engels *dans le même chapitre* de la vérité absolue et de la vérité relative, Bogdanov qui a trouvé moyen d'accuser Engels d'« éclectisme » pour avoir admis une thèse élémentaire aux yeux de *tout* matérialiste, n'a fait que révéler une fois de plus sa complète ignorance du matérialisme et de la dialectique.

Engels écrit au début du chapitre précité (première partie, chap. IX) de l'*Anti-Dühring* : « Nous arrivons ici à la question de savoir si les produits de la connaissance humaine, et lesquels, peuvent jamais avoir une validité souveraine et un droit absolu (Anspruch) à la vérité » (5e éd. allemande, p. 79). Cette question Engels la résout ainsi :

« La souveraineté de la pensée se réalise dans une série d'hommes dont la pensée est extrêmement peu souveraine, et la connaissance forte d'un droit absolu à la vérité, dans une série d'erreurs relatives ; ni l'une ni l'autre (ni la connaissance absolument vraie, ni la pensée souveraine) » ne peuvent être réalisées complètement sinon par une durée infinie de la vie de l'humanité. »

« Nous retrouvons ici, comme plus haut déjà, la même contradiction entre le caractère représenté nécessairement comme absolu de la pensée humaine et son actualisation uniquement dans des individus à la pensée limitée, contradiction qui ne peut se résoudre que dans le progrès infini, dans la succession pratiquement illimitée, pour nous du moins, des générations humaines. Dans ce sens, la pensée humaine est tout aussi souveraine que non souveraine et sa faculté de connaissance tout aussi illimitée que limitée. Souveraine et illimitée par sa nature (ou par sa structure, Anlage), sa vocation, ses possibilités et son but historique final ; non souveraine et limitée par son exécution individuelle et sa réalité singulière » (p. 81)*.

« Il en va de même des vérités éternelles[49] », poursuit Engels.

Ce raisonnement est d'une extrême importance quant au *relativisme*, au principe de la relativité de nos connaissances, souligné par tous les disciples de Mach. *Tous* ils persistent à se dire partisans du relativisme ; mais les disciples russes de Mach répétant les petits mots à la suite des Allemands, craignent de poser, ou ne savent pas poser en termes nets et clairs, la question des rapports entre le relativisme et la dialectique. Pour Bogdanov (comme pour tous les disciples de Mach) l'aveu de la relativité de nos connaissances *nous interdit* de reconnaître, si peu que ce soit, l'existence de la vérité absolue. Pour Engels, la vérité absolue résulte de l'intégration de vérités relatives. Bogdanov est relativiste. Engels est dialecticien. Et voici encore un autre raisonnement d'Engels, non moins important, tiré du même chapitre de l'*Anti-Dühring* :

« La vérité et l'erreur, comme toutes les déterminations de la pensée qui se meuvent dans des oppositions polaires, n'ont précisément de validité absolue que pour un domaine extrêmement limité, comme nous venons de le voir et comme M. Dühring le saurait lui aussi, s'il connaissait un peu les premiers éléments de la dialectique, qui traitent justement de l'insuffisance de toutes les oppositions polaires. Dès que nous appliquons l'opposition entre vérité et erreur en dehors du domaine étroit que nous avons indiqué plus haut, elle devient relative et impropre à l'expression scientifique exacte : cependant si nous tentons de l'appli-

* Cf. V. Tchernov, ouvrage cité, p. 64 et suivantes. Disciple de Mach, M. Tchernov a une attitude identique à celle de Bogdanov, qui ne veut pas se reconnaître pour tel. La différence est que Bogdanov s'efforce de *masquer* son désaccord avec Engels, de le présenter comme fortuit, etc., alors que M. Tchernov se rend bien compte qu'il s'agit de combattre le matérialisme et la dialectique.

quer comme absolument valable en dehors de ce domaine, nous échouons complètement ; les deux pôles de l'opposition se transforment en leur contraire, la vérité devient erreur et l'erreur vérité » (p. 86)[50]. Engels cite à titre d'exemple la loi de Boyle (le volume d'un gaz est inversement proportionnel à la pression exercée sur ce gaz). Le « grain de vérité » contenu dans cette loi ne représente une vérité absolue que dans certaines limites. Cette loi n'est qu'une vérité « approximative ».

Ainsi, la pensée humaine est, par nature, capable de nous donner et nous donne effectivement la vérité absolue, qui n'est qu'une somme de vérités relatives. Chaque étape du développement des sciences intègre de nouveaux grains à cette somme de vérité absolue, mais les limites de la vérité de toute proposition scientifique sont relatives, tantôt élargies, tantôt rétrécies, au fur et à mesure que les sciences progressent. « Nous pouvons, dit J. Dietzgen dans ses *Excursions*, voir, entendre, sentir, toucher et, sans doute, *connaître* aussi la vérité absolue, mais elle ne s'intègre pas tout entière (geht nicht auf) à notre connaissance » (p. 195). « Il va sans dire que l'image n'épuise pas l'objet, et que le peintre est loin de reproduire le modèle en son entier... Comment un tableau peut-il « coïncider » avec le modèle ? Approximativement, oui » (p.197). « Nous ne pouvons connaître la nature ou ses différentes parties que de façon relative ; car chacune de ces parties, quoique ne représentant qu'un fragment relatif de la nature, a la nature de l'absolu, le caractère de l'ensemble de la nature en soi (des Naturganzen an sich), que la connaissance n'épuise pas... D'où savons-nous qu'il y a derrière les phénomènes de la nature, derrière les vérités relatives, une nature universelle, illimitée, absolue, qui ne se révèle pas complètement à l'homme ?... D'où nous vient cette connaissance ? Elle nous est innée. Elle nous est donnée en même temps que la conscience » (p. 198). Cette dernière assertion est une des inexactitudes qui contraignirent Marx à noter dans une de ses lettres à Kugelmann la confusion des vues de Dietzgen[51]. Et l'on ne peut parler d'une philosophie de Dietzgen différente du matérialisme dialectique qu'en exploitant des passages de ce genre. Mais Dietzgen lui-même apporte une correction *à cette même page* : « Si je dis que la connaissance de la vérité infinie, absolue, nous est innée, qu'elle est la seule et unique connaissance a priori que nous ayons, il n'en est pas moins vrai que l'expérience confirme cette connaissance innée » (p. 198).

Toutes ces déclarations d'Engels et de Dietzgen montrent bien qu'il n'y a pas, pour le matérialisme dialectique, de ligne de démarcation infranchissable entre la vérité relative et la vérité absolue. Bogdanov n'y a rien compris du tout, puisqu'il a pu écrire : « Elle (la conception de l'ancien matérialisme) veut être *la connaissance objective* inconditionnelle *de l'essence des choses* (souligné par Bogdanov) et n'est pas compatible avec la relativité historique de toute idéologie » (livre III de l'*Empiriomonisme*,p.IV). Au point de vue du matérialisme moderne, c'est-à-dire du marxisme, les *limites* de l'approximation de nos connaissances par rapport à la vérité objective, absolue, sont historiquement relatives, mais l'existence même de cette vérité est *certaine* comme il est certain que nous en approchons. Les contours du tableau sont historiquement relatifs, mais il est certain que ce tableau reproduit un modèle existant objectivement. Le fait qu'à tel ou tel moment, dans telles ou telles conditions, nous avons avancé dans notre connaissance de la nature des choses au point de découvrir l'alizarine dans le goudron de houille ou de découvrir des électrons dans l'atome, est historiquement relatif ; mais ce qui est certain, c'est que toute découverte de ce genre est un progrès de la « connaissance objective absolue ». En un mot, toute idéologie est historiquement relative, mais il est certain qu'à chaque idéologie scientifique (contrairement à ce qui se produit, par exemple, pour l'idéologie religieuse) correspond une vérité objective, une nature absolue. Cette distinction entre la vérité absolue et la vérité relative est vague, direz-vous. Je vous répondrai : elle est tout juste assez « vague » pour empêcher la science de devenir un dogme au mauvais sens de ce mot, une chose morte, figée, ossifiée ; mais elle est assez « précise » pour tracer entre nous et le fidéisme, l'agnosticisme, l'idéalisme philosophique, la sophistique des disciples de Hume et de Kant, une ligne de démarcation décisive et ineffaçable. Il y a ici une limite que vous n'avez pas remarquée, et, ne l'ayant pas remarquée, vous avez glissé dans le marais de la philosophie réactionnaire.

C'est la limite entre le matérialisme dialectique et le relativisme.

Nous sommes des relativistes, proclament Mach, Avenarius et Petzoldt. Nous sommes des relativistes, leur font écho M. Tchernov et quelques disciples russes de Mach se réclamant du marxisme. Oui, M. Tchernov et camarades disciples de Mach, c'est là précisément votre erreur. Car fonder la théorie de la connaissance sur le relativisme, c'est se condamner infailliblement au scepticisme absolu, à l'agnosticisme et à la sophistique, ou bien au subjectivisme. Comme théorie de la connaissance, le relativisme n'est pas seulement l'aveu de la relativité de nos connaissances ; c'est aussi la négation de toute mesure, de tout modèle objectif, existant indépendamment de l'humanité et dont se rapproche de plus en plus notre connaissance relative. On peut, en partant du relativisme pur, justifier toute espèce de sophistique, admettre par exemple dans le « relatif » que Napoléon est ou n'est pas mort le 5 mai 1821; on peut déclarer comme simple « commodité » pour l'homme ou l'humanité d'admettre, à côté de l'idéologie scientifique (« commode » à un certain point de vue), l'idéologie religieuse (très « commode » à un autre point de vue), etc.

La dialectique, comme l'expliquait déjà Hegel, *intègre* comme l'un de ses moments, le relativisme, la négation, le scepticisme, mais *ne se réduit pas* au relativisme. La dialectique matérialiste de Marx et d'Engels inclut sans contredit le relativisme, mais ne s'y réduit pas ; c'est-à-dire qu'elle admet la relativité de toutes nos connaissances non point au sens de la négation de la vérité objective, mais au sens de la relativité historique des limites de l'approximation de nos connaissances par rapport à cette vérité.

Bogdanov écrit en soulignant : « *Le marxisme conséquent n'admet pas une dogmatique et une statique* » telles que les vérités éternelles (*Empiriomonisme*, livre III, p. IX). Confusion.Si le monde est (comme le pensent les marxistes) une matière qui se meut et se développe perpétuellement, et si la conscience humaine au cours de son développement ne fait que le refléter, que vient faire ici la « statique » ? Il n'est pas du tout question de la nature immuable des choses ni d'une conscience immuable, mais de la *correspondance* entre la conscience reflétant la nature et la nature reflétée par la conscience. C'est dans cette question, et seulement dans cette question, que le terme « dogmatique » a une saveur philosophique toute particulière : c'est le mot dont les idéalistes et les agnostiques usent le plus volontiers *contre* les matérialistes, comme nous l'avons déjà vu par l'exemple de Feuerbach, matérialiste assez « vieux ». Toutes les objections adressées au matérialisme du point de vue du fameux « positivisme moderne » ne sont que des vieilleries.

6. LE CRITERE DE LA PRATIQUE DANS LA THEORIE DE LA CONNAISSANCE

Nous avons vu Marx en 1845 et Engels en 1888 et 1892, fonder la théorie matérialiste de la connaissance sur le critère de la pratique [52]. Poser en dehors de la pratique la question de savoir « si la pensée humaine peut aboutir à une vérité objective », c'est s'adonner à la scolastique, dit Marx dans sa deuxième thèse sur Feuerbach. La pratique est la meilleure réfutation de l'agnosticisme de Kant et de Hume, comme du reste de tous les autres subterfuges (Schrullen) philosophiques, répète Engels. « Le résultat de notre action démontre la conformité (Übereinstimmung) de nos perceptions avec la nature objective des objets perçus », réplique Engels aux agnostiques [53].

Comparez à cela le raisonnement de Mach sur le critère de la pratique. « On est accoutumé dans la pensée habituelle et dans le langage ordinaire à opposer *l'apparent, l'illusoire à la réalité.* Levant en l'air devant nous un crayon, nous le voyons rectiligne. Le plongeant obliquement dans l'eau, nous le voyons brisé. On dit dans ce dernier cas : « le crayon *paraît brisé, mais* il est droit *en réalité* ». Pour quelle raison appelons-nous *un* fait réalité, et ravalons-nous *un autre* au niveau d'une illusion ?... Quand nous commettons l'erreur naturelle d'attendre, en des cas extraordinaires, des phénomènes ordinaires, nos espoirs sont, bien entendu, déçus. Mais les faits n'y sont pour rien. Parler d'*illusion* en pareil cas est permis au point de vue pratique, mais ne l'est nullement au point de vue scientifique. De même la question si souvent soulevée : l'univers a-t-il une existence réelle ou n'est-il que notre rêve ? n'a aucun sens au point de vue scientifique.Le rêve le plus incohérent est un fait au même titre que tout autre » (*Analyse des sensations*, pp. 18-19).

Il est vrai qu'un rêve incohérent est un fait tout comme une philosophie incohérente. On n'en peut douter après avoir pris connaissance de la philosophie d'Ernst Mach. Cet auteur confond, comme le dernier des sophistes, l'étude historico-scientifique et psychologique des erreurs humaines, des « rêves incohérents » de toute sorte faits par l'humanité, tels que la croyance aux loups-garous, aux lutins, etc., avec la discrimination gnoséologique du vrai et de l'« incohérent ». C'est comme si un économiste s'avisait de soutenir que la théorie de Senior, — d'après laquelle tout le profit du capitaliste est le produit de la « dernière heure » du travail de l'ouvrier, — et la théorie de Marx, sont toutes les deux, au même titre, des faits, la question de savoir laquelle de ces théories exprime la vérité objective et laquelle traduit les préjugés de la bourgeoisie et la corruption de ses professeurs, n'ayant dès lors aucune portée scientifique. Le tanneur J. Dietzgen voyait dans la théorie de la connaissance scientifique,c'est-à-dire matérialiste, une « arme universelle contre la foi religieuse » (*Kleinere philosophische Schriften*, p. 55), mais pour le professeur diplômé Ernst Mach, la distinction entre la théorie matérialiste de la connaissance et celle de l'idéalisme subjectif « n'a pas de sens au point de vue scientifique » ! La science ne prend pas parti dans le combat livré par le matérialisme à l'idéalisme et à la religion, c'est là l'idée la plus chère de Mach et aussi de tous les universitaires bourgeois contemporains, ces « laquais diplômés, dont l'idéalisme laborieux abêtit le peuple », suivant l'expression si juste du même J. Dietzgen (*ibid.*, p. 53).

Nous avons justement affaire à cet idéalisme laborieux des professeurs, quand E. Mach reporte au-delà de la science, au-delà de la théorie de la connaissance, le critère de la pratique qui sépare pour tout un chacun l'illusion d'avec la réalité. La pratique humaine démontre l'exactitude de la théorie matérialiste de la connaissance, disaient Marx et Engels, qualifiant de « scolastique » et de « subterfuges philosophiques » les tentatives faites pour résoudre la question gnoséologique fondamentale sans recourir à la pratique. Par contre, la pratique est pour Mach une chose et la théorie de la connaissance en est une autre ; on peut les envisager côte à côte sans que l'une conditionne l'autre. Dans sa dernière œuvre, *Connaissance et Erreur* (p. 115 de la deuxième édition allemande), Mach dit : « La connaissance est toujours une chose psychique biologiquement utile (förderndes). » « Seul le succès distingue la vérité de l'erreur » (p. 116). « Le concept est une hypothèse physique utile pour le travail » (p. 143). Nos disciples russes de Mach, se réclamant du marxisme, voient avec une étonnante naïveté dans ces phrases de Mach la preuve que ce dernier *se rapproche* du marxisme. Mach se rapproche ici du marxisme tout comme Bismarck se rapprochait du mouvement ouvrier,ou l'évêque Euloge[54] du démocratisme. Ces propositions *voisinent* chez Mach avec sa théorie idéaliste de la connaissance, sans influer sur le choix d'une orientation gnoséologique déterminée. La connaissance ne peut être biologiquement utile,utile à l'homme dans la pratique, dans la conservation de la vie, dans la conservation de l'espèce, que si elle reflète la vérité objective indépendante de l'homme. Pour le matérialiste le « succès » de la pratique humaine démontre la concordance de nos représentations avec la nature objective des choses perçues. Pour le solipsiste le « succès » est tout ce dont *j'ai* besoin *dans la pratique*, qui peut être considérée indépendamment de la théorie de la connaissance. En mettant le critère de la pratique à la base de la théorie de la connaissance, nous arrivons inévitablement au matérialisme, dit le marxiste. La pratique peut être matérialiste, dit Mach; quant à la théorie, c'est tout autre chose.

« Pratiquement, écrit-il dans l'*Analyse des sensations*, lorsque nous voulons agir, il nous est tout aussi impossible de nous passer de la notion du *Moi* que de celle du corps au moment où nous tendons la main pour saisir un objet. Nous restons physiologiquement des égoïstes et des matérialistes avec autant de constance que nous voyons le soleil se lever. Mais nous ne devons nullement nous en tenir à cette conception dans la théorie » (284-285).

L'égoïsme n'a rien à voir ici, étant une catégorie absolument étrangère à la gnoséologie. De même le mouvement apparent du soleil autour de la terre, la pratique, qui nous sert de critérium dans la théorie de la connaissance, devant embrasser la pratique des observations astronomiques, des découvertes, etc. Il ne reste donc de cette pensée de Mach que l'aveu précieux que les hommes sont entièrement, exclusivement guidés dans leur pratique par la théorie matérialiste de la connaissance ; et la tentative de tourner cette dernière « théoriquement » ne fait qu'exprimer la scolastique pédantesque et l'idéalisme laborieux de Mach.

Qu'il n'y ait rien de nouveau dans ces efforts pour écarter la pratique comme quelque chose qui ne doit pas faire l'objet d'un examen gnoséologique, afin de faire place nette à l'agnosticisme et à l'idéalisme, c'est ce que montrera l'exemple suivant emprunté à l'histoire de la philosophie classique allemande. G. E. Schulze (Schulze-Aenesidemus dans l'histoire de la philosophie) se trouve ici sur le chemin qui va de Kant à Fichte. Il défend ouvertement la tendance sceptique en philosophie et se déclare disciple de Hume (et, parmi les anciens, de Pyrrhon et de Sextus). Il nie catégoriquement toute chose en soi et la possibilité de la connaissance objective ; il exige non moins catégoriquement que nous n'allions pas au-delà de l'« expérience », au-delà des sensations, ce qui ne l'empêche nullement de prévoir les objections du camp opposé : « Comme, dans la vie quotidienne, le sceptique reconnaît la réalité certaine des choses objectives, agit en conséquence et admet le critère de la vérité, sa propre conduite est la meilleure et la plus évidente réfutation de son scepticisme*. » « Ces arguments, répond Schulze indigné, ne sont valables que pour la populace (Pöbel, p. 254). Car mon scepticisme ne s'étend pas à la vie pratique, il reste dans les limites de la philosophie » (p. 255).

L'idéaliste subjectif Fichte espère de même trouver dans le domaine de la philosophie idéaliste une place pour le« réalisme qui s'impose (sich aufdringt) à nous tous, et même à l'idéaliste le plus résolu, quand on en vient à l'action, réalisme qui admet l'existence des objets en dehors et tout à fait indépendamment de nous » (*Werke*, t. I, p. 455).

Le positivisme moderne de Mach ne s'est guère éloigné de Schulze et de Fichte ! Notons à titre de curiosité que, pour

---

* G. E. Schulze, *Aenesidemus oder über die Fundamente der von dem Herrn Professor Reinhold in Jena gelieferten Elementarphilosophie*, 1792, p. 253.

Bazarov,nul n'existe,en cette matière, en dehors de Plékhanov : le chat est pour la souris la bête la plus forte. Bazarov raille la « philosophie salto-vitale de Plékhanov » (*Essais*, p. 69), qui a en effet écrit une phrase biscornue : que la « foi » en l'existence du monde extérieur est « en philosophie un *salto-vitale* inévitable » (*Notes sur L. Feuerbach*, p. 111). Le mot « foi », quoique mis entre guillemets et répété après Hume, révèle, assurément, chez Plékhanov une confusion de termes. Mais que vient faire ici Plékhanov ? ? Pourquoi Bazarov n'a-t-il pas choisi un autre matérialiste, Feuerbach par exemple ? Serait-ce uniquement parce qu'il ne le connaît pas ? Mais l'ignorance n'est pas un argument.Feuerbach,lui aussi, tout comme Marx et Engels, fait dans les questions fondamentales de la théorie de la connaissance un « saut » vers la pratique, inadmissible au point de vue de Schulze, Fichte et Mach. Critiquant l'idéalisme, Feuerbach le définit à l'aide d'une citation frappante de Fichte qui porte admirablement contre toute la doctrine de Mach. « Tu crois, écrivait Fichte, que les choses sont réelles, qu'elles existent en dehors de toi, pour la seule raison que tu les vois, les entends, les touches. Mais la vue, le toucher, l'ouïe ne sont que sensations... Tu ne perçois pas les choses, tu ne perçois que tes sensations. » (Feuerbach, *Werke*, t. X, p. 185.) Et Feuerbach de répliquer : l'être humain n'est pas un *Moi* abstrait, c'est un homme ou une femme, et la question de savoir si le monde est sensation peut se réduire à cette autre : un autre homme n'est-il que ma sensation, ou nos rapports dans la pratique démontrent-ils le contraire ? « L'erreur capitale de l'idéalisme consiste justement à ne poser et résoudre les questions de l'objectivité et de la subjectivité,de la réalité ou de l'irréalité du monde, qu'au seul point de vue théorique » (*ibid.*, p. 189).Feuerbach met à la base de la théorie de la connaissance l'ensemble de la pratique humaine. Certes, dit-il, les idéalistes eux aussi admettent dans la pratique la réalité de notre *Moi* et celle du *Toi* d'autrui. Pour l'idéaliste « ce point de vue ne vaut que pour la vie, et non pour la spéculation. Mais la spéculation qui entre en contradiction avec la vie et fait du point de vue de la mort, de l'âme séparée du corps, le point de vue de la vérité, est une spéculation morte, une fausse spéculation » (p. 192). Nous respirons avant de *sentir*, nous ne pouvons exister sans air, sans nourriture et sans boisson.

« Ainsi, il s'agit de nourriture et de boisson quand on examine la question de l'idéalité ou de la réalité du monde ! s'exclame l'idéaliste indigné. Quelle bassesse ! Quelle atteinte à la bonne coutume de déblatérer de toutes ses forces, du haut des chaires de philosophie et de théologie, contre le matérialisme dans les sciences pour pratiquer ensuite à la table d'hôte le matérialisme le plus vulgaire » (p. 195). Et Feuerbach de s'exclamer que situer sur le même plan la sensation subjective et le monde objectif, « c'est mettre le signe d'égalité entre pollution et procréation » (p. 198).

La remarque n'est pas des plus polies, mais elle frappe juste les philosophes qui enseignent que la représentation sensible est précisément la réalité existant hors de nous.

Le point de vue de la vie, de la pratique, doit être le point de vue premier, fondamental de la théorie de la connaissance. Ecartant de son chemin les élucubrations interminables de la scolastique professorale, il mène infailliblement au matérialisme. Il ne faut certes pas oublier que le critère de la pratique ne peut, au fond, jamais confirmer ou réfuter *complètement* une représentation humaine, quelle qu'elle soit. Ce critère est de même assez « vague » pour ne pas permettre aux connaissances de l'homme à se changer en un « absolu » ; d'autre part, il est assez déterminé pour permettre une lutte implacable contre toutes les variétés de l'idéalisme et de l'agnosticisme. Si ce que confirme notre pratique est une vérité objective unique, finale, il en découle que la seule voie conduisant à cette vérité est celle de la science fondée sur la conception matérialiste. Ainsi Bogdanov veut bien reconnaître dans la théorie de la circulation monétaire de Marx une vérité objective, mais uniquement « pour notre époque », et il considère comme du « dogmatisme » d'attribuer à cette théorie un caractère de vérité « objective suprahistorique » (*Empiriomonisme*, livre III, p. VII). C'est de nouveau une confusion. Aucune circonstance ultérieure ne pourra modifier la conformité de cette théorie avec la pratique pour la simple raison qui fait de cette vérité : Napoléon est mort le 5 mai 1821, une vérité *éternelle*. Mais comme le critère de la pratique — c'est-à-dire le cours du développement de *tous* les pays capitalistes pendant ces dernières décades, — démontre la vérité objective de *toute* la théorie économique et sociale de Marx en général, et non de telle ou telle de ses parties ou de ses formules, etc., il est clair que parler ici du « dogmatisme » des marxistes, c'est faire une concession impardonnable à l'économie bourgeoise. La seule conclusion à tirer de l'opinion partagée par les marxistes, que la théorie de Marx est une vérité objective, est celle-ci : en suivant *le chemin* tracé par la théorie de Marx, nous nous rapprocherons de plus en plus de la vérité objective (sans toutefois l'épuiser jamais) ; *quelque autre chemin* que nous suivions, nous ne pourrons arriver qu'au mensonge et à la confusion.

CHAPITRE III

LA THEORIE DE LA CONNAISSANCE DU MATERIALISME DIALECTIQUE ET DE L'EMPIRIOCRITICISME. III

1. QU'EST-CE QUE LA MATIERE ? QU'EST-CE QUE L'EXPERIENCE ?

La première de ces questions est celle que les idéalistes et les agnostiques, les disciples de Mach y compris, posent avec insistance aux matérialistes ; la seconde est celle que les matérialistes adressent aux disciples de Mach. Essayons d'y voir clair.

Avenarius dit de la matière :

« Il n'y a pas de « physique » au sein de l'« expérience complète » épurée, pas de « matière » au sens métaphysique absolu du mot, car la « matière » n'est dans ce sens qu'une abstraction : elle serait la somme des contre-termes, abstraction faite de tout terme central. De même que dans la coordination de principe, c'est-à-dire dans l'« expérience complète », le contre-terme est impensable (undenkbar) sans le terme central, de même la « matière » est, dans la conception métaphysique absolue, un non-sens complet (Unding) » (*Bemerkungen zum Begriff des Gegenstandes der Psychologie*, p. 2 de la revue citée, § 119).

Ce qui ressort de ce charabia, c'est qu'Avenarius qualifie d'absolu ou de métaphysique le physique ou la matière, puisque sa théorie de la coordination de principe (ou encore, selon le mode nouveau : l'« expérience complète »), veut que le contre-terme soit inséparable du terme central, le milieu inséparable du *Moi*, le *non-Moi* inséparable du *Moi* (comme disait J. G. Fichte). Que cette théorie ne soit qu'un travestissement de l'idéalisme subjectif, nous l'avons déjà dit en son lieu et place, et le caractère des attaques d'Avenarius contre la « matière » est parfaitement clair : l'idéaliste nie l'existence du physique indépendamment du psychique et repousse pour cette raison la conception élaborée par la philosophie pour désigner cette existence. Que la matière soit « physique » (c'est-à-dire ce qui est le plus connu et le plus directement donné à l'homme, et ce dont nul ne conteste l'existence, à l'exception des pensionnaires des petites-maisons), Avenarius ne le nie pas ; il se contente d'exiger l'adoption de « *sa* » théorie de la liaison indissoluble entre le milieu et le *Moi*.

Mach exprime la même idée avec plus de simplicité, sans subterfuges philosophiques : « Ce que nous appelons matière n'est qu'une certaine liaison régulière entre les *éléments* (« sensations ») » (*Analyse des sensations*, p. 265). Mach croit opérer avec cette affirmation une « révolution radicale » dans les conceptions courantes. En réalité, nous sommes en présence d'un idéalisme subjectif vieux comme le monde, mais dont le petit mot « élément » couvre la nudité.

Enfin, le disciple anglais de Mach Pearson, qui lutte à outrance contre le matérialisme, dit : « Il ne peut y avoir d'objection, au point de vue scientifique, à ce que certaines séries plus ou moins constantes d'impressions sensibles soient classées dans une catégorie unique appelée matière ; nous nous rapprochons ainsi de très près de la définition de J. St. Mill : La matière est une possibilité permanente de sensations ; mais cette définition de la matière ne ressemble en rien à celle qui affirme que la matière est une chose en mouvement » (*The Grammar of Science*, 1900, 2nd ed., p. 249). L'idéaliste ne se couvre pas ici d'« éléments », comme d'une feuille de vigne, et tend franchement la main à l'agnostique.

Le lecteur voit que tous ces raisonnements des fondateurs de l'empiriocriticisme gravitent entièrement et exclusivement autour de l'immémorial problème gnoséologique des rapports entre la pensée et l'existence, entre les sensations et le physique. Il a fallu la naïveté sans bornes des disciples russes de Mach pour y découvrir quelque chose se rattachant tant soit peu aux « sciences de la nature modernes » ou au « positivisme moderne ». Tous les philosophes que nous avons cités substituent, les uns délibérément, les autres avec des simagrées, à la tendance philosophique fondamentale du matérialisme (de l'existence à la pensée, de la matière à la sensation) la tendance opposée de l'idéalisme. Leur négation de la matière n'est que la très ancienne solution des problèmes de la théorie de la connaissance par la négation de la source extérieure, objective, de nos sensations, de la réalité objective qui correspond à nos sensations. L'admission de la tendance philosophique niée par les idéalistes et les agnostiques trouve, au contraire, son expression dans les définitions : la matière est ce qui, agissant sur nos organes des sens, produit les sensations ; la matière est une réalité objective qui nous est donnée dans les sensations, etc.

Feignant de ne discuter que Beltov, et passant outre à Engels avec pusillanimité, Bogdanov s'indigne de ces définitions qui, voyez-vous, « s'avèrent de simples répétitions » (*Empiriomonisme*, III, p. XVI) de la « formule » (*d'Engels*, notre « marxiste » oublie de l'ajouter), d'après laquelle la matière est la donnée première et l'esprit la donnée seconde pour une tendance philosophique, tandis que pour l'autre tendance, c'est l'inverse. Et, enthousiastes, tous les disciples russes de Mach de répéter la « réfutation » de Bogdanov ! Or, la moindre réflexion prouverait à ces gens qu'on ne peut, quant au fond, définir les deux dernières notions gnoséologiques qu'en indiquant celle d'entre elles qu'on considère comme donnée première. Qu'est-ce que donner une « définition » ? C'est avant tout ramener une conception donnée à une autre plus large. Quand je formule, par exemple, cette définition : l'âne est un animal, je ramène la notion « âne » à une notion, plus étendue. Il s'agit de savoir maintenant s'il existe des notions plus larges que celles de l'existence et de la pensée, de la matière et de la sensation, du physique et du psychique, avec lesquelles la théorie de la connaissance puisse opérer. Non. Ce sont des concepts infiniment larges, les plus larges, que la gnoséologie n'a point dépassés jusqu'à présent (abstraction faite de nos modifications *toujours* possibles de la *terminologie*). Seuls le charlatanisme ou l'extrême indigence intellectuelle peuvent exiger pour ces deux « séries » de concepts infiniment larges, des « définitions » qui soient autre chose que de « simples répétitions » : l'un ou l'autre est considéré comme donnée première. Prenons les trois raisonnements mentionnés plus haut sur la matière. A quoi se ramènent-ils ? A ce que ces philosophes vont du psychique, ou du *Moi*, au physique ou au milieu, comme du terme central au contre-terme, ou de la sensation à la matière, ou de la perception sensible à la matière. Avenarius, Mach et Pearson pouvaient-ils, au fond, « définir » les conceptions fondamentales autrement qu'en indiquant leur *tendance* philosophique ? Pouvaient-ils définir autrement, définir de quelque autre manière le *Moi*, la sensation, la perception sensible ? Il suffirait de poser clairement la question pour comprendre dans quelle énorme absurdité tombent les disciples de Mach, quand ils exigent des matérialistes une définition de la matière qui ne se réduise pas à répéter que la matière, la nature, l'être, le physique est la donnée première, tandis que l'esprit, la conscience, les sensations, le psychique est la donnée seconde.

Le génie de Marx et d'Engels s'est manifesté entre autres par leur dédain du jeu pédantesque des mots nouveaux, des termes compliqués, des « ismes » subtils, et par leur simple et franc langage : il y a en philosophie une tendance matérialiste et une tendance idéaliste et, entre elles, diverses nuances d'agnosticisme. Les efforts tentés pour trouver un « nouveau » point de vue en philosophie révèlent la même indigence intellectuelle que les tentatives laborieuses faites pour créer une « nouvelle » théorie de la valeur, une « nouvelle » théorie de la rente, etc.

Carstanjen, élève d'Avenarius, relate que ce dernier a dit une fois au cours d'un entretien privé : « Je ne connais ni le physique ni le psychique ; je ne connais qu'un troisième élément. » Répondant à un écrivain qui avait fait observer qu'Avenarius ne définissait pas ce troisième élément, Petzoldt a dit : « Nous savons pourquoi il n'a pas pu formuler cette conception. C'est parce que le troisième élément n'a pas de contre-terme (Gegenbegriff, notion corrélative)... La question : Qu'est-ce que le troisième élément ? manque de logique » (*Einführung in die Philosophie der reinen Erfahrung*, t. II, p. 329). Que cette dernière conception ne puisse être définie, Petzoldt le comprend. Mais il ne comprend pas que la référence au « troisième élément » n'est qu'un simple subterfuge, chacun de nous sachant fort bien ce que c'est que le physique et le psychique, mais nul de nous ne sait encore ce que c'est que le « troisième élément ». Avenarius n'use de ce subterfuge que pour brouiller la piste ; il déclare *en fait* que le *Moi* est la donnée première (terme central), et la nature (le milieu) la donnée seconde (contre-terme).

Certes, l'opposition entre la matière et la conscience n'a de signification absolue que dans des limites très restreintes : en l'occurrence, uniquement dans celles de la question gnoséologique fondamentale : Qu'est-ce qui est premier et qu'est-ce qui est second ? Au-delà de ces limites, la relativité de cette opposition ne soulève aucun doute.

Voyons maintenant quel usage la philosophie empiriocriticiste fait du mot expérience. Le premier paragraphe de la *Critique de l'expérience pure* « admet » que : « Tout élément de notre milieu est en de tels rapports avec les individus humains que, lorsque l'élément est donné, alors il y a expérience : j'apprends telle et telle chose par l'expérience ; telle ou telle chose est de l'expérience ; ou vient de l'expérience, ou en dépend » (p. 1 de la tr. russe). Ainsi l'expérience est définie toujours à l'aide des mêmes concepts : le *Moi* et le milieu ; quant à la « doctrine » de leur liaison « indissoluble », on la met pour un temps sous le boisseau. Poursuivons. « Concept synthétique de l'expérience pure » : « précisément de l'expérience en tant qu'assertion conditionnée dans son intégralité par des éléments du milieu » (pp. 1-2). Si l'on admet l'existence du milieu indépendamment des « assertions » et des « jugements » de l'homme, l'interprétation matérialiste de l'expérience devient possible ! « Concept analytique de l'expérience pure » : « précisément en tant qu'assertion exempte de tout ce qui n'est pas l'expérience, et qui ne représente, par suite, que l'expérience » (p. 2). L'expérience est l'expérience. Il y a pourtant des gens qui prennent ces absurdités pseudo-scientifiques pour de la profondeur !

Ajoutons encore qu'au tome II de sa *Critique de l'expérience pure*, Avenarius considère l'« expérience » comme « un cas spécial » du *psychique*, la divise en valeurs matérielles (sachhafte Werte) et en valeurs mentales (gedankenhafte Werte) ; l'« expérience dans un sens large » renferme ces dernières ; l'« expérience complète » s'identifie à la coordination de principe (*Bemerkungen*). En un mot : « Tu demandes ce que tu veux. » L'« expérience » couvre en philosophie aussi bien la tendance matérialiste que la tendance idéaliste et consacre leur confusion. Si nos disciples de Mach prennent de confiance l'« expérience pure » pour argent comptant, d'autres auteurs appartenant à diverses tendances de la philosophie montrent l'abus que fait Avenarius de ce concept. « Avenarius ne définit pas de façon précise l'expérience pure, écrit A. Riehl, et sa déclaration : « L'expérience pure est une expérience exempte de tout ce qui n'est pas l'expérience », tourne manifestement dans un cercle vicieux » (*Systematische Philosophie*, Leipzig, 1907, p. 102). Chez Avenarius, écrit Wundt, l'expérience pure signifie tantôt la fantaisie que vous voudrez, tantôt des jugements ayant un caractère de « matérialité » (*Philosophische Studien*, t. XIII, pp. 92-93). Avenarius *élargit* la conception de l'expérience (p. 382). « D'une définition rigoureuse de ces termes : expérience et expérience pure, écrit Cauwelaert, dépend la signification de toute cette philosophie. Avenarius n'en donne pas lui-même une définition si précise » (*Revue Néo-Scolastique*, février 1907, p. 61). « L'imprécision du terme : l'expérience rend de précieux services à Avenarius », à qui elle permet d'introduire dans sa philosophie l'idéalisme qu'il feint de combattre, dit Norman Smith (*Mind*, vol. XV, p. 29).

« Je le déclare solennellement : le sens profond, l'âme de ma philosophie, c'est que l'homme n'a rien en général en dehors de l'expérience ; il ne parvient à rien que par l'expérience »... Quel zélateur acharné de l'expérience pure que ce philosophe, n'est-il pas vrai ? Ces lignes sont de l'idéaliste subjectif J. G. Fichte (*Sonnenklarer Bericht an das grössere Publikum über das eigentliche Wesen der neuesten Philosophie*, p. 12). L'histoire de la philosophie nous apprend que l'interprétation de la notion d'expérience divisait les matérialistes et les idéalistes classiques. La philosophie professorale de toutes nuances pare aujourd'hui son caractère réactionnaire de déclamations sur l'« expérience ». C'est à l'expérience qu'en appellent tous les immanents. Dans la préface à la 2e édition de *Connaissance et Erreur*, Mach loue le livre du professeur W. Jerusalem où nous lisons : « L'admission de l'Etre premier divin ne contredit aucune expérience » (*Der kritische Idealismus und die reine Logik*, p. 222).

On ne peut que plaindre les gens qui ont cru, d'après Avenarius et Cie, à la possibilité d'éliminer, à l'aide du petit mot « expérience », la distinction « surannée » du matérialisme et de l'idéalisme. Si Valentinov et Iouchkévitch accusent Bogdanov, qui a légèrement dévié du machisme pur, d'abuser du terme « expérience », ces messieurs ne font que révéler ici leur ignorance. Bogdanov « n'est pas coupable » sur ce point : il n'a fait *que* copier servilement la confusion de Mach et d'Avenarius. Quand il dit : « La conscience et l'expérience psychique directe sont des concepts identiques » (*Empiriomonisme*, t. II, p. 53) ; la matière, elle, « n'est pas l'expérience » mais « l'inconnu dont naît tout ce qui est connu » (*Empiriomonisme*, t. III, p. XIII), il traite l'expérience *en idéaliste*. Et il n'est certes pas le premier* ni le dernier à créer de ces petits systèmes idéalistes en spéculant sur le mot « expérience ». Quand, répondant aux philosophes réactionnaires, il dit que les tentatives de sortir des limites de l'expérience ne mènent en réalité « qu'à des abstractions creuses et à des images contradictoires dont les éléments sont quand même puisés dans l'expérience » (t. I, p. 48), il oppose aux abstractions creuses de la conscience humaine ce qui existe en dehors de l'homme et indépendamment de sa conscience, c'est-à-dire qu'il traite l'expérience en matérialiste.

Mach de même, prenant pour point de départ l'idéalisme (les corps sont des complexes de sensations ou « d'éléments »), dévie souvent vers l'interprétation matérialiste du mot « expérience ». « Il ne faut pas tirer la philosophie de nous-mêmes (nicht aus uns herausphilosophieren), dit-il dans sa *Mécanique* (3e édit. allem., 1897, p. 14), mais la tirer de l'expérience. » L'expérience est opposée ici à la philosophie creuse tirée de nous-mêmes, c'est-à-dire qu'elle est traitée de façon matérialiste, comme quelque chose d'objectif, de donné à l'homme du dehors. Un exemple encore : « Ce que

---

* A des exercices de ce genre se livre depuis longtemps en Angleterre le camarade Belfort Bax, auquel le critique français de son livre *The roots of reality* disait tout récemment non sans venin : « L'expérience n'est qu'un mot remplaçant le mot conscience »; soyez donc franchement idéaliste ! (*Revue de philosophie*[55], 1907, nº 10, p. 399).

nous observons dans la nature s'imprime incompris et inanalysé dans nos représentations, et celles-ci imitent (nachahmen) ensuite les processus de la nature dans leurs traits les plus stables (stärksten) et les plus généraux. Ces expériences accumulées constituent pour nous un trésor (Schatz) que nous avons toujours sous la main... » (*ibid.*, p. 27). Ici la nature est considérée comme donnée première, la sensation et l'expérience comme donnée seconde. Si Mach s'en tenait avec esprit de suite à ce point de vue dans les questions fondamentales de la gnoséologie, bien des sots « complexes » idéalistes eussent été évités à l'humanité. Un troisième exemple : « De l'étroite liaison entre la pensée et l'expérience naissent les sciences de la nature contemporaines. L'expérience engendre la pensée. Celle-ci se développe de plus en plus, se confronte de nouveau avec l'expérience », etc. (*Erkenntnis und Irrtum*, p. 200). Ici, la « philosophie » personnelle de Mach est jetée par-dessus bord, et l'auteur adopte d'instinct la façon de penser des savants, qui traitent l'expérience en matérialistes.

Résumons : le terme « expérience » sur lequel les disciples de Mach érigent leurs systèmes a dès longtemps servi de travestissement aux systèmes idéalistes ; Avenarius et Cie en usent maintenant pour effectuer le passage éclectique de l'idéalisme au matérialisme et vice versa. Les diverses « définitions » de cette notion ne font que traduire les deux tendances fondamentales en philosophie, si nettement révélées par Engels.

2. L'ERREUR DE PLEKHANOV CONCERNANT LE CONCEPT DE L'« EXPERIENCE »

Plékhanov dit, aux pages X et XI de sa préface à *L. Feuerbach* (éd. de 1905) :

« Un écrivain allemand fait remarquer que l'*expérience* n'est, pour l'empiriocriticisme, qu'un objet d'étude, et non point un moyen de connaissance. S'il en est ainsi, l'opposition de l'empiriocriticisme au matérialisme perd sa raison d'être, et les dissertations sur l'empiriocriticisme appelé à succéder au matérialisme sont désormais vides et oiseuses. »

Ce n'est que confusion d'un bout à l'autre.

Fr. Carstanjen, un des disciples les plus « orthodoxes » d'Avenarius, dit dans son article sur l'empiriocriticisme (réponse à Wundt), que l'expérience est « pour la *Critique de l'expérience pure* un objet d'étude, et non un moyen de connaissance » *. Il s'ensuit, d'après Plékhanov, que l'opposition des vues de Fr. Carstanjen au matérialisme est dépourvue de sens !

Fr. Carstanjen transcrit à peu près textuellement Avenarius qui, dans ses *Remarques*, oppose résolument sa conception de l'expérience, au sens de ce qui nous est donné, de ce que nous trouvons (das Vorgefundene), à cette autre conception, suivant laquelle l'expérience est un « moyen de connaissance » « au sens des théories dominantes de la connaissance, théories qui au fond sont entièrement métaphysiques » (l. c., p. 401). Petzoldt le répète à la suite d'Avenarius dans son *Introduction à la philosophie de l'expérience pure* (t. I, p. 170). Il s'ensuit, d'après Plékhanov, que l'opposition des vues de Carstanjen, d'Avenarius et de Petzoldt au matérialisme est dépourvue de sens ! Ou Plékhanov n'a pas lu « jusqu'au bout » Carstanjen et Cie, ou il tient de cinquième main cet extrait d'« un écrivain allemand ».

Que signifie donc cette affirmation des empiriocriticistes les plus marquants, incomprise de Plékhanov ? Carstanjen veut dire qu'Avenarius prend, dans la *Critique de l'expérience pure*, pour *objet* d'étude, l'expérience, c'est-à-dire toute espèce d'« expressions humaines ». Avenarius ne se demande pas ici, dit Carstanjen (p. 50 de l'article cité), si ces expressions sont réelles ou si elles ont trait, par exemple, à des *visions* ; il se contente de grouper, de systématiser, de classer formellement les expressions humaines de tout genre, *aussi bien idéalistes que matérialistes* (p. 53), sans toucher au fond de la question. Carstanjen a absolument raison de qualifier *ce* point de vue de « scepticisme par excellence » (p. 213). Carstanjen défend entre autres dans cet article son maître affectionné contre l'accusation déshonorante (pour un professeur allemand) de matérialisme que lui jette Wundt. Nous, des matérialistes, allons donc ! réplique en somme Carstanjen ; nous ne prenons pas l'« expérience » au sens habituel, courant du terme, qui mène ou pourrait mener au maté-

* *Vierteljahrsschrift für wissenschaftliche Philosophie*, Jahrg. 22, 1898, p. 45.

rialisme, nous étudions tout ce que les hommes « expriment », comme expérience. Carstanjen et Avenarius considèrent comme matérialiste la conception d'après laquelle l'expérience est un moyen de connaissance (conception peut-être la plus usuelle, mais fausse cependant, comme nous l'avons vu par l'exemple de Fichte). Avenarius répudie la « métaphysique » « dominante » qui, sans vouloir compter avec les théories de l'introjection et de la coordination, s'obstine à voir dans le cerveau l'organe de la pensée. Par le donné ou le trouvé (das Vorgefundene), Avenarius entend précisément la liaison indissoluble du *Moi* et du milieu, ce qui mène à une interprétation idéaliste confuse de l'« expérience ».

Ainsi donc, le terme « expérience » peut abriter indubitablement les tendances matérialiste et idéaliste de la philosophie, de même que celles de Hume et de Kant, mais ni la définition de l'expérience comme objet d'étude *, ni sa définition comme moyen de la connaissance ne résolvent encore rien à cet égard. Quant aux remarques formulées par Carstanjen contre Wundt, elles n'ont absolument rien à voir avec l'opposition de l'empiriocriticisme au matérialisme.

Chose curieuse, c'est que Bogdanov et Valentinov révèlent dans leur réponse à Plékhanov une information tout aussi insuffisante. Bogdanov dit : « Ce n'est pas assez clair » (t. III, p. XI) et : « Il appartient aux empiriocriticistes de voir ce qu'il y a dans cette formule et d'accepter ou non la condition ». Position avantageuse : Je ne suis pas un disciple de Mach pour chercher à savoir dans quel sens un Avenarius ou un Carstanjen traitent l'expérience ! Bogdanov veut bien se servir de la doctrine de Mach (et de la confusion qu'elle crée en matière d'« expérience »), mais il ne tient pas à en prendre la responsabilité.

Le « pur » empiriocriticiste Valentinov a cité la note de Plékhanov et dansé le cancan devant la galerie ; il raille Plékhanov qui n'a pas nommé l'écrivain cité ni expliqué les choses (pp. 108-109 du livre cité). Mais ce philosophe

* Plékhanov a peut-être cru que Carstanjen avait dit : «L'objet de la connaissance, indépendant de la connaissance », et non pas « objet d'étude »? Ce serait alors, vraiment, du matérialisme. Mais Carstanjen, pas plus qu'aucune autre personne au courant de l'empiriocriticisme, n'a dit et n'a pu dire rien d'analogue.

empiriocriticiste, qui avoue « avoir bien relu trois fois sinon plus » la note de Plékhanov (sans y rien comprendre évidemment), *ne souffle mot* sur le fond de la question. Ils sont bien bons, les disciples de Mach !

3. DE LA CAUSALITE ET DE LA NECESSITE DANS LA NATURE

La question de la causalité est d'une importance toute particulière pour donner une définition de la tendance philosophique des « ismes » les plus récents. Aussi devons-nous nous y arrêter.

Considérons d'abord la théorie matérialiste de la connaissance sur ce point. Dans sa réponse déjà citée à R. Haym, L. Feuerbach expose ses vues avec une clarté remarquable :

« La nature et l'esprit humain, dit Haym, divorcent complètement chez lui (chez Feuerbach) : un abîme infranchissable de part et d'autre se creuse entre eux. Haym fonde ce reproche sur le paragraphe 48 de mon *Essence de la religion*, où il est dit : « La nature ne peut être comprise que par elle-même ; sa nécessité n'est pas une nécessité humaine ou logique, métaphysique ou mathématique ; seule la nature est l'être auquel on ne peut appliquer aucune mesure humaine, encore que nous comparions ses phénomènes à des phénomènes humains analogues et que nous nous servions, pour la rendre plus intelligible, d'expressions et de concepts humains tels que : l'ordre, le but, la loi, obligés que nous y sommes par notre langage même. » Qu'est-ce que cela signifie ? Est-ce que j'entends par là qu'il n'y a aucun ordre dans la nature, de sorte que, par exemple, l'été pourrait bien succéder à l'automne, l'hiver au printemps, ou l'automne à l'hiver ? qu'il n'y a pas de but, de sorte que, par exemple, il n'existe aucune coordination entre les poumons et l'air, la lumière et l'œil, le son et l'oreille ? qu'il n'y a pas d'ordre, de sorte que, par exemple, la terre suit une orbite tantôt elliptique, tantôt circulaire, accomplissant tantôt en une année, tantôt en un quart d'heure, sa révolution autour du soleil ? Quelle absurdité ! Que voulais-je donc dire dans le passage cité ? Je voulais simplement faire une différence entre ce qui appartient à la nature et ce qui appartient à l'homme ; je ne disais pas, dans ce passage, qu'il n'y a rien de réel dans la nature, rien qui corresponde aux mots et aux représentations sur l'ordre, le but, la loi ; je ne faisais que nier l'identité de la pensée et de l'être, nier que l'ordre, etc., soient dans la nature les mêmes que dans la tête ou les sens de l'homme. L'ordre, le but, la loi ne sont que des mots à l'aide desquels l'homme traduit en *son* langage, afin de les comprendre, les choses de la nature ; ces mots ne sont dépourvus ni de sens ni de contenu objectif (nicht sinn- d. h. gegenstandlose Worte) ; il faut néanmoins distinguer entre l'original et la traduction. L'ordre, le but, la loi sont, au sens humain, l'expression de quelque chose d'arbitraire.

« Le théisme conclut *directement* du caractère fortuit de l'ordre, du but et des lois de la nature, à leur origine arbitraire, à l'existence d'un être différent de la nature et apportant l'ordre, le but et les lois dans la nature chaotique (dissolute) en elle-même (an sich), étrangère à toute détermination. L'esprit des théistes... est en contradiction avec la nature, à l'essence de laquelle il ne comprend absolument rien. L'esprit des théistes divise la nature en deux êtres, l'un matériel, l'autre formel ou spirituel » (*Werke*, t. VII, 1903, pp. 518-520).

Feuerbach admet ainsi dans la nature les lois objectives, la causalité objective ne se reflétant dans les idées humaines sur l'ordre, les lois, etc., qu'avec une exactitude approximative. La reconnaissance des lois objectives dans la nature est, chez Feuerbach, indissolublement liée à la reconnaissance de la réalité objective du monde extérieur, des objets, des corps, des choses reflétés par notre conscience. Les vues de Feuerbach sont d'un matérialisme conséquent. Et Feuerbach considère avec raison comme relevant de la tendance fidéiste toutes les autres vues, ou plutôt une autre tendance philosophique en matière de causalité, la négation des lois, de la causalité et de la nécessité objectives dans la nature. Il est clair, en effet, qu'en matière de causalité la tendance subjectiviste qui attribue l'origine de l'ordre et des lois de la nature non au monde objectif extérieur, mais à la conscience, à l'esprit, à la logique, etc., non seulement détache l'esprit humain de la nature, non seulement oppose l'un à l'autre, mais fait de la nature une *partie* de l'esprit au lieu de considérer l'esprit comme une partie de la nature.

La tendance subjectiviste se réduit, dans la question de la causalité, à l'idéalisme philosophique (dont les théories de la causalité de Hume et de Kant ne sont que des variétés), c'est-à-dire à un fidéisme plus ou moins atténué, dilué. Le matérialisme est la reconnaissance des lois objectives de la nature et du reflet approximativement exact de ces lois dans la tête de l'homme.

Engels n'eut pas, si je ne me trompe, à opposer spécialement sa conception matérialiste de la causalité à d'autres courants. C'eût été superflu, puisqu'il s'était complètement désolidarisé de tous les agnostiques sur la question plus capitale de la réalité objective du monde extérieur, en général. Mais pour qui a lu avec quelque attention les œuvres philosophiques d'Engels, il apparaît clairement que ce dernier n'admettait pas l'ombre d'un doute sur l'existence des lois de la causalité et de la nécessité objectives de la nature. Bornons-nous à quelques exemples. Engels dit dès le premier chapitre de l'*Anti-Dühring* : « Pour connaître ces détails » (ou les particularités du tableau d'ensemble des phénomènes universels), « nous sommes obligés de les détacher de leur enchaînement naturel (natürlich) ou historique et de les étudier individuellement dans leurs qualités, leurs causes et leurs effets particuliers » (pp. 5-6). Il est évident que ces rapports naturels, rapports entre les phénomènes de la nature, ont une existence objective. Engels souligne particulièrement la conception dialectique de la cause et de l'effet : « Cause et effet sont des représentations qui ne valent comme telles qu'appliquées à un cas particulier, mais que, dès que nous considérons ce cas particulier dans sa connexion générale avec l'ensemble du monde, elles se fondent, elles se résolvent dans la vue de l'universelle action réciproque, où causes et effets permutent continuellement, où ce qui était effet maintenant ou ici, devient cause ailleurs ou ensuite, et vice versa » (p. 8). Ainsi, le concept humain de la cause et de l'effet simplifie toujours quelque peu les liaisons objectives des phénomènes de la nature, qu'il ne reflète que par approximation en isolant artificiellement tel ou tel aspect d'un processus universel unique. Si nous constatons la correspondance des lois de la pensée aux lois de la nature, cela devient comprehensible, dit Engels, dès que l'on considère que la pensée et la conscience sont « des produits du cerveau humain et que l'homme est lui-même un produit de la nature ». On comprend que « les productions du cerveau humain, qui en dernière analyse sont aussi des produits de la nature, ne sont pas en contradiction, mais en conformité avec l'ensemble de la nature (Naturzusammenhang) » (p. 22)[56]. Les liaisons naturelles, objectives, entre les phénomènes du monde ne font pas de doute. Engels parle constamment des « lois de la nature », de la « nécessité de la nature » (Naturnotwendigkeiten) et ne juge pas indispensable d'éclairer plus spécialement les thèses généralement connues du matérialisme.

Nous lisons de même dans son *Ludwig Feuerbach* : Les « lois générales du mouvement, tant du monde extérieur que de la pensée humaine », sont « identiques au fond, mais différentes dans leur expression en ce sens que le cerveau humain peut les appliquer consciemment, tandis que, dans la nature, et, jusqu'à présent, en majeure partie également dans l'histoire humaine, elles ne se fraient leur chemin que d'une façon inconsciente,sous la forme de la nécessité extérieure, au sein d'une série infinie de hasards apparents » (p. 38). Engels accuse l'ancienne philosophie de la nature d'avoir remplacé « les rapports réels encore inconnus » (entre les phénomènes de la nature) « par des rapports imaginaires, antastiques » (p. 42)[57] . La reconnaissance des lois de la causalité et de la nécessité objectives, dans la nature est très nettement exprimée par Engels, qui souligne par ailleurs le caractère relatif de nos reflets humains, approximatifs, de ces lois en telles ou telles notions.

Nous devons, en passant à J. Dietzgen, noter avant tout une des innombrables façons de déformer le problème, familières à nos disciples de Mach. Un des auteurs des *Essais* « sur » *la philosophie marxiste*, M. Hellfond, nous déclare : « Les points fondamentaux de la conception de Dietzgen peuvent être résumés comme suit » : « ... 9. Les rapports de causalité que nous attribuons aux choses n'y sont pas contenus en réalité » (p. 248). *C'est une absurdité d'un bout à l'autre.* M. Hellfond, dont les idées propres représentent une véritable salade de matérialisme et d'agnosticisme, *a faussé terriblement* la pensée de J. Dietzgen. Certes, on peut relever chez J. Dietzgen nombre de confusions, d'inexactitudes et d'erreurs de nature à réjouir les disciples de Mach, et qui contraignent tout matérialiste à voir en Dietzgen un philosophe pas tout à fait conséquent. Mais seuls les Hellfond, seuls les disciples russes de Mach sont capables d'attribuer au matérialiste Dietzgen la négation pure et simple de la conception matérialiste de la causalité.

« La connaissance scientifique objective, écrit Dietzgen dans l'*Essence du travail cérébral* (édition allemande, 1903), recherche les causes non dans la foi ou dans la spéculation, mais dans l'expérience, dans l'induction, non a priori, mais a posteriori. Les sciences de la nature recherchent les causes non en dehors des phénomènes, ni derrière les phénomènes, mais en eux ou par eux » (pp. 94-95). « Les causes sont des produits de la faculté de penser. Mais ce ne sont pas des produits purs : elles sont nées de l'union de cette faculté avec les matériaux fournis par la sensibilité. Les matériaux fournis par la sensibilité donnent à la cause ainsi engendrée une existence objective. De même que nous exigeons de la vérité qu'elle soit celle d'un phénomène objectif, de même nous exigeons de la cause qu'elle soit réelle, qu'elle soit la cause de l'effet objectivement donné » (pp. 98-99). « La cause d'une chose est sa liaison » (p. 100).

Il s'ensuit que l'affirmation de M. Hellfond *est absolument contraire à la réalité*. La conception matérialiste du monde, exposée par J. Dietzgen, admet que les « rapports de causalité » *sont contenus* « dans les choses mêmes ». M. Hellfond a dû, pour confectionner sa salade machiste, confondre dans la question de la causalité les tendances matérialiste et idéaliste.

Passons à cette seconde tendance.

Avenarius nous donne dans sa première œuvre : *La Philosophie, conception du monde d'après le principe du moindre effort*, un exposé clair des points de départ de sa philosophie dans cette question. Nous lisons au § 81 : « N'ayant pas la sensation (la connaissance par l'expérience : erfahren) de la force comme cause du mouvement, nous ne sentons pas non plus la *nécessité* d'un mouvement quelconque... Tout ce que nous sentons (erfahren), c'est que l'un suit l'autre. » C'est là la conception de Hume sous sa forme la plus pure : la sensation, l'expérience ne nous apprennent rien sur la nécessité. Le philosophe qui affirme (en se fondant sur le principe de l'« économie de la pensée ») que rien n'existe en dehors de la sensation, n'a pu arriver à aucune autre conclusion.

« Dans la mesure où l'idée de *causalité*, lisons-nous plus loin, suppose, pour la définition de l'effet, la force et la nécessité ou la contrainte comme parties constitutives intégrales, elle s'évanouit avec ces dernières notions » (§ 82). « La nécessité demeure comme un degré de probabilité dans l'attente des effets » (§ 83, thèse).

C'est là, en matière de causalité, un subjectivisme bien déterminé. Et l'on ne peut, si l'on veut rester tant soit peu conséquent, arriver à aucune autre conclusion sans voir dans la réalité objective la source de nos sensations.

Prenons Mach. Nous lisons, chez lui, au chapitre spécial de « la causalité et de l'explication » (*Wärmelehre*, 2. Auflage, 1900, pp. 432-439) * : « La critique de Hume (sur la conception de causalité) demeure entière. » Kant et Hume résolvent différemment le problème de la causalité (les autres philosophes n'existent pas pour Mach !) ; « nous nous rangeons » du côté de Hume. « En dehors de la nécessité *logique* (souligné par Mach), il n'en existe aucune autre ; par exemple, il n'existe pas de nécessité physique. » C'est justement la conception que combattit si énergiquement Feuerbach. Il ne vient même pas à l'idée de Mach de nier sa parenté avec Hume. Seuls les disciples russes de Mach ont été jusqu'à affirmer la « compatibilité » de l'agnosticisme de Hume et du matérialisme de Marx et d'Engels. Nous lisons dans la *Mécanique* de Mach : « Il n'y a dans la nature ni cause ni effet » (p. 474, 3. Auflage, 1897). « J'ai insisté à maintes reprises sur le fait que toutes les formes de la loi de causalité proviennent des tendances (Trieben) subjectives auxquelles la nature ne doit pas nécessairement se conformer » (p. 495).

Il faut noter ici que nos disciples russes de Mach substituent avec une naïveté frappante au caractère matérialiste ou idéaliste des raisonnements sur la loi de causalité, telle ou telle formule de cette loi. Les professeurs empiriocriticistes allemands leur ont fait accroire que dire : « corrélation fonctionnelle », c'est faire une découverte propre au « positivisme moderne » et nous débarrasser du « fétichisme » des expressions comme « nécessité », « loi », etc. Ce ne sont évidemment que vétilles, et Wundt avait parfaitement raison de railler ce *changement de mots* (pp. 383 et 388 de l'article

---

* E. Mach, *Die Prinzipien der Wärmelehre*, 2. Auflage, 1900.

cité, dans *Philosophische Studien*) qui ne change rien au fond des choses. Mach lui-même traite de « toutes les formes » de la loi de causalité et fait, dans *Connaissance et Erreur* (2e édit., p. 278), cette restriction bien compréhensible que le concept de fonction ne peut mieux exprimer la « dépendance des éléments » que lorsqu'on parvient à exprimer les résultats des recherches en grandeurs *mesurables*, ce à quoi une science même comme la chimie n'est encore arrivée que partiellement. Il faut croire que, du point de vue de nos disciples de Mach confiants dans les decouvertes professorales, Feuerbach (pour ne point parler d'Engels) ignorait que les concepts d'ordre, de loi, etc., peuvent dans certaines conditions être mathématiquement exprimés par une corrélation fonctionnelle déterminée !

La question vraiment importante de la théorie de la connaissance, qui divise les courants philosophiques, n'est pas de savoir quel degré de précision ont atteint nos descriptions des rapports de causalité, ni si ces descriptions peuvent être exprimées dans une formule mathématique précise, mais si la source de notre connaissance de ces rapports est dans les lois objectives de la nature ou dans les propriétés de notre esprit, dans sa faculté de connaître certaines vérités a priori, etc. C'est bien là ce qui sépare à jamais les matérialistes Feuerbach, Marx et Engels des agnostiques Avenarius et Mach (disciples de Hume).

Mach, qu'on aurait tort d'accuser d'être conséquent, « oublie » souvent, dans certains passages de ses œuvres, son accord avec Hume et sa théorie subjectiviste de la causalité, pour raisonner « tout bonnement » en savant, c'est-à-dire d'un point de vue spontanément matérialiste. C'est ainsi que nous lisons dans sa *Mécanique* : « La nature nous apprend à reconnaître cette uniformité dans ses phénomènes » (p. 182 de la traduction française). Si nous *reconnaissons* l'uniformité dans les phénomènes de la nature, faut-il en conclure que cette uniformité a une existence objective, en dehors de notre esprit ? Non. Mach énonce sur cette même question de l'uniformité de la nature des choses comme celles-ci : « La force qui nous incite à compléter par la pensée des faits que nous n'avons observés qu'à moitié, c'est l'association. Elle s'accroît par la répétition. Elle nous apparaît comme une force indépendante de notre volonté et des faits isolés, qui dirige et les pensées *et* (souligné par Mach) les faits, les maintenant les uns et les autres en conformité en tant que *loi* qui les domine. Que nous nous croyions capables de formuler des prédictions à l'aide d'une telle loi, prouve seulement (!) l'uniformité suffisante de notre milieu, et non point la *nécessité* du succès de nos prédictions » (*Wärmelehre*, p. 383).

Il s'ensuit qu'on peut et qu'on doit rechercher une sorte de nécessité *en dehors* de l'uniformité du milieu, c'est-à-dire de la nature ! Où la chercher ? C'est là le secret de la philosophie idéaliste qui n'ose voir, dans la faculté de connaître de l'homme, un simple reflet de la nature. Mach définit même, dans son dernier ouvrage *Connaissance et Erreur*, les lois de la nature comme une « limitation de l'attente » (2e édit., p. 450 et suiv.) ! Le solipsisme prend tout de même son dû.

Voyons la position des autres écrivains appartenant à cette tendance philosophique. L'Anglais Karl Pearson s'exprime avec la netteté qui lui est propre : « Les lois de la science sont bien plus les produits de l'esprit humain que des faits du monde extérieur » (*The Grammar of Science*, 2nd ed., p. 36). « Poètes et matérialistes, qui voient dans la nature la souveraine (sovereign) de l'homme, oublient trop souvent que l'ordre et la complexité des phénomènes qu'ils admirent sont pour le moins autant le produit de la faculté de connaître de l'homme que ses propres souvenirs et pensées » (p. 185). « Le caractère si large de la loi de la nature est dû à l'ingéniosité de l'esprit humain » (*ibid.*). « *L'homme est le créateur des lois de la nature* », est-il dit au § 4 du chapitre III. « L'affirmation que l'homme dicte des lois à la nature est beaucoup plus sensée que l'affirmation contraire, d'après laquelle la nature dicte ses lois à l'homme », bien que (l'honorable professeur l'avoue avec amertume) ce dernier point de vue (matérialiste) « soit malheureusement trop répandu de nos jours » (p. 87). Au chapitre IV consacré à la causalité, le § 11 formule la *thèse* de Pearson : « *La nécessité appartient au monde des concepts et non pas au monde des perceptions.* » Notons que les perceptions ou les impressions des sens « sont justement », pour Pearson, une réalité existant hors de nous. « Il n'y a aucune nécessité intérieure dans l'uniformité avec laquelle se répètent certaines séries de perceptions, dans cette routine de perceptions ; mais la routine des perceptions est la condition indispensable de l'existence des êtres pensants. La nécessité est donc dans la nature de l'être pensant, et non dans les perceptions mêmes ; elle est le produit de notre faculté de connaître » (p. 139).

Notre disciple de Mach, dont Mach « lui-même » s'affirme maintes fois entièrement solidaire, arrive ainsi avec bonheur au pur idéalisme kantien : l'homme dicte les lois à la nature, et non la nature à l'homme ! L'essentiel, ce n'est pas de répéter après Kant l'apriorisme, qui caractérise non pas la tendance idéaliste en philosophie, mais une forme particulière de cette tendance ; l'essentiel, c'est que l'esprit, la pensée, la conscience, constituent chez lui la donnée première et la nature, la donnée seconde. Ce n'est pas la raison qui est une parcelle de la nature, un de ses produits suprêmes, le reflet de ses processus ; c'est la nature qui est une parcelle de la raison, laquelle devient alors, par extension, en procédant de l'ordinaire raison humaine familière à tous, la raison mystérieuse, divine, « excessive », comme disait J. Dietzgen. La formule de Kant-Mach : « L'homme dicte les lois à la nature » est une formule du fidéisme. Si nos disciples de Mach ouvrent de grands yeux en lisant chez Engels que la reconnaissance de la priorité de la nature et non de l'esprit est, par excellence, le trait distinctif du matérialisme, cela montre seulement combien ils sont peu capables de distinguer les courants philosophiques vraiment importants, du jeu professoral de l'érudition et des petits termes savants.

J. Petzoldt qui, dans ses deux volumes, expose et développe Avenarius, peut nous fournir un bel échantillon de la scolastique réactionnaire de la doctrine de Mach. « De nos jours encore, proclame-t-il, cent cinquante ans après Hume, la substantialité et la causalité paralysent le courage de la pensée » (*Introduction à la philosophie de l'expérience pure*, t. I, p. 31). Les solipsistes qui ont découvert la sensation sans matière organique, la pensée sans cerveau, la nature sans loi objective, sont assurément les plus « courageux » ! « Et la dernière définition, non encore mentionnée par nous, de la causalité, nécessité ou *nécessité de la nature*, a quelque chose de vague et de mystique », l'idée du « fétichisme », de l'« anthropomorphisme » , etc. (pp. 32 et 34). Les pauvres mystiques que Feuerbach, Marx et Engels ! Ils parlaient sans cesse de la nécessité de la nature et traitaient les disciples de Hume de théoriciens réactionnaires... Petzoldt est, lui, supérieur à tout « anthropomorphisme ». Il a découvert la grande « *loi de l'identité* », qui élimine toute indécision, toute trace du « fétichisme », etc., etc. Exemple : le parallélogramme des forces (p. 35). On ne peut pas le « démontrer », il faut l'admettre comme un « fait expérimental ». On ne peut admettre qu'un corps se meuve sous des impulsions uniformes, de façon diverse. « Nous ne pouvons admettre tant d'imprécision et d'arbitraire dans la nature ; nous devons en exiger de la précision, des lois » (p. 35). Bien, bien. Nous imposons des lois à la nature. La bourgeoisie exige que ses professeurs soient réactionnaires. « Notre pensée exige de la nature de la précision, et la nature se soumet toujours à cette exigence ; nous verrons même qu'elle est, en un sens, tenue de s'y soumettre » (p. 36). Pourquoi un corps recevant une impulsion sur la ligne AB se meut-il vers C et non pas vers D ou F, etc.?

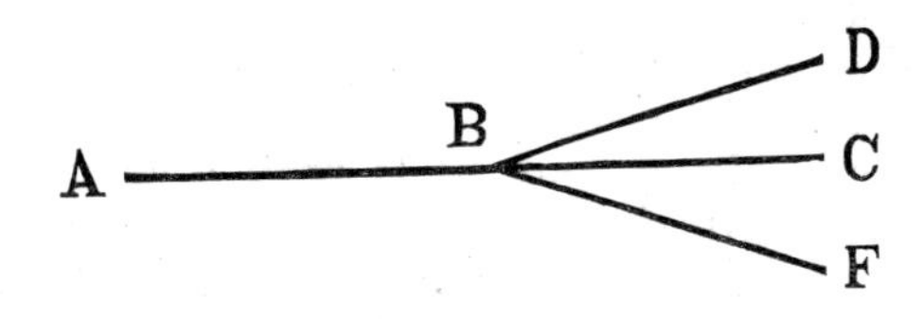

« Pourquoi la nature ne choisit-elle aucune autre direction parmi les nombreuses directions possibles ? » (p. 37). Parce qu'il y aurait alors « pluralité », tandis que la grande découverte empiriocriticiste de Joseph Petzoldt réclame l'*identité*.

Et les « empiriocriticistes » remplissent d'absurdités aussi inénarrables des dizaines de pages !

« ... Nous avons maintes fois noté que notre proposition ne repose pas sur une somme d'expériences isolées, et que nous en exigeons, au contraire, la reconnaissance (seine Geltung) par la nature. Elle est en effet pour nous, avant de devenir loi, un principe que nous appliquons à la réalité, c'est-à-dire un postulat. Sa valeur est pour ainsi dire a priori, indépendante de toute expérience. Il ne sied point, à première vue, à la philosophie de l'expérience pure de prêcher des vérités a priori et de retourner ainsi à la métaphysique la plus stérile. Mais notre a priori n'est qu'un a priori logique, et non psychologique ou métaphysique » (p. 40). Evidemment, il n'est que de qualifier l'a priori de logique pour que cette idée perde tout ce qu'elle a de réactionnaire et s'élève au niveau du « positivisme moderne » !

Il ne peut y avoir, nous enseigne encore J. Petzoldt, d'identité des phénomènes psychiques : le rôle de l'imagination, l'importance des grands inventeurs, etc., font ici exception, tandis que la loi de la nature ou la loi de l'esprit ne souffre « aucune exception » (p. 65). Nous sommes en présence du plus pur métaphysicien, qui n'a aucune idée de la relativité de la distinction entre le fortuit et le nécessaire.

Peut-être, continue Petzoldt, invoquera-t-on l'explication des événements de l'histoire ou de l'évolution du caractère dans les œuvres poétiques ? « A regarder de plus près, on constate l'absence d'identité. Pas d'événement historique ni de drame où nous ne puissions nous représenter les acteurs agissant différemment dans les conditions psychiques données » (p. 73). « Non seulement l'identité fait défaut dans le psychique, mais nous avons le droit d'*exiger* qu'elle soit absente de la réalité (souligné par Petzoldt). Notre doctrine s'élève ainsi... au rang d'un *postulat*... c'est-à-dire d'une condition nécessaire de toute expérience préalable, d'un *a priori logique* » (souligné par Petzoldt, p. 76).

Et c'est avec cet « a priori logique » que Petzoldt continue à opérer dans les deux volumes de son *Introduction* et dans son opuscule *Le problème de l'univers au point de vue positiviste* *, paru en 1906. Nous y trouvons encore l'exemple d'un empiriocriticiste marquant, qui, sans s'en douter, est tombé dans le kantisme et présente, sous une sauce à

* J. Petzoldt, *Das Weltproblem von positivistischem Standpunkte aus*, Leipzig, 1906, p. 130 : « Il peut également y avoir un a priori logique au point de vue empirique : la causalité est un a priori logique pour la constance expérimentale (erfahrungsmässig) de notre milieu.»

peine modifiée, les doctrines les plus réactionnaires. Et ce n'est pas là l'effet du hasard, car la doctrine de la causalité de Mach et d'Avenarius est, à sa base même, un mensonge idéaliste, quelles que soient les phrases sonores sur le « positivisme » dont on l'affuble. La différence entre la théorie de la causalité de Hume et celle de Kant est une différence de second ordre entre les agnostiques, qui se rejoignent sur ce point essentiel : la négation des lois objectives de la nature, négation qui les amène fatalement à des conclusions idéalistes. Un empiriocriticiste un peu plus « scrupuleux » que J. Petzoldt, et qui rougit de sa parenté avec les immanents, Rudolf Willy, repousse, par exemple, toute la théorie de l'« identité » de Petzoldt, parce qu'elle n'offre, à son avis, qu'un « formalisme logique ». Mais R. Willy améliore-t-il, en reniant Petzoldt, sa propre position ? Nullement. Car il ne renie l'agnosticisme de Kant qu'en faveur de celui de Hume : « Nous savons depuis longtemps, écrit-il, depuis Hume, que la « nécessité » est un caractère (Merkmal) purement logique, non « transcendantal », ou, comme je dirais plutôt et comme je l'ai déjà dit, purement verbal (sprachlich) » (R. Willy : *Gegen die Schulweisheit*, Münch., 1905, p. 91 ; cf. pp. 173, 175).

L'agnostique qualifie de « transcendantale » notre conception matérialiste de la nécessité, car, du point de vue de la « sagesse scolaire » de Hume et de Kant, que Willy ne fait qu'épurer au lieu de la renier, toute reconnaissance de la réalité objective qui nous est donnée dans l'expérience est un « transcensus » illégitime.

Parmi les écrivains français appartenant à la tendance philosophique que nous étudions, Henri Poincaré, grand physicien et mince philosophe, dont les erreurs constituent naturellement pour P. Iouchkévitch le dernier mot du positivisme moderne, « moderne » au point qu'il a même été nécessaire de le désigner par un nouvel « isme » : l'empiriosymbolisme, dévie constamment dans cette même voie de l'agnosticisme. Pour Poincaré (dont nous étudierons les vues dans leur ensemble au chapitre de la physique nouvelle), les lois de la nature sont des symboles, des conventions que l'homme crée pour sa « *commodité* ». « L'harmonie interne du monde est la seule véritable réalité objective. » Notons que pour Poincaré l'objectif est ce qui a une valeur générale, ce qui est admis par la plupart ou par la totalité des hommes *, c'est-à-dire qu'il supprime de façon purement subjectiviste, comme tous les disciples de Mach, la vérité objective et, à la question de savoir si l'« harmonie » existe *hors de nous*, il répond nettement : « Non, sans doute. » Il est tout à fait évident que les termes nouveaux ne changent rien à la vieille, très vieille tendance philosophique de l'agnosticisme, la théorie « originale » de Poincaré se ramenant au fond — en dépit de ses multiples inconséquences — à la négation de la réalité objective et des lois objectives dans la nature. Il est donc tout naturel que, contrairement aux disciples russes de Mach qui prennent la façon nouvelle de formuler les anciennes erreurs pour une découverte moderne, les kantiens allemands aient fait bon accueil à ces vues, marquant dans une question philosophique essentielle le passage à leurs côtés, aux côtés de l'agnosticisme. « Le mathématicien français Henri Poincaré, lisons-nous chez le kantien Philipp Frank, plaide en faveur de cette opinion que nombre de principes généraux des sciences de la nature théoriques (loi de l'inertie, conservation de l'énergie, etc.), à propos desquels il est souvent difficile de dire s'ils proviennent de l'empirisme ou de l'apriorisme, n'ont en réalité ni l'une ni l'autre de ces origines, puisqu'ils ne représentent que des principes tout conventionnels dépendant de l'arbitraire humain. » « Ainsi, s'extasie le kantien, la philosophie moderne de la nature renouvelle d'une façon inattendue la conception fondamentale de l'idéalisme critique, à savoir que l'expérience ne fait que remplir le cadre que l'homme apporte au monde »... **

Nous avons cité cet exemple pour bien montrer au lecteur le degré de naïveté de nos Iouchkévitch et Cie, qui prennent, argent comptant, une « théorie du symbolisme » pour une *nouveauté*, alors que des philosophes tant soit peu compétents disent simplement et nettement : l'auteur est passé à la conception de l'idéalisme critique ! Car l'essence de cette conception n'est pas nécessairement dans la répétition des formules de Kant, mais dans l'admission

---

* Henri Poincaré, *la Valeur de la Science*, Paris, 1905, pp. 7, 9. Il y a une traduction russe.

** *Annalen der Naturphilosophie*[58], VI, 1907, pp. 443, 447.

de la pensée fondamentale *commune* à Hume et à Kant : la négation des lois objectives de la nature et la déduction de telles ou telles « conditions de l'expérience », de tels ou tels principes, postulats ou propositions du *sujet*, de la conscience humaine, et non de la nature. Engels avait raison de dire qu'il importe peu qu'un philosophe se range dans telle ou telle des nombreuses écoles du matérialisme ou de l'idéalisme ; ce qui importe, c'est ce qu'il tient pour primordial : la nature, le monde extérieur, la matière en mouvement, ou l'esprit, la raison, la conscience, etc.

Voici une autre définition qui oppose la doctrine de Mach aux autres tendances philosophiques, définition donnée sur ce point par E. Lucka, kantien compétent. « Mach se rallie entièrement à Hume * » dans la question de la causalité. « P. Volkmann déduit la nécessité de la pensée de la nécessité des processus naturels, — opinion qui, contrairement à Mach et en accord avec Kant, admet la nécessité — mais, contrairement à Kant, il voit la source de la nécessité dans les processus naturels, et non dans la pensée » (p. 424).

Physicien, P. Volkmann écrit beaucoup sur la gnoséologie et penche, comme l'immense majorité des savants, vers le matérialisme, matérialisme timide, inconséquent, réticent. Admettre la nécessité de la nature et en conclure à la nécessité de la pensée, c'est professer le matérialisme. Dire que la nécessité, la causalité, les lois naturelles, etc., ont leur source dans la pensée, c'est professer l'idéalisme. La seule inexactitude à relever dans le texte cité, c'est l'attribution à Mach de la négation absolue de toute nécessité. Nous avons déjà vu qu'il n'en est ainsi ni pour Mach, ni pour toute la tendance empiriocriticiste qui, s'étant résolument détournée du matérialisme, glisse inévitablement vers l'idéalisme.

Il nous reste à dire quelques mots spécialement des disciples russes de Mach. Ils se réclament du marxisme. Ils ont tous « lu » chez Engels la discrimination bien nette du matérialisme et de la tendance de Hume ; ils n'ont pas pu ne pas entendre de Mach lui-même et de toute personne quelque

---

* E. Lucka, *Das Erkenntnisproblem und Machs «Analyse der Empfindungen»* dans *Kantstudien*, t. VIII, p. 409.

peu informée de sa philosophie, que Mach et Avenarius marchent sur les traces de Hume ; mais ils s'efforcent tous de ne pas proférer une *syllabe* sur le problème de la causalité, tel qu'il se pose chez les matérialistes et chez Hume ! La confusion la plus complète règne parmi eux. Quelques exemples. M. P. Iouchkévitch prône le « nouvel » empiriosymbolisme. Et « les sensations de bleu, de dur, etc., ces prétendues données de l'expérience pure », et « les créations de la raison soi-disant pure, telles que les chimères ou le jeu d'échecs », tout cela n'est qu'« empiriosymboles » (*Essais*, p. 179). « La connaissance est empiriosymboliste et s'achemine, en se développant, vers les empiriosymboles d'un degré de plus en plus élevé de symbolisation. » « Les lois dites de la nature... ne sont que des empiriosymboles » (*ibid.*). « La prétendue réalité authentique, l'existence en elle-même, c'est le système « infinitaire » (ce M. Iouchkévitch est terriblement savant !), « système-limite de symboles auquel aspire notre connaissance » (p. 188). « Le torrent du donné », « qui est à la base de notre connaissance », est « irrationnel », « illogique » (pp. 187, 194). L'énergie est « aussi peu une chose, une substance, que le temps, l'espace, la masse et les autres notions fondamentales des sciences de la nature : l'énergie est une constance, un empiriosymbole comme les autres empiriosymboles qui satisfont, pour un temps, l'aspiration essentielle de l'homme à introduire la raison, le Logos, dans le torrent irrationnel du donné » (p. 209).

Nous sommes en présence d'un idéaliste subjectif, pour lequel le monde extérieur, la nature, ses lois, ne sont que les symboles de notre connaissance ; mais il a revêtu l'habit d'arlequin d'une terminologie « moderne » bigarrée et criarde. Le torrent du donné est dépourvu de raison, d'ordre, de tout ce qui est conforme aux lois : notre connaissance y introduit la raison. Les corps célestes, la terre y comprise, sont des symboles de la connaissance humaine. Si les sciences de la nature nous enseignent que la terre existait bien avant que la matière organique et l'homme aient pu faire leur apparition, nous avons cependant changé tout cela ! *Nous* mettons de l'ordre dans le mouvement des planètes, c'est là un produit de notre connaissance. Mais se rendant compte que cette philosophie élargit la raison humaine jusqu'à en faire l'auteur, le géniteur de la nature,

M. Iouchkévich place à côté de la raison le « *Logos* », c'est-à-dire la raison abstraite, non pas la raison, mais la Raison, non pas la fonction du cerveau humain, mais quelque chose d'antérieur à tout cerveau, quelque chose de divin. Le dernier mot du « positivisme moderne » n'est autre chose que la vieille formule du fidéisme déjà réfutée par Feuerbach.

Prenons A. Bogdanov. En 1899, alors qu'il était encore à moitié matérialiste, à peine ébranlé par Wilhelm Ostwald, philosophe aussi confus que grand chimiste, Bogdanov écrivait : « L'universelle liaison causale des phénomènes est le dernier-né, le meilleur des enfants de la connaissance humaine ; c'est une loi générale, la loi suprême parmi les lois que, suivant l'expression d'un philosophe, l'esprit humain prescrit à la nature » (*Eléments fondamentaux de la conception historique de la nature*, p. 41).

Allah sait de quelles mains Bogdanov tenait alors cette expression. Le fait est cependant que l'« expression d'un philosophe », répétée de confiance par ce « marxiste », est celle de *Kant*. Fâcheux incident ! D'autant plus fâcheux qu'on ne saurait même l'expliquer « simplement » par l'influence d'Ostwald.

En 1904, Ostwald et le matérialisme des sciences de la nature déjà abandonnés, Bogdanov écrivait : « ... Le positivisme contemporain ne voit dans la loi de la causalité qu'un moyen de lier les phénomènes dans la connaissance en une série ininterrompue, qu'une forme de la coordination de l'expérience » (*Psychologie sociale*, p. 207). Que ce positivisme contemporain ne soit autre chose que l'agnosticisme qui nie la nécessité objective de la nature antérieure et extérieure à toute « connaissance » et à tout homme, Bogdanov l'ignorait ou le taisait. Il empruntait de confiance aux professeurs allemands ce qu'ils appelaient le « positivisme contemporain ». En 1905, enfin, parvenu déjà au stade « empiriomoniste » après avoir franchi tous les stades antérieurs, y compris le stade empiriocriticiste, Bogdanov écrivait : « Les lois n'appartiennent nullement à la sphère de l'expérience... elles n'y sont pas données, elles sont créées par la pensée comme un moyen d'organiser l'expérience, de l'agencer harmonieusement en un tout coordonné » (*Empiriomonisme*, t. I, p. 40). « Les lois sont des abstractions de la connaissance ; les lois physiques ont aussi peu de propriétés physiques que les lois psychologiques ont de propriétés psychiques » (*ibid.*).

Ainsi, la loi d'après laquelle l'hiver suit l'automne et le printemps l'hiver, ne nous est pas donnée par l'expérience ; elle est créée par la pensée, comme un moyen d'organiser, d'harmoniser, d'agencer... quoi et avec quoi, camarade Bogdanov ?

« L'empiriomonisme n'est possible que parce que la connaissance harmonise activement l'expérience, en en éliminant les innombrables contradictions, en lui créant des formes organisatrices universelles, en substituant au monde chaotique primitif des éléments un monde dérivé, ordonné de rapports » (p. 57). C'est faux. L'idée que la connaissance peut « créer » des formes universelles, substituer l'ordre au chaos primitif, etc., appartient à la philosophie idéaliste. L'univers est un mouvement de la matière, régi par des lois, et notre connaissance, produit supérieur de la nature, ne peut que *refléter* ces lois.

Il s'ensuit que nos disciples de Mach, ayant une confiance aveugle dans les professeurs réactionnaires « modernes », répètent sur le problème de la causalité les erreurs de l'agnosticisme de Kant et de Hume, sans s'apercevoir de la contradiction absolue de cet enseignement avec le marxisme, c'est-à-dire avec le matérialisme, ni du fait qu'ils glissent sur un plan incliné vers l'idéalisme.

4. LE « PRINCIPE DE L'ECONOMIE DE LA PENSEE » ET LE PROBLEME DE L'« UNITE DU MONDE »

« Le principe du « moindre effort » que Mach, Avenarius et beaucoup d'autres mettent à la base de la théorie de la connaissance appartient... sans contredit à une tendance « marxiste » en gnoséologie. »

Ainsi s'exprime V. Bazarov dans les *Essais*, p. 69.

Marx parle d'« économie ». Mach parle d'« économie ». Y a-t-il en effet, « sans contredit », l'ombre d'un rapport entre l'un et l'autre ?

Dans sa *Philosophie, conception du monde d'après le principe du moindre effort* (1876), Avenarius applique, comme nous l'avons vu, ce « principe » de façon à déclarer au nom de l'« économie de la pensée » *que la sensation seule* existe. La causalité et la « substance » (terme que messieurs les professeurs emploient volontiers pour « en imposer » aux lieu et place du mot matière, plus clair et plus précis) sont déclarées « éliminées » au nom de la même économie, c'est-à-dire que l'on obtient la sensation sans matière, la pensée sans cerveau. Cette pure absurdité n'est qu'une tentative d'introduire sous une sauce nouvelle *idéalisme subjectif*. Comme nous l'avons vu, c'est bien *ainsi* que cette œuvre *fondamentale* consacrée à la fameuse « économie de la pensée », est *généralement appréciée* dans la littérature philosophique. Si nos disciples de Mach n'ont pas discerné l'idéalisme subjectif sous ce « nouveau » pavillon, le fait ne laisse point d'être bizarre.

Dans *Analyse des sensations* (p. 49 de la traduction russe) Mach se réfère entre autres à son travail de 1872 sur cette question. Et ce travail est, comme nous l'avons vu, une application du point de vue du subjectivisme *pur*, un essai de ramener le monde aux sensations. Ainsi, les deux œuvres fondamentales qui ont introduit dans la philosophie ce fameux « principe », sont idéalistes ! Pourquoi ? Parce que le principe de l'économie de la pensée, si on le met effectivement « *à la base* de la théorie de la connaissance », ne peut mener *à rien* d'autre qu'à l'idéalisme subjectif. Si nous introduisons dans la *gnoséologie* une conception aussi absurde, il est plus « économique » de « penser » que j'existe seul, moi et mes sensations. Voilà qui est hors de contestation.

Est-il plus « économique » de « penser » que l'atome est indivisible ou qu'il est composé d'électrons positifs et négatifs ? Est-il plus « économique » de penser que la révolution bourgeoise russe est faite par les libéraux ou contre les libéraux ? Il n'est que de poser la question pour voir à quel point il est absurde et subjectif d'appliquer *ici* la catégorie de l'« économie de la pensée ». La pensée de l'homme est « économique » quand elle reflète *exactement* la vérité objective : la pratique, l'expérience, l'industrie fournissent alors le critère de son exactitude. Ce n'est qu'en niant la réalité objective, c'est-à-dire les *fondements* du marxisme, qu'on peut prendre au sérieux l'économie de la pensée dans la théorie de la connaissance !

Si nous examinons les travaux ultérieurs de Mach, nous y trouvons une *interprétation* du fameux principe, équivalant presque toujours à sa négation absolue. C'est ainsi que, dans sa *Théorie de la chaleur*, Mach revient à son idée favorite du « caractère économique » de la science (p. 366 de la 2e édition allemande). Mais, ajoute-t-il aussitôt, nous ne cultivons pas l'économie pour elle-même (p. 366 ; répétition à la page 391) : « le but de l'économie scientifique est de donner... le tableau le plus complet... le plus serein... de l'univers » (p. 366). S'il en est ainsi, le « principe de l'économie » est éliminé non seulement des fondements de la gnoséologie, mais à proprement parler de toute gnoséologie. Dire que le but de la science est de donner un tableau fidèle de l'univers (la sérénité n'a rien à faire ici), c'est répéter la thèse matérialiste. Le dire, c'est reconnaître la réalité objective du monde par rapport à notre connaissance, du modèle par rapport au tableau. *Partant, l'économie* de la pensée n'est plus qu'un *terme* maladroit et ridiculement pompeux, pour dire : exactitude. Ici, suivant son habitude, Mach crée la confusion, et ses disciples contemplent cette confusion et lui vouent un culte !

Nous lisons dans *Connaissance et Erreur* de Mach, au chapitre « Exemples des voies de la recherche » :

« La description complète et très simple de Kirchhoff (1874), la représentation économique des faits (Mach, 1872), « la coordination de la pensée avec l'être et la coordination des processus de la pensée les uns avec les autres » (Grassmann, 1844) expriment, à quelques variations près, la même pensée. »

N'est-ce point là un exemple de confusion ? L'« économie de la pensée », dont Mach déduisait en 1872 l'existence *exclusive* des sensations (point de vue qu'il dut lui-même reconnaître plus tard idéaliste), *est mise sur le même plan* que l'apophtegme purement matérialiste du mathématicien Grassmann sur la nécessité de coordonner la pensée avec l'*être* ! sur le même plan que la *description* la plus simple (de la *réalité objective* que Kirchhoff n'avait jamais mise en doute !).

Une *telle* application du principe de l'« économie de la pensée » n'est qu'un exemple des curieux flottements philosophiques de Mach. Mais si on élimine des passages tels que les lapsus ou les curiosités, le caractère idéaliste du « principe de l'économie de la pensée » devient indéniable. Le kantien Hönigswald, par exemple, tout en polémisant contre la philosophie de Mach, le *félicite* de ce « principe de l'économie » comme d'un *rapprochement* vers le « cercle des idées kantiennes » (Dr. Richard Hönigswald : *Zur Kritik der Machschen Philosophie*, Berlin, 1903, p. 27). En effet, si l'on ne reconnaît pas la réalité objective donnée dans nos sensations, d'où peut provenir le « principe de l'économie » si ce n'est du sujet ? Les sensations ne comportent certes aucune « économie ». La pensée apporte donc un élément qui n'existe pas dans la sensation ! Le « principe de l'économie » ne provient donc pas de l'expérience (=des sensations), mais est antérieur à toute expérience et en constitue, comme les catégories de Kant, la condition logique. Hönigswald cite le passage suivant de l'*Analyse des sensations* : « Nous pouvons conclure de notre équilibre corporel et moral à l'équilibre, à l'identité de détermination, à l'homogénéité des processus en voie d'accomplissement dans la nature » (p. 281 de la traduction russe). Le caractère idéaliste subjectif de ces affirmations et l'affinité de Mach avec Petzoldt arrivé à l'apriorisme, sont hors de doute.

Traitant du « principe de l'économie de la pensée », l'idéaliste Wundt qualifie très pertinemment Mach de « Kant à rebours » (*Systematische Philosophie*, Leipzig, 1907, p. 128). Chez Kant, c'est l'a priori et l'expérience. Chez Mach, c'est l'expérience et l'a priori, le principe de l'économie de la pensée étant au fond chez Mach un principe a priori (p. 130). Ou les rapports (Verknüpfung) sont dans les choses mêmes la « loi objective de la nature (c'est ce que Mach nie catégoriquement), ou ils représentent un principe subjectif de description» (p. 130). Le principe de l'économie est subjectif chez Mach, et il kommt wie aus der Pistole geschossen, — il apparaît en ce monde on ne sait d'où, comme un principe téléologique susceptible d'avoir des significations différentes (p. 131). Vous le voyez, les spécialistes de la terminologie philosophique ne sont pas aussi naïfs que nos disciples de Mach, prêts à croire sur parole qu'un petit terme « nouveau » élimine la contradiction du subjectivisme et de l'objectivisme, de l'idéalisme et du matérialisme.

Référons-nous enfin au philosophe anglais James Ward, qui se dit lui-même sans circumlocutions moniste spiritualiste. Loin de polémiser avec Mach, il tire parti, comme nous le verrons tout à l'heure, dans son combat contre le matérialisme, de toute la tendance de Mach en physique et déclare tout net que le « critère de la simplicité est » chez Mach « surtout subjectif et non objectif » (*Naturalism and Agnosticism*, v. I, 3rd ed., p. 82).

Que le principe de l'économie de la pensée, considéré comme le fondement de la gnoséologie, ait pu plaire aux kantiens allemands et aux spiritualistes anglais, voilà qui ne peut paraître singulier après tout ce qui précède. Que des gens qui se réclament du marxisme rapprochent l'économie politique du matérialiste Marx de l'économie gnoséologique de Mach, c'est là un trait vraiment humoristique.

Il serait opportun de dire ici quelques mots de l'« unité du monde ». M. P. Iouchkévitch a, pour la centième et millième fois, étalé avec évidence dans cette question l'extrême confusion créée par nos disciples de Mach. Dans l'*Anti-Dühring* Engels, répondant à Dühring qui faisait dériver l'unité de l'univers de l'unité de la pensée, disait : « L'unité réelle du monde consiste en sa matérialité, et celle-ci se prouve non pas par quelques boniments de prestidigitateur, mais par un long et laborieux développement de la philosophie et de la science de la nature » (p. 31)[59]. M. Iouchkévitch cite ce passage et « objecte » : « Ce qui manque avant tout ici de clarté, c'est l'affirmation que l'« unité du monde consiste en sa matérialité » (ouvr. cité, p. 52).

C'est charmant, n'est-il pas vrai ? Ce beau monsieur-là se met à disserter en public sur la philosophie du marxisme pour déclarer que les principes les plus élémentaires du matérialisme lui paraissent « manquer de clarté » ! Engels a montré par l'exemple de Dühring qu'une philosophie tant soit peu conséquente peut faire dériver l'unité de l'univers ou bien de la pensée, — mais qu'elle est alors impuissante en présence du spiritualisme et du fidéisme (*Anti-Dühring*, p. 30), et que les arguments d'une semblable philosophie se ramènent inévitablement à des boniments de prestidigitateur, — ou bien de la réalité objective qui existe hors de nous, qui porte depuis très longtemps en gnoséologie le nom de matière et constitue l'objet des sciences de la nature. Parler sérieusement avec un monsieur à qui une pareille chose paraît « manquer de clarté », serait inutile, car il n'invoque ici le « manque de clarté » que pour se dérober malhonnêtement à la réponse à donner, sur le fond, à la proposition nettement matérialiste d'Engels, et pour répéter des balivernes à la Dühring sur le « postulat cardinal de l'homogénéité de principe et de l'unité de l'être » (Iouchkévitch, ouvr. cité, p. 51), sur les postulats considérés comme des « propositions » dont « il ne serait pas exact d'affirmer qu'on les a dégagées de l'expérience, l'expérience scientifique n'étant possible que parce qu'elles sont mises à la base de l'expérimentation » (*ibid.*). Pur galimatias, car si ce monsieur-là avait, ne serait-ce qu'un peu de respect pour les choses imprimées, il verrait le caractère *idéaliste* en général et *kantien* en particulier de l'idée qu'il peut soi-disant y avoir des propositions qui n'ont pas été tirées de l'expérience, et sans lesquelles cette dernière est impossible. La « philosophie » des Iouchkévitch n'est qu'un ramassis de mots glanés çà et là et accolés aux erreurs manifestes du matérialiste Dietzgen.

Suivons plutôt les développements d'un empiriocriticiste sérieux, Joseph Petzoldt, sur l'unité de l'univers. Le paragraphe 29 du tome 2 de son *Introduction* est intitulé: « La tendance à l'uniformité (einheitlich) dans le domaine de la connaissance. Le postulat de l'identité de tout ce qui s'accomplit. » Voici quelques échantillons de ses développements : « ... On n'acquiert que dans l'*unité* le but naturel au-delà duquel rien ne peut plus être pensé et où la pensée peut, par conséquent, si elle tient compte de tous les faits du domaine correspondant, parvenir au calme » (p. 79). « ... Il est certain que la nature ne satisfait pas toujours, loin de là, l'exigence de l'*unité* ; mais il est tout aussi certain que, dès maintenant, elle satisfait néanmoins, dans bien des cas, l'exigence du *calme*, et toutes nos recherches antérieures nous portent à considérer comme très probable que la nature satisfera, à l'avenir, cette exigence, en toute occasion. Il serait donc plus exact de définir l'état d'âme existant comme une tendance à des états stables plutôt que comme une tendance à l'unité... Le principe des états stables est plus profond et plus large... En proposant d'admettre, à côté des règnes végétal et animal, celui des protistes, Haeckel n'apporte qu'une solution défectueuse, car elle crée deux difficultés nouvelles là où il n'y en avait qu'une : nous avions auparavant une frontière douteuse entre les végétaux et les animaux : maintenant on ne peut délimiter nettement les protistes ni des végétaux ni des animaux... Il est évident que cet état de choses n'est pas définitif (endgültig). Cette *ambiguïté* des concepts doit être éliminée de façon ou d'autre, fût-ce, à défaut d'autres moyens, par une entente des spécialistes et par une décision prise à la majorité des voix » (pp. 80-81).

N'est-ce pas suffisant ? Il est clair que l'empiriocriticiste Petzoldt ne vaut *pas une once* de plus que Dühring. Mais il faut être juste même envers l'adversaire : Petzoldt fait au moins preuve d'assez de bonne foi scientifique pour répudier *résolument et définitivement*, dans chacune de ses œuvres, le matérialisme en tant que tendance philosophique. Lui, au moins, ne s'abaisse pas à se déguiser en matérialiste pour déclarer ensuite que la discrimination élémentaire des principaux courants de la philosophie « manque de clarté ».

5. L'ESPACE ET LE TEMPS

Reconnaissant l'existence de la réalité objective, c'est-à-dire de la matière en mouvement, indépendamment de notre conscience, le matérialisme est inévitablement amené à reconnaître aussi la réalité objective de l'espace et du temps, et ainsi il diffère, d'abord, du kantisme, pour lequel, comme pour l'idéalisme, l'espace et le temps sont des formes de la contemplation humaine, et non des réalités objectives. Les écrivains appartenant aux tendances les plus différentes et les penseurs quelque peu conséquents se rendent fort bien compte des divergences capitales existant sur cette question entre les deux courants principaux de la philosophie. Commençons par les matérialistes.

« L'espace et le temps, dit Feuerbach, ne sont pas de simples formes des phénomènes, mais des conditions essentielles (Wesensbedingungen)... de l'existence » (*Werke*, t. II, p. 332). Reconnaissant la réalité objective du monde sensible qui nous est donnée dans nos sensations, Feuerbach repousse naturellement la conception phénoméniste (comme dirait

Mach de lui-même) ou agnostique (comme s'exprime Engels) de l'espace et du temps : de même que les choses ou les corps ne sont pas de simples phénomènes, ni des complexes de sensations, mais des réalités objectives agissant sur nos sens, de même l'espace et le temps sont des formes objectives et réelles de l'existence, et non de simples formes des phénomènes. L'univers n'est que matière en mouvement, et cette matière en mouvement ne peut se mouvoir autrement que dans l'espace et dans le temps. Les idées humaines sur l'espace et le temps sont relatives, mais la somme de ces idées relatives donne la vérité absolue : ces idées relatives tendent, dans leur développement, vers la vérité absolue et s'en rapprochent. La variabilité des idées humaines sur l'espace et le temps ne réfute pas plus la réalité objective de l'un et de l'autre que la variabilité des connaissances scientifiques sur la structure de la matière et les formes de son mouvement ne réfute la réalité objective du monde extérieur.

Démasquant en Dühring le matérialiste inconséquent et confus, Engels le surprend justement à traiter des modifications du *concept* de temps (chose incontestable pour des philosophes contemporains tant soit peu réputés et appartenant aux tendances philosophiques *les plus diverses*), *tout en évitant* de donner une réponse nette à la question : l'espace et le temps sont-ils réels ou idéaux ? Nos conceptions relatives de l'espace et du temps sont-elles des *approximations* des formes objectivement réelles de l'existence ? Ou ne sont-elles que des produits de la pensée humaine en voie de développement, d'organisation, d'harmonisation, etc. ? C'est là, et là seulement, qu'est le problème capital de la théorie de la connaissance sur lequel se divisent les tendances vraiment fondamentales de la philosophie. « Il ne nous importe pas du tout ici, écrit Engels, de savoir quels concepts se transforment dans la tête de M. Dühring. Il ne s'agit pas du *concept de temps*, mais du *temps réel*, dont M. Dühring ne se débarrasse nullement à si bon compte » (c'est-à-dire à l'aide de phrases sur la variabilité des concepts) (*Anti-Dühring*, 5e éd. allemande, p. 41) [60].

Voilà, semble-t-il, qui est tellement clair que les Iouchkévitch eux-mêmes devraient comprendre le fond des choses. Engels oppose à Dühring la proposition généralement admise et qui tombe sous le sens de tout matérialiste, du *caractère réel*, c'est-à-dire de la réalité objective du temps, en affirmant qu'il est *impossible de se débarrasser* de la reconnaissance ou de la négation directes de cette proposition par des raisonnements sur la modification des *concepts* du temps et de l'espace. Il ne s'agit pas de faire nier à Engels la nécessité et la portée scientifique des recherches sur les changements et l'évolution de nos concepts du temps et de l'espace ; il s'agit de résoudre avec esprit de suite le problème gnoséologique, c'est-à-dire celui des sources et de la valeur de toute connaissance humaine en général. Tout philosophe idéaliste tant soit peu sensé, — et Engels, parlant des idéalistes, entendait les idéalistes génialement logiques de la philosophie classique, — admettra sans peine, sans renoncer à l'idéalisme, que nos concepts du temps et de l'espace évoluent et que, par exemple, les concepts du temps et de l'espace se rapprochent, dans leur développement, de l'idée absolue de l'un et de l'autre, etc. On ne peut en philosophie s'en tenir de façon conséquente à un point de vue hostile à tout fidéisme et à tout idéalisme, si l'on n'admet pas nettement et résolument que nos concepts du temps et de l'espace *reflètent*, au cours de leur développement, le temps et l'espace objectivement réels, se rapprochant ici, comme en général, de la vérité objective.

« Car les formes fondamentales de tout Etre, expose Engels à Dühring, sont l'espace et le temps et un Etre en dehors du temps est une absurdité tout aussi grande qu'un Etre en dehors de l'espace » (*ibid.*).

Pourquoi Engels dut-il recourir, dans la première moitié de cette phrase, à la répétition presque textuelle de Feuerbach, et, dans la seconde moitié, au rappel de la lutte contre les plus grandes absurdités du théisme, soutenue avec tant de succès par Feuerbach ? Parce que Dühring, comme on le voit au même chapitre d'Engels, n'a pas su joindre les deux bouts de sa philosophie sans se heurter tantôt à la « cause dernière » du monde, tantôt au « choc premier » (autre expression pour désigner Dieu, dit Engels). Dühring a probablement voulu être matérialiste et athée, avec non moins de sincérité que nos disciples de Mach veulent être marxistes, mais il *n'a pas su* appliquer avec esprit de suite une méthode philosophique susceptible d'enlever vraiment toute base à l'absurdité idéaliste et théiste. N'admettant pas la réalité objective du temps et de l'espace, ou tout au moins ne l'admettant pas de façon nette et distincte (Dühring erra et hésita sur ce point),cet auteur glisse fatalement, et non par hasard, sur un plan incliné jusqu'aux « causes dernières » et aux « chocs premiers », s'étant privé lui-même du critère objectif qui empêche de sortir des limites du temps et de l'espace. Si le temps et l'espace *ne sont que* des concepts,l'humanité qui les a créés a le droit de *sortir de leurs limites*, et les professeurs bourgeois ont le droit de toucher des émoluments de gouvernements réactionnaires pour défendre la légitimité de cette sortie, pour défendre, directement ou non, l'« absurdité » moyenâgeuse.

Engels a montré à Dühring que la négation de la réalité objective du temps et de l'espace est, en théorie, une confusion philosophique et, dans la pratique, une capitulation ou un aveu d'impuissance devant le fidéisme.

Voyez maintenant la « doctrine » du « positivisme moderne » à ce sujet. Nous lisons chez Mach : « L'espace et le temps sont des systèmes bien coordonnés (ou harmonisés, wohlgeordnete) de séries de sensations » (*Mécanique*, 3e édit. allemande, p. 498). Absurdité idéaliste évidente, qui est la conséquence obligée de la doctrine d'après laquelle les corps sont des complexes de sensations. D'après Mach, ce n'est pas l'homme avec ses sensations qui existe dans l'espace et le temps ; ce sont l'espace et le temps qui existent dans l'homme, qui dépendent de l'homme, qui sont créés par l'homme. Mach se sent glisser vers l'idéalisme et « résiste », en multipliant les restrictions et en noyant, comme Dühring, la question dans des dissertations interminables (voir surtout *Connaissance et Erreur*) sur la variabilité de nos concepts du temps et de l'espace, sur leur relativité, etc. Mais cela ne le sauve pas, ne peut pas le sauver, car on ne peut surmonter vraiment l'idéalisme, dans cette question, qu'en reconnaissant la réalité objective de l'espace et du temps.Et c'est justement ce que Mach ne veut à aucun prix.Il édifie une théorie gnoséologique du temps et de l'espace, fondée sur le principe du relativisme, rien de plus. Cet effort ne peut le mener qu'à l'idéalisme subjectif, comme nous l'avons déjà montré en parlant de la vérité absolue et de la vérité relative.

Résistant aux conclusions idéalistes que ses principes imposent, Mach s'élève contre Kant et défend l'origine expérimentale du concept d'espace (*Connaissance et Erreur*, 2e édit. allem., pp. 350, 385). Mais si la réalité objective *ne* nous est *pas* donnée dans l'expérience (comme le veut Mach), cette objection adressée à Kant ne change en rien le fond d'agnosticisme commun à Kant *et* à Mach. Si le concept d'espace est tiré de l'expérience *sans refléter* la réalité objective existant hors de nous, la théorie de Mach demeure idéaliste. L'existence de la nature *dans le temps*, évalué à des millions d'années à des époques *antérieures* à l'homme et à l'expérience humaine, démontre l'absurdité de cette théorie idéaliste.

« La physiologie, écrit Mach, voit dans le temps et l'espace des sensations d'orientation qui,avec les sensations provenant des organes des sens, déterminent le déclenchement (Auslösung) de réactions d'adaptation biologiquement utiles. Pour la physique, le temps et l'espace sont des relations de dépendance entre les éléments physiques » (*ibid.*, p. 434).

Le relativiste Mach se borne à étudier le *concept* de temps sous divers rapports ! Et il piétine sur place, tout comme Dühring. Si les « éléments » sont des sensations, la dépendance des éléments physiques entre eux ne peut exister en dehors de l'homme, antérieurement à l'homme, antérieurement à la matière organique. Si les sensations de temps et d'espace peuvent donner à l'homme une orientation biologiquement utile, c'est exclusivement à la condition de refléter la *réalité objective* extérieure à l'homme : l'homme ne pourrait pas s'adapter biologiquement au milieu, si ses sensations ne lui en donnaient une représentation *objectivement exacte*. La théorie de l'espace et du temps est étroitement liée à la solution du problème gnoséologique fondamental : nos sensations sont-elles les images des corps et des choses, ou les corps sont-ils des complexes de nos sensations ? Mach ne fait qu'errer entre ces deux solutions.

La physique contemporaine, dit-il, est encore dominée par la conception de Newton sur le temps et l'espace absolus (pp. 442-444), sur le temps et l'espace comme tels. Cette conception « nous » paraît absurde, continue Mach, sans se douter, évidemment, de l'existence des matérialistes et de la théorie matérialiste de la connaissance. Mais cette conception était *inoffensive* (unschädlich, p. 442) *dans la pratique*, et c'est pourquoi la critique s'est longtemps abstenue d'y toucher.

Comme cette remarque naïve sur le caractère inoffensif de la pensée matérialiste trahit bien Mach ! Il est d'abord inexact de dire que « très longtemps » les idéalistes n'ont pas critiqué cette conception matérialiste ; Mach feint tout bonnement d'ignorer la lutte entre les théories idéaliste et matérialiste de la connaissance sur cette question ; il évite d'exposer clairement et nettement les deux points de vue. En second lieu, convenant du « caractère inoffensif » des vues matérialistes qu'il conteste, Mach ne fait en somme que reconnaître leur justesse. Comment en effet une erreur serait-elle demeurée inoffensive des siècles durant ? Qu'est devenu le critère de la pratique avec lequel Mach a tenté de flirter ? La conception matérialiste de la réalité objective du temps et de l'espace ne peut être « inoffensive » que parce que les sciences de la nature *ne vont pas* au-delà des limites du temps et de l'espace, au-delà des limites du monde matériel, laissant ce soin aux professeurs de la philosophie réactionnaire. Ce « caractère inoffensif » équivaut à la justesse.

Ce qui est « nocif », c'est le point de vue idéaliste de Mach sur l'espace et le temps, car, d'abord, il ouvre largement la porte au fidéisme et, en second lieu, il *incite* Mach lui-même à des conclusions réactionnaires. C'est ainsi que Mach écrivait, en 1872, qu'« il n'est pas obligatoire de se représenter les éléments chimiques dans un espace à trois dimensions » (*Erhaltung der Arbeit*, pp. 29 et 55). Le faire, c'est « s'imposer une restriction inutile. Point n'est besoin de situer les objets purement mentaux (das bloss Gedachte) dans l'espace, c'est-à-dire par rapport au visible et au tangible, de même qu'il n'est pas besoin de les concevoir comme ayant une certaine intensité de son » (p. 27). « Le fait qu'on n'est pas parvenu jusqu'ici à formuler une théorie satisfaisante de l'électricité, vient peut-être de ce qu'on a voulu expliquer à tout prix le phénomène électrique par des processus moléculaires dans un espace à trois dimensions » (p. 30).

Raisonnement absolument juste au point de vue de la doctrine franche et claire de Mach, défendue par ce dernier en 1872 : si les molécules, les atomes, en un mot les éléments chimiques ne peuvent être perçus par les sens, c'est qu'ils ne sont « que des objets purement mentaux » (das bloss Gedachte).Et s'il en est ainsi, si l'espace et le temps n'ont pas de signification objective réelle, il est évident que rien ne nous oblige à nous représenter les atomes comme *situés dans l'espace* ! Que la physique et la chimie « se circonscrivent » dans un espace à trois dimensions où se meut la matière, les éléments de l'électricité peuvent néanmoins être recherchés dans un espace *autre* que celui à trois dimensions !

On comprend que nos disciples de Mach aient bien soin de passer sous silence cette absurdité, quoique Mach la répète en 1906 (*Connaissance et Erreur*, 2e édit., p. 418), car ils devraient alors poser de front, sans subterfuges et sans tentatives de « conciliation » des contraires, la question des conceptions idéaliste et matérialiste de l'espace. On comprend aussi pourquoi, dès les années 70, à une époque où Mach, totalement inconnu, se voyait même refuser ses articles par les « physiciens orthodoxes », un des chefs de l'école immanente, Anton von Leclair, s'emparait *justement de ce* raisonnement de Mach pour l'exploiter *à fond* comme une répudiation remarquable du matérialisme et comme une reconnaissance de l'idéalisme ! En ce temps-là Leclair n'avait pas encore imaginé ou emprunté à Schuppe et Schubert-Soldern ou J. Rehmke la « nouvelle » enseigne d'« école immanente », se qualifiant *tout bonnement d'idéaliste critique* *.Les propos cités poussèrent ce défenseur déterminé du fidéisme, qu'il préconise nettement dans toutes ses œuvres philosophiques, à proclamer aussitôt Mach un grand philosophe, « un révolutionnaire au meilleur sens du mot » (p. 252). Et il avait parfaitement raison. Le raisonnement de Mach atteste son passage du camp des sciences de

* Anton von Leclair, *Der Realismus der modernen Naturwissenschaft im Lichte der von Berkeley und Kant angebahnten Erkenntniskritik*, Prag., 1789.

la nature à celui du fidéisme. En 1872 comme en 1906, les sciences de la nature ont cherché, cherchent et trouvent — ou du moins *sont près de découvrir* — l'atome de l'électricité, l'électron, dans un espace à trois dimensions. Les sciences de la nature ne s'attardent pas au fait que la matière qu'elles étudient existe uniquement dans un espace à trois dimensions et que, par suite, les particules de cette matière, fussent-elles infimes au point d'être invisibles pour nous, existent « nécessairement » dans le même espace à trois dimensions. Au cours des trois décades et plus écoulées depuis 1872 et marquées par les progrès prodigieux et vertigineux de la science dans la connaissance de la structure de la matière, la conception matérialiste de l'espace et du temps est restée « inoffensive », c'est-à-dire tout aussi conforme qu'auparavant aux sciences de la nature, tandis que la conception contraire de Mach et Cie n'a été qu'une capitulation « nocive » devant le fidéisme.

Dans sa *Mécanique*, Mach défend les mathématiciens qui étudient la question des espaces imaginaires à *n* dimensions, contre l'accusation les rendant responsables des conclusions « monstrueuses » que l'on tire de leurs recherches. Défense parfaitement fondée, c'est indéniable ; mais voyez la position *gnoséologique* que Mach adopte dans cette défense. Les mathématiques modernes, dit-il, ont posé la question, très importante et très utile, de l'espace à *n* dimensions, espace concevable, mais, comme « cas réel » (ein wirklicher Fall), il ne reste que l'espace à trois dimensions (3e édit., pp. 483-485). C'est pourquoi « nombre de théologiens qui éprouvent des difficultés en ce sens qu'ils ne savent où placer l'enfer », et aussi des spirites ont eu tort de vouloir tirer parti de la quatrième dimension (*ibid.*).

Très bien ! Mach ne veut pas marcher en compagnie des théologiens et des spirites. Et comment s'en sépare-t-il dans sa *théorie de la connaissance* ? En constatant que l'espace à trois dimensions est le seul espace *réel* ! Mais que vaut cette défense contre les théologiens et Cie, si vous ne reconnaissez pas à l'espace et au temps une réalité objective ? Il s'ensuit donc que vous employez la méthode des emprunts tacites au matérialisme quand il s'agit de s'écarter des spirites. Car les matérialistes, voyant dans le monde réel, dans la matière que nous percevons, une réalité *objective*, ont le droit d'en conclure que, quelles qu'elles soient, les fantaisies humaines et les fins qu'elles poursuivent sont *irréelles*, si elles sortent des limites de l'espace et du temps. Et vous, messieurs les disciples de Mach, vous déniez, dans votre lutte contre le matérialisme, à la « réalité » l'existence objective, et vous la réintroduisez subrepticement, dès qu'il s'agit de combattre l'idéalisme conséquent, franc et intrépide jusqu'au bout ! Si, dans le concept *relatif* du temps et de l'espace, il n'y a rien que relativité, s'il n'existe aucune réalité objective (=indépendante de l'homme et de l'humanité), reflétée dans ces concepts relatifs, pourquoi l'humanité, pourquoi la plupart des hommes n'auraient-ils pas le droit de concevoir des êtres en dehors du temps et de l'espace ? Si Mach a le droit de chercher les atomes de l'électricité ou les atomes en général *hors* de l'espace à trois dimensions, pourquoi la majeure partie de l'humanité ne serait-elle pas en droit de chercher les atomes ou les fondements de la morale *hors* de l'espace à trois dimensions ?

« On n'a pas encore vu, écrit Mach au même endroit, d'accoucheur qui ait pu aider à un accouchement au moyen de la quatrième dimension. »

Excellent argument, mais uniquement pour ceux qui voient dans le critère de la pratique la confirmation de la vérité *objective*, de la réalité *objective* de notre monde sensible. Si nos sensations nous donnent une image objectivement fidèle du monde extérieur existant indépendamment de nous, alors cet argument se référant à l'accoucheur et à toute l'activité pratique humaine, vaut bien quelque chose. Mais alors c'est la doctrine de Mach qui ne vaut rien comme tendance philosophique.

« J'espère, continue Mach, qui renvoie le lecteur à son travail de 1872, que personne n'invoquera pour des histoires de revenants (die Kosten einer Spukgeschichte bestreiten) ce que j'ai dit ou écrit à ce propos. »

Il n'est pas permis d'espérer que Napoléon ne soit pas mort le 5 mai 1821. Il n'est pas permis d'espérer que la doctrine de Mach, qui a déjà servi et continue de servir aux immanents, ne serve pas à des « histoires de revenants » !

Pas seulement aux immanents, comme nous le verrons plus loin. L'idéalisme philosophique n'est qu'une histoire de revenants dissimulée et travestie. Voyez plutôt les représentants français et anglais de l'empiriocriticisme, moins maniérés que les représentants allemands de cette tendance philosophique. Poincaré dit que les concepts de l'espace et du temps sont relatifs et que, par conséquent (« par conséquent » pour les non-matérialistes, en effet), « ce n'est pas la nature qui nous les impose » (ces concepts) ; « c'est nous qui les imposons à la nature, parce que nous les trouvons commodes » (l. c., p. 6). L'enthousiasme des kantiens allemands n'est-il pas dès lors justifié ? N'est-elle pas confirmée, l'assertion d'Engels selon laquelle les doctrines philosophiques conséquentes doivent tenir pour l'élément primordial ou la nature ou la pensée humaine ?

Les conceptions du disciple anglais de Mach Karl Pearson sont nettement définies. « Nous ne pouvons affirmer, dit-il, que l'espace et le temps aient une existence réelle ; ils ne se trouvent pas dans les choses, mais dans notre façon (our mode) de percevoir les choses » (l. c., p. 184). Idéalisme franc et net. « De même que l'espace, le temps est un des modes (textuellement, un des plans) dont use la faculté humaine de connaître, cette grande machine à classer, pour mettre en ordre (arranges) ses matériaux » (*ibid.*). La conclusion finale de K. Pearson, qu'il expose, selon son habitude, en des thèses précises et claires, est ainsi formulée : « L'espace et le temps ne sont pas des réalités du monde phénoménal (phenomenal world), mais des façons (modes) dont nous percevons les choses. Ils ne sont ni infinis ni divisibles à l'infini, étant, dans leur essence (essentially), limités par le contenu de nos perceptions » (p. 191, conclusions du chapitre V sur l'espace et le temps).

Ennemi probe et consciencieux du matérialisme, Pearson, avec qui, nous le répétons, Mach s'est entièrement solidarisé à maintes reprises, et qui de son côté se déclare ouvertement d'accord avec Mach, ne donne pas à sa philosophie d'étiquette spéciale, mais nomme sans détour les philosophes classiques dont il continue la lignée : Hume et Kant (p. 192) !

Et s'il s'est trouvé en Russie des naïfs pour croire que la doctrine de Mach apporte une solution « nouvelle » au problème de l'espace et du temps, dans la littérature anglaise par contre les savants d'un côté et les philosophes idéalistes de l'autre ont immédiatement et nettement pris position à l'égard du disciple de Mach K. Pearson. Voici, par exemple, l'appréciation du biologiste Lloyd Morgan : « Les sciences de la nature, en tant que telles, considèrent le monde phénoménal comme extérieur à l'esprit de l'observateur et indépendant de lui », tandis que le professeur Pearson adopte une « attitude idéaliste » *. « Je suis d'avis que les sciences de la nature ont, en tant que sciences, toutes les raisons de traiter l'espace et le temps comme des catégories purement objectives. Le biologiste est en droit, me semble-t-il, de considérer la distribution des organismes dans l'espace, et le géologue, leur distribution dans le temps, sans s'attarder à expliquer au lecteur qu'il ne s'agit là que de perceptions sensibles, de perceptions sensibles accumulées, de certaines formes de perceptions. Tout cela est peut-être très bien, mais c'est déplacé en physique et en biologie » (p. 304). Lloyd Morgan est un représentant de cet agnosticisme qu'Engels qualifia de « matérialisme honteux » ; et quelque « conciliantes » que soient les tendances de cette philosophie, il ne lui a pas été possible de concilier les vues de Pearson avec les sciences de la nature. Chez Pearson, dit un autre critique**, on a « d'abord l'esprit dans l'espace, et puis l'espace dans l'esprit ». « Il est hors de doute, répond R.J.Ryle, défenseur de K. Pearson, que la théorie de l'espace et du temps à laquelle est attaché le nom de Kant, est l'acquisition positive la plus importante de la théorie idéaliste de la connaissance humaine depuis l'évêque Berkeley. Et l'un des caractères les plus remarquables de la *Grammaire de la Science* de Pearson, c'est que nous y trouvons, peut-être pour la première fois sous la plume d'un savant anglais, la reconnaissance sans réserve de la théorie de Kant, aussi bien que son exposé clair et précis *** »...

Ainsi, ni les disciples anglais de Mach, ni leurs adversaires du camp des scientifiques, ni leurs partisans du camp des philosophes de métier *n'ont l'ombre d'un doute* quant au caractère idéaliste de la doctrine de Mach sur le temps et

---

* *Natural Science*[61], vol. I, 1892, p. 300.

** I. M. Bentley sur Pearson dans *The Philosophical Review*[62], vol. VI, 5, 1897, Septemb., p. 523.

*** Appréciation de R. J. Ryle sur Pearson dans *Natural Science*, Aug. 1892, p. 454.

l'espace. Quelques écrivains russes se réclamant du marxisme sont les seuls à « ne pas l'avoir remarqué ».

« Certaines vues d'Engels, écrit par exemple V. Bazarov dans les *Essais* (p. 67), comme sa représentation du temps et de l'espace « purs », ont maintenant vieilli. »

Allons donc ! Les conceptions du matérialiste Engels ont vieilli, mais les conceptions de l'idéaliste Pearson ou de l'idéaliste confusionniste Mach sont tout ce qu'il y a de plus neuf ! Le plus curieux ici, c'est que Bazarov ne doute même pas qu'on puisse regarder les idées sur l'espace et le temps, à savoir : la reconnaissance ou la négation de leur réalité objective, comme des « *vues particulières* » par opposition au « *point de départ de la conception du monde* », dont il est question dans la phrase suivante du même auteur. Exemple frappant des « pauvres soupes éclectiques » auxquelles faisait allusion Engels en parlant de la philosophie allemande des années 80. Car opposer le « point de départ » de la conception matérialiste de Marx et Engels à leurs « vues particulières » sur la réalité objective du temps et de l'espace, c'est énoncer un non-sens aussi criant que si l'on prétendait opposer le « point de départ » de la théorie économique de Marx à ses « vues particulières » sur la plus-value. Détacher la doctrine d'Engels sur la réalité objective du temps et de l'espace de sa théorie de la transformation des « choses en soi » en « choses pour nous », de sa reconnaissance de la vérité objective et absolue, plus précisément de la réalité objective qui nous est donnée dans la sensation, — la détacher de sa reconnaissance des lois naturelles, de la causalité et de la nécessité objectives, c'est faire un hachis d'une philosophie qui est toute d'une seule pièce. Comme tous les disciples de Mach, Bazarov a fait fausse route en confondant la variabilité des concepts humains du temps et de l'espace, leur caractère exclusivement relatif, avec l'invariabilité du fait que l'homme et la nature n'existent que dans le temps et l'espace ; or, les êtres créés en dehors du temps et de l'espace par le cléricalisme et nourris par l'imagination des foules exploitées et maintenues dans l'ignorance, ne sont que les produits d'une fantaisie maladive, les subterfuges de l'idéalisme philosophique, les mauvais produits d'un mauvais régime social. Les vues de la science sur la structure de la matière, sur la composition chimique des aliments, sur l'atome ou sur l'électron, peuvent vieillir et vieillissent chaque jour ; mais des vérités telles que : l'homme ne peut se nourrir de pensées et l'amour purement platonique ne peut être fécond, ne peuvent pas vieillir. Or, la philosophie qui nie la réalité objective du temps et de l'espace est aussi absurde, aussi fausse, aussi pourrie en dedans que la négation de ces vérités. Les artifices des idéalistes et des agnostiques sont, en somme, aussi hypocrites que la propagande de l'amour platonique par les pharisiens !

Pour illustrer cette distinction entre la relativité de nos concepts du temps et de l'espace et l'opposition *absolue* sur ce point des tendances matérialiste et idéaliste dans les limites de la gnoséologie, je citerai encore quelques lignes d'un « empiriocriticiste » très vieux et très pur, précisément de Schulze-Aenesidemus, disciple de Hume. Il écrivait en 1792 :

« Si on conclut des idées aux « choses extérieures à nous », « l'espace et le temps sont quelque chose de réel, extérieur à nous et existant dans la réalité, car les corps ne se conçoivent que dans un espace existant (vorhandenen), et les changements ne se conçoivent que dans un temps existant » (l. c., p. 100).

Justement ! Répudiant de façon catégorique le matérialisme et la moindre concession à ce dernier, Schulze, disciple de Hume, exposait en 1792 les rapports du problème de l'espace et du temps avec celui de la réalité objective extérieure à nous, en des termes identiques à ceux dont s'est servi le matérialiste Engels en 1894 (la dernière préface d'Engels à l'*Anti-Dühring* est datée du 23 mai 1894). Cela ne veut point dire que nos représentations du temps et de l'espace ne se soient pas modifiées en cent ans, qu'une quantité énorme de faits nouveaux n'ait pas été recueillie *sur le développement* de ces représentations (faits auxquels se réfèrent Vorochilov-Tchernov et Vorochilov-Valentinov dans leur prétendue réfutation d'Engels) ; cela signifie seulement que la *corrélation* du matérialisme et de l'agnosticisme, en tant que tendances philosophiques fondamentales, n'a pu changer quelles que soient les étiquettes « nouvelles » dont se parent nos disciples de Mach.

Bogdanov lui non plus n'ajoute rien, mais absolument rien, si ce n'est quelques étiquettes « nouvelles » à la vieille philosophie de l'idéalisme et de l'agnosticisme. Lorsqu'il répète les raisonnements de Hering et de Mach sur la discrimination de l'espace physiologique et de l'espace géométrique ou de l'espace de la perception sensible et de l'espace abstrait (*Empiriomonisme*, I, p. 26), il reprend en entier l'erreur de Dühring. Une chose est de savoir comment à l'aide de différents organes des sens l'homme perçoit l'espace et comment au cours d'un long développement historique se forme, à partir de ces perceptions, l'idée abstraite d'espace ; autre chose est de savoir si une réalité objective, indépendante de l'humanité, correspond à ces perceptions et à ces idées humaines. Cette dernière question, bien qu'elle soit la seule question philosophique proprement dite, Bogdanov « ne l'a pas remarquée » sous un fouillis de recherches de détail concernant la première question ; aussi n'a-t-il pas pu opposer nettement le matérialisme d'Engels à la doctrine confuse de Mach.

Tout comme l'espace le temps « est une forme de coordination sociale de l'expérience d'hommes différents » (*ibid.*, p. 34) ; leur « objectivité » est une « valeur générale » (*ibid.*).

C'est faux d'un bout à l'autre. La religion qui exprime une coordination sociale de l'expérience de la plus grande partie de l'humanité a, elle aussi, une valeur générale. Mais les idées religieuses sur le passé de la terre ou sur la création du monde, par exemple, ne correspondent à aucune réalité objective. Une réalité objective *correspond* à la conception scientifique de l'existence de la terre, dans un espace *déterminé* par rapport aux autres planètes, pendant une durée *déterminée antérieurement* à toute socialité, *antérieurement* à l'humanité, *antérieurement* à la matière organique (bien que cette conception soit aussi relative à chaque degré du développement de la science que l'est la religion à chacun des stades de son évolution). Pour Bogdanov, les différentes formes de l'espace et du temps s'adaptent à l'expérience des hommes et à leur faculté de connaître. En réalité, c'est juste le contraire qui a lieu : notre « expérience » et notre connaissance s'adaptent de plus en plus à l'espace et au temps *objectifs*, en les *reflétant* avec toujours plus d'exactitude et de profondeur.

6. LIBERTE ET NECESSITE

Aux pages 140 et 141 des *Essais* A. Lounatcharski cite les développements d'Engels dans l'*Anti-Dühring* sur cette question et se rallie sans réserve à la définition « d'une netteté et d'une justesse frappantes », qu'en donne Engels en une « page admirable » *.

Il y a là, en effet, bien des choses admirables. Et le plus « admirable », c'est que ni A. Lounatcharski, ni quantité d'autres disciples de Mach se réclamant du marxisme, « n'aient pas remarqué » la portée gnoséologique de l'argumentation d'Engels sur la liberté et la nécessité. Pour lire ils ont lu, pour copier ils ont copié, mais sans rien entendre à rien.

Engels dit : « Hegel a été le premier à représenter exactement le rapport de la liberté et de la nécessité. Pour lui, la liberté est l'intellection de la nécessité. « La nécessité n'est *aveugle que dans la mesure où elle n'est pas comprise.* » La liberté n'est pas dans une indépendance rêvée à l'égard des lois de la nature, mais dans la connaissance de ces lois et dans la possibilité donnée par là même de les mettre en œuvre méthodiquement pour des fins déterminées. Cela est vrai aussi bien des lois de la nature extérieure que de celles qui régissent l'existence physique et psychique de l'homme lui-même, — deux classes de lois que nous pouvons séparer tout au plus dans la représentation, mais non dans la réalité. La liberté de la volonté ne signifie donc pas autre chose que la faculté de décider en connaissance de cause. Donc, plus le jugement d'un homme est *libre* sur une question déterminée, plus grande est la *nécessité* qui détermine la teneur de ce jugement... La liberté consiste par conséquent dans l'empire sur nous-mêmes et sur la nature extérieure, fondé sur la connaissance des nécessités naturelles (Naturnotwendigkeiten) »... (pp. 112 et 113 de la 5e édit. allem.)[64].

Voyons sur quels principes gnoséologiques est fondé tout ce raisonnement.

---

* Lounatcharski écrit : «... une page admirable d'économie religieuse, dirais-je, au risque de faire sourire le lecteur irréligieux ». Quelles que soient vos bonnes intentions, camarade Lounatcharski, vos coquetteries avec la religion ne font pas sourire ; elles écœurent[63].

En premier lieu, Engels reconnaît dès le début les lois de la nature, les lois du monde extérieur, la nécessité de la nature, c'est-à-dire tout ce que Mach, Avenarius, Petzoldt et Cie qualifient de « métaphysique ». Si Lounatcharski s'était donné la peine de réfléchir sérieusement à l'argumentation « admirable » d'Engels, il n'aurait pas pu ne pas voir la distinction essentielle entre la théorie matérialiste de la connaissance et l'agnosticisme et l'idéalisme qui nient les lois de la nature, ou n'y voient que des lois « logiques », etc., etc.

Deuxièmement, Engels ne perd pas son temps à formuler les « définitions » de la liberté et de la nécessité, définitions scolastiques qui intéressent par-dessus tout les professeurs réactionnaires (comme Avenarius) ou leurs élèves (comme Bogdanov). Engels considère la connaissance et la volonté de l'homme d'une part, les lois nécessaires de la nature de l'autre, et, s'abstenant de toute définition, constate simplement que les lois nécessaires de la nature constituent l'élément primordial, la volonté et la connaissance humaines étant l'élément secondaire. Ces dernières doivent nécessairement et inéluctablement s'adapter aux premières ; c'est pour Engels d'une évidence telle qu'il ne croit pas devoir l'expliquer. Les disciples russes de Mach ont été les seuls à *se plaindre* de la définition générale du matérialisme donnée par *Engels* (la nature est l'élément primordial ; la connaissance, le secondaire ; souvenez-vous des « perplexités » de Bogdanov à ce sujet !), et à trouver en même temps « admirable », « d'une justesse frappante », *une des applications particulières* que fit Engels de cette définition générale et essentielle !

Troisièmement, Engels ne doute pas de l'existence de la « nécessité aveugle ». Il admet l'existence de la nécessité *non connue* de l'homme. C'est ce qui ressort de toute évidence du passage cité par nous. Or, au point de vue des disciples de Mach, l'homme peut-il *connaître* l'existence de ce qu'il *ne connaît pas* ? Connaître l'existence d'une nécessité qu'il ignore ? N'est-ce point là « mystique », « métaphysique », admission des « fétiches » et des « idoles », n'est-ce pas « l'inconnaissable chose en soi de Kant » ? Si les disciples de Mach y avaient réfléchi, ils n'auraient pas manqué d'apercevoir l'*identité complète* de l'argumentation d'Engels sur la connaissance de la nature objective des choses et sur la transformation de la « chose en soi » en « chose pour nous », d'un côté, et de son argumentation sur la nécessité aveugle, non encore connue, de l'autre. Le développement de toute conscience individuelle et celui des connaissances collectives de toute l'humanité nous montrent à chaque instant la « chose en soi » inconnue se transformant en « chose pour nous » connue, la nécessité aveugle inconnue, la « nécessité en soi », se transformant en « nécessité pour nous » connue. Au point de vue gnoséologique, il n'y a absolument aucune différence entre ces deux transformations, car le point de vue fondamental est le même dans les deux cas : c'est le matérialisme, la reconnaissance de la réalité objective du monde extérieur et des lois de la nature extérieure, ce monde et ces lois étant parfaitement accessibles à la connaissance humaine, mais ne pouvant jamais en être connus *définitivement*. Nous ne connaissons pas les lois nécessaires de la nature dans les phénomènes météorologiques, et c'est pourquoi nous sommes inévitablement les esclaves du temps qu'il fait. Mais *ne connaissant pas* cette nécessité, *nous savons* qu'elle existe. D'où vient cette connaissance ? Elle vient justement d'où nous vient la connaissance des choses existant hors de notre conscience et indépendamment de celle-ci, autrement dit : de l'évolution de nos connaissances, qui a montré des millions de fois à tout homme que l'ignorance fait place au savoir quand l'objet agit sur nos organes des sens, et inversement : la possibilité de cette action une fois écartée, la science devient ignorance.

Quatrièmement,Engels applique manifestement à la philosophie, dans l'argumentation citée, la méthode « salto-vitale », c'est-à-dire qu'il fait un *bond* de la théorie à la pratique. Aucun des savants (et sots) professeurs de philosophie que suivent nos disciples de Mach, ne se permet jamais de ces bonds déshonorants pour des représentants de la « science pure ». Une chose est chez eux la théorie de la connaissance où il importe de cuisiner subtilement les « définitions » verbales ; autre chose est la pratique. Chez Engels, toute la pratique vivante de l'homme fait irruption dans la théorie même de la connaissance, fournissant un critère *objectif* de la vérité : tant que nous ignorons une loi de la nature, cette loi, existant et agissant à l'insu, en dehors de notre connaissance, fait de nous les esclaves de la « nécessité aveugle ». Dès que nous la connaissons, cette loi agissant (comme l'a répété Marx des milliers de fois) *indépendamment* de notre volonté et de notre conscience, nous rend maîtres de la nature. La domination de la nature, réalisée dans la pratique humaine, résulte d'une représentation objectivement fidèle, dans l'esprit humain, des phénomènes et des processus naturels ; elle est la meilleure preuve que cette représentation (dans les limites que nous assigne la pratique) est une vérité éternelle, objective et absolue.

Quel est donc le résultat final ? Chaque étape du raisonnement d'Engels, presque chacune de ses phrases, chacune de ses propositions, pourrait-on dire, est entièrement et exclusivement fondée sur la gnoséologie du matérialisme dialectique, sur des propositions qui frappent au visage toutes les bourdes de Mach sur les corps en tant que complexes de sensations, sur les « éléments », sur « la coïncidence de nos représentations sensibles et de la réalité existant hors de nous », etc., etc. Les disciples de Mach ne s'en laissent pas troubler le moins du monde ; ils lâchent le matérialisme et ressassent (à la Bermann) sur la dialectique des banalités éculées, en souscrivant d'ailleurs, séance tenante, *à l'une* des applications du matérialisme dialectique ! Ils ont puisé leur philosophie dans les pauvres soupes éclectiques et continuent à servir ces mêmes soupes au lecteur. Ils empruntent à Mach une parcelle d'agnosticisme et un rien d'idéalisme, mêlent le tout à un peu de matérialisme dialectique de Marx et susurrent que ce salmigondis, c'est un *progrès* du marxisme. Ils pensent que si Mach, Avenarius, Petzoldt et toutes leurs autres autorités n'ont pas la moindre idée de la solution donnée au problème (de la liberté et de la nécessité) par Hegel et Marx, c'est pur hasard : c'est que tout bonnement ces « autorités-là » n'ont pas lu telle page dans tel livre, — et non point qu'elles aient été et soient demeurées absolument ignorantes du progrès *réel* de la philosophie au XIXe siècle, qu'elles aient été et soient restées des obscurantistes en philosophie.

Voici le raisonnement d'un de ces obscurantistes, Ernst Mach, professeur de philosophie à l'université de Vienne :

« Il est impossible de démontrer la justesse de la position du déterminisme ou de l'indéterminisme. Seule une science parfaite ou démontrée impossible serait capable de résoudre ce problème. Il s'agit ici des prémisses que l'on introduit (man heranbringt) dans l'analyse des choses, suivant que l'on attribue aux succès ou aux insuccès antérieurs des recherches une valeur subjective (subjektives Gewicht) plus ou moins grande. Mais, au cours de la recherche, tout penseur est nécessairement déterministe en théorie » (*Connaissance et Erreur*, 2e édit. allem., pp. 282-283).

N'est-ce pas faire preuve d'obscurantisme lorsqu'on sépare soigneusement la théorie pure de la pratique ? Lorsqu'on réduit le déterminisme au domaine de la « recherche » et qu'en morale, dans la vie sociale, dans tous les autres domaines, sauf la « recherche », on laisse la question à l'appréciation « subjective ». Dans mon cabinet, dit le pédantesque savant, je suis déterministe ; mais que le philosophe se préoccupe de bâtir sur le déterminisme une conception du monde cohérente, embrassant la théorie et la pratique, il n'en est point question.Mach énonce des truismes parce que la question des rapports de la liberté et de la nécessité, au point de vue théorique, ne lui apparaît pas claire.

« ...Toute nouvelle découverte révèle les insuffisances de notre savoir et met à jour un résidu de dépendances jusqu'alors inaperçu » (p. 283)... Fort bien ! Ce « résidu » n'est-il pas la « chose en soi » que notre connaissance reflète de plus en plus profondément ? Pas du tout : « ... De sorte que celui qui défend en théorie un déterminisme extrême doit demeurer, en pratique, un indéterministe » (p. 283)... Voilà bien un partage à l'amiable * : la théorie aux professeurs, la pratique aux théologiens ! Ou bien : en théorie l'objectivisme (c'est-à-dire le matérialisme « honteux ») ; dans la pratique, la « méthode subjective en sociologie[65] ». Que les idéologues russes de la petite-bourgeoisie, les populistes, de Lessévitch à Tchernov, sympathisent avec cette philosophie banale, il n'y a rien d'étonnant. Mais que des

---

* Mach écrit dans la *Mécanique* : « Les opinions religieuses de l'homme demeurent *strictement privées* tant qu'on ne s'efforce pas de les imposer à autrui ou de les appliquer à des questions se rapportant à un autre domaine » (p. 434 de la traduction française).

gens se réclamant du marxisme s'engouent de pareilles absurdités, en dissimulant honteusement les conclusions singulièrement absurdes de Mach, voilà qui est tout à fait triste.

En traitant de la volonté, Mach ne se contente d'ailleurs pas de cette confusion et d'un agnosticisme équivoque, il va beaucoup plus loin... « Notre sensation de faim, lisons-nous dans la *Mécanique*, n'est pas essentiellement différente de la tendance de l'acide sulfurique vers le zinc, et notre volonté n'est pas si différente de la pression de la pierre sur son support ». « Nous nous trouverons ainsi » (c'est-à-dire en nous plaçant à ce point de vue) « plus près de la nature sans qu'il soit besoin de nous résoudre en un incompréhensible amas nuageux de molécules, ou de faire de l'univers un système de groupements d'esprit » (p. 434 de la traduction française). Ainsi, point n'est besoin de matérialisme (« amas nuageux de molécules » ou électrons, c'est-à-dire admission de la réalité objective du monde matériel) ; point n'est besoin d'un idéalisme qui verrait dans le monde une « forme particulière de l'existence » de l'esprit, mais un idéalisme concevant le monde comme *volonté* est possible. Nous voici non seulement au-dessus du matérialisme, mais aussi de l'idéalisme d'un « quelconque » Hegel, ce qui ne nous empêche pas d'être en coquetterie avec un idéalisme dans le genre de Schopenhauer ! Nos disciples de Mach qui prennent des mines de pudeur offensée à chaque rappel de la proche parenté de Mach et de l'idéalisme philosophique, ont préféré cette fois encore faire le silence sur ce point délicat. Il est cependant difficile de trouver dans la littérature philosophique un exposé des idées de Mach où ne soit pas noté son faible pour la Willensmetaphysik, c'est-à-dire pour l'idéalisme volontariste. Ce point a été relevé par J. Baumann*, et le disciple de Mach H. Kleinpeter, discutant avec cet auteur, n'a pas réfuté ce point, se bornant à dire que Mach est sans contredit « plus près de Kant et de Berkeley que de l'empirisme métaphysique qui domine dans les sciences de la nature » (c'est-à-dire du matérialisme spontané, *ibid.*, vol. 6, p. 87).

---

* *Archiv für systematische Philosophie*, 1898, II, t. 4., p. 63, article sur les conceptions philosophiques de Mach.

E. Becher * l'indique de même et rappelle que si Mach professe en certains passages la métaphysique volontariste pour la renier ailleurs, il n'y faut voir que la preuve du caractère arbitraire de sa terminologie ; en réalité, le fait que Mach est proche de la métaphysique volontariste est hors de doute. Lucka ** reconnaît, lui aussi, à la « phénoménologie » (c'est-à-dire à l'agnosticisme) un goût de cette métaphysique (c'est-à-dire de l'idéalisme). W. Wundt*** l'indique à son tour. Et le manuel d'histoire de la philosophie moderne d'Uberweg-Heinze**** constate également que Mach est un phénoméniste, « qui n'est pas étranger à l'idéalisme volontariste ».

En un mot, l'éclectisme de Mach et son penchant à l'idéalisme sont évidents aux yeux de tous, excepté peut-être des disciples russes de Mach.

---

* Erich Becher : *The Philosophical Views of E. Mach*, dans *Philosophical Review*, vol. XIV, 5, 1905, pp. 536, 546, 547, 548.

** E. Lucka : *Das Erkenntnisproblem und Machs « Analyse der Empfindungen »* dans *Kantstudien*, t. VIII, 1903, p. 400.

*** *Systematische Philosophie*, Leipzig, 1907, p. 131.

**** *Grundriss der Geschichte der Philosophie*, t. IV, 9. Auflage, Berlin, 1903, p. 250.

CHAPITRE IV

LES PHILOSOPHES IDEALISTES, FRERES D'ARMES ET SUCCESSEURS DE L'EMPIRIOCRITICISME

Nous avons examiné jusqu'à présent l'empiriocriticisme pris à part. Il nous reste à le considérer dans son développement historique, dans sa liaison et ses rapports avec les autres tendances philosophiques. La question de l'attitude de Mach et d'Avenarius à l'égard de Kant se situe ici au premier plan.

1. LE KANTISME CRITIQUE DE GAUCHE ET DE DROITE

Mach et Avenarius firent leur apparition dans l'arène philosophique entre 1870 et 1880, à une époque où le « retour à Kant ! » était de mode dans les milieux universitaires allemands. L'évolution philosophique des deux fondateurs de l'empiriocriticisme remontait justement à Kant. « Je dois reconnaître avec la gratitude la plus grande, écrit Mach, que c'est justement son idéalisme critique (celui de Kant) qui fut le point de départ de toute ma pensée critique. Mais il ne m'a pas été possible de lui demeurer fidèle. Je revins bien vite aux idées de Berkeley », et puis « j'arrivai à des conceptions voisines de celles de Hume... Aujourd'hui encore je tiens Berkeley et Hume pour des penseurs beaucoup plus conséquents que Kant » (*Analyse des sensations*, p. 292).

Mach reconnaît ainsi expressément qu'il a commencé par Kant pour continuer par Berkeley et Hume. Voyons Avenarius.

Avenarius note, dès la préface de ses *Prolégomènes à la « Critique de l'expérience pure »* (1876), que les mots « critique de l'expérience pure » marquent son attitude envers la *Critique de la raison pure* de Kant, « et, bien entendu, son attitude d'antagonisme » envers Kant (p. IV, édit. de 1876). En quoi consiste cet antagonisme d'Avenarius à l'égard de Kant ? En ce que ce philosophe a, de l'avis d'Avenarius, insuffisamment « épuré l'expérience ». C'est de cette « épuration de l'expérience » que traite Avenarius dans ses *Prolégomènes* (§§ 56, 72 et beaucoup d'autres). De quoi Avenarius « épure-t-il » la doctrine de Kant sur l'expérience ? De l'apriorisme d'abord. « La question de savoir, dit-il au § 56, s'il faut éliminer, comme superflus, du contenu de l'expérience, les « concepts a priori de la raison » et créer ainsi une *expérience pure* par excellence, se pose ici, autant que je le sache, pour la première fois. » Nous avons déjà vu qu'Avenarius a « épuré » de cette manière le kantisme de la reconnaissance de la nécessité et de la causalité.

Il a épuré ensuite le kantisme de l'hypothèse de substance (§ 95), c'est-à-dire de la chose en soi qui, d'après Avenarius, « n'est pas donnée par le substratum réel de l'expérience, mais y est introduite par la pensée ».

Nous verrons tout à l'heure que cette définition donnée par Avenarius de sa tendance philosophique coïncide entièrement avec la définition de Mach, dont elle ne diffère que par un style alambiqué.Mais il faut d'abord noter qu'Avenarius énonce une *contrevérité manifeste* quand il dit avoir posé *le premier*, en 1876, la question relative à l'« épuration de l'expérience », c'est-à-dire à l'épuration de la doctrine de Kant de l'apriorisme et de l'hypothèse de la chose en soi. En réalité, le développement de la philosophie classique allemande a suscité aussitôt après Kant une critique du kantisme *orientée précisément dans le sens* voulu par Avenarius. Ce courant de la philosophie classique allemande est représenté par Schulze-Aenesidemus, partisan de l'agnosticisme de Hume, et par J. G. Fichte, partisan du berkeleyisme,c'est-à-dire de l'idéalisme subjectif. Dès 1792, Schulze-Aenesidemus critiquait Kant *justement* pour avoir admis l'apriorisme (l. c., pp. 56, 141 et bien d'autres) et la chose en soi. Sceptiques ou disciples de Hume, disait Schulze, nous nions la chose en soi comme sortant « des limites de toute expérience » (p. 57). Nous nions la *connaissance objective* (p. 25) ; nous nions que l'espace et le temps aient une existence réelle extérieure à nous (p. 100) ; nous nions qu'il y ait dans l'expérience une nécessité (p. 112), une causalité, une force, etc. (p. 113). On ne peut pas leur attribuer de « réalité en dehors de nos idées » (p. 114). Kant démontre « dogmatiquement » l'apriorité en affirmant que,dès l'instant que nous ne pouvons penser autrement,c'est que la loi a priori de la pensée existe. « En philosophie, lui répond Schulze, cet argument a servi depuis longtemps à démontrer la nature objective de ce qui se situe en dehors de nos représentations » (p. 141). Raisonnant ainsi, on peut attribuer la causalité aux choses en soi (p. 142). « L'expérience ne nous apprend jamais (wir erfahren niemals) que l'action exercée sur nous par les choses objectives crée des représentations. » Et Kant n'a pas prouvé du tout que « ce quelque chose, extérieur à notre raison, doive être considéré comme la chose en soi différente de notre sensation (Gemüt). La sensation ne peut être pensée que comme le fondement *unique* de toute notre connaissance » (p. 265). La critique de la raison pure de Kant « fonde ses raisonnements sur le principe suivant lequel toute connaissance commence par l'action des choses objectives sur nos organes des sens (Gemüt), et conteste ensuite la vérité et la réalité même de ce principe » (p. 266). Kant n'a réfuté en rien l'idéaliste Berkeley (pp. 268-272).

On voit d'ici que Schulze, disciple de Hume, repousse la doctrine de Kant sur la chose en soi comme une concession inconséquente au matérialisme, c'est-à-dire à l'assertion « dogmatique » que la réalité objective nous est donnée dans la sensation ou, en d'autres termes, que nos représentations sont engendrées par l'action des choses objectives (indépendantes de notre conscience) sur nos organes des sens. L'agnostique Schulze reproche à l'agnostique Kant d'admettre la chose en soi, ce qui est en contradiction avec l'agnosticisme et mène au matérialisme. A son tour l'idéaliste subjectif Fichte critique Kant, mais plus résolument encore, en disant que l'admission par Kant de la chose en soi, indépendante de notre *Moi*, est du « *réalisme* » (*Werke*, I, p. 483), et que Kant ne distingue pas « nettement » entre « réalisme » et « idéalisme ». Fichte considère qu'en admettant la chose en soi comme « fondement de la vérité objective » (p. 480), Kant et les kantiens commettent une inconséquence flagrante et contredisent ainsi l'idéalisme critique. « Pour vous, s'exclamait Fichte en s'adressant aux glossateurs réalistes de Kant, la baleine soutient la terre, et la terre soutient la baleine. Votre chose en soi, qui n'est qu'une pensée, agit sur notre *Moi* ! » (p. 483).

Ainsi donc, Avenarius se trompe gravement en s'imaginant être « le premier » à entreprendre une « épuration de l'expérience » kantienne de l'apriorisme et de la chose en soi, et à créer par là une « nouvelle » tendance en philosophie. Il ne fait en réalité que suivre la *vieille* orientation de Hume et de Berkeley, de Schulze-Aenesidemus et de J. G. Fichte. Avenarius s'imaginait « épurer l'expérience » en général. Il ne faisait en réalité qu'*épurer l'agnosticisme du kantisme*. Il combattit non pas contre l'agnosticisme kantien (l'agnosticisme est la négation de la réalité objective qui nous est donnée dans la sensation), mais *pour un agnosticisme plus pur*. Il combattit pour éliminer ce qui chez Kant était contraire à l'agnosticisme, c'est-à-dire l'admission de la chose en soi, fût-elle inconnaissable, intelligible, appartenant à l'au-delà, l'admission de la nécessité et de la causalité, fussent-elles a priori données dans la pensée et non dans la réalité objective. Il combattit Kant non pas de *gauche* comme le firent les matérialistes, mais de *droite* comme le firent les sceptiques et les idéalistes. Il croyait aller de l'avant ; or il reculait vers ce programme d'une critique de Kant que Kuno Fischer, parlant de Schulze-Aenesidemus, définissait avec esprit : « Une critique de la raison pure moins la raison pure » (c'est-à-dire l'apriorisme) « n'est que scepticisme. La critique de la raison pure moins la chose en soi n'est que l'idéalisme de Berkeley » (*Histoire de la nouvelle philosophie*, édit. allem., 1869, t. V, p. 115).

Nous abordons ici un épisode des plus curieux de toute notre « machiade », de toute la croisade des disciples russes de Mach contre Engels et Marx. La découverte la plus récente de Bogdanov et de Bazarov, de Iouchkévitch et de Valentinov, qu'ils vont claironnant sur tous les tons, c'est que Plékhanov fait « une tentative malencontreuse pour concilier Engels et Kant à l'aide d'un compromis : la chose en soi à peine connaissable » (*Essais*, p. 67 et bien d'autres). Cette découverte de nos disciples de Mach découvre devant nous un abîme vraiment insondable de contusion sans nom et de prodigieuse incompréhension de Kant, ainsi que de toute l'évolution de la philosophie classique allemande.

Le caractère essentiel de la philosophie de Kant, c'est qu'elle concilie le matérialisme et l'idéalisme, institue un compromis entre l'un et l' autre,associe en un système unique deux courants différents et opposés de la philosophie. Lorsqu'il admet qu'une chose en soi, extérieure à nous, correspond à nos représentations, Kant parle en matérialiste. Lorsqu'il la déclare inconnaissable, transcendante, située dans l'au-delà, il se pose en idéaliste. Reconnaissant dans l'expérience, dans les sensations, la source unique de notre savoir, Kant oriente sa philosophie vers le sensualisme, et, à travers le sensualisme, sous certaines conditions, vers le matérialisme. Reconnaissant l'apriorité de l'espace, du temps, de la causalité, etc., Kant oriente sa philosophie vers l'idéalisme. Ce double jeu a valu à Kant d'être combattu sans merci tant par les matérialistes conséquents que par les idéalistes conséquents (y compris les « purs » agnostiques de la nuance Hume). Les matérialistes ont reproché à Kant son idéalisme, ils ont réfuté les caractères idéalistes de son système, démontré le caractère connaissable, l'en-deçà de la chose en soi, l'absence d'une distinction de principe entre elle et le phénomène, la nécessité de déduire la causalité, etc., non des lois a priori de la pensée mais de la réalité objective. Agnostiques et idéalistes lui ont reproché l'admission de la chose en soi comme une concession au matérialisme, au « réalisme » ou au « réalisme naïf ». Ce faisant, les agnostiques ont repoussé la chose en soi, mais aussi l'apriorisme ; tandis que les idéalistes ont exigé que les formes a priori de l'intuition ne fussent pas seules logiquement déduites de la pensée pure, mais qu'on en déduisît tout l'univers en général (la pensée de l'homme s'élargissant jusqu'au *Moi* abstrait ou jusqu'à l'« idée absolue », ou encore jusqu'à la *volonté* universelle, etc., etc.). Or, nos disciples de Mach, « sans se rendre compte » qu'ils se sont mis à l'école de ceux qui critiquèrent Kant du point de vue du scepticisme et de l'idéalisme, déchirèrent leurs vêtements et se couvrirent la tête de cendres en voyant apparaître des monstres d'hommes qui critiquaient Kant d'*un point de vue diamétralement opposé*, répudiaient dans le système kantien tout élément d'agnosticisme (de scepticisme) et d'idéalisme, démontraient que la chose en soi était une réalité objective, parfaitement connaissable, située en deçà, qu'il n'y avait pas de différence de principe entre elle et le phénomène ; qu'elle devenait phénomène à chaque progrès de la conscience individuelle de l'homme et de la conscience collective de l'humanité. Et de clamer : Au secours ! c'est mêler de façon illicite le matérialisme et le kantisme !

Quand je lis les allégations de nos disciples de Mach qui prétendent critiquer Kant de façon bien plus conséquente et plus résolument que certains matérialistes vieillis, j'ai toujours l'impression de voir Pourichkévitch s'introduire parmi nous et clamer : j'ai critiqué les cadets [66] avec beaucoup plus d'esprit de conséquence et de résolution que vous, messieurs les marxistes ! Sans doute, M. Pourichkévitch, les hommes conséquents en politique peuvent critiquer les cadets et les critiqueront toujours à des points de vue diamétralement opposés ; mais il ne faudrait cependant pas oublier que vous avez critiqué les cadets parce qu'ils sont *trop* démocrates, et nous, parce qu'ils ne le sont *pas assez*. Les disciples de Mach critiquent Kant parce qu'il est trop matérialiste, et nous, parce qu'il ne l'est pas assez. Les disciples de Mach critiquent Kant de droite, et nous de gauche.

Schulze, disciple de Hume, et l'idéaliste subjectif Fichte fournissent, dans l'histoire de la philosophie classique allemande, des exemples de critique du premier genre. Ils s'efforcent, nous l'avons déjà vu, d'éliminer les éléments « réalistes » du kantisme. De même que Kant fut critiqué par Schulze et Fichte, les néo-kantiens allemands de la seconde moitié du XIXe siècle le furent par les empiriocriticistes de la tendance Hume et par les idéalistes immanents subjectifs. On a vu reparaître la même tendance Hume-Berkeley sous un vêtement verbal légèrement retouché. Si Mach et Avenarius ont fait grief à Kant, ce n'est point parce qu'il ne considère pas la chose en soi avec assez de réalisme, avec assez de matérialité, mais parce qu'il en *admet* l'existence ; ce n'est point parce qu'il se refuse à déduire de la réalité objective la causalité et la nécessité de la nature, mais parce qu'il admet, en général, une causalité et une nécessité quelconques (sauf peut-être la causalité et la nécessité purement « logiques »). Les immanents ont marché de pair avec les empiriocriticistes et critiqué Kant, à leur tour, du point de vue de Hume et de Berkeley. Ainsi Leclair, en 1879, dans l'ouvrage même où, faisant l'éloge de Mach, il le qualifiait de philosophe remarquable, reprochait à Kant d'avoir manifesté, par sa conception de la « *chose en soi* », ce « résidu (Residuum) nominal du réalisme vulgaire », son « inconséquence et sa complaisance (Connivenz) à l'égard du réalisme » (*Der Realismus der modernen Naturwissenschaft im Lichte der von Berkeley und Kant angebahnten Erkenntniskritik*, p. 9.) « Pour être plus cinglant », Leclair qualifiait le matérialisme de réalisme vulgaire. « A notre avis, écrivait-il, tous les éléments constitutifs de la théorie de Kant qui tendent au realismus vulgaris doivent être éliminés comme inconséquences et produits hybrides (zwitterhaft) du point de vue de l'idéalisme » (p. 41). « Les inconséquences et les contradictions » de la doctrine de Kant proviennent « du mélange (Verquickung) du criticisme idéaliste et des résidus de dogmatique réaliste que l'on n'a pas su dépasser » (p. 170). C'est le matérialisme que Leclair appelle ici dogmatique réaliste.

Un autre immanent, Johannes Rehmke, a reproché à Kant de *se séparer en réaliste* de Berkeley, par la chose en soi (Johannes Rehmke. *Die Welt als Wahrnehmung und Begriff*, Berlin, 1880, p. 9). « L'activité philosophique de Kant eut, au fond, un caractère polémique : par la chose en soi il dirigeait sa philosophie contre le rationalisme allemand » (c'est-à-dire contre le vieux fidéisme du XVIIIe siècle), « et par l'intuition pure, contre l'empirisme anglais » (p. 25). « Je comparerais volontiers la chose en soi de Kant à un piège mobile tendu sur un fossé : cela vous a un petit air d'innocence et de sécurité, mais dès qu'on y a mis le pied, on roule subitement à l'abîme du *monde en soi* » (p. 27). Voilà ce qui fait que les frères d'armes immanents de Mach et d'Avenarius n'aiment point Kant : celui-ci se rapproche par endroits de l'« abîme » du matérialisme !

Et voici des exemples de critique adressée à Kant, du côté gauche. Feuerbach reproche à Kant non pas le « réalisme », mais l'*idéalisme*, et il qualifie son système d'« idéalisme fondé sur l'empirisme » (*Werke*, t. II, p. 296).

Le raisonnement suivant de Feuerbach sur Kant est particulièrement important. « Kant dit : « Si nous considérons les objets de nos sensations comme de simples phénomènes, comme on doit d'ailleurs les considérer, nous reconnaissons par là que la chose en soi constitue le fondement des phénomènes, bien que nous ne sachions pas ce qu'elle est en elle-même et que nous n'en connaissions que les phénomènes, c'est-à-dire le procédé par lequel ce quelque chose d'inconnu affecte (affiziert) nos organes des sens. Ainsi, notre raison, du fait même qu'elle admet l'existence des phénomènes, reconnaît implicitement l'existence des choses en soi ; et nous pouvons dire pour autant, qu'il est non seulement permis, mais encore nécessaire de se représenter des essences situées à la base des phénomènes, c'est-à-dire qui ne sont que des essences mentales »... Ayant fait choix d'un texte de Kant où la chose en soi est considérée simplement comme chose pensée, comme substance mentale, et non comme réalité, Feuerbach concentre sur ce texte toute sa critique. « ... Ainsi, dit-il, les objets des sensations, les objets de l'expérience ne sont pour la raison que des phénomènes, et non la vérité »... « Les réalités mentales, voyez-vous, ne sont pas pour la raison des objets réels ! La philosophie de Kant est une antinomie entre le sujet et l'objet, l'essence et l'existence, la pensée et l'être. L'essence est attribuée ici à la raison, l'existence aux sensations. L'existence dépourvue d'essence » (c'est-à-dire l'existence des phénomènes sans réalité objective) « n'est que simple phénomène, ce sont des choses sensibles ; l'essence sans existence, ce sont des essences mentales, des *noumènes* ; on peut et on doit les penser, mais l'existence, l'objectivité leur fait défaut, tout au moins pour nous ; ce sont des choses en soi, des choses vraies, mais ce ne sont pas des choses réelles... Quelle contradiction : séparer la vérité de la réalité, la réalité de la vérité ! » (*Werke*, t. II, pp. 302-303). Feuerbach reproche à Kant non pas d'admettre les choses en soi, mais de n'en point admettre la réalité, c'est-à-dire la réalité objective, de ne les considérer que comme une simple pensée, comme des « essences mentales », et non comme des « essences douées d'existence », c'est-à-dire ayant une existence réelle, effective. Feuerbach reproche à Kant de s'écarter du matérialisme.

« La philosophie de Kant est une contradiction, écrivait Feuerbach le 26 mars 1858 à Bolin ; elle mène avec une nécessité impérieuse à l'idéalisme de Fichte ou au sensualisme » ; la première conclusion « appartient au passé », la seconde « au présent et au futur » (Grün, l. c., t. II, p. 49). Nous avons déjà vu que Feuerbach défend le sensualisme objectif, c'est-à-dire le matérialisme. La nouvelle évolution qui ramène de Kant à l'agnosticisme et à l'idéalisme, à Hume et à Berkeley, est incontestablement *réactionnaire* même du point de vue de Feuerbach. Et son fervent disciple Albrecht Rau, héritier des mérites de Feuerbach en même temps que de ses défauts — défauts que Marx et Engels devaient surmonter, — a critiqué Kant entièrement dans l'esprit de son maître : « La philosophie de Kant est une amphibolie (une équivoque) ; elle est en même temps matérialiste et idéaliste, et c'est dans cette double nature qu'il faut en rechercher la clé. Matérialiste ou empiriste, Kant ne peut faire autrement que reconnaître aux objets une existence (Wesenheit) extérieure à nous. Idéaliste, il n'a pu se défaire du préjugé que l'âme est quelque chose d'absolument différent des choses senties. Des choses réelles existent ainsi que l'esprit humain qui les conçoit. Comment cet esprit se rapproche-t-il donc de choses absolument différentes de lui ? Kant use du subterfuge suivant : l'esprit possède certaines connaissances a priori, grâce auxquelles les choses doivent lui apparaître telles qu'elles lui apparaissent. Par conséquent, le fait que nous concevons les choses telles que nous les concevons, est notre œuvre. Car l'esprit qui demeure en nous n'est pas autre chose que l'esprit de Dieu et, de même que Dieu a tiré le monde du néant, l'esprit de l'homme crée en opérant sur les choses ce qu'elles ne sont pas en elles-mêmes. Kant assure ainsi aux choses réelles l'existence en qualité de « choses en soi ». L'âme est nécessaire à Kant, l'immortalité étant pour lui un postulat moral. La « chose en soi », messieurs, dit Rau en s'adressant aux néo-kantiens en général et spécialement au confusionniste A. Lange, falsificateur de l'*Histoire du matérialisme*, est ce qui sépare l'idéalisme de Kant de l'idéalisme de Berkeley : elle sert de pont entre l'idéalisme et le matérialisme. — Telle est ma critique de la philosophie de Kant ; la réfute qui peut... Aux yeux du matérialiste la distinction des connaissances a priori et de la « chose en soi » est absolument superflue ; il n'interrompt nulle part l'enchaînement dans la nature, il ne considère pas la matière et l'esprit comme des choses foncièrement différentes ; il n'y voit que des aspects de recourir à des artifices pour rapprocher l'esprit des choses *. »

Engels reproche à Kant, comme nous l'avons vu, d'être agnostique et non point de dévier de l'agnosticisme conséquent. Elève d'Engels, Lafargue polémiquait en 1900 contre les kantiens (au nombre desquels se trouvait alors Charles Rappoport):

« ...Au commencement du siècle la Bourgeoisie, ayant achevé son œuvre de démolition révolutionnaire, reniait sa philosophie voltairienne et libre-penseuse ; on remettait à la mode le catholicisme, que le maître-décorateur Chateaubriand peinturlurait d'images romantiques, et Sébastien Mercier importait l'idéalisme de Kant pour donner un coup de grâce au matérialisme des Encyclopédistes, dont Robespierre avait guillotiné les propagandistes.

« A la fin de ce siècle qui, dans l'histoire, portera le nom de siècle de la Bourgeoisie, les intellectuels essaient d'écraser, sous la philosophie kantienne, le matérialisme de Marx et d'Engels. Le mouvement de réaction a débuté en Allemagne, n'en déplaise aux socialistes-intégralistes qui voudraient en rapporter l'honneur à leur chef, Malon : mais Malon avait été à l'école de Höchberg, Bernstein et autres disciples de Dühring, qui réformaient à Zürich le marxisme. » (Lafargue parle ici d'un certain mouvement d'idées [67] au sein du socialisme allemand vers 1875-80). « Il faut s'attendre à voir Jaurès, Fournière et nos intellectuels nous servir du Kant, dès qu'ils seront familiarisés avec sa terminologie... Rappoport se trompe quand il assure que pour Marx « il y a identité de l'idée et de la réalité ». D'abord

* Albrecht Rau, *Ludwig Feuerbach's Philosophie, die Naturforschung und die philosophische Kritik der Gegenwart*, Leipzig, 1882, pp. 87-89.

nous ne nous servons jamais de cette phraséologie métaphysique. Une idée est aussi réelle que l'objet dont elle est la réflexion cérébrale... Afin de récréer un peu les camarades qui doivent se mettre au courant de la philosophie, je vais leur exposer en quoi consiste ce fameux problème qui a tant préoccupé les cervelles spiritualistes.

« Un ouvrier qui mange une saucisse et qui reçoit cent sous pour une journée de travail, sait très bien qu'il est volé par le patron et qu'il est nourri par la viande de porc ; que le patron est un voleur et la saucisse agréable au goût et nutritive au corps. — Pas du tout, dit le sophiste bourgeois qui s'appelle Pyrrhon, Hume ou Kant, son opinion est personnelle, partant subjective ; il pourrait, avec autant de raison, croire que le patron est son bienfaiteur et que la saucisse est du cuir haché, car il ne peut connaître *la chose en soi*...

« Le problème est mal posé, c'est ce qui en fait toute la difficulté...

« L'homme pour connaître un objet doit d'abord vérifier si ses sens ne le trompent pas... Les chimistes sont allés plus loin, ils ont pénétré dans les corps, les ont analysés, les ont décomposés en leurs éléments, puis ils ont fait un travail inverse, ils ont fait leur synthèse, ils les ont recomposés avec leurs éléments : du moment que l'homme peut, avec ces éléments, produire des corps pour son usage, il peut, ainsi que le dit Engels, penser qu'il connaît les *corps en eux-mêmes*. Le Dieu des chrétiens, s'il existait et s'il avait créé l'univers, n'en saurait pas davantage *. »

Nous nous sommes permis de produire ici cette longue citation afin de montrer comment Lafargue comprenait Engels et critiquait Kant de gauche, non en raison des traits par lesquels le kantisme se distingue de la doctrine de Hume, mais en raison des traits communs à Kant et à Hume ; non en raison de l'admission de la chose en soi, mais en raison de la conception insuffisamment matérialiste de celle-ci.

K. Kautsky, enfin, dans son *Ethique*, critique Kant d'un point de vue diamétralement opposé à celui de Hume et de

* Paul Lafargue, « Le matérialisme de Marx et l'idéalisme de Kant », article publié dans *Le Socialiste*[68] (25 février 1900).

Berkeley. « Le fait que je vois le vert, le rouge, le blanc s'explique par les particularités de ma faculté visuelle, écrit-il en s'élevant contre la gnoséologie de Kant. Mais la différence du vert et du rouge atteste quelque chose qui est en dehors de moi, une différence réelle entre les choses... Les rapports et les différences des choses elles-mêmes que m'indiquent des représentations mentales isolées dans l'espace et dans le temps... sont des rapports et des différences réels du monde extérieur ; ils ne sont pas déterminés par les particularités de ma faculté de connaître... dans ce cas » (si la doctrine de Kant sur l'idéalité du temps et de l'espace était vraie), « nous ne pourrions rien savoir du monde situé hors de nous, nous ne pourrions même pas savoir s'il existe » (pp. 33 et 34 de la trad. russe).

Ainsi *toute l'école* de Feuerbach, de Marx et d'Engels s'est écartée de Kant à gauche, vers la négation complète de tout idéalisme et de tout agnosticisme. Et nos disciples de Mach ont suivi le courant *réactionnaire* en philosophie ; ils ont suivi Mach et Avenarius qui critiquèrent Kant du point de vue de Hume et de Berkeley. Certes, tout citoyen, et tout intellectuel d'abord, a le droit sacré de se mettre à la remorque de n'importe quel idéologue réactionnaire. Mais si des hommes qui ont rompu complètement avec les *principes* mêmes du *marxisme* en philosophie, se mettent ensuite à se démener, à confondre toutes choses, à biaiser, à assurer qu'ils sont « eux aussi » marxistes en philosophie, qu'ils sont « quasiment » d'accord avec Marx et ne font que le « compléter » un tout petit peu, ce spectacle devient tout à fait désagréable.

2. COMMENT L'« EMPIRIOSYMBOLISTE » IOUCHKEVITCH S'EST MOQUE DE L'« EMPIRIOCRITICISTE » TCHERNOV

« Certes, écrit P. Iouchkévitch, il est ridicule de voir comment M. Tchernov veut faire du positiviste agnostique, comtien et spencérien, Mikhaïlovski, le précurseur de Mach et d'Avenarius » (l. c., p. 73).

Ce qui est ridicule ici, c'est avant tout la prodigieuse ignorance de M. Iouchkévitch. Comme tous les Vorochilov, il dissimule cette ignorance sous un amas de mots et de noms savants. La phrase citée se trouve dans le paragraphe consacré aux rapports de la doctrine de Mach et du marxisme. Et M. Iouchkévitch, abordant ce sujet, ignore que pour Engels (comme pour tout matérialiste) les disciples de Hume comme ceux de Kant sont pareillement des agnostiques. Par conséquent, opposer à la doctrine de Mach l'agnosticisme en général, alors que Mach se reconnaît lui-même disciple de Hume, c'est simplement faire preuve d'ignorance en matière de philosophie. Les mots « positivisme agnostique » sont également absurdes, car les disciples de Hume se disent précisément des positivistes. M. Iouchkévitch, qui a pris Petzoldt pour maître, devrait savoir que cet auteur rapporte directement l'empiriocriticisme au positivisme. Enfin, il est également absurde d'évoquer ici les noms d'Auguste Comte et d'Herbert Spencer, puisque le marxisme répudie non pas ce qui distingue un positiviste d'un autre, mais ce qu'ils ont de commun, ce qui fait d'un philosophe un positiviste à la différence du matérialiste.

Notre Vorochilov a besoin de tout cet amas de termes pour « éberluer » le lecteur, l'abasourdir sous un cliquetis de mots, détourner son attention du *fond de la question* et la fixer sur des vétilles. Or, ce fond de la question, c'est le désaccord radical du matérialisme avec le large courant du positivisme *à l'intérieur* duquel trouvent place Auguste Comte et Herbert Spencer, Mikhaïlovski et divers néo-kantiens, Mach et Avenarius. C'est ce fond de la question qu'Engels exposait avec la clarté la plus grande dans son *Ludwig Feuerbach*, quand il classait *tous* les kantiens et les disciples de Hume de cette époque (1880-1890) parmi les ergoteurs éclectiques et les coupeurs de cheveux en quatre (Flohknacker, littéralement écraseur de puces), etc.[69] A qui peuvent et doivent s'appliquer ces définitions, c'est à quoi nos Vorochilov n'ont pas voulu penser. Et comme ils ne savent pas penser, nous ferons à leur intention un rapprochement édifiant. Parlant des kantiens et des disciples de Hume en général, Engels ne citait en 1888 et 1892 *aucun* nom [70]. La seule référence qu'on trouve dans son livre est celle se rapportant à un ouvrage qu'il étudiait de Starcke sur Feuerbach.

« Starcke, dit Engels, se donne beaucoup de mal pour défendre Feuerbach contre les attaques et les préceptes des chargés de cours qui foisonnent actuellement en Allemagne sous le nom de philosophes. C'est certainement important pour ceux qui s'intéressent à ces rejetons de la philosophie classique allemande ; cela pouvait sembler nécessaire à Starcke lui-même. Nous en ferons grâce à nos lecteurs. » (*Ludwig Feuerbach*, p. 25 [71].)

Engels voulait « faire grâce au lecteur », c'est-à-dire épargner aux social-démocrates le plaisir de faire connaissance avec les bavards dégénérés qui se prétendent philosophes. Mais quels sont les représentants de ces « rejetons de la philosophie » ?

Nous ouvrons le livre de Starcke (C. N. Starcke : *Ludwig Feuerbach*, Stuttgart, 1885) et nous y voyons de continuelles références aux partisans de *Hume* et de *Kant*. C'est contre les tendances de ces deux philosophes que Starcke défend Feuerbach. Il cite *A. Riehl*, *Windelband*, *A. Lange* (pp. 3, 18-19, 127 et suiv.).

Nous ouvrons la *Conception humaine du monde* de R. Avenarius, livre paru en 1891, et nous y lisons à la page 120 de la première édition allemande : « Le résultat final de notre analyse concorde — pas absolument (durchgehend), il est vrai, ce qui s'explique par la différence des points de vue, — avec le résultat auquel sont arrivés d'autres chercheurs, par exemple *E. Laas*, *E. Mach*, *A. Riehl*, *W. Wundt*. Voir aussi *Schopenhauer*. »

De qui s'est donc moqué notre Vorochilov-Iouchkévitch ?

Avenarius ne doute nullement de son affinité profonde avec les *kantiens* Riehl et Laas et avec l'*idéaliste* Wundt, non dans une question de détail, mais en ce qui concerne le « résultat final » de l'empiriocriticisme. Il fait mention de Mach entre deux kantiens. N'est-ce pas, en effet, une seule et même compagnie ? Riehl et Laas qui accommodent Kant à Hume ; Mach et Avenarius qui accommodent Hume à Berkeley.

Quoi d'étonnant qu'Engels ait voulu « faire grâce » aux ouvriers allemands, et leur éviter de connaître de près toute cette compagnie de chargés de cours « écraseurs de puces ? »

Engels savait faire grâce aux ouvriers allemands ; les Vorochilov, eux, ne font pas grâce au lecteur russe.

Il est à noter que l'union, éclectique quant au fond, de Kant et de Hume ou de Hume et de Berkeley est possible en des proportions différentes, pour ainsi dire, tel ou tel élément de ce mélange pouvant être souligné de préférence. Nous avons vu tout à l'heure, par exemple, que le disciple de Mach Kleinpeter est le seul à se déclarer et à déclarer Mach solipsistes (c'est-à-dire adeptes conséquents de Berkeley). Nombre de disciples et de partisans de Mach et d'Avenarius, tels que Petzoldt, Willy, Pearson, l'empiriocriticiste russe Lessévitch, le Français Henri Delacroix *, d'autres encore, soulignent au contraire ce qui revient à Hume dans les conceptions de Mach et d'Avenarius. Citons l'exemple d'un savant particulièrement marquant, qui allia lui aussi en philosophie Hume à Berkeley, mais en reportant l'accent sur les éléments matérialistes de ce mélange. Il s'agit du célèbre savant anglais T. Huxley, qui a lancé le terme « agnostique » et auquel Engels pensait sans doute en premier lieu et par-dessus tout quand il parlait de l'agnosticisme anglais. Engels qualifia en 1892 de « matérialistes honteux » [72] ce type d'agnostiques. Dans son livre intitulé *Naturalisme et agnosticisme*, où il s'attaque principalement au « leader scientifique de l'agnosticisme » Huxley (vol. II, p. 229), le spiritualiste anglais James Ward confirme ainsi l'appréciation d'Engels : « La tendance de Huxley à reconnaître la primauté du physique » (de la « série d'éléments », selon Mach)« est souvent exprimée de façon si nette qu'il n'est guère possible de parler ici de parallélisme. Bien que Huxley repousse avec chaleur l'épithète de matérialiste, compromettante pour son agnosticisme sans tache, je ne connais pas d'écrivain qui la mérite plus que lui » (vol. II, pp. 30-31). Et James Ward de citer à l'appui de sa thèse des déclarations de Huxley, du genre de celles-ci : « Tous ceux qui connaissent l'histoire de la science conviendront que ses progrès signifièrent de tout temps et signifient encore plus que jamais l'extension du domaine de ce que nous appelons matière et causalité et, par suite, l'évanouissement progressif de tout ce que nous appelons esprit et spontanéité dans tous les domaines de la pensée humaine. » Ou bien : « Peu im-

* « Bibliothèque du congrès international de philosophie », vol. IV. Henri Delacroix : *David Hume et la philosophie critique*. L'auteur classe parmi les partisans de Hume Avenarius et les immanents en Allemagne, Ch. Renouvier et son école (des « néo-criticistes ») en France.

porte que nous exprimions les phénomènes matériels dans les termes de l'esprit, ou les phénomènes de l'esprit dans les termes de la matière : l'une et l'autre formulation sont vraies dans un certain sens relatif » (« complexes d'éléments relativement stables » de Mach). « Mais au point de vue du progrès scientifique, la terminologie matérialiste est préférable sous tous les rapports. Car elle relie la pensée aux autres phénomènes de l'univers... tandis que la terminologie contraire ou spiritualiste est entièrement stérile (utterly barren) et ne mène à rien, si ce n'est aux ténèbres et à la confusion... On ne peut douter que plus la science réalisera de progrès, et plus largement, plus rigoureusement les phénomènes naturels seront exprimés en formules ou en symboles matérialistes » (t. I, pp. 17-19).

Ainsi raisonnait Huxley, « matérialiste honteux », qui ne voulait admettre à aucun prix le matérialisme, cette « métaphysique » dépassant illégitimement les « séries de sensations ». Il écrivait encore : « Si j'étais tenu de choisir entre le matérialisme absolu et l'idéalisme absolu, force me serait d'opter pour ce dernier »... « La seule chose que nous connaissions avec certitude, c'est l'existence du monde spirituel » (J. Ward, t. II, p. 216, *ibid.*).

La philosophie de Huxley est, elle aussi, comme celle de Mach, un mélange de Hume et de Berkeley. Mais les attaques à la manière de Berkeley sont fortuites chez Huxley, et son agnosticisme n'est que la feuille de vigne de son matérialisme. La « nuance » du mélange est autre chez Mach, et le spiritualiste Ward, si acharné à combattre Huxley, tapote l'épaule d'Avenarius et de Mach d'un geste caressant.

3. LES IMMANENTS, FRERES D'ARMES DE MACH ET D'AVENARIUS

En traitant de l'empiriocriticisme, nous n'avons pu éviter maintes références aux philosophes de l'école dite immanente, dont Schuppe, Leclair, Rehmke et Schubert-Soldern sont les principaux représentants. Nous avons à examiner maintenant les rapports de l'empiriocriticisme avec les immanents et l'essence de la philosophie prêchée par ces derniers.

Mach écrivait en 1902 : « ...Je vois à présent bon nombre de philosophes positivistes, empiriocriticistes, partisans de la philosophie immanente, et aussi des savants très peu nombreux, commencer à frayer, sans rien savoir les uns des autres, de nouvelles voies qui, en dépit de toutes les divergences individuelles, convergent presque en un point » (*Analyse des sensations*, p. 9). Il faut d'abord noter ici l'aveu si franc de Mach que des savants *très peu nombreux* professent la philosophie de Hume-Berkeley, prétendument « nouvelle », mais très vieille en réalité. En second lieu, l'opinion de Mach selon laquelle cette philosophie « nouvelle » constitue un large *courant*, où les immanents voisinent avec les empiriocriticistes et les positivistes, est d'une très haute importance. « Ainsi, continue Mach dans la préface à la traduction russe de l'*Analyse des sensations* (1906), un mouvement général se dessine »... (p. 4). « Je suis, dit-il par ailleurs, très près de la philosophie immanente... Je n'ai rien trouvé dans ce livre (*Esquisse d'une théorie de la connaissance et d'une logique*, par Schuppe) à quoi je ne puisse volontiers souscrire, en y apportant — tout au plus — quelques corrections insignifiantes » (p. 46). Mach est d'avis que Schubert-Soldern suit de même des « voies très proches » (p. 4) ; et il *dédie* à Wilhelm Schuppe sa dernière œuvre philosophique, récapitulative pour ainsi dire : *Connaissance et Erreur*.

Avenarius, cet autre fondateur de l'empiriocriticisme, écrivait en 1894 que la sympathie de Schuppe pour l'empiriocriticisme le « réjouit » et le « réconforte », et que la « différence » (Differenz) entre lui et Schuppe « n'est peut-être que momentanée » (vielleicht nur einstweilen noch bestehend)*. J. Petzoldt enfin, dont la doctrine est pour V. Lessévitch le dernier mot de l'empiriocriticisme, *proclame tout net que les tenants de la « nouvelle » tendance* sont justement cette *trinité* : Schuppe, Mach et Avenarius (*Einführung in die Philosophie der reinen Erfahrung*, t. II, 1904, p. 295, et *Das Weltproblem von positivistischen Standpunkte aus 1906*, pp. V et 146). Et Petzoldt s'élève catégoriquement contre R. Willy (*Einführung*, t. II, p. 321) qui, dis-

* *Vierteljahrsschrift für wissenschaftliche Philosophie*, 1894, 18. Jahrg., Heft I, p. 29.

ciple de Mach éminent, a peut-être été le seul à rougir de sa parenté avec un Schuppe et à tenter de se désolidariser en principe de ce dernier, ce qui lui a valu une réprimande de la part de son maître bien-aimé, Avenarius. C'est dans une note à l'article de Willy contre Schuppe, note où il ajoutait encore que la critique de Willy « est peut-être plus mordante qu'il ne le fallait » (*Vierteljahrsschrift für wissenschaftliche Philosophie*, 18. Jrg., 1894, p. 29; l'article de Willy contre Schuppe est donné dans le même numéro), — qu'Avenarius usa à l'égard de Schuppe des expressions que nous venons de citer.

Maintenant que nous connaissons l'appréciation formulée sur les immanents par les empiriocriticistes, voyons l'appréciation sur les empiriocriticistes donnée par les immanents. Nous avons déjà noté celle de Leclair, qui date de 1879. Schubert-Soldern note explicitement, en 1882, son « accord » « en partie avec Fichte l'aîné » (c'est-à-dire avec le célèbre représentant de l'idéalisme subjectif, Johann Gottlieb Fichte, dont le fils fut un aussi déplorable philosophe que celui de Joseph Dietzgen), puis « avec Schuppe, Leclair, *Avenarius* et, en partie, avec Rehmke ». Et il se plaît tout particulièrement à citer *Mach* (*Die Geschichte und die Wurzel des Satzes von der Erhaltung der Arbeit*) contre la « métaphysique de l'histoire naturelle »*, expression dont se servent en Allemagne tous les chargés de cours et professeurs réactionnaires pour désigner le matérialisme de l'histoire naturelle. En 1893, après la parution de la *Conception humaine du monde*, W. Schuppe salua dans une « Lettre ouverte à Avenarius » cette œuvre en tant que « confirmation du réalisme naïf » défendu d'ailleurs par Schuppe lui-même. « Ma conception de la pensée, écrivait Schuppe à Avenarius, s'accorde parfaitement avec votre « expérience pure »**. Puis, en 1896, Schubert-Soldern dressant le bilan de la « tendance méthodologique en philosophie », sur laquelle il « s'appuie », faisait remonter sa généalogie à Berkeley et Hume en passant par F. A. Lange (« le début de

* Dr. Richard von Schubert-Soldern, *Über Transzendenz des Objects und Subjects*, 1882, p. 37 et § 5. Cf. du même : *Grundlagen einer Erkenntnistheorie*, 1884, p. 3.

** Vierteljahrsschr. f. w. Ph., 17. Jrg., 1893, p. 384.

notre tendance en Allemagne date, à vrai dire, de Lange »), Laas, Schuppe et Cie, *Avenarius* et *Mach*, *Riehl* parmi les néo-kantiens, Charles Renouvier parmi les Français, etc.* Enfin, dans l'« Introduction »-programme parue dans le premier numéro de l'organe philosophique spécial des immanents, à côté d'une déclaration de guerre au matérialisme et de témoignages de sympathie adressés à Charles Renouvier, on lit : « On entend parmi les savants mêmes des voix isolées s'élever contre la présomption croissante de leurs collègues et contre l'esprit antiphilosophique qui s'est emparé des sciences de la nature. Telle, par exemple, la voix du physicien Mach... De nouvelles forces entrent partout en mouvement, travaillent à détruire la foi aveugle en l'infaillibilité des sciences de la nature ; elles recommencent à chercher de nouveaux chemins vers les profondeurs du mystère, une meilleure entrée au sanctuaire de la vérité**. »

Deux mots sur Charles Renouvier. Il est à la tête de l'école dite néo-criticiste, très influente et très répandue en France. Sa philosophie n'est en théorie qu'une combinaison du phénoménisme de Hume et de l'apriorisme de Kant. La chose en soi en est catégoriquement éliminée. La liaison des phénomènes, l'ordre, la loi sont déclarés a priori. La Loi, avec une majuscule, devient la base d'une religion. Le clergé catholique est ravi de cette philosophie. Le disciple de Mach Willy qualifie avec indignation Renouvier de « second apôtre Paul », d'« obscurantiste de haute école », de « prêcheur casuiste du libre arbitre » (*Gegen die Schulweischeit*, p. 129). Et ces coreligionnaires des immanents *accueillent avec ferveur* la philosophie de Mach. Quand parut la traduction française de sa *Mécanique*, l'organe des « néo-criticistes » *L'Année Philosophique* [74], publié par un collaborateur et élève de Renouvier, Pillon, écrivit : « Il est inutile de faire remarquer combien en cette critique de la substance, de la chose, de la chose en soi, la science positive de M. Mach s'accorde avec l'idéalisme néo-criticiste » (t. 15, 1904, p. 179).

---

* Dr. Richard von Schubert-Soldern, *Das Menschliche Glück und die soziale Frage*, 1896, pp. V, VI.

** *Zeitschrift für immanente Philosophie* [73], t. I, Berlin, 1896, pp. 6, 9.

Quant aux disciples russes de Mach, ils rougissent tous de leur parenté avec les immanents, et l'on ne pouvait naturellement s'attendre à rien d'autre de la part de gens qui n'ont pas suivi consciemment le chemin de Strouvé, de Menchikov et tutti quanti. Bazarov seul appelle « réalistes* » « certains représentants de l'école immanente ». Bogdanov déclare brièvement que « l'école immanente n'est qu'une forme intermédiaire entre le kantisme et l'empiriocriticisme » (*ce qui est faux, en réalité*) (*Empiriomonisme*, t. III, p. XXII). V. Tchernov écrit : « Les immanents ne se rapprochent en général du positivisme que par un aspect de leur théorie, les autres dépassent de loin ses cadres » (*Etude de philosophie et de sociologie*, p. 37). Valentinov dit que « l'école immanente a donné à ces conceptions (celles de Mach) une forme qui ne leur convient pas et s'est engagée dans l'impasse du solipsisme (l. c., p. 149). Comme vous voyez, il y a là de tout : constitution et esturgeon au raifort, réalisme et solipsisme. Mais nos disciples de Mach craignent de dire nettement et clairement la vérité sur les immanents.

Car les immanents sont les réactionnaires les plus endurcis, des prêcheurs avérés de fidéisme, conséquents dans leur obscurantisme. On n'en trouve *pas un* parmi eux, qui n'ait *ouvertement* consacré ses travaux théoriques les plus achevés sur la gnoséologie à la défense de la religion et à la justification de telle ou telle survivance du moyen âge. En 1879 Leclair défend sa philosophie comme satisfaisant « à toutes les exigences de l'esprit religieux » (*Der Realismus der modernen Naturwissenschaft im Lichte der von Berkeley und Kant angebahnten Erkenntniskritik*, p. 73). En 1880, J. Rehmke dédie sa « théorie de la connaissance » au pasteur protestant Biedermann et termine cet ouvrage en exposant la conception non d'un Dieu suprasensible, mais d'un Dieu comme « concept réel » (c'est sans doute la raison pour laquelle Bazarov classe « certains » immanents parmi les « réalistes » ?) ; et c'est « à la vie pratique

* « Les réalistes de la philosophie contemporaine — certains représentants de l'école immanente issue du kantisme, l'école de Mach-Avenarius et plusieurs autres courants apparentés à ces derniers, — estiment qu'il n'y a absolument aucune raison de contester le point de départ du réalisme naïf » (*Essais*, p. 26).

de donner à ce concept réel un caractère objectif » ; quant à la *Dogmatique chrétienne* de Biedermann, elle devient un modèle de « théologie scientifique » (J. Rehmke. *Die Welt als Wahrnehmung und Begriff*, Berlin, 1880, p. 312). Schuppe affirme dans la *Revue de Philosophie immanente*, que si les immanents nient le transcendant, c'est que Dieu et la vie future n'entrent pas dans cette catégorie (*Zeitschrift für immanente Philosophie*, t. II, p. 52). Il insiste dans son *Ethique* sur les « rapports de la loi morale... avec la conception métaphysique du monde » et condamne la « phrase vide de sens » sur la séparation de l'Eglise et de l'Etat (Dr. Wilhelm Schuppe. *Grundzüge der Ethik und Rechtsphilosophie*, Breslau, 1881, pp. 181 et 325). Schubert-Soldern conclut dans ses *Fondements de la théorie de la connaissance* à la préexistence de notre *Moi* par rapport à notre corps et à la survie du *Moi* après le corps, c'est-à-dire à l'immortalité de l'âme (l. c., p. 82), etc. Dans sa *Question sociale* il défend contre Bebel, outre les « réformes sociales », le cens électoral ; il ajoute que « les social-démocrates ignorent que, n'était le don divin — le malheur — il n'y aurait pas de bonheur » (p. 330), et déplore la « domination » du matérialisme (p. 242); « celui qui de nos jours croit à l'au-delà, ou même à sa possibilité, passe pour un imbécile » (*ibid.*).

Et voilà que ces Menchikov allemands, ces obscurantistes de l'acabit de Renouvier vivent dans un concubinage durable avec les empiriocriticistes. Leur parenté théorique est indéniable. Il n'y a pas plus de kantisme chez les immanents que chez Petzoldt ou Pearson. Nous avons vu plus haut qu'ils se reconnaissent eux-mêmes élèves de Hume et de Berkeley, et cette appréciation des immanents est généralement admise dans la littérature philosophique. Citons, pour bien montrer les principes gnoséologiques qui servent de point de départ à ces compagnons de lutte de Mach et d'Avenarius, quelques propositions théoriques fondamentales empruntées aux œuvres des immanents.

Leclair n'avait pas encore inventé, en 1879, le terme « immanent » qui, à proprement parler, veut dire « expérimental », « donné dans l'expérience », et qui est une enseigne servant à dissimuler la pourriture, enseigne aussi mensongère que celles des partis bourgeois d'Europe. Dans son premier ouvrage Leclair se déclare ouvertement et nettement « *idéaliste critique* » (*Der Realismus, etc.*, pp. 11, 21, 206 et bien d'autres). Comme nous l'avons déjà vu, il y combat Kant en raison des concessions de ce dernier au matérialisme et précise *sa propre* voie, qui va *de* Kant à Fichte et à Berkeley. Leclair combat le matérialisme en général, et plus particulièrement la *tendance au matérialisme de la plupart des savants*, avec autant d'âpreté que Schuppe, Schubert-Soldern et Rehmke.

« Revenons, dit-il, au point de vue de l'idéalisme critique, n'attribuons pas à la nature en général et aux processus naturels une existence transcendante » (c'est-à-dire une existence extérieure à la conscience humaine), « et le sujet verra dans l'ensemble des corps comme dans son propre corps, dans la mesure où il le voit et le perçoit avec tous ses changements, un phénomène directement donné traduisant des coexistences reliées par l'espace et des successions reliées par le temps. Toute l'explication de la nature se ramène à la constatation de ces coexistences et de ces successions » (p. 21.)

Retour à Kant, disaient les néo-kantiens réactionnaires. Retour à Fichte et à Berkeley, disent *en substance* les immanents réactionnaires. Pour Leclair tout ce qui existe n'est que « *complexes de sensations* » (p. 38) ; certaines catégories de propriétés (Eigenschaften) agissant sur nos organes des sens sont désignées, mettons par la lettre *M*; d'autres catégories agissant sur d'autres objets de la nature, par la lettre *N* (p. 150, etc.). Ce faisant, Leclair parle de la nature comme d'un « phénomène de conscience » (Bewusstseinsphänomen) non de l'homme, mais du « genre humain » (pp. 55-56). Comme Leclair a publié son livre à Prague où Mach enseignait la physique, et ne cite avec enthousiasme que *Erhaltung der Arbeit* de Mach, ouvrage paru en 1872, on se demande involontairement si Leclair, fidéiste et idéaliste avéré, n'est pas le vrai père de la philosophie « originale » de Mach.

Quant à Schuppe qui, à en croire Leclair *, est arrivé aux « mêmes résultats », il prétend en réalité, comme nous l'avons vu, défendre le « réalisme naïf » et se plaint amère-

---

* *Beiträge zu einer monistischen Erkenntnistheorie*, Breslau, 1882, p. 10.

ment dans sa « Lettre ouverte à Avenarius » de la « mutilation devenue courante de ma théorie de la connaissance (à moi, Wilhelm Schuppe) que l'on réduit à l'idéalisme subjectif ». En quoi consiste l'escamotage grossier que l'immanent Schuppe appelle sa défense du réalisme, c'est ce qui ressort assez nettement de cette phrase dirigée contre Wundt, qui n'hésite pas à classer les immanents parmi les disciples de Fichte, les idéalistes subjectifs (*Philosophische Studien*, l. c., pp. 386, 397, 407).

« La proposition : « l'existence, c'est la conscience », *répliquait* Schuppe à Wundt, signifie chez moi que la conscience est impossible sans le monde extérieur et que, partant, ce dernier appartient à la première, autrement dit qu'il existe une interdépendance absolue (Zusammengehörigkeit), que j'ai souvent observée et expliquée, entre la conscience et le monde extérieur qui, ainsi liés, constituent un tout : l'être primordial indivisible » *.

Il faut être d'une extrême naïveté pour ne pas voir dans ce « réalisme » le plus pur idéalisme subjectif ! Vous pensez ! le monde extérieur « appartient à la conscience » ; il y a entre lui et elle une interdépendance *absolue* ! On a vraiment calomnié ce pauvre professeur en le classant « couramment » parmi les idéalistes subjectifs. Cette philosophie coïncide entièrement avec la « coordination de principe » d'Avenarius : ni les restrictions ni les protestations de Tchernov et de Valentinov ne détacheront l'une de l'autre ces deux philosophies qui prendront place, côte à côte, au musée des productions réactionnaires du professorat allemand. Notons, à titre de curiosité démontrant encore et encore le manque d'intelligence de M. Valentinov, qu'il qualifie Schuppe de solipsiste (il va de soi que Schuppe a juré ses grands dieux qu'il n'est pas solipsiste et a, comme Mach, Petzoldt et Cie , écrit sur ce sujet des articles spéciaux), mais il se montre littéralement enchanté de l'article de Bazarov dans les *Essais* ! Je voudrais bien traduire en allemand l'apophtegme de Bazarov « la représentation sensible *est justement* la réalité existant hors de nous », et l'envoyer à un immanent tant soit peu sensé. Il embrasserait Bazarov, le man-

* Wilhelm Schuppe, *Die immanente Philosophie und Wilhelm Wundt* dans *Zeitschrift für immanente Philosophie*, t. II, p. 195.

gerait de baisers comme les Schuppe, les Leclair et les Schubert-Soldern embrassèrent Mach et Avenarius, cette expression de Bazarov étant en effet *l'alpha et l'oméga* des doctrines de l'école immanente.

Voici enfin Schubert-Soldern. Le « matérialisme des sciences de la nature », la « métaphysique » de la reconnaissance de la réalité objective du monde extérieur, tels sont les principaux ennemis de ce philosophe (*Fondements de la théorie de la connaissance*, 1884, p. 31 et tout le chapitre II, « Métaphysique du naturalisme »). « La science fait abstraction de tous les rapports de conscience » (p. 52), là est le grand mal (or, c'est précisément l'essence du matérialisme !). Car l'homme ne peut s'évader « des sensations et, par conséquent, des états de conscience » (pp. 33 et 34). Sans doute, avoue Schubert-Soldern en 1896, ma conception est un *solipsisme gnoséologique* (*Question sociale*, p. X), mais elle ne l'est pas en « métaphysique », ni en « pratique ». « Les sensations, les complexes de sensations perpétuellement changeantes, voilà ce qui nous est donné immédiatement » (*Über Transzendenz des Objects und Subjects*, p. 73).

« De même que la science, dit Schubert-Soldern, voit dans le monde extérieur commun (à l'humanité) la cause des mondes intérieurs individuels, Marx (tout aussi faussement) a pris le processus matériel de la production pour la cause des processus et des motifs intérieurs » (*Question sociale*, p. XVIII). Ce compagnon de lutte de Mach ne songe même pas à mettre en doute les rapports du matérialisme historique de Marx avec le matérialisme des sciences de la nature et le matérialisme philosophique en général.

« Beaucoup, et peut-être même la majorité, seront d'avis que du point de vue solipsiste de la connaissance aucune métaphysique n'est possible, autrement dit que la métaphysique est toujours transcendante. Je ne puis, après mûre réflexion, me rallier à cette opinion. Et voici mes arguments... La base immédiate de tout ce qui est donné est une liaison spirituelle (solipsiste), dont le *Moi* individuel (le monde individuel des idées) avec son corps est le point central. Le reste de l'univers est impensable sans ce *Moi*, et ce *Moi* est impensable sans le reste du monde ; avec l'anéantissement du *Moi* individuel, le monde lui aussi est réduit en poussière, ce qui est impossible ; l'anéantissement du reste du monde ne laisserait plus de place pour le *Moi* individuel, puisqu'il ne peut être séparé du monde qu'en logique, et non dans l'espace et le temps. Aussi l'existence de mon *Moi* individuel doit-elle inévitablement continuer après ma mort, du moment que le monde entier n'est pas anéanti en même temps que lui »... (*ibid.*, p. XXIII).

La « coordination de principe », les « complexes de sensations » et tous les autres truismes de Mach, servent bien la cause qu'ils sont appelés à servir !

« ... Qu'est-ce que l'au-delà (das Jenseits) du point de vue solipsiste ? Ce n'est qu'une expérience possible de mon avenir » (*ibid.*)... « Certes, le spiritisme, par exemple, n'a pas démontré son Jenseits, mais on ne saurait en aucun cas lui opposer le matérialisme des sciences de la nature, qui n'est, nous l'avons vu, qu'un des aspects du processus mondial interne » (« de la coordination de principe »=) « de la liaison spirituelle universelle » (p. XXIV).

Tout ceci est exprimé dans l'introduction philosophique à la *Question sociale* (1896), où Schubert-Soldern *ne cesse* de cheminer bras dessus bras dessous avec Mach et Avenarius. La doctrine de Mach n'est un prétexte à bavardages d'intellectuels que pour une poignée de disciples russes de Mach ; dans son pays d'origine, son rôle de laquais du fidéisme est proclamé tout haut.

4. DANS QUEL SENS EVOLUE L'EMPIRIOCRITICISME ?

Jetons maintenant un coup d'œil sur le développement du machisme après Mach et Avenarius. Nous avons vu que leur philosophie est une sorte de salmigondis, un assemblage de propositions gnoséologiques incohérentes et contradictoires. Il nous reste à examiner comment et dans quel sens cette philosophie évolue, — ce qui nous permettra de résoudre certaines questions « litigieuses » en nous référant à des faits historiques incontestables. L'éclectisme et l'incohérence des principes philosophiques de la tendance envisagée rendent en effet absolument inévitables des interprétations diverses et des discussions stériles sur des points de détail et des vétilles. L'empiriocriticisme est pourtant, comme toute autre tendance idéologique, une chose vivante en voie de croissance, en voie d'évolution, et le fait de sa croissance dans un sens donné permettra mieux que de longs raisonnements d'élucider la question *fondamentale* de la nature véritable de cette philosophie. On juge un homme non sur ce qu'il dit ou pense de lui-même, mais sur ses actes. Les philosophes doivent être jugés non sur les étiquettes qu'ils arborent (« positivisme », philosophie de l'« expérience pure », « monisme » ou « empiriomonisme », « philosophie des sciences de la nature », etc.), mais sur la manière dont ils résolvent en fait les questions théoriques fondamentales, sur les gens avec qui ils marchent la main dans la main, sur ce qu'ils enseignent et ont appris à leurs élèves et disciples.

C'est cette dernière question qui nous occupe en ce moment. Mach et Avenarius ont dit tout l'essentiel il y a plus de vingt ans. Ce laps de temps a permis de se rendre compte *de la façon dont* ces « chefs » *ont été compris* par ceux qui ont voulu les comprendre et qu'ils considèrent eux-mêmes (Mach tout au moins, qui a survécu à son confrère) comme des continuateurs de leur œuvre. Nous n'indiquerons pour être exact que ceux qui s'affirment eux-mêmes les élèves (ou les disciples) de Mach et d'Avenarius, et auxquels Mach reconnaît cette qualité. Nous aurons ainsi une idée de l'empiriocriticisme comme d'un *courant* philosophique, et non comme d'une collection de cas littéraires.

Hans Cornelius est présenté, dans la préface de Mach à la traduction russe de l'*Analyse des sensations*, comme « un jeune chercheur » qui suit « sinon la même voie, du moins des voies qui s'en rapprochent de très près » (p. 4). Dans le texte de l'*Analyse des sensations*, une fois de plus, Mach « cite avec plaisir les œuvres » de H. Cornelius et d'autres auteurs « qui ont révélé le sens profond des idées d'Avenarius et les ont encore développées plus avant » (p. 48). Ouvrons l'*Introduction à la philosophie* de H. Cornelius (édit. allem., 1903) : nous y voyons l'auteur manifester à son tour le désir de suivre les traces de Mach et d'Avenarius (pp. VIII, 32). Nous sommes bien en présence d'un *élève reconnu par son maître*. Cet élève commence lui aussi par les sensations-éléments (pp. 17, 42) ; il déclare catégoriquement se borner à l'*expérience* (p. VI), qualifie ses conceptions d'« empirisme conséquent ou gnoséologique » (p. 335), condamne aussi résolument que possible l'« exclusivisme » des idéalistes et le « dogmatisme » tant des idéalistes que des matérialistes (p. 129), repousse avec une énergie extrême le « malentendu » possible (p. 123) qui consisterait à déduire de sa philosophie l'admission d'un monde existant dans la tête de l'homme, flirte avec le réalisme naïf avec non moins d'habileté qu'Avenarius, Schuppe ou Bazarov (p. 125 : « La perception visuelle ou toute autre a son siège là, et seulement là où nous la trouvons, c'est-à-dire où elle est localisée par la conscience naïve non encore pervertie par une fausse philosophie »). Cet élève reconnu par le maître conclut à l'*immortalité* et à *Dieu*. Le matérialisme, fulmine ce sous-off en sa chaire professorale... cet élève des « positivistes modernes », voulons-nous dire, fait de l'homme un automate. « Inutile de dire qu'il ruine, en même temps que notre foi en la liberté de nos décisions, toute appréciation de la valeur morale de nos actes, ainsi que notre responsabilité. De même, il ne laisse pas de place pour l'idée de notre survie après la mort » (p. 116). Le livre se termine ainsi : L'éducation (celle, sans doute, de la jeunesse abêtie par cet homme de science) est nécessaire non pas tant pour l'activité que, « tout d'abord », « pour le respect (Ehrfurcht) non des valeurs momentanées d'une tradition fortuite, mais des valeurs impérissables du devoir et de la beauté, pour le respect du principe divin (dem Göttlichen) en nous et hors de nous » (p. 357).

Comparez à cela l'affirmation de A. Bogdanov selon laquelle il n'y a *absolument pas* (souligné par Bogdanov), « et il ne peut y avoir de place » pour les idées de Dieu, de volonté libre, d'immortalité de l'âme dans la philosophie de Mach, en raison de sa négation de toute « chose en soi » (*Analyse des sensations*, p. XII). Or Mach déclare dans ce même opuscule (p. 293) qu'« il n'y a pas de philosophie de Mach » et recommande non seulement les immanents, mais aussi Cornelius comme ayant pénétré l'essence des idées d'Avenarius ! Il s'ensuit donc, premièrement, que Bogdanov *ignore absolument* la « philosophie de Mach », tendance qui ne se borne pas à loger sous l'aile du fidéisme, mais qui aboutit au fidéisme. En second lieu, Bogdanov *ignore absolument* l'histoire de la philosophie, car confondre la négation de ces idées avec la négation de toute chose en soi, c'est se moquer de cette histoire. Bogdanov ne s'avisera-t-il pas de contester que tous les disciples conséquents de Hume, niant toute chose en soi, *font une place* justement à ces idées ? Bogdanov n'a-t-il pas entendu parler des idéalistes subjectifs qui, niant toute chose en soi, font une place à ces idées ? La *seule* philosophie où « il ne puisse y avoir de place » pour ces idées, c'est celle qui enseigne que rien n'existe en dehors de l'être sensible ; que l'univers est matière en mouvement ; que le monde extérieur connu d'un chacun, le monde physique, est la seule réalité objective, c'est en un mot la philosophie matérialiste. C'est pour cela, et précisément pour cela, que les immanents recommandés par Mach, l'élève de Mach, Cornelius, et toute la philosophie professorale contemporaine, font la guerre au matérialisme.

Nos disciples de Mach ont commencé à renier Cornelius, dès qu'on leur eut montré du doigt cette incongruité. De tels reniements ne valent pas grand-chose. Friedrich Adler, qui semble n'avoir pas été « averti », recommande ce Cornelius dans un journal socialiste (*Der Kampf*, 1908, 5, p. 235 : « Une œuvre qui se lit facilement et mérite les meilleures recommandations »). La doctrine de Mach introduite ainsi en fraude, parmi les maîtres écoutés des ouvriers, des philosophes nettement réactionnaires et des prêcheurs de fidéisme!

Petzoldt n'a pas eu besoin d'être averti pour s'apercevoir de la fausseté de Cornelius, mais sa façon de la combattre est une perle ! Ecoutez plutôt : « Affirmer que le monde est une représentation mentale » (à en croire les idéalistes que nous combattons, sans rire !), « n'a de sens que lorsqu'on veut dire par là que le monde est une représentation mentale de celui qui parle ou même de tous ceux qui parlent (s'expriment), c'est-à-dire que son existence dépend exclusivement de la pensée de cette personne ou de ces personnes : le monde n'existe que dans la mesure où cette personne le pense et, quand elle ne le pense pas, le monde n'existe pas. Nous faisons, au contraire, dépendre le monde non de la pensée de telle ou telle personne ou d'un groupe de personnes ou, mieux encore et plus clairement : non de l'*acte* de la pensée, non d'une pensée *actuelle* quelle qu'elle soit, mais de la pensée en général et, avec cela, exclusivement logique. L'idéaliste confond ces deux notions, ce qui a pour résultat un « demi-solipsisme » agnostique, tel que nous voyons chez Cornelius » (*Einführung in die Philosophie der reinen Erfahrung*, II, p. 317).

Stolypine a démenti l'existence des cabinets noirs[75] ! Petzoldt pulvérise les idéalistes, mais on s'étonne que cette démolition de l'idéalisme ressemble tellement au conseil qu'on donnerait aux idéalistes, de cacher plus savamment leur idéalisme. Le monde dépend de la pensée des hommes, c'est du faux idéalisme. Le monde dépend de la pensée en général, c'est du positivisme moderne, du réalisme critique, ce n'est en un mot que charlatanisme bourgeois ! Si Cornelius est un demi-solipsiste agnostique, Petzoldt, lui, est un demi-agnostique solipsiste. Vous écrasez des puces, messieurs !

Poursuivons. Mach dit, dans la deuxième édition de *Connaissance et Erreur :* Le professeur Dr. Hans Kleinpeter *(Die Erkenntnistheorie der Naturforschung der Gegenwart,* Leipzig, 1905: *Théorie de la connaissance de la science contemporaine)* donne « un exposé systématique » (des idées de Mach), « auquel je puis souscrire quant à l'essentiel ». Prenons Hans n° 2. Ce professeur est un propagandiste assermenté de la doctrine de Mach : quantité d'articles sur les conceptions de Mach dans des revues philosophiques allemandes et anglaises, traductions approuvées et préfacées par Mach, en un mot la main droite du « maître ». Ses idées, les voici : « ... toute mon expérience (extérieure et intérieure), toute ma pensée et toutes mes aspirations me sont données sous la forme d'un processus psychique, comme partie de ma conscience » (p. 18, ouvrage cité). « Ce que nous appelons le physique est fait d'éléments psychiques » (p. 144). « *La conviction subjective, et non la certitude objective* (Gewissheit), *est l'unique fin accessible à toute science* » (p. 9, souligné par Kleinpeter qui observe à cet endroit : « C'est à peu de choses près ce que disait déjà Kant dans la *Critique de la raison pratique* »). « L'hypothèse de l'existence de consciences autres que la nôtre ne peut jamais être confirmée par l'expérience » (p. 42). « D'une façon générale, je ne sais... s'il existe en dehors de moi d'autres *Moi* » (p. 43). Au § 5 : « De l'activité » (« spontanéité ») « dans la conscience ». Chez l'animal-automate la succession des représentations mentales s'accomplit de façon purement mécanique. Il en est de même chez nous quand nous rêvons. « A l'état normal, notre conscience est essentiellement différente. Savoir : elle possède une propriété qui leur fait défaut » (aux automates), « et qu'il serait au moins malaisé d'expliquer par l'automatisme : ce qu'on appelle la spontanéité de notre *Moi*. Tout homme peut s'opposer à ses états de conscience, les manier, les faire ressortir ou les reléguer à l'arrière-plan, les analyser, en comparer les différentes parties, etc. C'est un fait d'expérience (directe). Notre *Moi* est, au fond, distinct de la somme des états de conscience et ne peut être égal à cette somme. Le sucre est composé de carbone, d'hydrogène et d'oxygène ; si nous attribuions une âme au sucre, elle devrait, par analogie, avoir la propriété de modifier à volonté la disposition des particules de l'hydrogène, de l'oxygène et du carbone » (pp. 29-30). Au § 4 du chapitre suivant : « L'acte de connaître est un acte de la volonté (Willenshandlung) ». « Il faut considérer comme un fait acquis la division de toutes mes impressions psychiques en deux grandes catégories fondamentales : en actes nécessités et en actes volontaires. Les impressions provenant du monde extérieur appartiennent à la première de ces catégories » (p. 47). « Qu'on puisse donner beaucoup de théories d'un seul et même domaine de faits... c'est là un fait aussi familier au physicien qu'incompatible avec les prémisses d'une quelconque théorie absolue de la connaissance. Ce fait est lié au caractère volontaire de notre pensée ; il montre l'indépendance de notre volonté par rapport aux circonstances extérieures » (p. 50).

Jugez maintenant de la témérité des assertions de Bazarov sur la philosophie de Mach d'où « la volonté libre serait absolument bannie », alors que Mach recommande lui-même un monsieur comme Kleinpeter ! Nous avons déjà vu que ce dernier ne cache pas plus son idéalisme que celui de Mach. Kleinpeter écrivait en 1898-1899 : « Hertz manifeste les mêmes opinions subjectivistes » (que Mach) « sur la nature de nos conceptions » ... « ... Si Mach et Hertz » (nous examinerons plus tard si c'est à bon droit que Kleinpeter fait intervenir ici le célèbre physicien) « ont, au point de vue de l'idéalisme, le mérite de souligner l'origine subjective non de quelques-uns mais de *tous* nos concepts et des rapports existant entre eux, ils ont, au point de vue de l'empirisme, le non moindre mérite d'avoir reconnu que l'expérience seule, instance indépendante de la pensée, résout le problème de la rectitude des concepts » (*Archiv für systematische Philosophie*, t. V, 1898-1899, pp. 169-170). Kleinpeter écrivait en 1900 que, malgré tout ce qui les sépare de Mach, Kant et Berkeley « sont en tout cas plus près de ce dernier que l'empirisme métaphysique » (c'est-à-dire le matérialisme ! M. le professeur évite d'appeler le diable par son nom !) « qui domine dans les sciences de la nature, et qui est l'objet principal des attaques de Mach » (*ibid.*, t. VI, p. 87). Il écrivait en 1903 : « Le point de départ de Berkeley et de Mach est irréfutable »... « Mach couronne l'œuvre de Kant » (*Kantstudien*, t. VIII, 1903, pp. 314, 274).

Mach nomme aussi, dans la préface à la traduction russe de l'*Analyse des sensations*, T. Ziehen qui, à son avis, « suit sinon la même voie, du moins des voies qui s'en rapprochent de très près ». Ouvrons le livre du professeur T. Ziehen, *Théorie psychophysiologique de la connaissance* (Theodor Ziehen : *Psychophysiologische Erkenntnistheorie*, Jena, 1898). Nous y voyons que, dès la préface, l'auteur se réfère à Mach, Avenarius, Schuppe, etc. Autre élève reconnu par le maître. La théorie « moderne » de Ziehen consiste en ce que la « foule » seule est capable de croire soi-disant que « nos sensations sont déterminées par des choses réelles » (p. 3), et qu'« il ne peut y avoir, au seuil de la théorie de la connaissance, d'autre inscription que les mots de Berkeley : « Les objets extérieurs existent non en eux-mêmes, mais dans notre esprit » (p. 5). « Les sensations et les représentations nous sont données. Les unes et les autres sont le psychique. Le non-psychique est un mot dépourvu de sens » (p. 100). Les lois de la nature sont des rapports non pas entre les corps matériels, mais « entre les sensations réduites » (p. 104 : cette « nouvelle » conception des « sensations réduites » fait toute l'originalité du berkeleyisme de Ziehen !).

Dès 1904 Petzoldt reniait, dans le tome II de son *Introduction* (pp. 298-301), l'idéaliste Ziehen. En 1906, sa liste des *idéalistes ou psychomonistes* porte les noms de Cornelius, Kleinpeter, Ziehen, Verworn (*Das Weltproblem vom positivischen Standpunkte aus*, p. 137, note). Tous ces honorables professeurs aboutissent, voyez-vous, à des « malentendus » dans leurs interprétations des « conceptions de Mach et d'Avenarius » (*ibid.*).

Pauvres Mach et Avenarius ! Leurs ennemis ne sont pas seuls à les avoir calomniés en les accusant d'idéalisme et « même » (comme s'exprime Bogdanov) de solipsisme, —

non, leurs amis aussi et leurs élèves, leurs disciples, les professeurs de métier, ont mal compris leurs maîtres, en qui ils ont vu des idéalistes. Si l'empiriocriticisme se développe en idéalisme, cela ne prouve nullement que ses postulats confus empruntés à Berkeley soient faux. Dieu nous préserve d'une telle conclusion ! Il n'y a là qu'un « malentendu » sans importance dans le goût de Nozdrev[76] -Petzoldt.

Mais le plus comique ici, c'est peut-être que Petzoldt lui-même, ce gardien de l'innocence et de la pureté, a d'abord « complété » Mach et Avenarius par un « a priori logique » et les a ensuite associés au guide du fidéisme, Wilhelm Schuppe.

Si Petzoldt avait connu les disciples anglais de Mach, il aurait dû allonger notablement la liste des disciples de Mach tombés (par « malentendu ») dans l'idéalisme. Nous avons déjà nommé Karl Pearson comme un idéaliste conséquent très loué de Mach. Voici encore les appréciations de deux « calomniateurs » qui émettent le même avis sur Pearson : « La doctrine du professeur K. Pearson n'est simplement qu'un écho des doctrines véritablement grandes de Berkeley » (Howard V. Knox, dans *Mind*, vol. VI, 1897, p. 205). « M. Pearson est, à n'en pas douter, un idéaliste au sens le plus strict du mot » (Georges Rodier, *Revue philosophique*[77], 1888, II, vol. 26, p. 200). L'idéaliste anglais William Clifford, que Mach croyait « très proche » de sa philosophie (*Analyse des sensations*, p. 8), doit être considéré comme un maître de Mach, plutôt que comme un élève, ses travaux philosophiques ayant été publiés entre 1870 et 1880. Le « malentendu » est ici créé par Mach qui « n'a pas remarqué » en 1901 l'idéalisme dans la doctrine de Clifford, selon laquelle le monde est une « substance mentale » (mind-stuff), un « objet social », une « expérience supérieurement organisée », etc. *. Notons, pour caractériser le charlatanisme des disciples allemands de Mach, qu'en 1905 Kleinpeter fait de cet idéaliste un des fondateurs de la « gnoséologie de la science moderne de la nature ».

* William Kingdon Clifford, *Lectures and Essays*, 3rd ed., London, 1901, vol. II, pp. 55, 65, 69. A la page 58 : « Je suis avec Berkeley contre Spencer » ; p. 52 : « l'objet est une série de changements *dans* ma conscience, et non quelque chose d'extérieur à elle. »

Mach mentionne, à la page 284 de l'*Analyse des sensations*, le philosophe américain P. Carus « qui s'est rapproché » (du bouddhisme et de la doctrine de Mach). Carus se dit lui-même « admirateur et ami personnel » de Mach ; il dirige à Chicago la revue philosophique *The Monist* et une petite feuille de propagande religieuse, *The Open Court*[78] (La *Tribune libre*). « La science est une révélation divine », dit la rédaction de cette petite feuille populaire. « Nous sommes d'avis que la science peut réformer les Eglises de façon à conserver tout ce que la religion a de vrai, de sain et de bon. » Collaborateur assidu du *Monist*, Mach y publie des chapitres de ses œuvres nouvelles. Carus accommode « un tout petit peu » Mach à Kant, en affirmant que Mach « est un idéaliste ou plutôt un subjectiviste », mais que Carus, lui, en dépit de divergences d'ordre secondaire, est persuadé que « Mach et moi nous pensons de même » *. Notre monisme, déclare Carus, « n'est ni matérialiste, ni spiritualiste, ni agnostique ; il veut dire simplement et exclusivement esprit de suite... il a l'expérience pour fondement et les formes systématisées des rapports de l'expérience pour méthode » (l'*Empiriomonisme* de A. Bogdanov est évidemment plagié sur ce point !). La devise de Carus est : « Science positive et non agnosticisme ; pensée claire et non mysticisme ; conception moniste du monde et non supernaturalisme, ni matérialisme ; religion et non dogme ; foi non comme doctrine, mais comme état d'esprit » (not creed, but faith). Fort de cette devise, Carus prêche une « nouvelle théologie », une « théologie scientifique » ou théonomie, qui nie la lettre de la Bible mais insiste sur la « divinité de la vérité tout entière et la révélation de Dieu dans les sciences de la nature de même que dans l'histoire » **. Il faut noter que, dans son livre précité sur la gnoséologie de la science contemporaine, Kleinpeter recommande Carus à côté d'Ostwald, d'Avenarius et des immanents (pp. 151-152). Quand Haeckel eut publié ses thèses pour l'union des monistes, Carus se prononça catégori-

---

* *The Monist*[79], vol. XVI, 1906, July ; P. Carus : *Pr. Machs Philosophy*, pp. 320, 345, 333. C'est une réponse à l'article de Kleinpeter paru dans la même revue.

** *Ibid.*, vol. XIII, p. 24 et suiv., article de Carus : « La théologie considérée comme une science ».

quement contre : tout d'abord, Haeckel avait le tort de renier l'apriorisme « parfaitement compatible avec la philosophie scientifique » ; en second lieu, Carus s'élevait contre la doctrine déterministe de Haeckel, qui « exclut la volonté libre » ; en troisième lieu, Haeckel « commettait l'erreur de souligner le point de vue unilatéral de la science contre le conservatisme traditionnel des Eglises. Il agit ainsi en ennemi des Eglises existantes, au lieu de travailler avec joie à leur développement supérieur en des interprétations nouvelles et plus justes des dogmes » (*ibid.*, vol. XVI, 1906, p. 122). Carus avoue lui-même que « de nombreux libres-penseurs me considèrent comme un réactionnaire et me blâment de ne pas me joindre à leurs attaques unanimes contre toute religion considérée comme un préjugé » (p. 355).

Il est tout à fait évident que nous sommes en présence d'un leader de la confrérie des aigrefins littéraires américains qui travaillent à griser le peuple de l'opium religieux. C'est sans doute aussi à la suite d'un « malentendu » sans importance que Mach et Kleinpeter ont été admis dans cette confrérie.

5. L'« EMPIRIOMONISME » DE A. BOGDANOV

« Pour ma part, écrit Bogdanov en parlant de lui-même, je ne connais jusqu'à présent en littérature qu'un seul empiriomoniste, un certain A. Bogdanov ; mais en revanche je le connais très bien, et je puis me porter garant que ses vues satisfont amplement à la formule sacramentelle de la primauté de la nature sur l'esprit. Il voit précisément dans tout ce qui existe une chaîne ininterrompue de développement, dont les anneaux inférieurs se perdent dans le chaos des éléments, tandis que les anneaux supérieurs, que nous connaissons, représentent l'*expérience des hommes* (souligné par Bogdanov), l'expérience psychique et — plus haut encore — l'expérience physique qui, avec la conscience qu'elle engendre, correspond à ce qu'on appelle communément l'esprit » (*Empiriomonisme*, III, p. XII).

Bogdanov raille ici, comme formule « sacramentelle », la thèse que l'on connaît d'Engels qu'il tourne diplomatiquement ! Mais il n'est pas en désaccord avec Engels, pas le moins du monde...

Considérez de plus près le résumé, donné par Bogdanov lui-même, de son fameux « empiriomonisme » et de sa « substitution ». Le monde physique est appelé *expérience des hommes* ; l'expérience physique est placée « *plus haut* » dans la chaîne du développement que l'expérience psychique. Non-sens criant ! Non-sens précisément propre à toute philosophie idéaliste. Il est tout bonnement ridicule de voir Bogdanov ramener au matérialisme un pareil « système » : vous voyez bien, la nature est pour moi aussi l'élément premier, et l'esprit, l'élément second. La définition d'Engels ainsi appliquée, Hegel devient matérialiste, car chez lui aussi l'expérience psychique (appelée l'idée absolue) passe avant, puis vient « plus haut » le monde physique, la nature, enfin la connaissance humaine qui conçoit à travers la nature l'idée absolue. Nul idéaliste ne niera en ce sens la primauté de la nature, car ce n'est pas en réalité une primauté, et la nature n'est pas considérée ici comme la donnée *immédiate*, comme le point de départ de la gnoséologie. En réalité, une longue transition nous amène ici à la nature *à travers les abstractions* du « psychique ». Que ces abstractions soient appelées idée absolue, *Moi* universel, volonté du monde, etc., etc., peu importe. On distingue ainsi les *variétés* de l'idéalisme, et il en existe un nombre infini. L'essence de l'idéalisme est que le psychique est pris comme point de départ ; on en déduit la nature *et, ensuite seulement*, on déduit de la nature la conscience humaine ordinaire. Ce « psychique » primitif apparaît donc toujours comme une *abstraction morte* dissimulant une théologie déliquescente. Chacun sait, par exemple, ce que c'est que l'*idée* humaine, mais l'idée sans l'homme ou antérieure à l'homme, l'idée dans l'abstrait, l'idée absolue est une invention théologique de l'idéaliste Hegel. Chacun sait ce que c'est que la sensation humaine, mais la sensation sans l'homme ou antérieure à l'homme est une absurdité, une abstraction morte, un subterfuge idéaliste. Et c'est justement à un subterfuge idéaliste de ce genre, que recourt Bogdanov quand il établit l'échelle suivante :

1° Le chaos des « éléments » (nous savons que ce petit mot « élément » ne contient aucune autre notion humaine que celle des *sensations*).

2° L'expérience psychique des hommes.

3° L'expérience physique des hommes.

4° « La conscience qu'elle engendre. »

Pas de sensations (humaines) sans l'homme. Le premier de ces degrés est donc une abstraction idéaliste morte. A la vérité, nous n'avons pas affaire, ici, aux sensations *humaines* coutumières et familières à tous, mais à des sensations imaginées qui ne sont celles *de personne*, des sensations *en général*, des sensations divines, de même que l'idée humaine ordinaire se divinise chez Hegel dès qu'on la détache de l'homme et du cerveau humain.

Ce premier degré ne compte donc pas.

Le deuxième ne compte pas non plus, car nul homme, pas plus que les sciences de la nature, ne connaît le *psychique antérieur au* physique (or le deuxième degré passe chez Bogdanov *avant* le troisième). Le monde physique existait avant que le psychique eût pu apparaître comme le produit supérieur des formes supérieures de la matière organique. Le deuxième degré de Bogdanov est donc également une abstraction morte, la pensée sans cerveau, la raison humaine détachée de l'homme.

Mais si on élimine ces deux premiers degrés, alors, mais alors seulement, nous pouvons avoir du monde une vision correspondant véritablement aux sciences de la nature et au matérialisme. Précisons : 1° le monde physique existe *indépendamment* de la conscience humaine et exista bien *avant* l'homme, bien *avant* toute « expérience des hommes » ; 2° le psychique, la conscience, etc., est le produit supérieur de la matière (c'est-à-dire du physique), une fonction de cette parcelle particulièrement complexe de la matière qui porte le nom de cerveau humain.

« Le domaine de la substitution, écrit Bogdanov, coïncide avec celui des phénomènes physiques ; aux phénomènes psychiques il n'y a rien à substituer, car ce sont des complexes immédiats » (XXXIX).

Voilà bien l'idéalisme, car le psychique, c'est-à-dire la conscience, l'idée, la sensation, etc., est considéré comme l'*immédiat*, tandis que le physique en est déduit ; le psychique est le substitut du physique. Le monde est le *non-Moi* créé par notre Moi, disait Fichte. Le monde est l'idée absolue, disait Hegel. Le monde est volonté, dit Schopenhauer. Le monde est conception et représentation mentale, dit l'immanent Rehmke. L'être est la conscience, dit l'immanent Schuppe. Le psychique est le substitut du physique, dit Bogdanov. Il faut être aveugle pour ne pas voir le même fond idéaliste sous ces différentes parures verbales.

« Demandons-nous, écrit Bogdanov dans le premier fascicule de l'*Empiriomonisme*, pp. 128-129, ce qu'est l'« être vivant », par exemple, l'« homme » ? » Et il répond : « L'« homme » est d'abord un complexe déterminé de « sensations immédiates ». Retenez ce « *d'abord* » ! « L'« homme » au cours du développement ultérieur de l'expérience, devient *ensuite* pour lui-même et pour les autres, un corps physique tout comme les autres corps physiques ».

« Complexe » d'absurdités d'un bout à l'autre, et qui n'est bon qu'à déduire l'immortalité de l'âme ou l'idée de Dieu, etc. L'homme est d'abord un complexe de sensations immédiates, puis, *au cours du développement ultérieur*, un corps physique ! Il existe donc des « sensations immédiates » *sans* corps physique, *antérieures* au corps physique. Déplorons que cette philosophie magnifique n'ait pas encore pénétré dans nos séminaires : ses mérites y seraient appréciés.

« ...Nous avons reconnu que la nature physique est elle-même un *dérivé* (souligné par Bogdanov) des complexes de caractère immédiat (auxquels appartiennent aussi les coordinations psychiques) ; qu'elle est une image de ces complexes, reflétée en d'autres analogues, mais du type le plus compliqué (dans l'expérience socialement organisée des êtres vivants) » (p. 146).

La philosophie qui enseigne que la nature physique est elle-même un dérivé, est une philosophie purement cléricale. Et son caractère n'est nullement modifié du fait que Bogdanov répudie énergiquement toute religion. Dühring était lui aussi athée ; il proposait même de prohiber la religion dans son régime « socialitaire ». Engels avait cependant raison de dire que le « système » de Dühring ne joignait pas les deux bouts sans religion [80]. Il en est de même de Bogdanov, avec cette différence essentielle que le passage cité n'est pas une inconséquence fortuite, mais livre le fond de son « empiriomonisme » et de toute sa « substitution ». Si la nature est un dérivé, il va de soi qu'elle ne peut dériver que d'une source plus grande, plus riche, plus vaste, plus puissante qu'elle-même, d'une source existante, car il faut, pour « créer » la nature, exister indépendamment d'elle. Quelque chose existe donc *en dehors* de la nature et qui, de plus, *crée* la nature. Traduit en clair, ce quelque chose s'appelle Dieu. Les philosophes idéalistes se sont toujours efforcés de modifier ce terme, de le rendre plus abstrait, plus nébuleux, et en même temps (pour plus de vraisemblance) de le rapprocher du « psychique », « complexe immédiat », donnée immédiate qui n'a pas besoin d'être démontrée. Idée absolue, esprit universel, volonté du monde, « *substitution générale* » du psychique au physique, autant de formules différentes exprimant la même idée. Chacun connaît — et les sciences de la nature étudient — l'idée, l'esprit, la volonté, le psychique, fonction du cerveau humain travaillant normalement ; détacher cette fonction de la substance organisée d'une façon déterminée, en faire une abstraction universelle, générale, « substituer » cette abstraction à toute la nature physique, telle est la chimère de l'idéalisme philosophique, et c'est aussi un défi aux sciences de la nature.

Le matérialisme dit que « l'expérience socialement organisée des êtres vivants » est un dérivé de la nature physique, le résultat d'un long développement de cette nature, développement commencé à une époque où il n'y avait, où il ne pouvait y avoir ni société, ni organisation, ni expérience, ni êtres vivants. L'idéalisme dit que la nature physique est un dérivé de cette expérience des êtres vivants, et, ce disant, il identifie la nature à la Divinité (ou la lui soumet). Car Dieu est sans contredit le dérivé de l'expérience socialement organisée des êtres vivants. On aura beau tourner et retourner la philosophie de Bogdanov, on n'y trouvera que confusionnisme réactionnaire, rien de plus.

Il semble à Bogdanov que parler de l'organisation sociale de l'expérience, c'est faire acte de « socialisme gnoséologique » (livre III, p. XXXIV). C'est là des balivernes insipides. A raisonner ainsi sur le socialisme, les jésuites seraient des adeptes fervents du « socialisme gnoséologique », car le point de départ de leur gnoséologie est la Divinité comme « expérience socialement organisée ». Le catholicisme est, à n'en pas douter, une expérience socialement organisée, mais au lieu de la vérité objective (niée par Bogdanov et reflétée par la science), il reflète l'exploitation de l'ignorance populaire par certaines classes sociales.

Mais qu'avons-nous besoin des jésuites ! Le « socialisme gnoséologique » de Bogdanov, nous le trouvons tout entier chez les immanents si chers à Mach. Leclair considère la nature comme la conscience de l'« espèce humaine » (*Der Realismus der modernen Naturwissenschaft im Lichte der von Berkeley und Kant angebahnten Erkenntniskritik*, p. 55), et non de l'individu. De ce socialisme gnoséologique à la Fichte les philosophes bourgeois vous en serviront tant que vous voudrez. Schuppe souligne lui aussi das generische, das gattungsmässige Moment des Bewusstseins (cf. pp. 379-380 dans *Vierteljahrsschrift für wissenschaftliche Philosophie*, t. XVII), c'est-à-dire le facteur général, générique de la connaissance. Penser que l'idéalisme philosophique disparaît du fait qu'on substitue à la conscience individuelle celle de l'humanité, ou à l'expérience d'un seul homme l'expérience socialement organisée, c'est comme si l'on pensait que le capitalisme disparaît quand une société par actions se substitue à un capitaliste.

Nos disciples russes de Mach, Iouchkévitch et Valentinov, ont répété après le matérialiste Rakhmétov (non sans injurier grossièrement ce dernier) que Bogdanov est un idéaliste. Mais ils n'ont pas su réfléchir à l'origine de cet idéalisme. A les en croire, Bogdanov est un cas d'espèce, un cas fortuit, individuel. C'est inexact. Bogdanov peut croire avoir imaginé un système « original », mais il suffit de le comparer aux élèves précités de Mach pour se convaincre de la fausseté de cette opinion. La différence est beaucoup moins marquée entre Bogdanov et Cornelius qu'entre Cornelius et Carus. La différence entre Bogdanov et Carus est moindre (quant au système philosophique, bien entendu, et non quant au degré de conscience des conclusions réactionnaires) que celle qui existe entre Carus et Ziehen, etc. Bogdanov n'est qu'une des manifestations de l'« expérience socialement organisée » qui témoigne de l'évolution de la doctrine de Mach vers l'idéalisme. Bogdanov (il n'est question ici, naturellement, *que* de Bogdanov en tant que philosophe) n'aurait pas pu venir en ce monde si la doctrine de son maître Mach n'avait contenu des « éléments »... de berkeleyisme. Et je ne puis concevoir pour Bogdanov de « châtiment plus effroyable » qu'une traduction de son *Empiriomonisme*, par exemple, en allemand, soumise à la critique de Leclair et de Schubert-Soldern, de Cornelius et de Kleinpeter, de Carus et de Pillon (collaborateur et élève français de Renouvier). Ces compagnons de lutte notoires de Mach et dans une certaine mesure ses disciples immédiats, en diraient plus long par leurs mamours prodigués à la théorie de la « substitution » que par leurs raisonnements.

On aurait tort, du reste, de considérer la philosophie de Bogdanov comme un système immuable et achevé. En neuf ans — de 1899 à 1908 — les fluctuations philosophiques de Bogdanov ont passé par quatre phases. Il fut d'abord matérialiste « scientifique » (c'est-à-dire à demi inconscient et instinctivement fidèle à l'esprit des sciences de la nature). Ses *Eléments fondamentaux de la conception historique de la nature* portent des traces évidentes de cette phase. La deuxième phase fut celle de l'« énergétique » d'Ostwald, en vogue vers 1895-1900, c'est-à-dire de l'agnosticisme confus s'égarant çà et là dans l'idéalisme. Bogdanov passe d'Ostwald à Mach, en adoptant les principes fondamentaux d'un idéalisme subjectif, inconséquent et confus comme toute la philosophie de Mach (la couverture du *Cours de philosophie naturelle* d'Ostwald porte ces mots : « Dédié à E. Mach »). Quatrième phase : tentatives pour se défaire de certaines contradictions de la doctrine de Mach, créer un semblant d'idéalisme objectif. La « théorie de la substitution générale » montre que Bogdanov a décrit depuis son point de départ un arc de cercle de 180° environ. Cette phase de sa philosophie est-elle plus éloignée du matérialisme dialectique que les précédentes, ou s'en trouve-t-elle plus rapprochée ? Si Bogdanov piétine sur place, il va de soi qu'il s'est éloigné du matérialisme. S'il persiste à suivre la courbe qu'il a suivie pendant neuf ans, il s'en est rapproché : il n'a *plus qu'*un pas sérieux à faire pour revenir au matérialisme. Autrement dit : il n'a plus qu'à rejeter universellement sa substitution universelle. Car elle tresse en une natte chinoise tous les péchés de l'idéalisme équivoque, toutes les faiblesses de l'idéalisme subjectif conséquent, de même que (si licet parva componere magnis ! — s'il est permis de comparer le petit au grand) l'« idée absolue » de Hegel réunit toutes les contradictions de l'idéalisme de Kant, toutes les faiblesses de Fichte. Feuerbach n'eut *plus qu'*un pas sérieux à faire pour revenir au matérialisme. Autrement dit : rejeter universellement, éliminer absolument l'idée absolue, cette « substitution » hégélienne du « psychique » à la nature physique. Feuerbach coupa la natte chinoise de l'idéalisme philosophique, c'est-à-dire qu'il prit pour fondement la nature sans aucune « substitution ».

Qui vivra verra si la natte chinoise de l'idéalisme de Mach poussera encore longtemps.

6. LA « THEORIE DES SYMBOLES » (OU DES HIEROGLYPHES) ET LA CRITIQUE DE HELMHOLTZ

Il serait opportun de noter ici, pour compléter ce que nous venons de dire plus haut des idéalistes, compagnons de lutte et continuateurs de l'empiriocriticisme, le caractère de la critique selon Mach de certaines thèses philosophiques traitées dans nos publications. Par exemple nos disciples de Mach se réclamant du marxisme se sont attaqués avec une joie toute particulière aux « hiéroglyphes » de Plékhanov, c'est-à-dire à la théorie d'après laquelle les sensations et les représentations de l'homme ne sont pas une copie des choses réelles et des processus naturels, ni leurs reproductions, mais des signes conventionnels, des symboles, des hiéroglyphes, etc. [81] Bazarov raille ce matérialisme hiéroglyphique, et il faut dire qu'*il aurait raison* s'il le repoussait au nom du *matérialisme* non hiéroglyphique. Mais Bazarov use ici, une fois de plus, d'un procédé de prestidigitateur : il introduit en contrebande, sous le manteau de la critique de l'« hiéroglyphisme », son reniement du matérialisme. Engels ne parle ni de symboles ni d'hiéroglyphes, mais de copies, de photographies, de reproductions, de projection des choses comme dans un miroir. Au lieu de montrer combien Plékhanov a tort de s'écarter de la formule matérialiste d'Engels, Bazarov voile aux lecteurs, au moyen de l'erreur de Plékhanov, la vérité formulée par Engels.

Afin d'expliquer à la fois l'erreur de Plékhanov et le confusionnisme de Bazarov, prenons un représentant notable de la « théorie des symboles » (la substitution du mot hiéroglyphe au mot symbole ne change rien à la question), Helmholtz, et voyons à quelle critique cet auteur a été soumis par les matérialistes, ainsi que par les idéalistes alliés aux disciples de Mach.

Helmholtz, une sommité en matière de sciences de la nature, fut en philosophie tout aussi inconséquent que l'immense majorité des savants. Il fut enclin au kantisme, sans toutefois se montrer même à cet égard conséquent dans sa gnoséologie. Voici, par exemple, les réflexions que nous trouvons dans son *Optique physiologique* sur la correspondance des concepts et des objets : « ...J'ai désigné les sensations comme *symboles* des phénomènes extérieurs, et je leur ai refusé toute analogie avec les choses qu'elles représentent » (p. 579 de la trad. franç., p. 442 de l'original allemand). C'est de l'agnosticisme, mais nous lisons plus loin à la même page : « Nos concepts et nos représentations sont des *effets* que les objets que nous voyons ou que nous nous figurons exercent sur notre système nerveux et sur notre conscience. » C'est du matérialisme. Helmholtz ne se fait pourtant pas une idée nette des rapports entre la vérité absolue et la vérité relative, ainsi que l'attestent ses raisonnements ultérieurs. Ainsi, il dit un peu plus bas : « Je crois donc que cela n'a absolument aucun sens de parler de la vérité de nos représentations autrement que dans le sens d'une vérité *pratique*. Les représentations que nous nous formons des choses *ne peuvent être* que des symboles, des signes naturels des objets, signes dont nous apprenons à nous servir pour régler nos mouvements et nos actions. Lorsque nous avons appris à déchiffrer correctement ces symboles, nous sommes à même, avec leur aide, de diriger nos actions de manière à produire le résultat souhaité... » Ce n'est pas exact : Helmholtz glisse ici au subjectivisme, à la négation de la réalité objective et de la vérité objective. Et il en arrive à une contrevérité flagrante quand il termine l'alinéa par ces mots : « L'idée et l'objet qu'elle représente sont deux choses qui appartenaient sans doute à deux mondes tout à fait différents... » Les kantiens seuls détachent ainsi l'idée de la réalité et la conscience de la matière. Nous lisons cependant un peu plus loin : « Pour ce qui est d'abord des qualités des objets extérieurs, il suffit d'un peu de réflexion pour voir que toutes les qualités que nous pouvons leur attribuer désignent exclusivement l'*action* des objets extérieurs soit sur nos sens, soit sur d'autres objets de la nature » (p. 581 de la trad. franç. ; p. 445 de l'original allem. ; je traduis du français). Helmholtz revient ici, une fois encore, au point de vue matérialiste. Helmholtz était un kantien inconséquent : tantôt il reconnaissait les lois a priori de la pensée ; tantôt il inclinait vers la « réalité transcendante » du temps et de l'espace (c'est-à-dire vers la façon matérialiste de les concevoir) ; tantôt il faisait dériver les sensations humaines des objets extérieurs agissant sur nos organes des sens ; tantôt il déclarait que les sensations n'étaient que des symboles, c'est-à-dire des désignations arbitraires détachées d'un monde « absolument différent » des choses qu'elles désignent (cf. Viktor Heyfelder : *Über den Begriff der Erfahrung bei Helmholtz*, Berlin, 1897).

Voici comment Helmholtz exprime ses vues dans un discours prononcé en 1878 sur « les faits dans la perception » (« événement marquant dans le camp des réalistes », dit Leclair) : « Nos sensations sont précisément des actions exercées sur nos organes par des causes extérieures, et c'est du caractère de l'appareil qui subit cette action que dépend grandement, bien entendu, la façon dont elle se traduit. La sensation peut être considérée comme un *signe* (Zeichen) et non comme une *reproduction*, dans la mesure où sa qualité nous informe des qualités de l'action extérieure qui l'a fait naître. Car on demande à la reproduction une certaine ressemblance avec l'objet qu'elle représente... Mais on ne demande au signe aucune ressemblance avec ce dont il est le signe » (*Vorträge und Reden*, 1884, p. 226 du t. II). Si les sensations, n'étant pas les images des choses, ne sont que des signes et des symboles sans « ressemblance aucune » avec elles, le principe matérialiste de Helmholtz se trouve compromis, l'existence des objets extérieurs devient incertaine, car les signes ou les symboles peuvent fort bien se rapporter à des objets fictifs, et chacun connaît des exemples de *pareils* signes ou symboles. Helmholtz essaie, après Kant, de tracer quelque chose comme une démarcation de principe entre le « phénomène » et la « chose en soi ». Il nourrit une prévention insurmontable contre le matérialisme direct, clair et franc. Mais il dit lui-même un peu plus loin : « Je ne vois pas comment on pourrait réfuter un système d'idéalisme subjectif poussé à l'extrême, qui ne voudrait voir dans la vie qu'un rêve. Il est permis de le déclarer invraisemblable et insuffisant au possible — à cet égard je souscrirais aux négations les plus vigoureuses,

— mais on peut le mettre en œuvre avec esprit de suite... L'hypothèse réaliste se fie, au contraire, aux jugements (ou aux témoignages, Aussage) de l'auto-observation ordinaire, d'après laquelle les changements dans les perceptions, consécutifs à telle ou telle action, n'ont aucune relation psychique avec l'impulsion antérieure de la volonté. Cette hypothèse considère tout ce qui est confirmé par nos perceptions quotidiennes, le monde matériel extérieur à nous, comme existant indépendamment de nos idées » (pp. 242-243). « Sans doute, l'hypothèse réaliste est la plus simple que nous puissions faire, éprouvée et confirmée dans des domaines d'application extrêmement vastes, bien déterminée dans ses différentes parties et, pas suite, éminemment pratique et féconde en tant que base d'action » (p. 243). L'agnosticisme de Helmholtz ressemble également au « matérialisme honteux » avec des manifestations kantiennes à la différence des manifestations de Huxley inspirées de Berkeley.

C'est pourquoi Albrecht Rau, disciple de Feuerbach, condamne la théorie des symboles de Helmholtz comme une déviation inconséquente par rapport au « réalisme ». La conception essentielle de Helmholtz, dit Rau, est renfermée dans le principe réaliste selon lequel « nous connaissons à l'aide de nos sens les propriétés objectives des choses »*. La théorie des symboles est en désaccord avec ce point de vue (entièrement matérialiste, nous l'avons vu), car elle implique une certaine méfiance à l'égard de la sensibilité, à l'égard des témoignages de nos organes des sens. Il est hors de doute que l'image ne peut jamais égaler le modèle, mais l'image est une chose, le symbole, le *signe conventionnel* en est une autre. L'image suppose nécessairement et inévitablement la réalité objective de ce qu'elle « reflète ». Le « signe conventionnel », le symbole, l'hiéroglyphe sont des concepts introduisant un élément tout à fait superflu d'agnosticisme. Aussi A. Rau a-t-il parfaitement raison de dire que Helmholtz, avec sa théorie des symboles, paie le tribut au kantisme. « Si Helmholtz, dit Rau, demeurait fidèle à sa conception réaliste, s'il s'en tenait avec esprit de suite au principe que les propriétés des corps expriment à la fois les rapports des corps entre eux et leurs rapports avec nous,

* Albrecht Rau, *Empfinden und Denken*, Giessen, 1896, p. 304.

il n'aurait assurément pas besoin de toute cette théorie des symboles ; il pourrait alors dire, avec concision et clarté : « les sensations déterminées en nous par les choses sont la reproduction de l'essence de ces choses » (*ibid.*, p. 320).

Telle est la critique de Helmholtz par un matérialiste. Celui-ci repousse, au nom du matérialisme conséquent de Feuerbach, le matérialisme hiéroglyphique ou symbolique ou le demi-matérialisme de Helmholtz.

L'idéaliste Leclair (qui représente l'« école immanente » chère à l'esprit et au cœur de Mach) accuse lui aussi Helmholtz d'inconséquence, d'hésitation entre le matérialisme et le spiritualisme (*Der Realismus der modernen Naturwissenschaft im Lichte der von Berkeley und Kant angebahnten Erkenntniskritik*, p. 154). Mais la théorie des symboles n'est pas à ses yeux l'indice d'un matérialisme insuffisant ; elle est par trop matérialiste. « Helmholtz suppose, écrit Leclair, que les perceptions de notre conscience nous donnent assez de points d'appui pour connaître l'enchaînement dans le temps et l'identité ou la non-identité des causes transcendantes. Il n'en faut pas plus à Helmholtz pour supposer dans le domaine du transcendant » (c'est-à-dire dans celui de la réalité objective) « un ordre régi par des lois » (p. 33). Et Leclair de fulminer contre ce « préjugé dogmatique de Helmholtz ». « Le dieu de Berkeley, s'exclame-t-il, cause hypothétique de l'ordre — *régi par des lois*, — des idées dans notre conscience est au moins aussi capable de satisfaire notre besoin d'une explication causale, que le monde des choses extérieures » (p. 34). « L'application conséquente de la théorie des symboles... est impossible sans une large dose de réalisme vulgaire » (c'est-à-dire de matérialisme) (p. 35).

C'est ainsi qu'un « idéaliste critique » taillait en pièces Helmholtz en 1879 pour son matérialisme. Vingt ans après, Kleinpeter, élève de Mach, loué par le maître, réfutait ainsi Helmholtz « qui a vieilli » à l'aide da la philosophie « moderne » de Mach, dans un article intitulé : « Des principes de la physique chez Ernst Mach et Heinrich Hertz * ». Ecartons pour le moment Hertz (tout aussi inconséquent, au fond, que Helmholtz) et voyons la comparaison établie par

* *Archiv für Philosophie*[82], II, *Systematische Philosophie*, t. V, 1899, pp. 163 et 164.

Kleinpeter entre Mach et Helmholtz. Après avoir cité divers passages de ces deux auteurs et souligné avec force les affirmations connues de Mach, selon lesquelles les corps sont des symboles mentaux des complexes de sensations, etc., Kleinpeter dit :

« Si nous suivons la marche des idées de Helmholtz, nous y verrons les principes fondamentaux que voici :

1° Il existe des objets appartenant au monde extérieur.

2° On ne peut concevoir la transformation de ces objets sans l'action d'une cause quelconque (considérée comme réelle).

3° « La cause est, selon l'acception primitive de ce mot, ce qui reste immuable, ce qui subsiste ou existe derrière la succession des phénomènes, nommément : la matière et la loi de son action, la force » (citation tirée de Helmholtz par Kleinpeter).

4° Il est possible de déduire tous les phénomènes de leurs causes avec une logique rigoureuse et sans équivoque.

5° Lorsqu'on atteint ce but, on possède la vérité objective, dont la conquête (Erlangung) est ainsi concevable » (p. 163).

Kleinpeter, que révoltent les contradictions de ces principes et les problèmes insolubles qu'ils créent, note que Helmholtz ne s'en tient pas strictement à ces vues et use parfois « d'expressions rappelant quelque peu le sens purement logique que Mach attribue aux mots » tels que matière, force, cause, etc.

« Il n'est pas difficile de trouver la raison pour laquelle Helmholtz ne nous satisfait pas, si nous nous rappelons les paroles de Mach, si belles et si claires. Tout le raisonnement de Helmoltz pèche par la signification erronée prêtée aux mots : masse, force, etc. Ce ne sont en effet que concepts, que produits de notre imagination, et non point des réalités existant en dehors de la pensée. Nous sommes absolument incapables de connaître des réalités quelconques. Incapables de tirer des témoignages de nos sens, — à cause de leur imperfection, — une conclusion sans équivoque. Nous ne pouvons jamais affirmer, par exemple, que nous obtenons toujours, en observant une échelle déterminée (durch Ablesen einer Skala), le même nombre déterminé ; il y a toujours, dans certaines limites, une quantité infinie de nombres possibles s'accordant également bien avec les faits observés. Quant à connaître quoi que ce soit de réel en dehors de nous, nous ne le pouvons à aucun titre. A supposer même que ce soit possible et que nous connaissions les réalités, nous ne serions pas en droit de leur appliquer les lois de la logique, car étant *nos* lois elles ne sont applicables qu'à *nos* concepts, aux produits de *notre* pensée (souligné partout par Kleinpeter). Il n'y a pas de lien logique entre les faits, mais seulement une simple continuité ; les jugements apodictiques sont ici impossibles. Il est donc faux d'affirmer qu'un fait est la cause d'un autre ; et toute la déduction de Helmholtz construite sur ce concept tombe avec cette affirmation. Il est enfin impossible d'arriver à la vérité objective, c'est-à-dire existant indépendamment de tout sujet, impossible non seulement en raison des propriétés de nos sens, mais aussi parce que, étant des hommes (wir als Menschen), nous ne pouvons jamais, en général, nous faire aucune représentation de ce qui existe tout à fait indépendamment de nous » (p. 164).

Le lecteur le voit, notre élève de Mach, répétant les expressions favorites de son maître et celles de Bogdanov, qui ne se reconnaît pas disciple de Mach, condamne sans réserve toute la philosophie de Helmholtz d'un point de vue idéaliste. La théorie des symboles n'est même pas soulignée spécialement par l'idéaliste, qui n'y voit qu'une déviation peu importante, peut-être accidentelle par rapport au matérialisme. Mais Kleinpeter tient Helmholtz pour un représentant des « vues traditionnelles en physique », « que la plupart des physiciens partagent encore » (p. 160).

Il s'ensuit donc que Plékhanov a commis dans son exposé du matérialisme une erreur évidente ; quant à Bazarov, il a tout embrouillé en mettant dans le même sac le matérialisme et l'idéalisme et en opposant à la « théorie des symboles » ou au « matérialisme hiéroglyphique » une absurdité idéaliste prétendant que « la représentation sensible est justement la réalité extérieure à nous ». A partir du kantien Helmholtz comme à partir de Kant lui-même, les matérialistes sont allés vers la gauche, et les disciples de Mach vers la droite.

7. DE LA DOUBLE CRITIQUE DE DÜHRING

Notons encore un petit trait caractérisant l'incroyable déformation du matérialisme par les disciples de Mach. Bien qu'Engels se soit nettement séparé de Büchner, Valentinov entend battre les marxistes en les comparant à Büchner qui a, voyez-vous, quantité de points de ressemblance avec Plékhanov. Bogdanov, abordant la même question d'un autre côté, semble défendre le « matérialisme des savants » dont « on a coutume de parler avec un certain mépris » (*Empiriomonisme*, fascicule III, p. X). Ici, Valentinov et Bogdanov brouillent les choses terriblement. Marx et Engels ont toujours « parlé avec mépris » des mauvais socialistes, mais il s'ensuit seulement que, dans leur esprit, il s'agit du vrai socialisme, scientifique, et non des migrations du socialisme aux conceptions bourgeoises. Marx et Engels ont toujours condamné le *mauvais* matérialisme (et, surtout, antidialectique), cela en s'inspirant du *matérialisme* dialectique, plus développé, plus élevé, et non des idées de Hume ou de Berkeley. Lorsque Marx, Engels et Dietzgen parlaient des mauvais matérialistes, ils comptaient avec eux et souhaitaient corriger leurs erreurs ; quant aux disciples de Hume et de Berkeley, quant à Mach et à Avenarius, ils n'en auraient pas même soufflé mot et se seraient bornés à une remarque plus dédaigneuse encore sur *toute* cette tendance. Aussi, les grimaces et les simagrées sans nombre de nos disciples de Mach à l'adresse d'Holbach et consorts, de Büchner et consorts, etc., ne sont-elles destinées qu'à jeter de la poudre aux yeux du public, afin de dissimuler l'abandon par toute la doctrine de Mach des bases mêmes du matérialisme en général, l'appréhension d'en avoir à découdre ouvertement et franchement avec Engels.

Il serait cependant difficile de s'exprimer plus clairement sur le matérialisme français du XVIIIe siècle, sur Büchner, Vogt et Moleschott que ne l'a fait Engels à la fin du chapitre II de son *Ludwig Feuerbach*. Il est *impossible* de ne pas comprendre Engels, à moins qu'*on ne veuille* déformer sa pensée. Nous sommes, Marx et moi, des matérialistes, dit Engels dans ce chapitre. Et il élucide la différence *fondamentale* entre toutes les écoles du matérialisme et *l'ensemble* des idéalistes, tous les kantiens et tous les disciples de Hume en général. Engels *reproche à Feuerbach un certain manque de courage*, une certaine légèreté d'esprit qui lui fit abandonner parfois le matérialisme en raison des fautes de telle ou telle école matérialiste. Feuerbach « n'avait pas le droit » (durfte nicht), dit Engels, « de confondre la doctrine des prédicateurs ambulants (Büchner et Cie) du matérialisme avec le matérialisme en général » (p. 21) [83]. Les cervelles oblitérées par la lecture des professeurs réactionnaires allemands et l'acceptation aveugle de leur enseignement ont seules pu *ne pas comprendre* le caractère de *ces* reproches adressés par Engels à Feuerbach.

Engels dit aussi clairement que possible que Büchner et consorts « ne dépassèrent en aucune façon le point de vue limité de leurs maîtres », c'est-à-dire des matérialistes du XVIIIe siècle ; qu'ils n'ont pas fait *un seul pas en avant*. C'est cela, et *seulement cela*, qu'il leur reproche ; il ne leur reproche pas d'avoir été des matérialistes, comme se l'imaginent les ignorants, mais de *n'avoir pas fait progresser* le matérialisme, de « *n'avoir pas pensé même à en développer la théorie* ». C'est là le *seul* reproche qu'Engels adresse à Büchner et consorts. Engels énumère ici même, *point par point*, les *trois* « étroitesses » (Beschränktheit) des matérialistes français du XVIIIe siècle, et dont se sont débarrassés Marx et Engels, mais dont Büchner et consorts ne surent pas se débarrasser. Première étroitesse : la conception des anciens matérialistes était « mécaniste » *en ce sens* qu'ils « appliquaient exclusivement le schéma mécaniste aux phénomènes de nature chimique et organique » (p. 19). Nous verrons au chapitre suivant comment l'incompréhension de ces mots d'Engels a égaré, à travers la physique nouvelle, certaines gens dans les voies de l'idéalisme. Engels ne condamne pas le matérialisme *mécaniste* pour les motifs que lui imputent les physiciens de la tendance idéaliste « moderne » (et aussi de la tendance de Mach). Deuxième étroitesse : les conceptions des anciens matérialistes étaient métaphysiques en raison de la « *façon antidialectique de philosopher* ». Ce caractère borné est, autant que celui de Büchner et Cie, celui de nos disciples de Mach qui, nous l'avons vu, n'ont absolument rien compris à la dialectique d'Engels appliquée à la gnoséologie (par exemple, la vérité absolue et la vérité relative). Troisième étroitesse : l'idéalisme subsiste « en haut », dans le domaine de la science sociale ; inintelligence du matérialisme historique.

Après avoir énuméré et expliqué ces trois « étroitesses » avec une clarté qui épuise la question (pp. 19-21), Engels ajoute *aussitôt* : Büchner et Cie n'ont pas « *dépassé ces limites* » (über diese Schranken).

C'est *exclusivement* pour ces trois raisons, *exclusivement* dans ces limites, qu'Engels rejette le matérialisme du XVIIIe siècle et la doctrine de Büchner et Cie ! Pour toutes les autres questions, plus élémentaires, du matérialisme (déformées par les disciples de Mach) *il n'y a, il ne peut y avoir aucune différence* entre Marx et Engels d'une part et tous ces vieux matérialistes, d'autre part. Les disciples russes de Mach sont les seuls à introduire la confusion dans cette question tout à fait claire, leurs maîtres et coreligionnaires d'Europe occidentale se rendant parfaitement compte de la divergence radicale entre la tendance de Mach et Cie et celle des matérialistes en général. Nos disciples de Mach ont sciemment obscurci la question pour donner à leur rupture avec le marxisme et à leur passage à la philosophie bourgeoise l'apparence d'« amendements de peu d'importance » apportés au marxisme !

Prenez Dühring. On imaginerait difficilement appréciation plus méprisante que celle d'Engels à son sujet. Mais voyez *comme Leclair critiquait le même Dühring simultanément avec Engels*, tout en louant la « philosophie d'esprit révolutionnaire » de Mach. Pour Leclair, Dühring représente l'« *extrême gauche* » du matérialisme, « qui déclare tout net que la sensation est, comme en général toute manifestation de la conscience et de la raison, une sécrétion, une fonction, une fleur sublime, un effet d'ensemble, etc., de l'organisme animal » (*Der Realismus der modernen Naturwissenschaft im Lichte der von Berkeley und Kant angebahnten Erkenntniskritik*, 1879, pp. 23-24).

Est-ce pour cette raison que Dühring fut critiqué par Engels ? Non. *L'accord* d'Engels avec Dühring, comme avec tout matérialiste, était sur ce point *absolu*. Il critiqua Dühring d'un point de vue diamétralement opposé, pour les inconséquences de son matérialisme, pour ses fantaisies idéalistes qui laissaient la porte ouverte au fidéisme.

« La nature travaille elle-même au sein de l'être pourvu de représentations mentales, ainsi qu'en dehors de lui, à produire, selon ses lois, des conceptions cohérentes et à créer le savoir nécessaire sur la marche des choses. » Leclair, citant ces mots de Dühring, attaque avec fureur cette conception matérialiste, la « métaphysique extrêmement grossière » de ce matérialisme, son « leurre », etc., etc. (pp. 160, 161-163).

Est-ce pour cette raison que Dühring fut critiqué par Engels ? Non. Engels raillait toute emphase, mais *son accord avec Dühring*, comme avec tout autre matérialiste, était *absolu* pour ce qui est de la reconnaissance des lois objectives de la nature reflétée par la conscience.

« La pensée est l'aspect supérieur de toute la réalité »... « L'indépendance et la distinction du monde matériel réel par rapport à la série des phénomènes de conscience qui naissent dans ce monde et qui le conçoivent, constituent le principe fondamental de la philosophie. » Citant ces mots de Dühring en même temps que diverses attaques du même auteur contre Kant et autres, Leclair accuse Dühring de verser dans la « métaphysique » (pp. 218-222), d'admettre le « dogme métaphysique », etc.

Est-ce pour cette raison que Dühring fut critiqué par Engels ? Non. En ce qui concerne l'existence de l'univers indépendamment de la conscience, en ce qui concerne l'erreur des kantiens, des disciples de Hume, de Berkeley, etc., qui s'écartent de cette vérité, l'accord d'Engels avec Dühring, comme avec tout autre matérialiste, était absolu. Si Engels avait vu *de quel côté* Leclair venait, bras dessus, bras dessous avec Mach, critiquer Dühring, il aurait décerné à ces deux philosophes réactionnaires des épithètes *cent fois* plus méprisantes que celles qu'il adressa à Dühring ! Dühring incarnait, aux yeux de Leclair, le réalisme et le matérialisme malfaisants (cf. *Beiträge zu einer monistischen Erkenntnistheorie*, 1882, p. 45). — W. Schuppe, maître et compagnon de lutte de Mach, reprochait en 1878 à Dühring son « réalisme délirant », Traumrealismus *, répliquant ainsi à l'expression d'« idéalisme délirant » dont s'était servi Dühring à l'égard de tous les idéalistes. Pour Engels,

* Dr. Wilhelm Schuppe, *Erkenntnistheoretische Logik*, Bonn, 1878, p. 56.

bien au contraire, Dühring, en tant que matérialiste, n'était ni *assez* ferme, ni *assez* clair et conséquent.

Marx comme Engels et J. Dietzgen entrèrent dans la carrière philosophique à une époque où le matérialisme régnait parmi les intellectuels avancés en général et dans les milieux ouvriers en particulier. Marx et Engels portèrent donc, tout naturellement, une attention suivie non pas à la répétition de ce qui avait déjà été dit, mais au *développement* théorique sérieux du matérialisme, à son application à l'histoire, c'est-à-dire à l'*achèvement jusqu'au faîte* de l'édifice de la philosophie matérialiste. Ils *se bornèrent* tout naturellement dans le domaine de la gnoséologie à corriger les erreurs de Feuerbach, à railler les banalités du matérialiste Dühring, à critiquer les erreurs de Büchner (cf. aussi J. Dietzgen), à souligner ce qui manquait *surtout* à ces écrivains les plus populaires et les plus écoutés dans les milieux ouvriers, à savoir : la dialectique. Quant aux vérités premières du matérialisme, proclamées par des prédicateurs ambulants en des dizaines de publications, Marx, Engels et J. Dietzgen n'en eurent aucun souci, ils portèrent toute leur attention à ce qu'elles ne fussent pas vulgarisées, simplifiées à l'excès et n'amenassent pas à la stagnation de la pensée (« matérialisme en bas, idéalisme en haut »), à l'oubli du fruit *précieux* des systèmes idéalistes, la dialectique hégélienne, cette perle que les coqs Büchner, Dühring et consorts (y compris Leclair, Mach, Avenarius et d'autres) ne surent pas extraire du fumier de l'idéalisme absolu.

A se représenter d'une façon un peu concrète ces conditions historiques des travaux philosophiques d'Engels et de J. Dietzgen, on comprend très bien pourquoi ces auteurs *se prémunirent* contre la vulgarisation des vérités premières du matérialisme *plus qu'ils ne défendirent* ces mêmes vérités. Marx et Engels se prémunirent aussi, plus qu'ils ne les défendirent, de la vulgarisation des revendications fondamentales de la démocratie politique.

Les disciples des philosophes réactionnaires ont seuls pu « ne pas remarquer » ce fait et présenter les choses aux lecteurs de façon à laisser croire que Marx et Engels n'avaient pas compris ce que c'était que d'être matérialiste.

8. COMMENT J. DIETZGEN PUT-IL PLAIRE AUX PHILOSOPHES REACTIONNAIRES ?

L'exemple précité de Hellfond implique déjà une réponse à cette question, et nous ne suivrons pas les innombrables cas où nos disciples de Mach traitèrent J. Dietzgen à la manière de Hellfond. Il sera plus utile de citer, afin de démontrer ses faiblesses, quelques réflexions de J. Dietzgen lui-même [84].

« La pensée est fonction du cerveau », dit J. Dietzgen (*Das Wesen der menschlichen Kopfarbeit*, 1903, p. 52. Il y a une traduction russe : *L'essence du travail cérébral*). « La pensée est le produit du cerveau... Ma table à écrire, contenu de ma pensée, coïncide avec cette pensée, ne s'en distingue pas. Mais hors de ma tête, cette table à écrire, objet de ma pensée, en est tout à fait différente » (p. 53). Ces propositions matérialistes parfaitement claires sont cependant complétées chez Dietzgen par celle-ci : « Mais la représentation qui ne provient pas des sens est également sensible, matérielle, c'est-à-dire réelle... L'esprit ne se distingue pas plus de la table, de la lumière, du son que ces choses ne se distinguent les unes des autres » (p. 54). L'erreur est ici évidente. Que pensée et matière soient « réelles », c'est-à-dire qu'elles existent, cela est juste. Mais dire que la pensée est matérielle, c'est faire un faux pas vers la confusion du matérialisme et de l'idéalisme. Au fond, c'est plutôt chez Dietzgen une expression inexacte, — il s'exprime en effet ailleurs en termes plus précis : « L'esprit et la matière ont au moins ceci de commun qu'ils existent » (p. 80). « La pensée est un travail corporel, affirme Dietzgen. J'ai besoin, pour penser, d'une matière à laquelle je puisse penser. Cette matière nous est donnée dans les phénomènes de la nature et de la vie... La matière est la limite de l'esprit ; l'esprit ne peut sortir des limites de la matière. L'esprit est le produit de la matière, mais la matière est plus que le produit de l'esprit... » (p. 64). Les disciples de Mach s'abstiennent d'analyser ces raisonnements matérialistes du matérialiste J. Dietzgen ! Ils préfèrent se cramponner à ce qu'il y a chez lui d'inexact et de confus. Dietzgen dit, par exemple, que les savants ne peuvent être « idéalistes qu'en dehors de leur spécialité » (p. 108). En est-il bien ainsi et pourquoi ? Les disciples de Mach n'en soufflent mot. Mais, à la page précédente, Dietzgen reconnaît « le côté positif de l'idéalisme contemporain » (p. 106) et « l'insuffisance du principe matérialiste », ce qui est propre à réjouir les disciples de Mach ! La pensée mal exprimée de Dietzgen est que la différence entre la matière et l'esprit aussi *relative*, *n'est pas excessive* (p. 107). Cela est juste, mais on en peut déduire l'insuffisance du matérialisme métaphysique, antidialectique, et non l'insuffisance du matérialisme tout court.

« La simple vérité scientifique ne se fonde pas sur la personnalité. Ses bases sont en dehors (c'est-à-dire en dehors de la personnalité), dans ses matériaux ; c'est la vérité objective... Nous nous disons matérialistes... Le propre des philosophes matérialistes, c'est de situer à l'origine, au commencement de tout, le monde matériel. Quant à l'idée ou à l'esprit, ils les considèrent comme une conséquence, tandis que leurs adversaires déduisent, à l'exemple de la religion, les choses des mots... et le monde matériel de l'idée » (*Kleinere philosophische Schriften*, 1903, pp. 59 et 62). Les disciples de Mach passent sous silence cette reconnaissance de la vérité objective et cette répétition de la définition du matérialisme *formulée par Engels*. Mais Dietzgen dit : « Nous pourrions avec autant de raison nous dire idéalistes, notre système reposant sur le résultat d'ensemble de la philosophie, sur l'analyse scientifique de l'idée, sur l'intelligence claire de la nature de l'esprit » (p. 63). Il n'est pas difficile de se cramponner à cette phrase manifestement erronée pour abdiquer le matérialisme. En réalité, l'expression est plus erronée chez Dietzgen que l'idée maîtresse qui se contente d'indiquer que l'ancien matérialisme ne savait pas analyser scientifiquement les idées (à l'aide du matérialisme historique).

Voici le raisonnement que fait J. Dietzgen sur l'ancien matérialisme : « De même que notre conception de l'économie politique, notre matérialisme est une conquête scientifique, historique. Nous nous différencions aussi bien des socialistes d'antan que des matérialistes d'autrefois. Nous n'avons de commun avec ces derniers que la conception de la matière, prémisse ou base première de l'idée » (p. 140). Ce « nous n'avons que » est bien caractéristique ! Il embrasse *tous* les fondements gnoséologiques du matérialisme *à la différence* de l'agnosticisme, de la doctrine de Mach et de l'idéalisme. Mais Dietzgen tient surtout à se désolidariser du matérialisme vulgaire.

Nous trouvons en revanche plus loin un passage absolument faux : « Le concept de matière doit être élargi. Il faut y rapporter tous les phénomènes réels et, par suite, notre faculté de connaître, d'expliquer » (p. 141). On ne peut, avec ce brouillamini, que confondre le matérialisme et l'idéalisme sous le prétexte d'« élargir » le premier. Exciper de cet « élargissement », c'est perdre de vue la *base* de la philosophie de Dietzgen, la reconnaissance de la matière, élément primordial et « limite de l'esprit ». De fait Dietzgen se corrige lui-même, un peu plus bas. « Le tout régit la partie ; la matière l'esprit » (p. 142)... « En ce sens nous pouvons considérer le monde matériel... comme la cause première, comme le créateur du ciel et de la terre » (p. 142). C'est assurément une confusion que de prétendre embrasser, dans la notion de matière, la pensée, comme le répète Dietzgen dans ses *Excursions* (ouvrage cité, p. 214), car alors l'opposition gnoséologique de la matière et de l'esprit, du matérialisme et de l'idéalisme, opposition sur laquelle Dietzgen insiste lui-même, perd sa raison d'être. Que cette opposition ne doive pas être « excessive », exagérée, métaphysique, cela ne fait aucun doute (et le grand mérite du matérialiste *dialectique* Dietzgen est de l'avoir souligné). Les limites de la nécessité absolue et de la vérité absolue de cette opposition relative sont précisément celles qui déterminent l'*orientation* des recherches gnoséologiques. Opérer en dehors de ces limites avec l'opposition de la matière et de l'esprit, du physique et du psychique, comme avec une opposition absolue, serait une grave erreur.

Au contraire d'Engels, Dietzgen exprime ses idées de façon vague, diffuse et nébuleuse. Mais, laissant de côté les défauts de son exposé et les erreurs de détail, c'est à bon escient qu'il défend la « *théorie matérialiste de la connaissance* » (p. 222 et aussi p. 271), le « *matérialisme dialectique* » (p. 224). « La théorie matérialiste de la connaissance, dit J. Dietzgen, se réduit à constater que l'organe humain de la connaissance n'émet aucune lumière métaphysique, mais est une parcelle de la nature reflétant d'autres parcelles de la nature » (pp. 222-223). « La faculté de connaître n'est pas une source surnaturelle de vérité, mais un instrument-miroir reflétant les objets du monde ou la nature » (p. 243). Nos profonds disciples de Mach éludent l'analyse de chaque proposition de la *théorie matérialiste de la connaissance* de J. Dietzgen pour ne considérer que ses *écarts* de cette théorie, ses obscurités, ses confusions. J. Dietzgen a pu plaire aux philosophes réactionnaires parce qu'il tombe çà et là dans la confusion. Or, où il y a confusion, on est sûr — cela va de soi — de trouver les disciples de Mach.

Marx écrivait à Kugelmann le 5 décembre 1868 : « Il y a déjà quelque temps que Dietzgen m'a envoyé une partie d'un manuscrit sur la *Faculté de penser.* Bien qu'on puisse lui reprocher une certaine confusion et des répétitions trop nombreuses, ce travail contient beaucoup de choses remarquables, surprenantes même si l'on considère qu'il est l'œuvre d'un ouvrier » (p. 53 de la trad. russe [85]). M. Valentinov cite ce passage *sans songer* à se demander *où* est la *confusion* aperçue par Marx chez Dietzgen : en ce qui rapproche Dietzgen de Mach, ou en ce qui oppose celui-là à celui-ci ? Ayant lu Dietzgen et la correspondance de Marx à la manière du Pétrouchka de Gogol, M. Valentinov ne pose pas cette question. Il n'est pourtant pas difficile d'y répondre. Marx a maintes fois appelé sa conception philosophique matérialisme dialectique, et l'*Anti-Dühring* d'Engels, *que Marx avait lu d'un bout à l'autre en manuscrit*, expose précisément cette conception. Même les Valentinov auraient donc pu comprendre que la *confusion* ne pouvait consister chez Dietzgen que dans *ses écarts* de l'application conséquente de la dialectique, du *matérialisme* conséquent, et plus particulièrement de l'*Anti-Dühring.*

M. Valentinov et consorts ne se doutent-ils pas maintenant que Marx ne put trouver confus chez Dietzgen *que ce qui rapproche ce dernier de Mach*, lequel est parti de Kant pour arriver non au matérialisme, mais à Berkeley et à Hume ? Mais peut-être le matérialiste Marx qualifiait-il justement de confusion la théorie matérialiste de la connaissance de J. Dietzgen et approuvait-il les écarts du matérialisme chez cet auteur ? Peut-être approuvait-il ce qui était en désaccord avec l'*Anti-Dühring* à la rédaction duquel il avait collaboré ?

Qui donc nos disciples de Mach, se réclamant du marxisme, veulent-ils tromper en clamant à la face du monde que « *leur* » Mach a approuvé Dietzgen ? Nos paladins n'ont pas saisi que Mach n'a pu approuver Dietzgen que pour les raisons mêmes pour lesquelles Marx a qualifié ce dernier de confusionniste !

Dietzgen ne mérite pas, dans l'ensemble, un blâme aussi catégorique. C'est aux neuf dixièmes un matérialiste qui ne prétendit jamais ni à l'originalité, ni à une philosophie particulière, différente du matérialisme. Dietzgen a souvent parlé de Marx et jamais autrement que comme d'un *chef de tendance* (*Kleinere philosophische Schriften*, p. 4, 1873; Dietzgen souligne à la p. 95, en 1876, que Marx et Engels « avaient une formation philosophique nécessaire », c'est-à-dire une instruction philosophique ; à la p. 181, en 1886, il parle de Marx et d'Engels comme de « fondateurs reconnus » de la tendance). Dietzgen était marxiste, et le service que lui rendent Eugène Dietzgen et aussi, hélas ! le camarade P. Dauge, en inventant le « naturmonisme », le « dietzgenisme », etc., ressemble fort au pavé de l'ours. Le « dietzgenisme » opposé au matérialisme dialectique n'est que *confusion*, n'est qu'*évolution* vers la philosophie réactionnaire, n'est qu'une tentative pour ériger en tendance *les faiblesses* de Joseph Dietzgen, et non ce qu'il y a de grand chez lui (cet ouvrier philosophe qui découvrit à sa manière le matérialisme dialectique, ne manque pas de grandeur).

Je me bornerai à montrer, à l'aide de deux exemples, comment le camarade P. Dauge et Eugène Dietzgen roulent vers la philosophie réactionnaire.

P. Dauge écrit dans la deuxième édition de l'*Acquêt* (p. 273) : « La critique bourgeoise elle-même signale les affinités de la philosophie de Dietzgen avec l'empiriocriticisme et l'école immanente », et plus loin : « surtout avec Leclair » (dans l'extrait de la « critique bourgeoise »).

Que P. Dauge apprécie et respecte J. Dietzgen, voilà qui n'est pas douteux. Mais il n'est pas moins douteux qu'il *déshonore* J. Dietzgen en citant *sans protester* l'appréciation d'un gratte-papier bourgeois qui apparente l'ennemi le plus résolu du fidéisme et des professeurs, « ces laquais diplômés » de la bourgeoisie, à Leclair, propagandiste avéré du fidéisme et réactionnaire consommé. Il se peut que Dauge ait répété l'appréciation d'autrui sur les immanents et Leclair, sans connaître lui-même les écrits de ces réactionnaires. Que cela lui serve d'avertissement : le chemin *qui va de* Marx aux particularités de Dietzgen, puis à Mach et aux immanents, aboutit à un marais. Le rapprochement avec Leclair, comme celui avec Mach, fait ressortir en Dietzgen le confusionniste aux dépens de Dietzgen le matérialiste.

Je défendrai J. Dietzgen contre P. Dauge. Je soutiens que J. Dietzgen n'a pas mérité la honte d'être rapproché de Leclair. Je puis me réclamer d'un témoin qui jouit de la plus grande autorité en cette matière : Schubert-Soldern, philosophe tout aussi réactionnaire, fidéiste et « immanent » que Leclair. Schubert-Soldern écrivait en 1896 : « Les social-démocrates s'apparentent volontiers à Hegel, à un titre plus ou moins (plutôt moins) légitime, mais ils matérialisent la philosophie de Hegel : cf. J. Dietzgen. L'absolu devient chez Dietzgen l'universum, et ce dernier, la chose en soi, le sujet absolu, dont les phénomènes sont les prédicats. Dietzgen ne s'aperçoit certes pas plus que Hegel qu'il fait d'une pure abstraction la base d'un processus concret... Hegel, Darwin, Haeckel et le matérialisme naturaliste se rejoignent souvent chaotiquement chez Dietzgen » (*Question sociale*, p. XXXIII). Schubert-Soldern voit plus clair dans les nuances philosophiques que Mach, qui loue tous ceux que l'on voudra jusqu'au kantien Jerusalem.

Eugène Dietzgen a eu la naïveté de se plaindre au public allemand que d'étroits matérialistes aient « offensé », en Russie, Joseph Dietzgen. Il *a traduit* en allemand les articles de Plékhanov et de Dauge sur. J. Dietzgen (voir J.Dietzgen : *Erkenntnis und Wahrheit*, Stuttgart, 1908, annexes). Le plaignant, le pauvre « naturmoniste », en a été pour ses frais : F. Mehring, qui s'y connaît un peu en philosophie et en marxisme, a écrit à ce sujet qu'*au fond, Plékhanov a raison contre Dauge* (*Neue Zeit*, 1908, n° 38, 19. Juni, en feuilleton, p. 432). Mehring ne doute point que J. Dietzgen *ne se soit lourdement trompé en s'écartant* de Marx et d'Engels (p. 431). Eugène Dietzgen a répondu à Mehring par une longue note larmoyante, où il en arrive à dire que J. Dietzgen peut servir « à concilier » « ces frères ennemis que sont les orthodoxes et les révisionnistes » (*Neue Zeit*, 1908, n° 44, 31. Juli, p. 652).

Nouvel avertissement, camarade Dauge : le chemin qui va de Marx au « dietzgenisme » et au « machisme » *aboutit à un marais*, non certes pour Jean, Pierre ou Paul, mais pour la tendance en question.

Ne criez pas, MM. les disciples de Mach, que j'en appelle aux « autorités compétentes » : vos clameurs contre les autorités signifient simplement que vous substituez les *autorités* bourgeoises (Mach, Petzoldt, Avenarius, les immanents) aux autorités socialistes (Marx, Engels, Lafargue, Mehring, Kautsky). Vous feriez donc mieux de ne pas soulever la question des « autorités » et du « principe d'autorité ».

CHAPITRE V

LA REVOLUTION MODERNE DANS LES SCIENCES DE LA NATURE ET L'IDEALISME PHILOSOPHIQUE

La revue *Die Neue Zeit* publiait, il y a un an, l'article de Joseph Diner-Dénes : « Le marxisme et la révolution moderne dans les sciences de la nature » (1906-1907, n° 52). Le défaut de cet article est d'ignorer les déductions gnoséologiques tirées de la physique « nouvelle » et qui nous intéressent aujourd'hui tout spécialement. Mais ce défaut confère justement à nos yeux un intérêt particulier au point de vue et aux déductions de l'auteur. Joseph Diner-Dénes se place, comme l'auteur de ces lignes, au point de vue du « simple marxiste » que nos disciples de Mach traitent avec un souverain mépris. « Un simple marxiste moyen a coutume de se qualifier de dialecticien-matérialiste », écrit par exemple M. Iouchkévitch (p. 1 de son livre). Et voici que ce simple marxiste, représenté en l'occurrence par J. Diner-Dénes, confronte les découvertes les plus récentes des sciences de la nature et surtout de la physique (rayons X, rayons Becquerel, radium, etc.)[86] *directement* avec l'*Anti-Dühring* d'Engels. A quelle conclusion l'a donc amené cette confrontation ? « Des connaissances nouvelles ont été acquises dans les domaines les plus variés des sciences de la nature, écrit J. Diner-Dénes ; elles se ramènent toutes à ce point que voulut faire ressortir Engels, à savoir que dans la nature « il n'existe pas de contradictions inconciliables, de différences et de démarcations arbitrairement fixées ». Si nous rencontrons dans la nature des contradictions et des différences, c'est nous seuls qui introduisons dans la nature leur immutabilité et leur caractère absolu ». On a découvert, par exemple, que la lumière et l'électricité ne sont que manifestations d'une seule et même force naturelle [87]. Il devient chaque jour plus probable que l'affinité chimique se ramène aux processus électriques. Les éléments indestructibles et indécomposables de la chimie dont le nombre continue d'augmenter, comme pour railler la conception de l'unité du monde, s'avèrent destructibles et décomposables. On a réussi à transformer l'élément radium en élément hélium [88]. « De même que toutes les forces de la nature se ramènent à une seule, toutes les substances de la nature se ramènent à *une seule substance* » (souligné par J. Diner-Dénes). Rapportant l'opinion d'un écrivain pour qui l'atome n'est qu'une condensation de l'éther [89], l'auteur s'exclame : « Comme le mot d'Engels — le mouvement est le mode d'existence de la matière — est brillamment confirmé. » « Tous les phénomènes naturels sont des mouvements, et la différence entre eux ne vient que de ce que nous, les hommes, nous les percevons différemment... Il en est exactement ainsi que l'avait dit Engels. De même que l'histoire, la nature obéit à la loi dialectique du mouvement. »

Il nous est, d'autre part, impossible de toucher à la littérature de l'école de Mach ou à la littérature traitant de cette doctrine sans y rencontrer des références prétentieuses à la nouvelle physique, qui a, paraît-il, réfuté le matérialisme, etc., etc. Ces références sont-elles sérieuses, c'est là une autre question. Mais les rapports de la nouvelle physique, ou plutôt d'une certaine école de cette physique, avec la doctrine de Mach et avec les autres variétés de la philosophie idéaliste contemporaine ne soulèvent aucun doute. Analyser la doctrine de Mach en ignorant ces rapports, comme le fait Plékhanov [90], c'est se moquer de l'esprit du matérialisme dialectique, c'est sacrifier dans la méthode d'Engels l'esprit à la lettre. Engels dit explicitement : « avec chaque découverte qui fait époque dans le domaine des sciences naturelles » (à plus forte raison dans l'histoire de l'humanité) « le matérialisme doit modifier sa forme » (*Ludwig Feuerbach*, p. 19, édit. allemande) [91]. Ainsi, la revision de la « forme » du matérialisme d'Engels, la revision de ses principes de philosophie naturelle, n'a rien de « revisionniste » au sens consacré du mot ; le marxisme l'exige au contraire. Ce n'est pas cette revision que nous reprochons aux disciples de Mach, c'est leur procédé *purement révisionniste* qui consiste à trahir l'*essence* du matérialisme en feignant de n'en critiquer que la *forme*, à emprunter à la philosophie bourgeoise réactionnaire ses propositions fondamentales sans tenter ouvertement, en toute franchise et avec résolution, de s'attaquer par exemple à cette affirmation d'Engels, qui est indéniablement dans cette question d'une extrême importance : « ...le mouvement est inconcevable sans matière » (*Anti-Dühring*, p. 50) [92].

Il va de soi que nous sommes loin de vouloir toucher, en analysant les rapports d'une école de physiciens modernes avec la renaissance de l'idéalisme philosophique, aux doctrines spéciales de la physique. Ce qui nous intéresse exclusivement, ce sont les conclusions gnoséologiques tirées de certaines propositions déterminées et de découvertes universellement connues. Ces conclusions gnoséologiques s'imposent d'elles-mêmes au point que de nombreux physiciens les envisagent déjà. Bien plus : il y a déjà parmi les physiciens diverses tendances, des écoles se constituent sur ce terrain. Notre tâche se réduit donc à montrer nettement la nature des divergences de ces courants et leurs rapports avec les tendances fondamentales de la philosophie.

1. LA CRISE DE LA PHYSIQUE CONTEMPORAINE

Le célèbre physicien français Henri Poincaré dit, dans sa *Valeur de la science*, qu'« il y a des indices d'une crise sérieuse » en physique et consacre un chapitre à cette crise (ch. VIII, cf. p. 171). Cette crise ne veut pas seulement dire que « le radium, ce grand révolutionnaire », sape le principe de la conservation de l'énergie. « Tous les autres principes sont également en danger » (p. 180). Le principe de Lavoisier ou le principe de la conservation de la masse est ainsi miné par la théorie électronique de la matière. D'après cette théorie les atomes sont formés de particules infimes appelées électrons, les unes chargées négativement, les autres chargées positivement et « plongées dans le milieu que nous nommons éther ». Les expériences de physiciens permettent de mesurer à la fois la vitesse des électrons et leur masse (ou plutôt le rapport de leur masse à leur charge). Il se trouve que la vitesse des électrons est comparable à celle de la lumière (300 000 kilomètres à la seconde), atteignant par exemple au tiers de cette vitesse. Il faut prendre en considération la double masse de l'électron et alors triompher d'une double inertie : de celle de l'électron lui-même et de celle de l'éther. La première masse sera la masse réelle ou mécanique de l'électron ; la seconde, « la masse électro-dynamique représentant l'inertie de l'éther ». Or la première masse est égale à zéro. La masse entière de l'électron ou tout au moins des électrons négatifs est, par son origine, entièrement et exclusivement électrodynamique [93]. La masse disparaît. Les bases mêmes de la mécanique sont minées. Miné également le principe de Newton sur l'égalité de l'action et de la réaction, etc.

Nous sommes, dit Poincaré, au milieu de « ruines » des vieux principes de la physique, « en présence de cette débâcle générale des principes ». Il est vrai, ajoute-t-il en manière de restriction, que toutes ces dérogations aux principes, on ne les rencontre que dans les infiniment petits ; il est possible que nous ne connaissions pas encore d'autres grandeurs infiniment petites qui s'opposent, elles, à ce bouleversement des anciennes lois; et de plus le radium est très rare. En tout cas, la « *période de doutes* » n'est pas niable. Nous avons déjà vu quelles sont les conclusions gnoséologiques que l'auteur en tire : « Ce n'est pas la nature qui nous les (l'espace et le temps) impose, c'est nous qui les imposons à la nature » ; « tout ce qui n'est pas pensée est le pur néant ». Conclusions idéalistes. Le bouleversement des principes fondamentaux démontre (tel est le cours des idées de Poincaré) que ces principes ne sont pas des copies, des photographies de la nature, des reproductions de choses extérieures par rapport à la conscience de l'homme, mais des produits de cette conscience. Poincaré ne développe pas ces conclusions de façon suivie et ne s'intéresse guère au côté philosophique de la question. Le philosophe français Abel Rey s'y arrête longuement dans son livre *La théorie de la physique chez les physiciens contemporains* (Paris, F. Alcan, 1907). Il est vrai que l'auteur est lui-même positiviste, c'est-à-dire confusionniste et à moitié acquis à Mach, ce qui en l'espèce est plutôt un avantage, car on ne peut le suspecter de vouloir « calomnier » l'idole de nos disciples de Mach. On ne peut se fier à Rey quand il s'agit de définir avec précision les concepts philosophiques, quand il s'agit du matérialisme notamment, car Rey est lui aussi un professeur et, comme tel, il professe à l'égard des matérialistes le mépris le plus complet (tout en se signalant par l'ignorance la plus complète de la gnoséologie matérialiste). Point n'est besoin de dire que Marx ou Engels, personnages quelconques, n'existent pas du tout pour de telles « sommités de la science ». Cependant, c'est avec le plus grand soin et, somme toute, de façon consciencieuse, que Rey résume sur cette question la riche littérature tant anglaise et allemande (Ostwald et Mach surtout) que française; aussi aurons-nous souvent recours à son travail.

La physique, dit cet auteur, devait attirer sur elle, plus que sur toute autre science, l'attention des philosophes et de tous ceux qui, pour un motif ou un autre, désiraient critiquer la science en général. « C'est au fond la légitimité de la science positive, la possibilité d'une connaissance de l'objet, que l'on discute en cherchant les limites et la valeur de la science physique » (pp. I-II). On a hâte de tirer de la « crise de la physique contemporaine » les conclusions sceptiques (p. 14). Quelle est donc la nature de cette crise ? Dans les deux premiers tiers du XIXe siècle les physiciens furent d'accord sur les points essentiels. « On croit à une explication purement mécanique de la nature ; on postule que la physique n'est qu'une complication de la mécanique : une mécanique moléculaire. On ne diffère que sur les procédés employés pour réduire la physique à la mécanique, et sur les détails du mécanisme. » « Aujourd'hui, semble-il, le spectacle que nous offrent les sciences physico-chimiques a complètement changé. Une extrême diversité a remplacé l'unité générale, et non plus seulement dans les détails, mais dans les idées directrices et fondamentales. S'il serait exagéré de dire que chaque savant a ses tendances particulières, on doit constater que, comme l'art, la science, et surtout la physique, a ses écoles nombreuses, aux conclusions souvent éloignées, parfois opposées et hostiles...

« On comprend alors dans son principe, et dans toute son étendue, ce qu'on a appelé la crise de la physique contemporaine.

« La physique traditionnelle, jusqu'au milieu du XIXe siècle, postulait que la physique n'avait qu'à se prolonger pour être une métaphysique de la matière. Elle donnait à ses théories une valeur ontologique. Et ces théories étaient toutes mécanistes. Le mécanisme traditionnel » (ces mots, employés par Rey dans un sens particulier, désignent ici un ensemble de vues ramenant la physique à la mécanique) « représentait donc, au-dessus et au-delà des résultats de l'expérience, la connaissance *réelle* de l'univers matériel. Ce n'était pas une expression hypothétique de l'expérience ; c'était un dogme » (p. 16)...

Force nous est d'interrompre ici l'honorable « positiviste ». Il nous dépeint évidemment la philosophie matérialiste de la physique traditionnelle sans vouloir appeler le diable (c'est-à-dire le matérialisme) par son nom. A un disciple de Hume, le matérialisme doit apparaître sous l'aspect d'une métaphysique, d'un dogme, d'une excursion au-delà des limites de l'expérience, etc. Ne connaissant pas le matérialisme, Rey, disciple de Hume, ignore à plus forte raison la dialectique et la différence entre le matérialisme dialectique et le matérialisme métaphysique, au sens prêté à ces mots par Engels. Aussi, les rapports entre la vérité absolue et la vérité relative, par exemple, lui échappent-ils absolument.

« ...Les critiques du mécanisme traditionnel qui furent formulées pendant toute la seconde moitié du XIXe siècle, infirmèrent cette proposition de la réalité ontologique du mécanisme. Sur ces critiques s'établit une conception philosophique de la physique qui devint presque traditionnelle dans la philosophie de la fin du XIXe siècle. La science ne fut plus qu'une formule symbolique, un moyen de repérage (de création de signes, de repères, de symboles), et encore comme ce moyen de repérage variait selon les écoles, on arriva vite à trouver qu'il ne repérait que ce qu'on avait au préalable façonné pour être repéré (pour être symbolisé).

La science devint une œuvre d'art pour les dilettantes, un ouvrage d'art pour les utilitaires : attitudes qu'on avait bien le droit de traduire universellement par la négation de la possibilité de la science. Une science, pur artifice pour agir sur la nature, simple technique utilitaire, n'a pas le droit, à moins de défigurer le sens des mots, de s'appeler science. Dire que la science ne peut être que cela, c'est nier la science, au sens propre du mot.

« L'échec du mécanisme traditionnel, ou plus exactement la critique à laquelle il fut soumis, entraîna cette proposition : la science, elle aussi, a échoué. De l'impossibilité de s'en tenir purement ou simplement au mécanisme traditionnel, on inféra : la science n'est plus possible » (pp. 16-17).

L'auteur pose la question suivante : « La crise actuelle de la physique est-elle un incident temporaire et extérieur, dans l'évolution de la science, ou la science tourne-t-elle brusquement sur elle-même et abandonne-t-elle définitivement le chemin qu'elle a suivi ?... »

« ...Si les sciences physico-chimiques qui, historiquement, ont été essentiellement émancipatrices, sombrent dans une crise qui ne leur laisse que la valeur de recettes techniquement utiles, mais leur enlève toute signification au point de vue de la connaissance de la nature, il doit en résulter, dans l'art logique et dans l'histoire des idées, un complet bouleversement. La physique perd toute valeur éducative ; l'esprit positif qu'elle représentait est un esprit faux et dangereux. » La science ne peut donner que des recettes pratiques, et non des connaissances réelles. « La connaissance du réel doit être cherchée et donnée par d'autres moyens... Il faut aller dans une autre voie, et rendre à une intuition subjective, à un sens mystique de la réalité, au mystère en un mot, tout ce que l'on croyait lui avoir arraché » (p. 19).

Positiviste, l'auteur professe que cette opinion est erronée et tient la crise de la physique pour passagère. Nous verrons plus loin comment Rey épure de ces vues Mach, Poincaré et Cie. Bornons-nous pour l'instant à constater la « crise » et son importance. Les derniers mots que nous avons cités de Rey montrent bien quels éléments réactionnaires ont exploité cette crise et l'ont accentuée. Rey dit nettement dans la préface de son livre que « le mouvement fidéiste et anti-intellectualiste des dernières années du XIXe siècle » prétend « s'appuyer sur l'esprit général de la physique contemporaine » (p. II). On appelle en France fidéistes (du latin fides, foi) ceux qui placent la foi au-dessus de la raison. L'anti-intellectualisme nie les droits ou les prétentions de la raison. Ainsi, du point de vue de la philosophie, l'essence de la « crise de la physique contemporaine » est que l'ancienne physique voyait dans ses théories la « connaissance réelle du monde matériel », c'est-à-dire le reflet de la réalité objective. Le nouveau courant de la physique n'y voit que symboles, signes, points de repère d'une utilité pratique, c'est-à-dire qu'il nie l'existence de la réalité objective indépendante de notre conscience et reflétée par celle-ci. Si Rey usait d'une terminologie philosophique exacte, il devrait dire : la théorie matérialiste de la connaissance adoptée inconsciemment par l'ancienne physique a fait place à la théorie idéaliste et agnostique, ce dont le fidéisme a bénéficié à l'encontre des idéalistes et des agnostiques.

Mais ce changement qui fait le fond de la crise, Rey ne se le représente pas comme si tous les nouveaux physiciens s'opposaient à tous les vieux physiciens. Non. Il montre que les physiciens contemporains se divisent, selon leurs tendances gnoséologiques, en trois écoles : énergétique ou conceptuelle (du mot concept, idée pure) ; mécaniste ou néomécaniste, celle-ci ralliant toujours l'immense majorité des physiciens ; et criticiste, intermédiaire entre les deux premières. Mach et Duhem appartiennent à la première ; Henri Poincaré, à la dernière ; les vieux physiciens Kirchhoff, Helmholtz, Thomson (lord Kelvin), Maxwell et les physiciens modernes Larmor et Lorentz appartiennent à la deuxième. Rey montre dans les lignes suivantes la différence essentielle des *deux* tendances fondamentales (la troisième étant intermédiaire, et non autonome) :

« Le mécanisme traditionnel a construit un système de l'univers matériel. » Il partit, dans sa doctrine de la structure de la matière, d'« éléments qualitativement homogènes et identiques » qui devaient être considérés comme « indéformables, impénétrables », etc. La physique « construit un édifice *réel*, avec des matériaux *réels* et du ciment *réel*. Le physicien tenait les *éléments matériels*, les *causes* et la *manière* dont elles agissent, les lois *réelles* de leur action » (pp. 33-38). « Les modifications de la conception générale de la physique consistent surtout dans le rejet de la valeur ontologique des théories figuratives, et dans le sens phénoménologique très accentué que l'on attribue à la physique. » La théorie conceptuelle opère sur des « notions abstraites pures et simples » et « cherche une théorie purement abstraite, qui éliminera autant qu'il est possible l'hypothèse matérielle ». « La notion d'énergie devenait ainsi la substructure de la physique nouvelle. C'est pourquoi la physique conceptuelle peut encore le plus souvent être appelée physique *énergétique* », bien que cette appellation ne puisse s'appliquer, par exemple, à un représentant de la physique conceptuelle tel que Mach (p. 46).

Cette confusion, chez Rey, de l'énergétique et de la doctrine de Mach n'est assurément pas plus juste que son assertion selon laquelle l'école néo-mécaniste adopterait peu à peu, malgré tout ce qui l'éloigne des conceptualistes, la conception phénoménologique de la physique (p. 48). La « nouvelle » terminologie de Rey obscurcit la question au lieu de l'éclaircir ; il ne nous a pourtant pas été possible de la passer sous silence, désireux que nous étions de donner au lecteur une idée de l'interprétation de la crise de la physique par un « positiviste ». Au fond, l'opposition de la « nouvelle » école à la vieille conception concorde complètement, comme le lecteur a pu s'en convaincre, avec la critique précitée de Helmholtz par Kleinpeter. Rey traduit, en exposant les vues des différents physiciens, tout le vague et toute l'inconsistance de leurs conceptions philosophiques. L'*essence* de la crise de la physique contemporaine consiste dans le bouleversement des vieilles lois et des principes fondamentaux, dans le rejet de toute réalité objective indépendante de la conscience, c'est-à-dire dans la substitution de l'idéalisme et de l'agnosticisme au matérialisme. « La matière disparaît » : on peut exprimer en ces mots la difficulté fondamentale, typique à l'égard de certaines questions particulières, qui a suscité cette crise. C'est à cette difficulté que nous nous arrêterons.

2. « LA MATIERE DISPARAIT »

On trouve cette expression textuelle dans les descriptions que donnent des découvertes les plus récentes les physiciens contemporains. Ainsi, dans son livre *L'évolution des sciences*, L. Houllevigue intitule un chapitre traitant des nouvelles théories de la matière : « La matière existe-t-elle ? ». « Voilà l'atome dématérialisé, dit-il... la matière disparaît *. » Afin de montrer avec quelle facilité les disciples de Mach tirent de là des conclusions philosophiques radicales, prenons si vous voulez Valentinov. « La thèse selon laquelle l'explication scientifique du monde n'a de base solide « *que* dans le matérialisme », n'est que fiction, écrit cet auteur, et qui plus est, fiction absurde » (p. 67). Et Valentinov cite comme destructeur de cette fiction absurde le physicien italien bien connu, Augusto Righi, selon lequel la théorie des électrons « est moins une théorie de l'électricité qu'une théorie de la matière ; le nouveau système substitue tout bonnement l'électricité à la matière » (Augusto Righi. *Die moderne Theorie der physikalischen Erscheinungen*, Leipzig, 1905, p. 131. Il y a une traduction russe). Cette citation faite (p. 64), M. Valentinov s'exclame :

« Pourquoi Augusto Righi se permet-il cet attentat à la sainte matière ? Serait-il solipsiste, idéaliste, criticiste bourgeois, empiriomoniste, ou pis encore ? »

Cette remarque, qui paraît à M. Valentinov un trait mortel décoché aux matérialistes, révèle toute son ignorance virginale du matérialisme philosophique. M. Valentinov n'a rien compris à la relation *véritable* entre l'idéalisme philosophique et la « disparition de la matière ». Pour ce qui est de la « disparition de la matière » dont il parle à la suite des physiciens contemporains, elle n'a aucun rapport avec la distinction gnoséologique du matérialisme et de l'idéalisme. Adressons-nous, pour élucider ce point, à l'un des disciples de Mach les plus conséquents et les plus lucides, K. Pearson. Le monde physique est formé, pour ce der-

* L. Houllevigue, *L'évolution des sciences*, Paris (A. Collin), 1908, pp. 63, 87, 88 ; cf. l'article du même auteur « Les idées des physiciens sur la matière » dans *l'Année Psychologique*[94], 1908.

nier, de séries de perceptions sensibles. Cet auteur donne de « notre modèle mental du monde physique » le diagramme suivant, non sans préciser que les proportions n'y sont pas prises en considération (*The Grammar of Science*, p. 282).

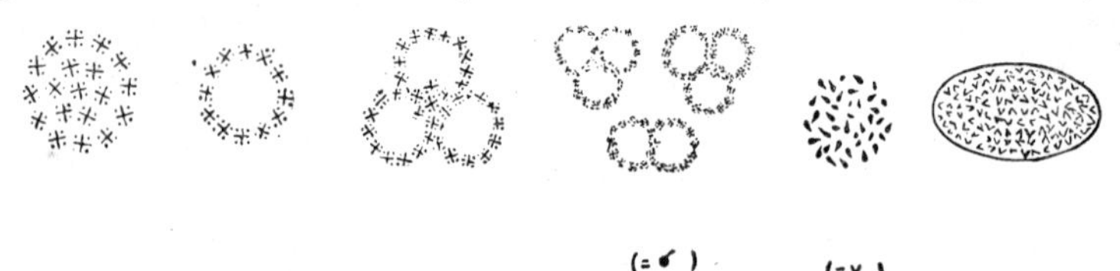

Simplifiant son diagramme, K. Pearson en a complètement éliminé le problème des rapports de l'éther et de l'électricité ou des électrons positifs et négatifs. Mais il n'importe. L'important c'est que, du point de vue idéaliste de Pearson, les « corps » sont considérés comme des perceptions sensibles ; quant à la formation de ces corps à partir de particules, formées à leur tour à partir de molécules, etc., elle a trait aux changements dans le modèle du monde physique, et nullement à la question de savoir si les corps sont des symboles de sensations ou si les sensations sont des images de corps. Le matérialisme et l'idéalisme diffèrent par les solutions qu'ils apportent au problème des *origines* de notre connaissance, des rapports entre la connaissance (et le « psychique » en général) et le monde *physique* ; la question de la structure de la matière, des atomes et des électrons n'a trait qu'à ce « monde physique ». Lorsque les physiciens disent que « la matière disparaît », ils entendent par là que les sciences de la nature ramenaient jusqu'à présent tous les résultats des recherches sur le monde physique à ces trois concepts ultimes : la matière, l'électricité, l'éther ; or les deux derniers subsistent *seuls* désormais, car on peut ramener la matière à l'électricité et représenter l'atome semblable à un système solaire infiniment petit dans lequel des électrons négatifs gravitent avec une vitesse déterminée (extrêmement grande, comme nous l'avons vu) autour d'un électron positif [95]. On arrive ainsi à ramener le monde physique à deux ou trois éléments au lieu de plusieurs dizaines (dans la mesure où les électrons positifs et négatifs représentent « deux matières fondamentales distinctes », comme s'exprime le physicien Pellat, cité par Rey, *l. c.*, pp. 294-295). Les sciences de la nature conduisent donc à l'« *unification de la matière* » (*ibid.*) *, tel est le sens réel de la phrase sur la disparition de la matière, sur la substitution de l'électricité à la matière, etc., qui déroute tant de gens. « La matière disparaît », cela veut dire que disparaît la limite jusqu'à laquelle nous connaissions la matière, et que notre connaissance s'approfondit ; des propriétés de la matière qui nous paraissaient auparavant absolues, immuables, primordiales (impénétrabilité, inertie, masse [97], etc.) disparaissent, reconnues maintenant relatives, inhérentes seulement à certains états de la matière. Car l'*unique* « propriété » de la matière, que reconnaît le matérialisme philosophique, est celle d'*être une réalité objective*, d'exister hors de notre conscience.

L'erreur de la doctrine de Mach en général et de la nouvelle physique de Mach, c'est de ne pas prendre en considération cette base du matérialisme philosophique et ce qui sépare le matérialisme métaphysique du matérialisme dialectique. L'admission d'on ne sait quels éléments immuables, de l'« essence immuable des choses », etc., n'est pas le matérialisme ; c'est un matérialisme *métaphysique*, c'est-à-dire antidialectique. J. Dietzgen soulignait pour cette raison que « l'objet de la science est infini », que « le plus petit atome » est aussi incommensurable, inconnaissable à fond, aussi *inépuisable* que l'infini, « la nature n'ayant dans toutes ses parties ni commencement ni fin » (*Kleinere philosophische Schriften*, pp. 229-230). Engels citait pour cette raison, en critiquant le matérialisme *mécaniste*, la découverte de l'alizarine dans le goudron de houille. Si l'on veut poser la question au seul point de vue juste, c'est-à-dire au point de vue dialectique-matérialiste, il faut se demander : les électrons, l'éther *et ainsi de suite* existent-ils hors de la conscience humaine, en tant que réalité objective ou non ? A

---

* Cf. Oliver Lodge, *Sur les électrons*, Paris, 1906, p. 159 : « L'explication électrique de la matière », la reconnaissance de la « substance fondamentale » dans l'électricité constitue « l'achèvement théorique et prochain de ce que les philosophes ont toujours recherché, c'est-à-dire l'unification de la matière ». Cf. aussi Augusto Righi : *Über die Struktur der Materie*, Leipzig, 1908 ; J. J. Thomson : *The Corpuscular Theory of Matter*, London, 1907 ; P. Langevin : *La physique des électrons*, dans *la Revue générale des sciences*[96], 1905, pp. 257-276.

cette question les savants doivent répondre et répondent toujours sans hésiter *par l'affirmative*, de même qu'ils n'hésitent pas à admettre l'existence de la nature antérieurement à l'homme et à la matière organique. La question est ainsi tranchée en faveur du matérialisme, car le concept de matière ne signifie, comme nous l'avons déjà dit, en gnoséologie *que ceci* : la réalité objective existant indépendamment de la conscience humaine qui la réfléchit.

Mais le matérialisme dialectique insiste sur le caractère approximatif, relatif, de toute proposition scientifique concernant la structure de la matière et ses propriétés, sur l'absence, dans la nature, de lignes de démarcation absolues, sur le passage de la matière mouvante d'un état à un autre qui nous paraît incompatible avec le premier, etc. Quelque singulière que paraisse au point de vue du « bon sens » la transformation de l'éther impondérable en matière pondérable et inversement ; quelque « étrange » que soit l'absence, chez l'électron, de toute autre masse que la masse électromagnétique ; quelque inhabituelle que soit la limitation des lois mécaniques du mouvement au seul domaine des phénomènes de la nature et leur subordination aux lois plus profondes des phénomènes électro-magnétiques, etc., tout cela ne fait que *confirmer* une fois de plus le matérialisme dialectique. La nouvelle physique a dévié vers l'idéalisme, principalement parce que les physiciens ignoraient la dialectique. Ils ont combattu le matérialisme métaphysique (au sens où Engels employait ce mot, et non dans son sens positiviste, c'est-à-dire inspiré de Hume) avec sa « mécanicité » unilatérale, et jeté l'enfant avec l'eau sale. Niant l'immuabilité des propriétés et des éléments de la matière connus jusqu'alors, ils ont glissé à la négation de la matière, c'est-à-dire de la réalité objective du monde physique. Niant le caractère absolu des lois les plus importantes, des lois fondamentales, ils ont glissé à la négation de toute loi objective dans la nature ; les lois naturelles, ont-ils déclaré, ne sont que pures conventions, « limitation de l'attente », « nécessité logique », etc. Insistant sur le caractère approximatif, relatif, de nos connaissances, ils ont glissé à la négation de l'objet indépendant de la connaissance, reflété par cette dernière avec une fidélité approximative et une relative exactitude. Et ainsi de suite à l'infini.

Les réflexions de Bogdanov sur l'« essence immuable des choses » exposées en 1899, les réflexions de Valentinov et de Iouchkévitch sur la « substance », etc., ne sont également que les fruits de l'ignorance de la dialectique. Il n'y a d'immuable, d'après Engels, que ceci : dans la conscience humaine (quand elle existe) se reflète le monde extérieur qui existe et se développe en dehors d'elle. Aucune autre « immuabilité », aucune autre « essence », aucune « substance absolue », au sens où l'entend la philosophie oiseuse des professeurs, n'existe pour Marx et Engels. L'« essence » des choses ou la « substance » sont *aussi* relatives ; elles n'expriment que la connaissance humaine sans cesse approfondie des objets, et si hier encore cette connaissance n'allait pas au-delà de l'atome et ne dépasse pas aujourd'hui l'électron ou l'éther, le matérialisme dialectique insiste sur le caractère transitoire, relatif, approximatif de tous ces *jalons* de la connaissance de la nature par la science humaine qui va en progressant. L'électron est aussi *inépuisable* que l'atome, la nature est infinie, mais elle *existe* infiniment ; et cette seule reconnaissance catégorique et absolue de son *existence* hors de la conscience et des sensations de l'homme, distingue le matérialisme dialectique de l'agnosticisme relativiste et de l'idéalisme.

Nous citerons deux exemples pour montrer les fluctuations inconscientes et spontanées de la physique moderne entre le matérialisme dialectique, qui reste ignoré des savants bourgeois, et le « phénoménisme » avec ses inévitables conclusions subjectivistes (et puis nettement fidéistes).

Augusto Righi, celui-là même que M. Valentinov *n'a pas su* interroger sur la question du matérialisme qui l'intéressait pourtant, écrit dans l'introduction à son livre : « La nature des électrons ou des atomes électriques demeure encore mystérieuse ; peut-être la nouvelle théorie acquerra-t-elle néanmoins à l'avenir une grande valeur philosophique, dans la mesure où elle arrive à de nouvelles conclusions sur la structure de la matière pondérable et tend à ramener tous les phénomènes du monde extérieur à une origine unique.

« Du point de vue des tendances positivistes et utilitaires de notre temps, cet avantage peut n'avoir guère d'importance, et la théorie peut être d'abord considérée comme un moyen commode de mettre de l'ordre parmi les faits, de les confronter, de guider dans les recherches ultérieures. Mais si l'on témoigna par le passé d'une confiance peut-être trop grande en les facultés de l'esprit humain, et si l'on crut saisir trop aisément les causes ultimes de toutes choses, on est aujourd'hui enclin à tomber dans l'erreur opposée » (l. c., p. 3).

Pourquoi Righi se désolidarise-t-il ici des tendances positivistes et utilitaires ? Parce que, ne professant sans doute aucun point de vue philosophique déterminé, il se cramponne d'instinct à la réalité du monde extérieur et à l'idée que la nouvelle théorie n'est pas uniquement une « commodité » (Poincaré), un « empiriosymbole » (Iouchkévitch), une « harmonisation de l'expérience » (Bogdanov) et autres subterfuges analogues du subjectivisme, mais un progrès dans la connaissance de la réalité objective. Si ce physicien avait pris connaissance du matérialisme *dialectique*, son jugement sur l'erreur opposée à celle de l'ancien matérialisme métaphysique eût peut-être le point de départ d'une juste philosophie. Mais l'ambiance même où vivent ces gens-là les écarte de Marx et d'Engels, et les jette dans les bras de la plus banale philosophie officielle.

Rey, lui aussi, ignore absolument la dialectique. Mais il est contraint de constater à son tour qu'il y a parmi les physiciens modernes des continuateurs des traditions du « mécanisme » (c'est-à-dire du matérialisme). Kirchhoff, Hertz, Boltzmann, Maxwell, Helmholtz, lord Kelvin ne sont pas les seuls, dit-il, à suivre la voie du « mécanisme ». « Purs mécanistes, et à certains points de vue, plus mécanistes que quiconque, et représentant l'aboutissant du mécanisme, ceux qui, à la suite de Lorentz et de Larmor, formulent une théorie électrique de la matière et arrivent à nier la constance de la masse en en faisant une fonction du mouvement. *Tous sont mécanistes, parce qu'ils prennent leur point de départ dans des mouvements réels* » (c'est Rey qui souligne, pp. 290-291).

« ...Si, par exemple, les hypothèses récentes de Lorentz, de Larmor et de Langevin, arrivaient à avoir, grâce à certaines concordances expérimentales, une base suffisamment solide pour asseoir la systématisation physique, il serait certain que les lois de la mécanique actuelle ne seraient plus qu'une dépendance des lois de l'électromagnétisme ; elles en formeraient comme un cas spécial dans des limites bien déterminées. La constance de la masse, notre principe de l'inertie ne seraient plus valables que pour les vitesses moyennes des corps, le terme « moyen » étant pris par rapport à nos sens et aux phénomènes qui constituent notre expérience générale. Un remaniement général de la mécanique s'ensuivrait et, par suite, un remaniement général de la systématisation physique.

« Le mécanisme serait-il abandonné ? En aucune façon ; la pure tradition mécaniste continuerait à être suivie, et le mécanisme suivrait les voies normales de son développement » (p. 295).

« La physique électronique, qui doit être rangée parmi les théories d'esprit général mécaniste, tend à imposer actuellement sa systématisation à la physique. Elle est d'esprit mécaniste, bien que les principes fondamentaux de la physique ne soient plus fournis par la mécanique, mais par les données expérimentales de la théorie de l'électricité, parce que : 1° Elle emploie des éléments *figurés*, *matériels*, pour représenter les propriétés physiques et leurs lois ; elle s'exprime en termes de perception. 2° Si elle ne considère plus les phénomènes physiques comme des cas particuliers des phénomènes mécaniques, elle considère les phénomènes mécaniques comme un cas particulier des phénomènes physiques. Les lois de la mécanique sont donc toujours *en continuité directe* avec les lois de la physique ; et les notions de la mécanique restent du même ordre que les notions physico-chimiques. Dans le mécanisme traditionnel, c'étaient les mouvements calqués sur les mouvements *relativement lents*, qui, étant les seuls connus et les plus directement observables, avaient été pris... pour types de tous les mouvements possibles. Les *expériences nouvelles* au contraire montrent qu'il faut *étendre* notre conception des mouvements possibles. La mécanique traditionnelle reste tout entière debout, mais elle ne s'applique plus qu'aux mouvements relativement lents... A des vitesses considérables, les lois du mouvement sont autres. La matière paraît se réduire à des particules électriques, éléments derniers de l'atome... 3° Le mouvement, le déplacement dans l'espace, reste l'élément figuratif unique de la théorie physique. 4° Enfin — ce qui, au point de vue de l'esprit général de la science physique, prime toute autre considération, — la conception de la science physique, de ses méthodes, de ses théories et de leur rapport avec l'expérience, reste *absolument identique* à celle du mécanisme et à la conception de la physique depuis la Renaissance » (pp. 46 et 47).

J'ai cité ces longs extraits de Rey, car sa crainte perpétuelle de tomber dans la « métaphysique matérialiste » ne permet pas d'exposer autrement ses affirmations. Quelle que soit l'aversion de Rey et des physiciens qu'il cite, à l'égard du matérialisme, il n'en est pas moins vrai que la mécanique calquait les lents mouvements réels, tandis que la nouvelle physique calque les mouvements réels qui s'accomplissent à des vitesses prodigieuses. Le matérialisme consiste justement à admettre que la théorie est un calque, une copie approximative de la réalité objective. Nous ne pourrions souhaiter de meilleure confirmation du fait que la lutte se poursuit, au fond, entre les tendances idéalistes et matérialistes, que celle qui nous est donnée par Rey lorsqu'il dit qu'il existe, parmi les physiciens modernes, « une réaction contre l'école conceptuelle (celle de Mach) et l'école énergétique », et lorsqu'il classe les physiciens professant la théorie des électrons parmi les représentants de cette réaction (p. 46). Il importe seulement de ne pas oublier que, outre les préjugés communs à l'ensemble des philistins instruits, contre le matérialisme, les théoriciens les plus marquants se ressentent de leur ignorance complète de la dialectique.

3. LE MOUVEMENT EST-IL CONCEVABLE SANS MATIERE ?

L'exploitation de la nouvelle physique par l'idéalisme philosophique, ou les déductions idéalistes tirées de cette physique ne sont pas dues à la découverte de nouveaux aspects de la substance et de la force, de la matière et du mouvement, mais à la tentative de concevoir le mouvement sans matière. C'est cette tentative précisément que nos disciples de Mach n'arrivent pas à saisir en substance. Ils ont préféré ne pas affronter l'affirmation d'Engels, selon laquelle « le mouvement *est inconcevable* sans matière ». J. Dietzgen exprimait, dès 1869, dans son livre sur l'*Essence du travail cérébral*, la même idée qu'Engels, non sans tenter, il est vrai, comme il en avait la coutume, de « concilier » confusément le matérialisme et l'idéalisme. Laissons de côté ces tentatives, explicables dans une large mesure par la polémique de Dietzgen contre le matérialisme de Büchner étranger à la dialectique, et demandons-nous quelles sont les opinions de Dietzgen lui-même sur la question qui nous intéresse. « Les idéalistes veulent, dit-il, le général sans le particulier, l'esprit sans la matière, la force sans la substance, la science sans l'expérience ou sans les matériaux, l'absolu sans le relatif » (*Das Wesen der menschlichen Kopfarbeit*, 1903, p. 108). La tendance à détacher le mouvement de la matière et la force de la substance, Dietzgen la relie ainsi à l'idéalisme et la situe à côté de la tendance à détacher la pensée du cerveau. « Liebig, continue Dietzgen, qui aime à s'écarter de sa science inductive pour se rapprocher de la spéculation philosophique, dit, dans le sens de l'idéalisme : on ne peut voir la force » (p. 109). « Le spiritualiste ou l'idéaliste *croit* à l'essence idéale, c'est-à-dire illusoire, inexplicable de la force » (p. 110). « La contradiction entre la force et la matière est aussi vieille que la contradiction entre l'idéalisme et le matérialisme » (p. 111). « Il n'y a sans doute ni force sans matière, ni matière sans force. La matière sans force et la force sans matière, c'est un non-sens. Si les savants idéalistes croient à l'existence immatérielle des forces, ils sont sur ce point... des visionnaires, et non des savants » (p. 114).

Nous voyons ici qu'on pouvait déjà rencontrer, il y a quarante ans, des savants disposés à admettre la possibilité de concevoir le mouvement sans matière et que Dietzgen qualifiait « sur ce point » de visionnaires. Quel est donc le lien entre l'idéalisme philosophique et la tendance à détacher la matière du mouvement, à séparer la matière de la force ? N'est-il pas en effet plus « économique » de concevoir le mouvement sans matière ?

Figurons-nous un idéaliste conséquent pour qui, par exemple, le monde n'est que sa sensation ou sa représentation, etc. (si l'on prend la sensation ou la représentation, sans la préciser par un possessif, l'idéalisme philosophique changerait de variété et non d'essence). L'idéaliste ne songera pas à nier que le monde est un mouvement : mouvement de sa pensée, de ses représentations, de ses sensations. La question de savoir *ce* qui se meut, il la repoussera comme absurde : mes sensations, dira-t-il, se succèdent les unes aux autres, mes représentations apparaissent et disparaissent, et voilà tout. Il n'y a rien en dehors de moi. « Mouvement », un point c'est tout. On ne saurait imaginer de pensée plus « économique ». Pas de preuves, de syllogismes et de définitions qui puissent réfuter le solipsiste s'il développe logiquement sa conception.

Ce qui distingue essentiellement le matérialiste et le partisan de la philosophie idéaliste, c'est que le premier tient la sensation, la perception, la représentation et, en général, la conscience de l'homme pour une image de la réalité objective. Le monde est le mouvement de cette réalité objective reflétée par notre conscience. Au mouvement des représentations, des perceptions, etc., correspond le mouvement de la matière extérieure. Le concept de matière n'exprime que la réalité objective qui nous est donnée dans la sensation. C'est pourquoi vouloir détacher le mouvement de la matière équivaudrait à détacher la pensée de la réalité objective, à détacher mes sensations du monde extérieur, c'est-à-dire à passer à l'idéalisme. Le tour de force qu'on accomplit généralement en niant la matière et en supposant le mouvement sans matière consiste à ne rien dire des rapports de la matière et de la pensée. Ces rapports sont représentés comme inexistants ; mais en réalité on les introduit subrepticement, on s'abstient de les mentionner au début du raisonnement et ils reparaissent, plus ou moins inaperçus, par la suite.

La matière a disparu, nous dit-on, et l'on veut tirer de là des conclusions gnoséologiques. Et la pensée, restet-elle ? demanderons-nous. Si la pensée a disparu avec la matière, si les représentations et les sensations ont disparu avec le cerveau et le système nerveux, alors tout s'évanouit, y compris votre raisonnement, échantillon d'une « pensée » quelconque (ou d'une insuffisance de pensée) ! Mais si vous supposez que la pensée (la représentation, la sensation, etc.) n'a pas disparu avec la matière, vous adoptez subrepticement le point de vue de l'idéalisme philosophique. C'est ce qui arrive précisément à ceux qui, pour des raisons d'« économie », veulent concevoir le mouvement sans la matière, puisque, du fait même qu'ils prolongent leur raisonnement, ils admettent *tacitement* l'existence de la pensée *après* la disparition de la matière. Cela veut dire qu'on prend pour base un idéalisme philosophique très simple ou très complexe : très simple quand il se ramène ouvertement au solipsisme (*moi*, j'existe, et le monde n'est que *ma* sensation) ; très complexe si l'on substitue à la pensée, à la représentation, à la sensation de l'homme vivant une abstraction morte : pensée, représentation, sensation tout court, pensée en général (idée absolue, volonté universelle, etc.), sensation considérée comme un « élément » indéterminé, « psychique », substitué à toute la nature physique, etc., etc. Des milliers de nuances sont possibles parmi les variétés de l'idéalisme philosophique, et l'on peut toujours y ajouter la mille et unième nuance (l'empiriomonisme, par exemple) dont la différence avec toutes les autres peut paraître très importante à son auteur. Au point de vue du matérialisme ces différences ne jouent absolument aucun rôle. Ce qui importe, c'est le point de départ, c'est que la tentative de *concevoir* le mouvement sans matière introduit la *pensée* détachée de la matière, ce qui aboutit précisément à l'idéalisme philosophique.

C'est pourquoi, par exemple, le disciple anglais de Mach Karl Pearson, le plus clair, le plus conséquent, le plus hostile aux subtilités verbales, ouvre le chapitre VII de son livre, consacré à la « Matière », par ce sous-titre caractéristique : « *Tous les objets se meuvent, mais seulement dans la conception* » (« All things move, but only in conception »). « Pour ce qui est du domaine des perceptions il est oiseux de se demander (« it is idle to ask ») : Qu'est-ce qui se meut et pourquoi » (*The Grammar of Science*, p. 243).

Aussi les mésaventures philosophiques de Bogdanov avaient commencé avant qu'il eût fait la connaissance de Mach, à partir du jour où il crut le grand chimiste et médiocre philosophe Ostwald qui affirmait que le mouvement est concevable sans la matière. Il sera d'autant plus opportun de s'arrêter à cet épisode de l'évolution philosophique de Bogdanov, qu'on ne peut, en parlant des rapports de l'idéalisme philosophique avec certains courants de la nouvelle physique, passer sous silence l'« énergétique » d'Ostwald.

« Nous avons déjà dit, écrivait Bogdanov en 1899, que le XIXe siècle n'a pas réussi à trancher définitivement la question relative à « l'essence immuable des choses ». Cette essence joue, sous le nom de « matière », un rôle éminent dans les conceptions des penseurs les plus avancés du siècle »... (*Eléments fondamentaux de la conception historique de la nature*, p. 38.)

Confusion, avons-nous dit. L'admission de la réalité objective du monde extérieur, l'admission — en dehors de notre conscience, — de l'existence d'une matière perpétuellement mouvante et perpétuellement changeante, est ici confondue avec l'admission de l'essence immuable des choses. Il n'est pas permis de supposer que Bogdanov n'ait pas rangé en 1899 Marx et Engels parmi les « penseurs avancés ». Mais il est évident qu'il n'a pas compris le matérialisme dialectique.

« ... On distingue encore habituellement deux aspects dans les processus naturels : la matière et son mouvement. On ne peut dire que le concept de matière soit très lumineux. Il n'est pas facile de donner une réponse satisfaisante à la question : Qu'est-ce que la matière ? On la définit « cause des sensations » ou « possibilité permanente de sensations » ; mais il est certain qu'en ce cas on confond la matière avec le mouvement... »

Ce qui est évident, c'est que Bogdanov raisonne mal. Il confond l'admission matérialiste de la source objective des sensations (la cause des sensations est formulée en termes peu clairs) avec la définition agnostique, donnée par Mill, de la matière en tant que *possibilité* permanente de sensations. L'erreur capitale de l'auteur vient de ce que, en abordant de près le problème de l'existence ou de l'inexistence de la source objective des sensations, il l'abandonne à mi-chemin et saute au problème de l'existence ou de l'inexistence de la matière sans mouvement. L'idéaliste peut considérer le monde comme le *mouvement* de nos sensations (fussent-elles « socialement organisées » et « harmonisées » au plus haut degré) ; le matérialiste peut le considérer comme le mouvement de la source objective, du modèle objectif de nos sensations. Le matérialiste métaphysique, c'est-à-dire antidialectique, peut admettre l'existence (au moins temporaire, jusqu'au « choc premier », etc.) de la matière sans mouvement. Le matérialiste dialectique voit dans le mouvement une propriété inhérente à la matière, mais repousse la conception simpliste du mouvement, etc.

« ... La définition suivante serait peut-être la plus précise : « la matière est ce qui se meut » ; mais ce serait tout aussi dénué de sens que de dire : la matière est le sujet d'une proposition dont « se meut » est le prédicat. Mais la difficulté ne vient-elle pas précisément de ce que les hommes se sont accoutumés, à l'époque de la statique, à concevoir nécessairement un sujet comme quelque chose de solide, comme un « objet » quelconque, et à ne tolérer une chose aussi incommode pour la pensée statique que le « mouvement », qu'en qualité de prédicat ou de l'un des attributs de la « matière » ? »

Voilà qui rappelle un peu le grief que faisait Akimov aux partisans de l'*Iskra*, de ne pas inscrire au nominatif, dans leur programme, le mot prolétariat[98] ! Dire : le monde est matière en mouvement ou : le monde est mouvement matériel, ne change rien à l'affaire.

« ...Il faut bien que l'énergie ait un porteur ! », disent les partisans de la matière. « Et pourquoi ? », demande avec raison Ostwald. « La nature doit-elle être formée d'un sujet et d'un prédicat ? » (p. 39).

La réponse d'Ostwald, dont Bogdanov s'émerveillait en 1899, n'est qu'un sophisme. Nos jugements, pourrait-on répondre à Ostwald, doivent-ils forcément être formés d'électrons et d'éther ? Eliminer mentalement de la « nature » la matière en tant que « sujet », c'est en réalité prendre implicitement en *philosophie* la *pensée* pour « sujet » (c'est-à-dire principe primordial, point de départ, indépendant de la matière). Ce n'est pas le sujet qu'on élimine, c'est la source objective de la sensation, et la *sensation* devient « sujet », c'est-à-dire que la philosophie devient du berkeleyisme, quelle que soit la façon dont on travestisse ensuite le mot sensation. Ostwald a tenté d'esquiver cette inévitable alternative philosophique (matérialisme ou idéalisme) en employant d'une manière imprécise le mot « énergie », mais sa tentative atteste une fois de plus la vanité des artifices de ce genre. Si l'énergie est mouvement, vous n'avez fait que reporter la difficulté du sujet sur le prédicat, vous n'avez fait que modifier les termes de la question : la matière est-elle mouvante ? pour : l'énergie est-elle matérielle ? La transformation de l'énergie s'accomplit-elle en dehors de ma conscience, indépendamment de l'homme et de l'humanité, ou n'est-elle qu'une idée, qu'un symbole, qu'un signe conventionnel, etc. ? La philosophie « énergétique », cet essai pour remédier, à l'aide d'une terminologie « nouvelle », à d'anciennes erreurs gnoséologiques, s'est enferrée sur cette question.

Quelques exemples montreront à quelle confusion en est arrivé le créateur de l'énergétique, Ostwald. Il déclare, dans la préface de son *Cours de philosophie naturelle* *, considérer comme « un immense avantage que l'ancienne difficulté de concilier les concepts de matière et d'esprit soit simplement et naturellement éliminée par la réduction de ces deux concepts à celui d'énergie ». Ce n'est pas un avantage, mais une perte, car la question de savoir s'il faut orienter les recherches gnoséologiques (Ostwald ne se rend pas exactement compte qu'il pose une question de gnoséologie et non de chimie !) dans un sens matérialiste ou idéaliste, loin d'être résolue, est encore obscurcie par l'emploi arbitraire du terme « énergie ». Certes, la « réduction » de la matière et de l'esprit à la notion d'énergie aboutit indéniablement à la suppression *verbale* de la contradiction, mais l'absurdité de la croyance aux loups-garous et aux lutins ne disparaîtra pas du fait que nous qualifierons cette croyance d'« énergétique ». Nous lisons, à la page 394 du *Cours* d'Ostwald : « L'explication la plus simple du fait que tous les phénomènes extérieurs peuvent être représentés comme des processus s'accomplissant entre les énergies, c'est que les processus de notre conscience sont eux-mêmes des processus énergétiques et communiquent (aufprägen) cette qualité à toutes les expériences extérieures. » Pur idéalisme : notre pensée ne reflète pas la transformation de l'énergie dans le monde extérieur ; c'est le monde extérieur qui reflète la « qualité » de notre conscience ! Le philosophe américain Hibben dit très spirituellement à propos de ce passage et de quelques autres analogues du *Cours* d'Ostwald que ce dernier « apparaît ici sous la toge kantienne » : l'explicabilité des phénomènes de l'univers extérieur se

---

* Wilhelm Ostwald, *Vorlesungen über Naturphilosophie*, 2. Aufl., Leipzig, 1902, p. VIII.

déduit des propriétés de notre esprit* ! « Il est évident, dit Hibben, que si nous définissons le concept primitif de l'énergie de façon à lui faire englober aussi les phénomènes psychiques, ce ne sera plus le simple concept de l'énergie admis dans les milieux scientifiques et par les énergétistes eux-mêmes. » La transformation de l'énergie est considérée par les sciences de la nature comme un processus objectif indépendant de la conscience de l'homme et de l'expérience de l'humanité ; autrement dit, elle est considérée de façon matérialiste. En maintes occasions, et probablement dans l'immense majorité des cas, Ostwald lui-même entend par énergie le mouvement *matériel*.

C'est pourquoi on a vu se produire ce fait curieux : l'élève d'Ostwald, Bogdanov, une fois devenu l'élève de Mach, s'est mis à accuser son premier maître non de ne point s'en tenir avec esprit de suite à la conception matérialiste de l'énergie, mais d'admettre cette conception (et d'en faire même parfois la base). Les matérialistes reprochent à Ostwald d'être tombé dans l'idéalisme et d'essayer de concilier le matérialisme et l'idéalisme. Bogdanov le critique d'un point de vue *idéaliste* : « ...L'énergétique d'Ostwald, hostile à l'atomisme, mais pour le reste très proche de l'ancien matérialisme, s'est acquis mes plus vives sympathies, écrit Bogdanov en 1906. J'ai pourtant vite relevé une contradiction importante dans sa philosophie naturelle : tout en soulignant maintes fois la valeur *purement méthodologique* de la notion d'énergie, l'auteur ne réussit pas, dans un très grand nombre de cas, à s'en tenir à cette conception. L'énergie, pur symbole des rapports entre les faits expérimentaux, se transforme très fréquemment chez lui en *substance* de l'expérience, en matière du monde »... (*Empiriomonisme*, livre III, pp. XVI-XVII).

L'énergie, pur symbole ! Après cela Bogdanov peut discuter à loisir avec l'« empiriosymboliste » Iouchkévitch, avec les « disciples fidèles de la doctrine de Mach », avec les empiriocriticistes et autres, la discussion ne mettra jamais aux prises, aux yeux des matérialistes, qu'un croyant au diable jaune et un croyant au diable vert. Car l'im-

* J. G. Hibben, *The Theory of Energetics and its Philosophical Bearings, The Monist*, vol. XIII, n° 3, 1903, April, pp. 329-330.

portant, ce n'est pas ce qui distingue Bogdanov des autres disciples de Mach, mais ce qu'ils ont de commun : l'interprétation *idéaliste* de l'« expérience » et de l'« énergie », la négation de la réalité objective à laquelle l'expérience humaine ne fait que s'adapter et que la « méthodologie » scientifique et l'« énergétique » scientifique se bornent à calquer.

« La matière du monde lui est indifférente (à l'énergétique d'Ostwald) ; elle est aussi compatible avec le vieux matérialisme qu'avec le panpsychisme » (p. XVII)... c'est-à-dire l'idéalisme philosophique ? Partant *de* la confuse énergétique, Bogdanov prend le chemin *de l'idéalisme* et *non* du matérialisme... « Représenter l'énergie comme une substance, c'est revenir purement et simplement à l'ancien matérialisme moins les atomes absolus, à un matérialisme corrigé en ce sens qu'il admet la *continuité* de ce qui existe » (*ibid.*). Oui, du « vieux » matérialisme, c'est-à-dire du matérialisme métaphysique des savants, Bogdanov n'est pas allé au matérialisme *dialectique*, qu'il ne comprend pas plus en 1906 qu'en 1899, mais à l'idéalisme et au fidéisme, car nul représentant instruit du fidéisme contemporain, nul immanent, nul « néo-criticiste », etc., ne fera d'objection à la conception « méthodologique » de l'énergie ni à son interprétation en tant que « pur symbole des rapports entre les faits expérimentaux ». Prenez P. Carus, dont la physionomie nous est maintenant assez familière, et vous verrez ce disciple de Mach critiquer Ostwald *tout à fait dans la manière de Bogdanov* : « Le matérialisme et l'énergétique, écrit Carus, appartiennent sans contredit à une seule et même catégorie » (*The Monist*, vol. XVII, 1907, n° 4, p. 536). « Le matérialisme nous éclaire fort peu quand il nous dit que tout est matière, que les corps sont matière, que la pensée n'est qu'une fonction de la matière ; l'énergétique du professeur Ostwald ne vaut guère mieux, puisqu'il nous dit que la matière n'est que l'énergie et que l'âme n'est qu'un facteur de cette énergie » (p. 533).

L'énergétique d'Ostwald nous offre un bel exemple de la terminologie « nouvelle » rapidement en vogue : elle nous montre avec quelle promptitude on se rend compte qu'un mode d'expression légèrement modifié ne suffit pas à éliminer les questions et tendances fondamentales de la philosophie. On peut tout aussi bien (avec plus ou moins d'esprit de suite, assurément) exprimer le matérialisme et l'idéalisme en termes d'« énergétique » qu'en termes d'« expérience», etc.La physique énergétique est la source de nouvelles tentatives idéalistes pour concevoir le mouvement sans la matière à la suite de la décomposition de particules de matière que l'on croyait jusqu'ici indécomposables, et de la découverte de nouvelles formes, jusque-là inconnues, du mouvement matériel.

4. LES DEUX TENDANCES DE LA PHYSIQUE CONTEMPORAINE ET LE SPIRITUALISME ANGLAIS

Afin de mieux montrer la joute philosophique qui s'est engagée dans la littérature contemporaine au sujet des diverses conclusions à tirer de la physique nouvelle, laissons la parole aux participants mêmes de la « bataille », à commencer par les Anglais. Le physicien Arthur W. Rücker, en sa qualité de savant, plaide en faveur d'une tendance ; le philosophe James Ward, en faveur d'une autre, — du point de vue de la gnoséologie.

Le président de la section de physique du congrès des savants anglais qui se tint à Glasgow en 1901, A. W. Rücker, choisit pour thème de son discours la valeur de la théorie physique et les doutes qui se sont fait jour quant à l'existence des atomes et, plus particulièrement, de l'éther. L'orateur cita les physiciens Poincaré et Poynting (ce dernier est un émule anglais des symbolistes et des disciples de Mach), et le philosophe Ward, qui ont soulevé cette question ; il cita le livre bien connu de Haeckel et esquissa un exposé de ses propres vues *.

« La question débattue, dit Rücker, est de savoir si les hypothèses qui sont à la base des théories scientifiques les plus répandues doivent être considérées comme une description exacte de la structure du monde qui nous entoure, ou tout simplement comme des fictions commodes. » (Pour

* *The British Association at Glasgow*, 1901. Presidential Address by Prof. Arthur W. Rücker dans *The Scientific American Supplement*, 1901, nos 1345 et 1346.

employer les termes de notre discussion avec Bogdanov, Iouchkévitch et Cie : sont-elles des calques de la réalité objective, de la matière en mouvement, ou ne sont-elles que « méthodologie », « pur symbole », « formes d'organisation de l'expérience » ?)Rücker convient qu'il peut ne pas y avoir de différence pratique entre les deux théories : la direction d'un fleuve peut aussi bien être déterminée par l'homme qui examine un trait bleu sur une carte ou sur un diagramme que par celui qui sait que ce trait représente effectivement un fleuve. Du point de vue d'une fiction commode,la théorie « facilite la mémoire », « met de l'ordre » dans nos observations, les accorde avec un certain système artificiel, « règle nos connaissances », les classe en équations, etc. On peut, par exemple, se borner à dire que la chaleur est une forme du mouvement ou de l'énergie,« substituant ainsi au vivant spectacle des atomes en mouvement une assertion incolore (colourless) sur l'énergie calorique dont nous n'essayons pas de déterminer la nature réelle ». Reconnaissant pourtant la possibilité d'arriver dans cette voie à de très grands succès scientifiques, Rücker « ose affirmer qu'un pareil système tactique ne saurait être considéré comme le dernier mot de la science dans sa lutte pour la vérité ». La question demeure entière : « Pouvons-nous conclure des phénomènes révélés par la matière à la structure de la matière même ? » « Avons-nous des raisons de croire que l'esquisse théorique que la science nous a déjà donnée est jusqu'à un certain point une copie, et non un simple diagramme de la vérité ? »

Dans l'analyse qu'il fait du problème de la structure de la matière, Rücker prend comme exemple l'air. L'air est, dit-il, composé de gaz et la science décompose « tout gaz élémentaire en un mélange d'atomes et d'éther ». C'est ici, poursuit-il, qu'on nous crie : « Halte ! » On ne peut voir ni molécules ni atomes ; on peut en user comme de « simples concepts » (mere conceptions), « mais on ne peut les considérer comme des réalités ». Rücker écarte cette objection en faisant appel à l'un des cas très nombreux dans l'évolution de la science.Les anneaux de Saturne, examinés au télescope, ont l'aspect d'une masse indivise. Les mathématiciens ont prouvé par des calculs précis que ces anneaux ne peuvent être formés d'une masse indivise, et l'analyse spectrale a confirmé les conclusions tirées de ces calculs.

Autre objection : on prête aux atomes et à l'éther des propriétés que nos sens ne nous révèlent pas dans la matière ordinaire. Rücker écarte cette nouvelle objection en citant les exemples de la diffusion des gaz, des liquides, etc. Des faits, des observations et des expériences prouvent que la matière est formée de particules distinctes ou de grains.Ces particules, ces atomes diffèrent-ils du « milieu primordial », du « milieu fondamental » qui les environne (éther), ou en sont-ils des parties dans un état particulier,la question reste ouverte et ne concerne en rien la théorie même de l'existence des atomes. Il n'y a aucune raison de nier a priori, en dépit des indications de l'expérience, l'existence de « substances quasi matérielles » différentes de la matière ordinaire (les atomes et l'éther). Des erreurs de détail sont inévitables, mais l'ensemble des données scientifiques ne permet pas de douter de l'existence des atomes et des molécules.

Rücker indique ensuite les nouvelles données relatives à la structure des atomes, qui seraient composés de corpuscules (ou électrons) chargés d'électricité négative, et marque les résultats analogues des différentes expériences et des calculs sur les dimensions des molécules : « à la première approximation » le diamètre des molécules est d'environ cent millimicrons (millionièmes de millimètre). Sans nous arrêter aux remarques particulières de Rücker et à sa critique du néo-vitalisme[99], citons seulement ses conclusions :

« Ceux qui diminuent la valeur des idées qui présidèrent jusqu'ici au progrès de la théorie scientifique, admettent trop souvent qu'il n'y a de choix qu'entre ces deux assertions opposées : ou l'atome et l'éther sont de simples fictions de l'imagination scientifique, ou la théorie mécaniste des atomes et de l'éther — si elle pouvait être achevée, ce qui n'est pas le cas, — nous donnerait une idée complète, idéalement exacte des réalités. Mon avis est qu'il y a une troisième voie. » Un homme placé dans une chambre obscure ne peut distinguer que très confusément les objets, mais s'il ne se heurte pas aux meubles et s'il ne prend pas un miroir pour une porte,c'est qu'il y voit assez bien. Aussi ne devons-nous pas renoncer à pénétrer plus profondément la nature, ni prétendre avoir déjà soulevé tous les voiles du mystère du monde environnant : « On peut convenir que nous ne nous sommes pas encore fait une image bien nette de la nature des atomes ou de celle de l'éther au sein duquel ils existent. Mais j'ai essayé de montrer que, malgré le caractère tâtonnant (littéralement : tentative) de certaines de nos théories, malgré les nombreuses difficultés de détail auxquelles se heurte la théorie des atomes... cette théorie est juste dans ses grandes lignes ; les atomes ne sont pas que des conceptions auxiliaires (helps) à l'usage de mathématiciens (puzzled mathematicians) ; ce sont des réalités physiques. »

Telle fut la péroraison de Rücker. Le lecteur voit que cet auteur ne s'était pas occupé de gnoséologie ; à la vérité, il avait défendu, au nom de la masse des savants, le point de vue du matérialisme spontané. Sa pensée se résume en ces mots : la théorie de la physique est un calque (de plus en plus exact) de la réalité objective. Le monde est matière en mouvement que nous apprenons à connaître de plus en plus profondément. Les inexactitudes de la philosophie de Rücker découlent de la défense, nullement obligatoire, de la théorie « mécaniste » (pourquoi pas électromagnétique ?) des mouvements de l'éther et de l'incompréhension des rapports entre la vérité relative et la vérité absolue. Il ne manque à ce physicien *que* la connaissance du matérialisme *dialectique* (abstraction faite, bien entendu, des considérations pratiques si importantes qui contraignent les professeurs anglais à se dire « agnostiques »).

Voyons maintenant la critique de cette philosophie par le spiritualiste James Ward : « ...Le naturalisme n'est pas une science, écrivait-il, et la théorie mécaniste de la nature qui lui sert de base n'en est pas une non plus ... Mais bien que le naturalisme et les sciences de la nature, la théorie mécaniste du monde et la mécanique en tant que science soient logiquement des choses différentes, leur ressemblance est grande à première vue et leur liaison étroite au point de vue historique. Nul danger qu'il y ait confusion des sciences de la nature et de la philosophie idéaliste ou spirituelle,cette philosophie impliquant nécessairement la critique des prémisses gnoséologiques que la science admet inconsciemment * »... C'est juste ! Les sciences de la nature admettent

* James Ward, *Naturalism and Agnosticism*, 1906, vol. I, p. 303.

inconsciemment que leur doctrine reflète la réalité objective, et cette philosophie est la *seule* compatible avec les sciences de la nature ! « ...Il en va tout autrement pour le naturalisme, dont l'innocence égale celle de la science en ce qui concerne la théorie de la connaissance. Le naturalisme est, en effet, comme le matérialisme, une physique traitée comme une métaphysique... Le naturalisme est, sans doute, moins dogmatique que le matérialisme,car il fait des réserves agnostiques sur la nature de la réalité ultime ; mais il insiste résolument sur la primauté de l'aspect matériel de cet « Inconnaissable »... »

Le matérialiste traite la physique comme une métaphysique. Argument que nous connaissons bien ! L'admission de la réalité objective extérieure à l'homme est appelée métaphysique : les spiritualistes rejoignent les kantiens et les disciples de Hume pour adresser ce reproche au matérialisme. Cela se comprend fort bien : il n'est pas possible de payer les voies pour les « concepts réels » du goût de Rehmke, sans éliminer d'abord la réalité *objective* des choses, des corps ou des objets connus de chacun !...

« ...Quand on pose la question, philosophique quant au fond, d'une meilleure systématisation des expériences dans leur ensemble » (vous plagiez Bogdanov, M. Ward !), « le naturaliste affirme que nous devons commencer par le physique. Seuls les faits physiques sont précis, bien déterminés et strictement liés ; toute pensée qui a fait battre le cœur humain... peut, nous dit-on, être ramenée à une redistribution tout à fait exacte de la matière et du mouvement... Les physiciens contemporains n'osent affirmer nettement que des affirmations aussi larges et d'une telle portée philosophique soient des conclusions légitimes de la science physique (c'est-à-dire des sciences de la nature). Mais beaucoup d'entre eux sont d'avis que ceux qui veulent dévoiler la métaphysique cachée, dénoncer le réalisme physique sur lequel repose la théorie mécaniste du monde, discréditent la valeur de la science... » Telle est, d'ailleurs, l'opinion de Rücker sur ma philosophie. « ...En réalité, ma critique » (de cette « métaphysique » abhorrée de tous les disciples de Mach) « repose entièrement sur les conclusions d'une école de physiciens, s'il est permis de l'appeler ainsi, école numériquement toujours plus vaste et plus influente, qui repousse ce réalisme quasi moyenageux... Il y a si longtemps que ce réalisme ne rencontrait pas d'objection, que toute insurrection contre lui est considérée comme une proclamation de l'anarchie scientifique. Ce serait pourtant chose extravagante que de suspecter des hommes tels que Kirchhoff et Poincaré — pour ne citer que deux grands noms parmi tant d'autres, — de vouloir « discréditer la valeur de la science »... Pour les distinguer de la vieille école, que nous sommes en droit d'appeler celle du réalisme physique, nous pouvons appeler la nouvelle celle du symbolisme physique. Ce terme n'est pas très heureux, mais il souligne au moins une différence essentielle entre les deux écoles, différence qui nous intéresse aujourd'hui tout spécialement. La question controversée est très simple.Les deux écoles procèdent, bien entendu, de la même expérience sensible (perceptual) ; toutes deux usent de systèmes abstraits de concepts qui, identiques au fond,ne diffèrent que sur des points de détail ; toutes deux ont recours aux mêmes procédés de vérification des théories. Mais l'une d'elles croit se rapprocher de plus en plus de l'ultime réalité et laisser derrière elle des apparences toujours plus nombreuses. L'autre croit substituer (is substituting) à la complexité des faits concrets, des schémas descriptifs synthétisés, propres à servir aux opérations intellectuelles... Ni l'une ni l'autre ne touche à la valeur de la physique en tant que science systématique *des* (en italique chez Ward) choses ; le développement ultérieur de la physique et de ses applications pratiques est également possible pour les deux. Mais la différence philosophique (speculative) entre elles est énorme, et il importe à cet égard de savoir laquelle des deux a raison. »

Ce spiritualiste franc et conséquent pose la question avec une justesse et une clarté remarquables. En effet, la différence entre les deux écoles de la physique contemporaine est *uniquement* philosophique, uniquement gnoséologique. En effet, la différence capitale entre ces deux écoles consiste *uniquement* en ce que l'une admet la réalité « ultime » (il eût fallu dire : objective), reflétée par notre théorie, tandis que l'autre la nie, ne voyant dans la théorie qu'une systématisation des expériences, qu'un système d'empiriosymboles, etc., etc. La nouvelle physique, ayant découvert de nouvelles variétés de la matière et de nouvelles formes de son mouvement, a soulevé, à la suite de la ruine des vieilles notions en physique,les vieux problèmes de la philosophie. Et si les partisans des tendances « moyennes » en philosophie (« positivistes », disciples de Hume et de Mach) ne savent pas poser de façon explicite la question controversée, le franc idéaliste Ward en fait tomber tous les voiles.

« ... Rücker a consacré son allocution présidentielle à la défense du réalisme physique contre l'interprétation symbolique dernièrement défendue par les professeurs Poincaré et Poynting,ainsi que par moi » (pp. 305-306 ; en d'autres pages de son livre Ward ajoute à ces noms ceux de Duhem,de Pearson et de Mach ; cf. vol. II, pp. 161, 63, 57, 75, 83, etc.).

« ... Rücker parle constamment d'« images mentales », non sans affirmer toujours que l'atome et l'éther sont plus que des images mentales. Cette manière de raisonner équivaut à dire en réalité : Je ne puis, dans tel ou tel cas particulier, créer une autre image ; aussi la réalité doit-elle lui ressembler... Le professeur Rücker admet la possibilité abstraite d'une autre image mentale... Il reconnaît même le caractère « approximatif » (tentative) de certaines de nos théories, ainsi que les nombreuses « difficultés de détail ». Il ne défend au fond qu'une hypothèse de travail (a working hypothesis), qui au reste a, dans une mesure appréciable, perdu son prestige au cours de la seconde moitié du siècle. Mais si la théorie atomique et les autres théories de la structure de la matière ne sont que des hypothèses de travail, hypothèses strictement limitées par les phénomènes physiques, rien ne peut justifier la théorie selon laquelle le mécanisme est à la base de tout et réduit les faits vitaux et spirituels aux épiphénomènes,les rend pour ainsi dire d'un degré plus phénoménaux, moins réels d'un degré que la matière et le mouvement. Telle est la théorie mécaniste du monde, et si le professeur Rücker ne veut pas lui prêter un soutien direct,nous n'avons plus à discuter avec lui » (pp. 314-315).

Sans doute est-il absurde de dire que le matérialisme tient pour « moindre » la réalité de la conscience ou pour absolument obligatoire la conception « mécaniste » plutôt que la conception électromagnétique, ou toute autre conception infiniment plus complexe du monde en tant que *matière en mouvement*.Mais c'est en véritable prestidigitateur, bien supérieur à nos disciples de Mach (c'est-à-dire à nos idéalistes confus) que Ward, ce franc idéaliste, *saisit* les faiblesses du matérialisme « spontané » des sciences de la nature, par exemple, son impuissance à expliquer le rapport entre la vérité relative et la vérité absolue. Ward multiplie ses jongleries et déclare que si la vérité est relative, approximative, et ne fait que « tâter » le fond des choses, c'est qu'elle ne peut refléter la réalité ! Par contre, ce spiritualiste pose fort bien la question des atomes, etc., en tant qu'« hypothèse de travail ». Que les concepts des sciences de la nature soient des « hypothèses de travail », le fidéisme contemporain et cultivé (tel que Ward le déduit directement de son spiritualisme) *ne songe pas à en demander plus*. Nous vous abandonnons la science, MM. les savants, rendez-nous la gnoséologie, la philosophie : tel est, dans les pays capitalistes « avancés », le pacte de cohabitation des théologiens et des professeurs...

Il convient de noter, parmi les autres points que la gnoséologie de Ward rattache à la « nouvelle » physique, sa lutte acharnée contre la *matière*. Qu'est-ce que la matière ? Qu'est-ce que l'énergie ? interroge Ward, en raillant l'abondance et le caractère contradictoire des hypothèses. Un éther ou des éthers ? Un nouveau « liquide parfait », auquel on prête arbitrairement des qualités aussi neuves qu'invraisemblables ? Et Ward en conclut : « Nous ne trouvons rien de défini en dehors du mouvement. La chaleur est une forme du mouvement, l'élasticité est une forme du mouvement, la lumière et le magnétisme sont des formes du mouvement. La masse elle-même s'affirme en dernière analyse, on le suppose du moins, une forme du mouvement, mouvement de quelque chose qui n'est ni un solide, ni un liquide, ni un gaz ; qui n'est pas à proprement parler un corps ni un agrégat de corps ; qui n'est pas un phénomène et ne doit pas être un noumène ; qui est un *apeiron* véritable (terme de philosophie grecque désignant ce qui est infini, illimité), auquel nous pouvons appliquer nos propres définitions » (t. I, p. 140).

Le spiritualiste demeure fidèle à lui-même en détachant le mouvement de la matière. Le mouvement des corps devient dans la nature le mouvement de ce qui n'est pas un corps à masse constante, de ce qui est charge inconnue d'une électricité inconnue dans un éther inconnu. Cette dialectique des transformations *matérielles* qui s'accomplissent dans les laboratoires et dans les usines, loin de servir, aux yeux de l'idéaliste (comme aux yeux du grand public et des disciples de Mach), de confirmation à la dialectique matérialiste, fournit un argument contre le matérialisme : ...« La théorie mécaniste, considérée comme l'explication obligatoire (professed) du monde, reçoit un coup mortel du progrès de la physique mécanique elle-même » (p. 143) ... Le monde est la matière en mouvement, répondrons-nous, et la mécanique traduit les lois du mouvement de cette matière quand il s'agit de mouvements lents, tandis que la théorie électromagnétique les traduit quand il s'agit de mouvements rapides... « L'atome étendu,ferme,indestructible a toujours été le point d'appui de la conception matérialiste du monde. Malheureusement pour cette conception, l'atome étendu n'a pas satisfait aux exigences (was not equal to the demands) de la science en voie de développement »... (p. 144). La destructibilité de l'atome, son caractère inépuisable, la variabilité de toutes les formes de la matière et de ses mouvements ont toujours été le point d'appui du matérialisme dialectique. Toutes les limites sont relatives, conventionnelles, mobiles dans la nature ; elles expriment le cheminement de notre esprit vers la connaissance de la matière, ce qui ne démontre nullement que la nature, la matière, soit elle-même un symbole, un signe conventionnel, c'est-à-dire un produit de notre esprit. L'électron est à l'atome ce que serait un point de ce livre au volume d'un édifice de 64 mètres de long sur 32 mètres de large et 16 mètres de haut (Lodge). Il se meut avec une vitesse de 270 000 kilomètres à la seconde, sa masse varie avec sa vitesse ; il fait 500 trillions de tours par seconde ; tout cela est autrement compliqué que l'ancienne mécanique, mais tout cela n'est que mouvement de la matière dans l'espace et dans le temps. L'esprit humain a découvert des choses miraculeuses dans la nature et en découvrira encore, augmentant par là sa maîtrise de la nature, mais cela ne veut point dire que la nature soit une création de notre esprit ou de l'esprit abstrait, c'est-à-dire du dieu de Ward, de la « substitution » de Bogdanov, etc.

« ...Cet idéal (l'idéal du « mécanisme »), rigoureusement (rigorously) appliqué comme théorie du monde réel, nous mène au nihilisme ; tous les changements sont des mouvements, car les mouvements sont les seuls changements que nous puissions connaître, et ce qui se meut doit être mouvement pour que nous puissions le connaître » (p. 166)... « Comme j'ai essayé de le montrer, le progrès de la physique est justement le moyen le plus puissant de combattre la croyance obscure à la matière et au mouvement, la théorie qui y voit la substance dernière (inmost) au lieu du symbole le plus abstrait d'une somme d'existence... Jamais nous n'arriverons à Dieu par le mécanisme pur » (p. 180)...

Voilà qui commence à ressembler trait pour trait aux *Essais* « sur » *la philosophie marxiste* ! Vous feriez bien, M. Ward, de vous adresser à Lounatcharski et à Iouchkévitch, à Bazarov et à Bogdanov : ils prêchent absolument la même chose, mais « avec un peu plus de pudeur ».

5. LES DEUX TENDANCES DE LA PHYSIQUE CONTEMPORAINE ET L'IDEALISME ALLEMAND

Hermann Cohen, l'idéaliste kantien bien connu, préfaçait en 1896, en termes solennels et exaltants, la cinquième édition de l'*Histoire du matérialisme*, falsifiée par F. Albert Lange. « L'idéalisme théorique, s'exclamait H. Cohen (p. XXVI), ébranle le matérialisme des savants, sur lequel il va peut-être remporter bientôt une victoire définitive. » « L'idéalisme pénètre (Durchwirkung) la physique nouvelle. » « L'atomisme a dû céder la place au dynamisme. » « L'évolution a ceci de remarquable que l'étude approfondie des problèmes chimiques de la substance devait s'affranchir en principe de la conception matérialiste de la matière. De même que Thalès conçut la première abstraction en dégageant le concept de substance et en y rattachant ses raisonnements spéculatifs sur l'électron, la théorie de l'électricité devait accomplir la révolution la plus profonde dans la conception de la matière et, transformant la matière en force, amener la victoire de l'idéalisme » (p. XXIX).

H. Cohen définit avec autant de clarté et de précision que J. Ward les tendances *fondamentales* de la philosophie, sans s'égarer (comme le font nos disciples de Mach) parmi les infimes discriminations d'un idéalisme énergétique, symbolique, empiriocriticiste, empiriomoniste, etc. Cohen considère la tendance philosophique *fondamentale* de l'école de physique actuellement liée aux noms de Mach, Poincaré et autres, et la définit avec raison comme une tendance *idéaliste*. La « transformation de la matière en force » est pour Cohen, de même que pour les savants « visionnaires » que démasquait Dietzgen en 1869, la principale conquête de l'idéalisme. L'électricité devient un auxiliaire de l'idéalisme, puisqu'elle a détruit l'ancienne théorie de la structure de la matière, décomposé l'atome, découvert de nouvelles formes de mouvement matériel si différentes des anciennes, si inexplorées, inétudiées, inaccoutumées, si « merveilleuses » qu'il devient possible d'introduire en fraude une interprétation de la nature considérée comme mouvement *immatériel* (spirituel, mental, psychique). Ce qui était hier la limite de notre connaissance des particules infiniment petites de la matière a disparu, — donc, conclut le philosophe idéaliste, la matière a disparu (mais la pensée demeure). Tout physicien et tout ingénieur savent que l'électricité est un mouvement (matériel), mais nul ne sait au juste *ce qui* se meut ; aussi, conclut le philosophe idéaliste, peut-on tromper les gens dépourvus d'instruction philosophique en leur faisant cette proposition de séduisante « économie » : *Représentons-nous* le mouvement *sans matière*...

H. Cohen s'efforce de se faire un allié du célèbre physicien Heinrich Hertz. Hertz est des nôtres, il est kantien, et il admet les a priori ! Hertz est des nôtres, il est disciple de Mach car on voit percer chez lui « une conception subjectiviste de l'essence de nos concepts, semblable à celle de Mach » *, réplique le disciple de Mach Kleinpeter. Cette curieuse discussion sur la question de savoir *aux côtés de qui* se range Hertz, nous offre un bel exemple de la façon dont les philosophes idéalistes se saisissent, chez les grands savants, de la moindre erreur, de la moindre obscurité dans l'expression, pour justifier leur défense un peu retouchée du fidéisme. En réalité, l'introduction philosophique de Hertz à sa *Mécanique* ** révèle la façon de voir habituelle d'un savant intimidé par le tollé des professeurs contre la « métaphysique » matérialiste, mais qui ne parvient pas

* *Archiv für systematische Philosophie*, vol. V, 1898-1899, pp. 169-170.

** Heinrich Hertz, *Gesammelte Werke*, t. 3, Leipzig, 1894, pp. 1, 2, 49 principalement.

du tout à surmonter sa certitude instinctive de la réalité du monde extérieur. Kleinpeter en convient lui-même qui,d'une part, jette à la masse des lecteurs des plaquettes de vulgarisation, profondément mensongères, sur la théorie de la connaissance des *sciences de la nature*, et où Mach figure à côté de Hertz, et qui, d'autre part, dans des articles philosophiques spéciaux,convient que, « contrairement à Mach et à Pearson, Hertz s'en tient encore à l'idée préconçue selon laquelle toute la physique est susceptible d'une explication mécanique » *, garde la conception de la chose en soi et le « point de vue habituel des physiciens » ; que Hertz « s'en tenait encore à l'existence du monde en soi **», etc.

L'opinion de Hertz sur l'énergétique mérite d'être notée. « Si nous nous demandons, écrit-il, pourquoi la physique contemporaine aime à user dans ses raisonnements du langage énergétique, la réponse sera qu'il permet d'éviter plus commodément de parler des choses que nous connaissons fort peu... Certes, nous sommes tous convaincus que la matière pondérable est composée d'atomes ; nous nous représentons même dans certains cas, de façon assez précise, leurs dimensions et leurs mouvements. Mais, dans la plupart des cas, la forme des atomes, leur cohésion, leurs mouvements nous échappent complètement... Aussi, les idées que nous nous formons des atomes constituent-elles un objet important et intéressant de recherches ultérieures, sans toutefois offrir une base solide aux théories mathématiques » (l. c., t. III, p. 21). Hertz attendait des recherches ultérieures sur l'éther l'explication de « l'essence de l'ancienne matière, de sa force d'inertie et de sa gravitation » (t. I, 354).

Ainsi, la possibilité d'une conception non matérialiste de l'énergie ne lui vient même pas à l'esprit. L'énergétique a servi de prétexte aux philosophes pour fuir du matérialisme à l'idéalisme. Le savant y voit un procédé commode d'exposition des lois du mouvement matériel dans un moment où les physiciens ont, s'il est permis de s'exprimer ainsi, quitté l'atome sans parvenir jusqu'à l'électron. Moment qui dure encore dans une mesure appréciable : une hypo-

---

* *Kantstudien*, t. VIII, 1903, p. 309.

** *The Monist*, vol. XVI, 1906, n° 2, p. 164 ; art. sur le « monisme » de Mach.

thèse succède à l'autre ; on ne sait rien de l'électron positif ; il y a trois mois à peine (22 juin 1908) que Jean Becquerel déclarait, à l'Académie des Sciences de Paris, avoir réussi à trouver cette « nouvelle partie constituante de la matière » (*Comptes rendus des séances de l'Académie des Sciences*, p. 1311). Comment la philosophie idéaliste n'aurait-elle pas profité de cette circonstance avantageuse où l'esprit humain ne fait encore que « chercher » la « matière », pour en déduire que celle-ci n'est que « symbole », etc.

Un autre idéaliste allemand, d'une nuance bien plus réactionnaire que Cohen, Eduard von Hartmann, a consacré tout un livre à la *Conception du monde de la physique moderne* (*Die Weltanschauung der modernen Physik*, Leipzig, 1902). Certes, les réflexions personnelles de l'auteur sur la variété d'idéalisme qu'il défend ne nous intéressent pas. Il nous importe seulement de noter que cet idéaliste se livre lui aussi aux mêmes constatations que Rey, Ward et Cohen. « La physique contemporaine a grandi sur un terrain réaliste, dit E. Hartmann, et seule la tendance néo-kantienne et agnostique de notre époque a amené une interprétation des derniers résultats de la physique dans un sens idéaliste » (p. 218). D'après E. Hartmann, trois systèmes gnoséologiques sont à la base de la physique moderne : l'hylocinétique (du grec hulê=matière et kinesis=mouvement, c'est-à-dire admission des phénomènes physiques comme mouvement de la matière), l'énergétique et le dynamisme (c'est-à-dire admission de la force sans matière). On conçoit que l'idéaliste Hartmann défende le « dynamisme » et en déduise que les lois de la nature se réduisent à la pensée universelle, « substituant » en un mot le psychique à la nature physique. Mais il doit convenir que l'hylocinétique a pour elle le plus grand nombre de physiciens ; que ce système est celui « dont on use le plus souvent » (p. 190),et que son plus grand défaut est dans « le matérialisme et l'athéisme, menaces qui pèsent sur l'hylocinétique pure » (p. 189). L'auteur voit très justement dans l'énergétique un système intermédiaire qu'il appelle agnosticisme (p. 136). Ce système est, bien entendu, « l'allié du dynamisme pur, car il élimine la substance » (S. VI, p. 192), mais son agnosticisme déplaît à Hartmann comme une sorte d'« anglomanie » contraire au vrai idéalisme du bon Allemand ultra-réactionnaire.

Rien de plus édifiant que de voir cet idéaliste intransigeant,imbu d'esprit de parti (les sans-parti sont en philosophie d'une stupidité aussi désespérante qu'en politique), montrer aux physiciens ce que c'est que de suivre,en gnoséologie, telle ou telle tendance. « Parmi les physiciens qui suivent cette mode, écrit Hartmann à propos de l'interprétation idéaliste des dernières conquêtes de la physique, extrêmement rares sont ceux qui se rendent compte de toute la portée et de toutes les conséquences de cette interprétation. Ils n'ont pas remarqué que la physique ne conservait sa valeur propre et ses lois spéciales que dans la mesure où les physiciens s'en tenaient, en dépit de leur idéalisme, aux prémisses fondamentales du *réalisme*, telles que l'existence des choses en soi, leur variabilité réelle dans le temps, la causalité réelle... Ce n'est qu'à l'aide de ces prémisses réalistes (la valeur transcendantale de la causalité, du temps et de l'espace à trois dimensions), c'est-à-dire à la condition que la nature, dont les physiciens exposent les lois, coïncide avec le domaine des choses en soi... qu'on peut parler des lois de la nature à la différence des lois psychologiques. Dans le cas seulement où les lois de la nature agissent dans un domaine indépendant de notre pensée, elles sont susceptibles d'expliquer le fait que les conclusions logiquement nécessaires tirées de nos images mentales s'avèrent les images de résultats nécessaires, en histoire des sciences de la nature, provenant de l'inconnu que ces images reflètent ou symbolisent dans notre conscience » (pp. 218-219).

Hartmann se rend bien compte que l'idéalisme de la nouvelle physique n'est justement qu'une *mode*, et qu'il ne constitue pas un revirement philosophique sérieux par rapport au matérialisme des sciences de la nature ; aussi remontre-t-il avec raison aux physiciens qu'il faut, pour que la « mode » aboutisse à un idéalisme philosophique conséquent et intégral, transformer radicalement la doctrine de la réalité objective du temps, de l'espace, de la causalité et des lois de la nature. Il n'est pas permis de voir de purs symboles, de simples « hypothèses de travail » uniquement dans les atomes, les électrons et l'éther ; il faut déclarer aussi le temps, l'espace, les lois de la nature et le monde extérieur tout entier, « hypothèses de travail ». Ou le matérialisme, ou la substitution universelle du psychique à l'ensemble de la nature physique ; quantité de gens se plaisent à confondre ces choses, nous ne sommes pas, Bogdanov et nous, de ce nombre.

Ludwig Boltzmann,mort en 1906,figure parmi les physiciens allemands qui ont systématiquement combattu la tendance de Mach. Nous avons déjà noté qu'il opposait à l'« engouement pour les nouveaux dogmes gnoséologiques » la démonstration simple et claire que la doctrine de Mach se ramène au solipsisme (voir plus haut, ch. I, § 6). Boltzmann craint évidemment de se poser en matérialiste et spécifie même qu'il ne nie pas du tout l'existence de Dieu *. Mais sa théorie de la connaissance est au fond matérialiste ; elle exprime l'opinion de la majorité des savants, comme le reconnaît l'historien des sciences de la nature du XIXe siècle, S. Günther **. « Nous connaissons l'existence des choses par les impressions qu'elles produisent sur nos sens », dit L. Boltzmann (l. c., p. 29). La théorie est une « image » (ou une reproduction) de la nature, du monde extérieur (p. 77). A ceux qui affirment que la matière n'est qu'un complexe de perceptions sensibles, Boltzmann réplique qu'en ce cas les autres hommes ne sont aussi, pour celui qui parle, que des sensations (p. 168). Ces « idéologues » —Boltzmann applique parfois cette épithète aux philosophes idéalistes, — nous donnent un « tableau subjectif du monde » (p. 176). L'auteur préfère, lui, un « tableau objectif plus simple ».« L'idéaliste compare l'affirmation d'après laquelle la matière existe tout comme nos sensations,à l'opinion de l'enfant pour qui la pierre qu'il bat ressent une douleur. Le réaliste compare l'opinion selon laquelle on ne peut se représenter le psychique comme dérivé de la matière ou même du jeu des atomes, à l'opinion de l'ignorant qui affirme que la distance entre la Terre et le Soleil ne peut être de vingt millions de lieues, puisqu'il ne peut se le représenter » (p. 186). Boltzmann ne renonce pas à l'idéal scientifique qui représente l'esprit et la volonté comme des « actions complexes de parcelles de matière » (p. 396).

---

* Ludwig Boltzmann, *Populäre Schriften*, Leipzig, 1905, p. 187.

** Siegmund Günther, *Geschichte der anorganischen Naturwissenschaften im 19. Jahrhundert*, Berlin, 1901, pp. 942 et 941.

L. Boltzmann a maintes fois polémisé, du point de vue de la physique, avec l'énergétique d'Ostwald en démontrant que ce dernier ne peut ni réfuter ni éliminer la formule de l'énergie cinétique (égale au produit de la moitié de la masse par le carré de la vitesse), et que, déduisant d'abord l'énergie de la masse (la formule de l'énergie cinétique adoptée) pour définir ensuite la masse par l'énergie (pp. 112, 139), il tourne dans un cercle vicieux. Je me souviens à ce propos de la paraphrase que Bogdanov fait de Mach au troisième livre de l'*Empiriomonisme*. « Le concept scientifique de la matière, écrit Bogdanov qui se réfère à la *Mécanique* de Mach, se ramène au coefficient de la masse tel qu'il est exprimé dans les équations de la mécanique, coefficient qui de l'analyse précise s'avère être l'inverse de l'accélération lors de l'interaction de deux complexes physiques ou de deux corps » (p. 146). Il va de soi que si l'on prend un *corps* quelconque comme unité, le mouvement (mécanique) de tous les autres corps peut être exprimé par un simple rapport d'accélération. Mais les « corps » (c'est-à-dire la matière) ne disparaissent pas pour autant, ne cessent pas d'exister indépendamment de notre conscience. L'univers ramené au mouvement des électrons, il serait possible d'éliminer de toutes les équations l'électron, puisqu'il serait partout sous-entendu, et la corrélation entre groupes ou agrégats d'électrons se réduirait à leur accélération mutuelle, — si les formes du mouvement étaient aussi simples qu'en mécanique.

Combattant la physique « phénoménologique » de Mach et Cie, Boltzmann affirmait que « ceux qui pensent éliminer l'atomistique au moyen d'équations différentielles ne voient pas la forêt derrière les arbres » (p. 144). « Si l'on ne se fait pas d'illusions sur la portée des équations différentielles, il est hors de doute que le tableau du monde (construit à l'aide des équations différentielles) restera nécessairement le tableau atomistique des changements que subissent dans le temps, suivant certaines règles, une quantité énorme de choses situées dans l'espace à trois dimensions. Ces choses peuvent sans doute être identiques ou différentes, invariables ou variables », etc. (p. 156). « Il est tout à fait évident que la physique phénoménologique ne fait que se dissimuler sous le vêtement des équations différentielles, dit Boltzmann en

1899, dans son discours au congrès des savants, à Munich ; elle procède de même, en réalité, d'êtres particuliers (Einzelwesen) semblables à des atomes. Et comme il faut se représenter ces êtres comme possédant des propriétés différentes dans les différents groupes de phénomènes, le besoin d'une atomistique plus simple et plus uniforme se fera bientôt sentir » (p. 223). « Le développement de la doctrine des électrons donne notamment naissance à une théorie atomique valable pour toutes les manifestations de l'électricité » (p. 357). L'unité de la nature se manifeste dans l'« étonnante analogie » des équations différentielles se rapportant aux différents ordres de phénomènes : « Les mêmes équations peuvent servir à résoudre les questions de l'hydrodynamique et à exprimer la théorie des potentiels. La théorie des tourbillons liquides et celle du frottement des gaz (Gasreibung) ont une analogie frappante avec la théorie de l'électromagnétisme, etc. » (p. 7). Ceux qui admettent la « théorie de la substitution universelle » n'éluderont jamais la question suivante : Qui donc s'est avisé de « substituer » si uniformément la nature physique ?

Comme pour répondre à ceux qui jettent par-dessus bord la « physique de la vieille école », Boltzmann relate par le menu les cas de spécialistes de la « chimie physique » qui adoptent le point de vue gnoséologique opposé à celui de Mach. L'auteur d'« un des meilleurs » — selon Boltzmann — travaux d'ensemble publiés en 1903, Vaubel, « est résolument hostile à la physique phénoménologique si souvent louée » (p. 381). « Il s'efforce d'arriver à une représentation aussi concrète et aussi nette que possible de la nature des atomes et des molécules, ainsi que des forces agissant entre eux. Il accorde cette idée avec les expériences les plus récentes accomplies dans ce domaine » (ions, électrons, radium, effet Zeemen, etc.). « L'auteur s'en tient strictement au dualisme de la matière et de l'énergie *, et expose séparément la loi de la conservation de la matière et celle de la conservation de l'énergie. En ce qui concerne la matière,

* Boltzmann entend par là que l'auteur cité ne tente pas de concevoir le mouvement sans matière. Il serait ridicule de parler ici de « dualisme ». Le monisme et le dualisme sont en philosophie l'application conséquente ou inconséquente de la conception matérialiste ou idéaliste.

l'auteur s'en tient également au dualisme de la matière pondérable et de l'éther, ce dernier étant à ses yeux matériel au sens strict du mot » (p. 381). Dans le tome II de son ouvrage (théorie de l'électricité), l'auteur « adopte dès le début ce point de vue que les phénomènes électriques sont provoqués par l'action réciproque et le mouvement d'individus pareils à des atomes, à savoir les électrons » (p. 383).

Ainsi, ce que le spiritualiste J. Ward reconnaissait pour l'Angleterre se confirme aussi pour l'Allemagne, à savoir que les physiciens de l'école réaliste ne systématisent pas avec moins de bonheur les faits et les découvertes des dernières années que ceux de l'école symboliste, et qu'il n'est, entre les uns et les autres, de différence essentielle qu'au « *seul* » point de vue de la théorie de la connaissance *.

---

* L'ouvrage d'Erich Becher sur les « prémisses philosophiques des sciences exactes» (Erich Becher, *Philosophische Voraussetzungen der exakten Naturwissenschaften*, Leipzig, 1907), dont j'ai pris connaissance quand le livre était déjà terminé, confirme ce que je viens de dire. Se rapprochant surtout du point de vue gnoséologique de Helmholtz et de Boltzmann, c'est-à-dire du matérialisme « honteux » et inachevé, l'auteur consacre son travail à la défense et à l'explication des propositions fondamentales de la physique et de la chimie. Cette défense devient naturellement une lutte contre la tendance de Mach en physique (cf. p. 91 et autres) qui, quoique à la mode, se heurte à une résistance accrue. E. Becher la définit avec justesse comme un « *positivisme subjectiviste* » (p. III) et fait graviter la lutte contre elle autour de la démonstration de l'« hypothèse » de l'existence du monde extérieur (ch. II-VII), démonstration de son « existence indépendamment des perceptions humaines » (vom Wahrgenommenwerden unabhängige Existenz). La négation de cette « hypothèse » par les disciples de Mach les mène souvent au *solipsisme* (pp. 78-82 et autres). Becher appelle « monisme sensualiste » (Empfindungsmonismus) « la conception de Mach suivant laquelle les sensations et leurs complexes, et non le monde extérieur, représentent le seul objet des sciences de la nature » (p. 138) ; ce « monisme sensualiste », il le rapporte aux tendances « purement conscientionalistes ». Ce terme lourd et absurde vient du latin conscientia, conscience, et ne désigne que l'idéalisme philosophique (cf. p. 156). Dans les deux derniers chapitres de son livre, E. Becher compare assez bien la vieille théorie mécaniste de la matière et l'ancienne conception du monde à la nouvelle théorie, électrique (conception « cinético-élastique » et « cinético-électrique » de la nature, suivant la terminologie de l'auteur). Cette dernière théorie, fondée sur la doctrine des électrons, est un progrès dans la connaissance de l'unité du monde : pour elle « ce sont les charges électriques (Ladungen) qui représentent les éléments du monde matériel » (p. 223). « Toute conception purement cinétique de

6. LES DEUX TENDANCES DE LA PHYSIQUE CONTEMPORAINE ET LE FIDEISME FRANÇAIS

La philosophie idéaliste française s'est emparée avec non moins de résolution des errements de la physique de Mach. Nous avons déjà vu quel accueil les néo-criticistes ont fait à la *Mécanique* de Mach, en relevant aussitôt le caractère idéaliste des principes de la philosophie de cet auteur. Le disciple français de Mach Henri Poincaré a été plus favorisé encore à cet égard. La philosophie idéaliste la plus réactionnaire, à tendances nettement fidéistes, s'est tout de suite emparée de sa théorie. Le représentant de cette philosophie, Le Roy, faisait le raisonnement suivant : les vérités scientifiques sont des signes conventionnels, des symboles ; vous avez renoncé aux absurdes prétentions « métaphysiques » de connaître la réalité objective ; soyez donc logique et convenez avec nous que la science n'a qu'une valeur pratique, dans un domaine de l'activité humaine, et que la religion a, dans un autre domaine de l'activité humaine, *une valeur non moins réelle* ; la science « symbolique » de Mach n'a pas le droit de nier la théologie. H. Poincaré, très gêné de ces conclusions, les a spécialement attaquées dans la *Valeur de la Science.* Mais voyez *quelle* attitude gnoséologique il a dû adopter pour se débarrasser des alliés dans le genre de Le Roy : « Si M. Le Roy, écrit Poincaré, regarde l'intelligence comme irrémédiablement impuissante, ce n'est que pour faire la part plus large à d'autres sources de connaissances, au cœur, par exemple, au sentiment, à l'instinct ou à la foi » (pp. 214-125). « Je ne puis le suivre jusqu'au bout. » La Science n'est faite que de conventions, de symboles. « Si donc les « recettes » scientifiques ont une valeur, comme règle d'action, c'est que nous savons qu'elles réussissent, du moins en général. Mais savoir cela,

---

la nature ne connaît rien d'autre qu'un certain nombre de corps en mouvement, qu'ils s'appellent électrons ou autrement ; l'état du mouvement de ces corps à tout moment ultérieur du temps est rigoureusement déterminé, en vertu de lois fixes, par leur situation et leur état du mouvement au moment précédent » (p. 225). Le défaut principal du livre de E. Becher vient de son ignorance complète du matérialisme dialectique, ignorance qui l'induit souvent à des confusions et à des absurdités sur lesquelles il ne nous est pas possible de nous arrêter ici.

c'est bien savoir quelque chose et alors pourquoi venez-vous nous dire que nous ne pouvons rien connaître ? » (p. 219).

H. Poincaré en appelle au critérium de la pratique. Mais il ne fait que déplacer la question sans la résoudre, ce critérium pouvant être interprété aussi bien au sens subjectif qu'au sens objectif. Le Roy l'admet lui aussi pour la science et l'industrie ; il nie seulement que ce critérium soit une preuve de vérité *objective*, cette négation lui suffisant à reconnaître au même titre que la vérité subjective de la science (inexistante en dehors de l'humanité) celle de la religion. H. Poincaré voit qu'il ne suffit pas, pour faire face à Le Roy, d'en appeler à la pratique, et il passe à la question de l'objectivité de la science. « Quelle est la mesure de son objectivité ? Eh bien, elle est précisément la même que pour notre croyance aux objets extérieurs. Ces derniers sont réels en ce que les sensations qu'ils nous font éprouver nous apparaissent comme unies entre elles par je ne sais quel ciment indestructible, et non par un hasard d'un jour » (pp. 269-270).

Il est admissible que l'auteur d'un semblable raisonnement puisse être un grand *physicien*. Mais il est tout à fait certain que seuls les Vorochilov-Iouchkévitch peuvent le prendre au sérieux en tant que philosophe. Le matérialisme a été déclaré anéanti par une « théorie », qui, à la première attaque lancée par le fidéisme, se *réfugie sous l'aile du matérialisme* ! Car c'est pur matérialisme que professer que les objets réels font naître nos sensations et que la « croyance » à l'objectivité de la science est identique à la « croyance » à l'existence objective des objets extérieurs.

« ...On peut dire, par exemple, que l'éther n'a pas moins de réalité qu'un corps extérieur quelconque » (p. 270).

Quel tapage auraient soulevé les disciples de Mach, si un matérialiste avait dit cela ! Que de traits obtus n'aurait-on pas décochés au « matérialisme éthéré », etc. Mais le fondateur de l'empiriosymbolisme moderne vaticine à cinq pages de là : « Tout ce qui n'est pas pensée est le pur néant ; puisque nous ne pouvons penser que la pensée » (p. 276). Vous vous trompez, M. Poincaré. Vos œuvres prouvent que certaines gens ne peuvent penser que le non-sens. Georges Sorel, confusionniste bien connu, est de ce nombre ; il affirme que « les deux premières parties » du livre de Poincaré sur la valeur de la science sont traitées « dans l'esprit de M. Le Roy », et que les deux philosophes peuvent, par conséquent, « se mettre d'accord » sur ce qui suit : vouloir établir une identité entre la science et le monde est illusoire ; point n'est besoin de se demander si la science peut connaître la nature ; il suffit qu'elle s'accorde avec nos mécanismes (Georges Sorel : *Les préoccupations métaphysiques des physiciens modernes*, Paris, 1907, pp. 77, 80 et 81).

Il suffit de mentionner la « philosophie » de Poincaré et de passer outre ; les œuvres de A. Rey méritent, par contre, que l'on s'y arrête. Nous avons déjà précisé que les différences entre les deux tendances fondamentales de la physique contemporaine qualifiées par Rey de « conceptualiste » et de « néo-mécaniste » se ramènent à celles qui existent entre les gnoséologies idéaliste et matérialiste. Voyons à présent comment le positiviste Rey résout un problème diamétralement opposé à celui du spiritualiste J. Ward et des idéalistes H. Cohen et E. Hartmann : il ne s'agit pas pour lui de faire siennes les erreurs philosophiques de la nouvelle physique encline à l'idéalisme, mais de corriger ces erreurs et de démontrer le caractère illégitime des conclusions idéalistes (et fidéistes) tirées de la nouvelle physique.

Un aveu traverse comme une traînée de lumière toute l'œuvre de A. Rey, c'est que la nouvelle théorie physique des « conceptualistes » (disciples de Mach) a été exploitée par le *fidéisme* (pp.II, 17,220, 362, etc.) et l'« *idéalisme philosophique* » (p. 200), par le scepticisme à propos des droits de la raison et de la science (pp. 210, 220), par le subjectivisme (p. 311), etc. Aussi Rey fait-il avec raison de l'analyse des « idées des physiciens relatives à la valeur objective de la physique » (p. 3) le *centre* de son travail.

Quels sont les résultats de cette analyse ?

Prenons le concept fondamental, celui de l'expérience. L'interprétation subjectiviste de Mach (que, pour abréger et simplifier, nous prendrons comme un représentant de l'école appelée par Rey conceptualiste), n'est, comme l'affirme Rey, qu'un malentendu. Il est vrai que « l'une des principales nouveautés philosophiques de la fin du XIXe siècle », c'est que « l'empirisme toujours plus nuancé et plus subtil aboutit au fidéisme, à la suprématie de la croyance, lui qui jadis avait été la grande machine de combat du scepticisme contre les affirmations de la métaphysique. N'a-t-on pas, au fond, fait dévier petit à petit et par des nuances insensibles le sens réel du mot « expérience » ? Replacée dans ses conditions d'existence, dans la science expérimentale qui la précise et l'affine, l'expérience nous ramène à la nécessité et à la vérité » (p. 398). Il n'est pas douteux que toute la doctrine de Mach, au sens large du mot, n'est qu'une déformation, par des nuances insensibles, du sens réel du mot « expérience » ! Mais comment Rey, qui n'en accuse que les fidéistes et point Mach lui-même, y remédie-t-il ? Ecoutez : « L'expérience est, par définition, une connaissance de l'objet. Dans la science physique, cette définition est mieux que partout ailleurs à sa place... L'expérience est ce que notre esprit ne commande pas, ce sur quoi nos désirs, notre volonté ne peuvent avoir de prise, ce qui est donné et que nous ne faisons pas. L'expérience, c'est l'objet en face du sujet » (p. 314).

Voilà bien un exemple de la défense de la doctrine de Mach par Rey ! Engels fit preuve d'une perspicacité géniale en définissant comme des « matérialistes honteux » les types les plus modernes des partisans de l'agnosticisme philosophique et du phénoménisme. Positiviste et phénoméniste zélé, Rey réalise ce type sous une forme achevée. Si l'expérience est une « connaissance de l'objet », si « l'expérience, c'est l'objet en face du sujet », si l'expérience consiste en ce que « quelque chose du dehors se pose et en se posant s'impose » (p. 324), nous voici évidemment ramenés au matérialisme ! Le phénoménisme de Rey, son zèle à souligner que rien n'existe en dehors des sensations, que l'objectif est ce qui a une signification générale, etc., etc., tout cela n'est qu'une feuille de vigne, qu'une dissimulation verbale du matérialisme, puisqu'on nous dit :

« Est objectif ce qui est donné du dehors, imposé par l'expérience, ce que nous ne faisons pas, mais ce qui est fait indépendamment de nous et dans une certaine mesure nous fait » (p. 320). Rey défend le « conceptualisme » tout en l'anéantissant ! On ne parvient à réfuter les conclusions idéalistes de la doctrine de Mach qu'en l'interprétant dans le sens du matérialisme honteux. Ayant reconnu la différence des deux tendances de la physique contemporaine,

Rey travaille, à la sueur de son front, à effacer toutes ces différences dans l'intérêt de la tendance matérialiste. Il dit, par exemple, de l'école néo-mécaniste qu'elle n'admet pas « le moindre doute, la moindre incertitude » quant à l'objectivité de la physique (p. 237) : « on se sent ici (sur le terrain des enseignements de cette école) loin des détours par lesquels on était obligé de passer dans les autres conceptions de la physique pour arriver à poser cette même objectivité ».

Ce sont ces « détours » de la doctrine de Mach que Rey dissimule tout au long de son exposé. Le trait fondamental du matérialisme, c'est qu'il *prend pour point de départ* l'objectivité de la science, la reconnaissance de la vérité objective reflétée par la science, tandis que l'idéalisme *a besoin* de « détours » pour « déduire », de façon ou d'autre, l'objectivité à partir de l'esprit, de la conscience, du « psychique ». « L'école néo-mécaniste (c'est-à-dire dominante) de la physique, écrit Rey, *croit* à la *réalité* de la physique théorique, dans le même sens que l'humanité *croit* à la *réalité* du monde extérieur » (p. 234, § 22 : thèse). Pour cette école « la théorie veut être le décalque de l'objet » (p. 235).

C'est juste. Et ce trait fondamental de l'école « néo-mécaniste » n'est pas autre chose que la base de la théorie *matérialiste* de la connaissance. Ce fait capital ne peut être atténué ni par les assertions de Rey, selon lesquelles les néo-mécanistes eux aussi seraient, au fond, des phénoménistes, ni par son reniement du matérialisme, etc. La principale différence entre les néo-mécanistes (matérialistes plus ou moins honteux) et les disciples de Mach, c'est que ces derniers *s'écartent* de cette théorie de la connaissance et, s'en écartant, *versent* inévitablement dans le fidéisme.

Considérez l'attitude de Rey envers la doctrine de Mach sur la causalité et la nécessité de la nature. Ce n'est qu'à première vue, affirme Rey, que Mach « s'approche du scepticisme » (p. 76) et du « subjectivisme » (p. 76) ; cette « équivoque » (p. 115) se dissipe dès que l'on considère la doctrine de Mach dans son ensemble. Et Rey, la prenant dans son ensemble, cite divers textes empruntés à la *Théorie de la chaleur* et à l'*Analyse des sensations*, s'arrête spécialement sur le chapitre consacré, dans la première de ces œuvres, à la causalité ; — mais... *mais il se garde de citer le pas-*

sage décisif, la déclaration de Mach selon laquelle il n'y a pas de nécessité physique, il n'y a que nécessité logique ! On ne peut que dire que ce n'est pas là une interprétation, mais un maquillage de la pensée de Mach, que c'est vouloir effacer la différence entre le « néo-mécanisme » et la doctrine de Mach. Rey conclut : « Mach reprend pour son propre compte l'analyse et les conclusions de Hume, de Mill et de tous les phénoménistes, d'après lesquels la relation causale n'a rien de *substantiel*, et n'est qu'une habitude mentale. Il a repris d'ailleurs à son propre compte la thèse fondamentale du phénoménisme dont celle-ci n'est qu'une conséquence : il n'existe que des sensations. Mais il ajoute, et dans une direction nettement objectiviste : La science, en analysant les sensations, découvre en elles des éléments permanents et communs qui ont, bien qu'abstraits de ces sensations, la même réalité qu'elles, puisqu'ils sont puisés en elles par l'observation sensible. Et ces éléments communs et permanents, comme l'énergie et ses modalités, sont le fondement de la systématisation physique » (p. 117).

Ainsi, Mach adopte la théorie subjective de la causalité de Hume pour l'interpréter dans le sens objectiviste ! Rey se dérobe dans sa défense de Mach, en arguant de l'inconséquence de ce dernier et en nous amenant à conclure que l'interprétation « réelle » de l'expérience conduit à la « nécessité ». Or, l'expérience est ce qui est donné du dehors, et si la nécessité de la nature, si les lois naturelles sont aussi données à l'homme du dehors, de la nature objectivement réelle, il est évident alors que toute différence entre la doctrine de Mach et le matérialisme s'évanouit. Rey, défendant la doctrine de Mach contre le « néo-mécanisme », capitule sur toute la ligne devant ce dernier, se bornant à justifier le mot phénoménisme, et non l'essence même de cette tendance.

Poincaré, par exemple, qui s'inspire d'un esprit tout à fait analogue à celui de Mach, déduit les lois de la nature — jusqu'aux trois dimensions de l'espace, — de la « commodité ». Mais cela ne veut point dire : « arbitraire », s'empresse de « corriger » Rey. Non, la « commodité » exprime ici l'« *adaptation à l'objet* » (souligné chez Rey, p. 196). Merveilleuse discrimination des deux écoles et « réfutation » du matérialisme, il n'y a pas à dire... « Si la théorie de Poincaré se sépare logiquement par un abîme infranchissable d'une interprétation ontologique du mécanisme » (c'est-à-dire que la théorie est le décalque de l'objet)... « si elle est propre à étayer un idéalisme philosophique, du moins sur le terrain scientifique, elle concorde très bien avec l'évolution générale des idées classiques, et la tendance à considérer la physique comme un savoir objectif, aussi objectif que l'expérience, c'est-à-dire les sensations dont elle émane » (p. 200).

Admettons d'une part, convenons de l'autre que... D'une part, Poincaré se sépare du néo-mécanisme par un abîme infranchissable, bien qu'il tienne le *milieu* entre le « conceptualisme » de Mach et le néo-mécanisme, et que nul abîme ne sépare, paraît-il, Mach du néo-mécanisme. D'autre part, Poincaré est fort bien conciliable avec la physique classique qui, selon Rey lui-même, partage le point de vue du « mécanisme ». D'une part, la théorie de Poincaré est propre à étayer un idéalisme philosophique ; de l'autre, elle est compatible avec l'interprétation objective du mot « expérience ». D'une part, ces mauvais fidéistes ont altéré, à l'aide de déviations imperceptibles, la signification du mot « expérience » et se sont écartés de la juste interprétation selon laquelle « l'expérience, c'est l'objet »; de l'autre, l'objectivité de l'expérience signifie uniquement que celle-ci se réduit aux sensations, ce qu'approuvent pleinement Berkeley et Fichte !

Rey s'est empêtré parce qu'il s'est posé un problème insoluble : « concilier » l'antinomie des écoles matérialiste et idéaliste dans la nouvelle physique. Il tente d'édulcorer le matérialisme de l'école néo-mécaniste en ramenant au phénoménisme les vues des physiciens pour qui leur théorie est un décalque de l'objet *. Et il tente d'atténuer l'idéa-

---

* Le « conciliateur » A. Rey ne se contente pas de jeter un voile sur la question telle qu'elle est posée par le matérialisme philosophique, il passe également sous silence les affirmations matérialistes les plus nettes des physiciens français. Un exemple : il n'a pas soufflé mot d'Alfred Cornu, décédé en 1902. Ce physicien répondit à la « réfutation (Überwindung, plus exactement infirmation) du matérialisme scientifique » par Ostwald par une note méprisante sur la manière prétentieuse et légère dans laquelle celui-ci avait traité le sujet (voir *Revue générale des sciences*, 1895, pp. 1030-1031). Au congrès international des physiciens qui se tint à Paris, en 1900, A. Cornu disait :

lisme de l'école conceptualiste, en éludant les affirmations les plus catégoriques de ses disciples et en interprétant toutes les autres dans le sens du matérialisme honteux. L'appréciation donnée par Rey de la valeur théorique des équations différentielles de Maxwell et de Hertz montre à quel point sa renonciation laborieuse au matérialisme est fictive. Le fait que ces physiciens ramènent leur théorie à un système d'équations est aux yeux des disciples de Mach une réfutation du matérialisme : des équations, tout est là, aucune matière, aucune réalité objective, rien que des symboles. Boltzmann réfute cette opinion entendant par là réfuter la physique phénoménologique. Rey la réfute en croyant défendre le phénoménisme ! « On ne saurait, dit-il, renoncer à classer Maxwell et Hertz parmi les « mécanistes », du fait qu'ils se sont bornés à des équations calquées sur les équations différentielles de la dynamique de Lagrange. Cela ne veut pas dire que, pour Maxwell et Hertz, on n'arrivera pas à fonder sur des éléments réels une théorie mécaniste de l'électricité. Bien au contraire, le fait de représenter les phénomènes électriques dans une théorie dont la forme est identique à la forme générale de la mécanique classique, en montre la possibilité » (p. 253) ...L'incertitude que nous observons aujourd'hui dans la solution de ce problème « doit diminuer à mesure que se précisera la *nature* des quantités, par suite des éléments, qui entrent dans les équations ». Le fait que telles ou telles formes du

---

« ... Plus nous pénétrons dans la connaissance des phénomènes naturels, plus se développe et se précise l'audacieuse conception cartésienne relative au mécanisme de l'univers : il n'y a dans le monde physique que de la matière et du mouvement. Le problème de l'unité des forces physiques... s'est imposé à nouveau depuis les grandes découvertes qui ont signalé la fin de ce siècle : aussi la préoccupation constante de nos maîtres modernes, Faraday, Maxwell, Hertz (pour ne parler que des illustres disparus), consiste-t-elle à préciser la nature, à deviner les propriétés de cette *matière subtile*, réceptacle de l'énergie universelle... Le retour aux idées cartésiennes est actuellement si manifeste... » (*Rapports présentés au Congrès International de Physique* (Paris, 1900, 4e vol., p. 7). Lucien Poincaré note avec raison dans sa *Physique moderne* (Paris, 1906, p. 14) que cette idée cartésienne a été adoptée et développée par les Encyclopédistes du XVIIIe siècle ; mais ni ce physicien ni A. Cornu ne savent que les matérialistes dialecticiens Marx et Engels ont dégagé de l'exclusivisme du matérialisme *mécaniste* ce principe fondamental du matérialisme.

mouvement matériel ne sont pas encore étudiées ne justifie pas, pour Rey, la négation de la matérialité du mouvement. L' « homogénéité de la matière » (p. 262) n'est pas un postulat, elle est un résultat de l'expérience et du développement de la science, l'« homogénéité de l'objet de la physique », telle est la condition nécessaire de l'application des mesures et des calculs mathématiques.

Citons l'appréciation, formulée par Rey, du critérium de la pratique dans la théorie de la connaissance : « A l'inverse des propositions sceptiques, il semble donc légitime de dire que la valeur pratique de la science dérive de sa valeur théorique » (p. 368)... Rey préfère passer sous silence que Mach, Poincaré et toute leur école souscrivent sans ambiguïté à ces propositions sceptiques... « L'une et l'autre sont les deux faces inséparables et rigoureusement parallèles de sa valeur objective. Dire qu'une loi de la nature a une valeur pratique... revient à dire, au fond, que cette loi de la nature a une objectivité. Agir sur l'objet implique une modification de l'objet, une réaction de l'objet conforme à une attente ou à une prévision contenue dans la proposition en vertu de laquelle on agit sur l'objet. Celle-ci enferme donc des éléments *contrôlés* par l'objet, et par l'action qu'il subit... Il y a donc dans ces théories diverses une part d'objectif » (p. 368). Cette théorie de la connaissance est tout à fait matérialiste, exclusivement matérialiste, les autres opinions, et la doctrine de Mach en particulier, niant l'objectivité, c'est-à-dire la valeur, indépendante de l'homme et de l'humanité, du critérium de la pratique.

Bilan : ayant abordé la question d'une façon entièrement différente de celle de Ward, de Cohen et Cie, Rey est arrivé aux mêmes résultats, savoir : à la constatation que les tendances matérialiste et idéaliste sont à la base de la division des deux écoles principales de la physique moderne.

7. UN « PHYSICIEN IDEALISTE » RUSSE

De fâcheuses conditions de travail m'ont à peu près complètement empêché de prendre connaissance des publications russes sur le sujet traité. Je me bornerai donc à résumer un très important article dû à la plume de notre fameux philosophe ultra-réactionnaire, M. Lopatine. Cet article, intitulé : « Un physicien idéaliste », est paru dans les *Problèmes de Philosophie et de Psychologie*[100] (septembre-octobre 1907). Philosophe idéaliste authentiquement russe, M. Lopatine est pour les idéalistes européens contemporains ce que l'*Union du peuple russe*[101] est pour les partis réactionnaires des pays d'Occident. Il n'en est que plus instructif de voir des tendances philosophiques similaires se manifester dans des milieux aussi profondément différents quant à la culture et aux mœurs. L'article de M. Lopatine est, comme disent les Français, un éloge * de feu Chichkine, physicien russe (décédé en 1906). M. Lopatine est ravi que cet homme instruit, qui s'est beaucoup intéréssé à Hertz et à la nouvelle physique en général, n'ait pas seulement appartenu à la droite du parti cadet (p. 339), mais ait été aussi foncièrement croyant, admirateur de la philosophie de V. Soloviev, etc., etc. Cependant, malgré ses « préférences » pour les régions où la philosophie voisine avec la police, M. Lopatine a su donner au lecteur quelques indications caractérisant les conceptions *gnoséologiques* du physicien idéaliste. « Il fut, écrit M. Lopatine, un positiviste authentique, par son aspiration constante à la critique la plus large des procédés de recherches, des hypothèses et des faits scientifiques pour en déterminer la valeur en tant que moyens et matériaux de construction d'une conception du monde intégrale et achevée. A ce point de vue, N. Chichkine était aux antipodes d'un grand nombre de ses contemporains. Je me suis déjà efforcé à plusieurs reprises, dans mes articles parus ici même, de montrer de quels matériaux disparates et souvent fragiles se forme la prétendue conception scientifique du monde: on y trouve des faits démontrés, des généralisations plus ou moins hardies, des hypothèses commodes à un moment donné pour tel ou tel domaine scientifique, et même des fictions scientifiques auxiliaires, le tout élevé à la dignité de vérités objectives incontestables, du point de vue desquelles toutes les autres idées et toutes les autres croyances d'ordre philosophique ou religieux doivent être jugées après avoir été épurées de tout ce qu'elles renferment d'étranger à ces vérités. Notre penseur savant de si haut talent,

---

* En français dans le texte. (*N. R.*)

le professeur V. Vernadski, a montré avec une netteté exemplaire tout ce qu'il y a de creux et de déplacé dans le désir prétentieux de transformer les vues scientifiques d'une époque historique donnée en un système dogmatique immuable et obligatoire. Cette erreur n'est pourtant pas uniquement le fait du grand public qui lit (*M. Lopatine ajoute ici en note* : « On a écrit pour ce public divers ouvrages populaires destinés à le convaincre de l'existence d'un catéchisme scientifique contenant des réponses à toutes les questions. Les œuvres typiques de ce genre sont : *Force et Matière* de Büchner et les *Enigmes de l'univers* de Haeckel ») et de certains savants spécialisés ; chose beaucoup plus étrange, c'est que cette erreur est assez souvent imputable aussi aux philosophes officiels, dont tous les efforts ne tendent parfois qu'à démontrer qu'ils ne disent rien de plus que ce qui a déjà été dit par les représentants des sciences spéciales, mais ils le disent en leur propre langage.

« N. Chichkine n'avait nul dogmatisme préconçu. Il fut un partisan convaincu de l'explication mécaniste des phénomènes de la nature, mais cette explication n'était pour lui qu'une méthode d'investigation... » (341). Hum... hum... Refrains connus !... « Il ne pensait nullement que la théorie mécaniste pût découvrir le fond même des phénomènes étudiés ; il n'y voyait que le moyen le plus commode et le plus fécond de grouper les phénomènes et de leur donner un fondement scientifique. Aussi la conception mécaniste et la conception matérialiste de la nature étaient-elles loin de coïncider à ses yeux... » Tout comme chez les auteurs des *Essais* « sur » *la philosophie marxiste* !... « Il lui semblait, bien au contraire, que la théorie mécaniste dût adopter, dans les questions d'ordre supérieur, une attitude rigoureusement critique, voire conciliante »...

Cela s'appelle, dans le langage des disciples de Mach, « surmonter » l'opposition « unilatérale, étroite et surannée » du matérialisme et de l'idéalisme... « Les questions du commencement et de la fin des choses, de l'essence intime de notre esprit, de la volonté libre, de l'immortalité de l'âme, etc., posées dans toute leur ampleur, ne peuvent être de son ressort, car, en tant que méthode d'investigation, elle est limitée par son application exclusive aux faits de l'expérience physique » (p. 342)... Les deux dernières lignes constituent sans contredit un plagiat de l'*Empiriomonisme* de A. Bogdanov.

« La lumière peut être considérée comme matière, comme mouvement, comme électricité, comme sensation », écrivait Chichkine dans un article sur « Les phénomènes psychophysiques au point de vue de la théorie mécaniste » (*Problèmes de Philosophie et de Psychologie*, fasc. 1, p. 127).

Il est certain que M. Lopatine a eu parfaitement raison de classer Chichkine parmi les positivistes, et que ce physicien a appartenu sans réserve, en physique nouvelle, à l'école de Mach. Parlant de la lumière, Chichkine veut dire que les différentes manières de traiter la lumière représentent différentes méthodes d'« organisation de l'expérience » (d'après la terminologie de A. Bogdanov), également légitimes suivant le point de vue admis, ou différentes « liaisons d'éléments » (d'après la terminologie de Mach), la théorie de la lumière élaborée par les physiciens n'étant pas un décalque de la réalité objective. Mais Chichkine raisonne aussi mal que possible. « La lumière peut être considérée comme matière, comme mouvement »... La nature ne connaît ni matière sans mouvement, ni mouvement sans matière. La première « antinomie » de Chichkine est dépourvue de sens. « Comme électricité »... L'électricité est un mouvement de la matière ; Chichkine n'a donc pas raison ici non plus. La théorie électro-magnétique de la lumière a démontré que la lumière et l'électricité sont des formes de mouvement d'une seule et même matière (l'éther)... « Comme sensation »... La sensation est une image de la matière en mouvement. Nous ne pouvons rien savoir ni des formes de la matière ni des formes du mouvement, si ce n'est par nos sensations ; les sensations sont déterminées par l'action de la matière en mouvement sur nos organes des sens. Tel est l'avis des sciences de la nature. La sensation de rouge reflète les vibrations de l'éther d'une vitesse approximative de 450 trillions par seconde. La sensation de bleu reflète les vibrations de l'éther d'une vitesse approximative de 620 trillions par seconde. Les vibrations de l'éther existent indépendamment de nos sensations de lumière. Nos sensations de lumière dépendent de l'action des vibrations de l'éther sur l'organe humain de la vue. Nos sensations reflètent la réalité objective, c'est-à-dire ce qui existe indépendamment de l'humanité et des sensations humaines. Tel est l'avis des sciences de la nature. Les arguments de Chichkine contre le matérialisme se réduisent à la plus vile sophistique.

8. ESSENCE ET VALEUR DE L'IDEALISME « PHYSIQUE »

Nous avons vu que le problème des conclusions gnoséologiques à tirer de la physique moderne est posé dans la littérature anglaise, allemande et française, et y est discuté des points de vue les plus différents. Il est hors de doute que nous sommes en présence d'une tendance idéologique internationale, ne dépendant pas d'un système philosophique donné, mais déterminée par des causes générales placées en dehors du domaine de la philosophie. Les données que nous venons de passer en revue montrent indubitablement que la doctrine de Mach est « liée » à la nouvelle physique ; elles montrent aussi que l'idée de cette liaison, répandue par nos disciples de Mach, est *profondément erronée.* Ceux-ci suivent servilement la *mode*, en philosophie comme en physique, et se montrent incapables d'apprécier de leur point de vue, du point de vue marxiste, l'aspect général et la valeur de certains courants.

Un double faux entache toutes les dissertations selon lesquelles la philosophie de Mach serait « la philosophie des sciences de la nature du XXe siècle », la « philosophie moderne des sciences de la nature », le « positivisme moderne des sciences de la nature », etc. (Bogdanov dans la préface à l'*Analyse des sensations*, pp. IV, XII; cf. aussi Iouchkévitch, Valentinov et consorts). D'abord, la doctrine de Mach est liée idéologiquement à une *seule* école dans une *seule* branche des sciences contemporaines. En second lieu, et *c'est là l'important*, elle est liée à cette école *non par ce qui la distingue de tous les autres courants et petits systèmes de la philosophie idéaliste, mais par ce qu'elle a de commun avec l'idéalisme philosophique en général.* Il suffit de jeter un coup d'œil sur cette tendance idéologique *dans son ensemble* pour que la justesse de cette thèse ne puisse laisser l'ombre d'un doute. Considérez les physiciens de cette école : l'Allemand Mach, le Français Henri Poincaré, le Belge P. Duhem, l'Anglais K. Pearson. Bien des choses leur sont communes ; ils n'ont qu'une base et qu'une orientation, chacun d'eux en convient très justement, mais ni la doctrine de l'empiriocriticisme en général, ni au moins celle de Mach sur les « éléments du monde », en particulier, ne font partie de ce patrimoine commun. Les trois derniers physiciens ne connaissent ni l'une ni l'autre doctrine. Ce qui leur est commun, c'est « uniquement » l'idéalisme philosophique auquel ils *sont* tous sans exception *enclins*, plus ou moins consciemment, plus ou moins nettement. Considérez les philosophes qui s'appuient sur *cette école* de la nouvelle physique, s'efforçant de lui fournir une justification gnoséologique et de la développer ; vous retrouverez là, une fois de plus, des immanents allemands, des disciples de Mach, des néo-criticistes et des idéalistes français, des spiritualistes anglais, le Russe Lopatine, plus l'unique empiriomoniste, A. Bogdanov. Ils n'ont de commun qu'une chose : ils professent plus ou moins consciemment, plus ou moins nettement l'idéalisme philosophique, soit avec une tendance brusque ou hâtive au fidéisme, soit en dépit d'une répugnance personnelle à son égard (chez Bogdanov).

L'idée fondamentale de cette école de physique nouvelle, c'est la négation de la réalité objective qui nous est donnée dans la sensation et que reflètent nos théories, ou bien le doute sur l'existence de cette réalité. Cette école s'écarte sur ce point du *matérialisme* (improprement appelé réalisme, néo-mécanisme, hylocinétique et que les physiciens mêmes n'ont pas développé de façon plus ou moins consciente), qui *de l'aveu général* prévaut parmi les physiciens ; elle s'en écarte comme école de l'idéalisme « physique ».

Il faut, pour expliquer ce terme d'une résonance si singulière, rappeler un épisode de l'histoire de la philosophie moderne et des sciences modernes. L. Feuerbach attaquait en 1866 Johannes Müller, le célèbre fondateur de la physiologie moderne, et le classait parmi les « idéalistes physiologiques » (*Werke*, t. X, p. 197). Ce physiologiste, analysant le mécanisme de nos organes des sens dans leurs rapports avec nos sensations et précisant, par exemple, que la sensation de lumière peut être obtenue par diverses excitations de l'œil, était enclin à en inférer que nos sensations ne sont pas des images de la réalité objective : c'était là son idéalisme. Cette tendance d'une école de savants à l'« idéalisme physiologique », c'est-à-dire à l'interprétation idéaliste de certains résultats de la physiologie, L. Feuerbach la discerna avec beaucoup de finesse. Les « attaches » de la physiologie et de l'idéalisme philosophique, du genre kantien principalement, furent plus tard longuement exploitées par la philosophie réactionnaire. F. A. Lange spécula sur la physiologie dans sa défense de l'idéalisme kantien et dans ses réfutations du matérialisme ; parmi les immanents (que Bogdanov a grandement tort de situer entre Mach et Kant), J. Rehmke s'insurgeait tout spécialement en 1882 contre la prétendue confirmation du kantisme par la physiologie *. Que nombre de grands physiologistes aient *penché* à cette époque vers l'idéalisme et le kantisme, cela n'est pas plus contestable que le fait que nombre de physiciens éminents *penchent* de nos jours vers l'idéalisme philosophique. L'idéalisme « physique », c'est-à-dire l'idéalisme d'une certaine école de physiciens de la fin du XIXe et du commencement du XXe siècle, « réfute » aussi peu le matérialisme et démontre tout aussi peu les attaches de l'idéalisme (ou de l'empiriocriticisme) avec les sciences de la nature, que le furent autrefois les velléités analogues de F. A. Lange et des idéalistes « physiologiques ». La déviation qu'a manifestée dans ces deux cas vers la philosophie réactionnaire, une école scientifique dans une branche des sciences de la nature, n'a été qu'un détour temporaire, une courte période douloureuse dans l'histoire de la science, une maladie de croissance, due par-dessus tout à un *brusque bouleversement* des vieux concepts hérités du passé.

Les attaches de l'idéalisme « physique » contemporain avec la crise de la physique contemporaine sont généralement reconnues, comme nous l'avons montré plus haut. « Les arguments de la critique sceptique de la physique contemporaine reviennent tous, au fond, au fameux argument de tous les scepticismes : la diversité des opinions » (parmi les physiciens), écrit A. Rey, visant moins les sceptiques que les partisans avoués du fidéisme tels que Brunetière. Mais les divergences « ne peuvent, par conséquent, rien prouver contre l'objectivité de la physique ». « On peut distin-

---

* Johannes Rehmke, *Philosophie und Kantianismus*, Eisenach, 1882, p. 15 et suivantes.

guer dans l'histoire de la physique, comme dans toute histoire, de grandes périodes qui se différencient par la forme et l'aspect général des théories... Mais vienne une de ces découvertes qui retentissent sur toutes les parties de la physique, parce qu'elles dégagent un fait capital, jusque-là mal ou très partiellement aperçu, et l'aspect de la physique se modifie ; une nouvelle période commence. C'est ce qui est arrivé après les découvertes de Newton, après les découvertes de Joule-Meyer et Carnot-Clausius. C'est ce qui paraît en train de se produire depuis la découverte de la radio-activité... L'historien qui voit ensuite les choses avec le recul nécessaire n'a pas de peine à démêler, là où les contemporains montraient conflits, contradictions, scissions en écoles différentes, une évolution continue. Il semble que la crise qu'a traversée la physique en ces dernières années (malgré les conclusions qu'en a déduites la critique philosophique) n'est pas autre chose. Elle représente même très bien le type de ces crises de croissance amenées par les grandes découvertes nouvelles. La transformation indéniable qui en résultera (y aurait-il évolution et progrès sans cela ?) ne modifiera pas sensiblement l'esprit scientifique » (l. c., pp. 370-372).

Le conciliateur Rey s'efforce de coaliser toutes les écoles de la physique contemporaine contre le fidéisme ! Il commet un faux, avec les meilleures intentions sans doute, mais un faux, car le penchant de l'école de Mach-Poincaré-Pearson pour l'idéalisme (savoir : pour le fidéisme raffiné) est incontestable. Quant à l'objectivité de la physique, liée aux bases de l'« esprit scientifique » et non à l'esprit fidéiste, et défendue par Rey avec tant d'ardeur, elle n'est autre chose qu'une définition « honteuse » du matérialisme. L'esprit matérialiste essentiel de la physique, comme de toutes les sciences contemporaines, sortira vainqueur de toutes les crises possibles et imaginables, à la condition expresse que le matérialisme métaphysique fasse place au matérialisme dialectique.

La crise de la physique contemporaine vient de ce qu'elle a cessé de reconnaître franchement, nettement et résolument la valeur objective de ses théories, — le conciliateur Rey s'efforce très souvent de le dissimuler, mais les faits sont plus forts que toutes les tentatives de conciliation. « Il semble, écrit Rey, qu'à traiter d'ordinaire d'une science où l'objet, au moins en apparence, est créé par l'esprit du savant, où, en tout cas, les phénomènes concrets n'ont plus à intervenir dans la recherche, on se soit fait (les mathématiciens) de la science physique une conception trop abstraite : on a cherché à la rapprocher toujours plus près de la mathématique, et on a transposé une conception générale de la mathématique dans une conception générale de la physique... Il y a là une invasion de l'esprit mathématique dans les façons de juger et de comprendre la physique, que dénoncent tous les expérimentateurs. Et n'est-ce pas à cette influence, qui, pour être cachée, n'en est pas moins prépondérante, que sont dus parfois l'incertitude, l'hésitation de la pensée sur l'objectivité de la physique, et les détours que l'on prend, ou les obstacles que l'on surmonte pour la mettre en évidence ?... » (p. 227).

C'est très bien dit. L'« hésitation de la pensée » dans la question de l'objectivité de la physique est au fond même de l'idéalisme « physique » en vogue.

« ...Les fictions abstraites de la mathématique semblent avoir interposé un écran entre la réalité physique et la façon dont les mathématiciens comprennent la science de cette réalité. Ils sentent confusément l'objectivité de la physique... Bien qu'ils veuillent être avant tout objectifs, lorsqu'ils s'appliquent ensuite à la physique, bien qu'ils cherchent à prendre et à garder pied dans le réel, ils restent hantés par les coutumes antérieures. Et jusque dans la conception énergétique qui a voulu construire plus solidement et avec moins d'hypothèses que le mécanisme, qui a cherché à décalquer l'univers sensible et non à le reconstruire, on a toujours affaire à des théories de mathématiciens... Ils (les mathématiciens) ont tout fait pour sauver l'objectivité sans laquelle ils comprennent très bien qu'on ne peut parler de physique... Mais les complications ou les détours de leurs théories laissent pourtant un malaise. Cela est trop fait ; cela a été recherché, édifié ; un expérimentateur n'y sent pas la confiance spontanée que le contact continuel avec la réalité physique lui donne en ses propres vues... Voilà ce que disent en substance — et ils sont légion, — tous les physiciens qui sont avant tout physiciens ou ne sont que cela, et toute l'école mécaniste... Elle [la crise de la physique] est dans la conquête du domaine de la physique par l'esprit mathématique. Les progrès de la physique, d'une part, et les progrès de la mathématique, d'autre part, ont amené au XIXe siècle une fusion étroite entre ces deux sciences... La physique théorique devint la physique mathématique... Alors commença la période formelle, c'est-à-dire la physique mathématique, purement mathématique, la physique mathématique, non plus branche de la physique, si on peut ainsi parler, mais branche de la mathématique, cultivée par des mathématiciens. Nécessairement dans cette phase nouvelle, le mathématicien habitué aux éléments conceptuels (purement logiques) qui fournissent la seule matière de son œuvre, gêné par les éléments grossiers, matériels, qu'il trouvait peu malléables, dut tendre toujours à en faire le plus possible abstraction, à se les représenter d'une façon tout à fait immatérielle et conceptuelle, ou même à les négliger complètement. Les éléments, en tant que données réelles, objectives, et pour tout dire, en tant qu'éléments *physiques* disparurent finalement. On ne garda que des relations formelles représentées par les équations différentielles... Et si le mathématicien n'est pas dupe de son travail constructif... il sait bien retrouver ses attaches à l'expérience, et... à première vue, et pour un esprit non prévenu, on croit se trouver en face d'un développement arbitraire... Le concept, la notion a remplacé partout l'élément réel... Ainsi s'expliquent historiquement, par la forme mathématique qu'à prise la physique théorique... le malaise, la crise de la physique et son éloignement apparent des faits objectifs » (pp. 228-232).

Telle est la cause première de l'idéalisme « physique ». Les velléités réactionnaires naissent du progrès même de la science. Les grands progrès des sciences de la nature, la découverte d'éléments homogènes et simples de la matière dont les lois du mouvement sont susceptibles d'une expression mathématique, font oublier la matière aux mathématiciens. « La matière disparaît », il ne subsiste que des équations. Ce nouveau stade de développement nous ramène à l'ancienne idée kantienne présentée sous un jour soi-disant nouveau : la raison dicte ses lois à la nature. Hermann Cohen, ravi, comme nous l'avons vu, de l'esprit idéaliste de la physique nouvelle, en arrive à recommander l'enseignement des mathématiques supérieures dans les écoles, cela afin de faire pénétrer dans l'intelligence des lycéens l'esprit idéaliste évincé par notre époque matérialiste (*Geschichte des Materialismus* von A. Lange, 5. Auflage, 1896, t. II, p. XLIX). Ce n'est là assurément que le rêve absurde d'un réactionnaire : en réalité, il n'y a, il ne peut y avoir là qu'un engouement momentané d'un petit groupe de spécialistes pour l'idéalisme. Mais il est significatif au plus haut point que les représentants de la bourgeoisie instruite, pareils à un naufragé qui s'attache à un brin de paille, recourent aux moyens les plus raffinés pour trouver ou garder artificiellement une place modeste au fidéisme engendré au sein des masses populaires par l'ingorance, l'hébétude et l'absurde sauvagerie des contradictions capitalistes.

Une autre cause de l'idéalisme « physique », c'est le principe du *relativisme*, de la relativité de notre connaissance, principe qui s'impose aux physiciens avec une vigueur particulière en cette période de brusque renversement des vieilles théories et qui, *joint à l'ignorance de la dialectique*, mène infailliblement à l'idéalisme.

Cette question des rapports du relativisme et de la dialectique est peut-être la plus importante pour expliquer les mésaventures théoriques de la doctrine de Mach. Rey, par exemple, n'a, comme tous les positivistes européens, aucune idée de la dialectique de Marx. Il n'emploie le mot dialectique qu'au sens de spéculation philosophique idéaliste. Aussi, se rendant compte que la nouvelle physique déraille dans la question du relativisme, se démène-t-il sans parvenir à distinguer le relativisme modéré du relativisme immodéré. Certes, le « relativisme immodéré confine, logiquement, sinon dans la pratique, à un véritable scepticisme » (p. 215), mais Poincaré n'est pas entaché de ce relativisme « immodéré ». Qu'à cela ne tienne ! Avec une balance d'apothicaire on pèse un peu plus ou un peu moins de relativisme, pour sauver la cause de Mach !

En réalité, seule la dialectique matérialiste de Marx et d'Engels résout, en une théorie juste, la question du relativisme, et celui qui ignore la dialectique est *voué* à passer du relativisme à l'idéalisme philosophique. L'incompréhension de ce fait suffit à ôter toute valeur à l'absurde petit livre de M. Bermann *La dialectique à la lumière de la théorie contemporaine de la connaissance.* M. Bermann a répété de vieilles, de très vieilles bourdes sur la dialectique, dont il ne comprend pas le premier mot. Nous avons déjà vu que *tous* les disciples de Mach manifestent *à chaque pas*, dans la théorie de la connaissance, la même incompréhension.

Toutes les anciennes vérités de la physique, y compris celles qui furent considérées comme immuables et non sujettes à caution, se sont révélées relatives ; *c'est donc* qu'il ne peut y avoir aucune vérité objective indépendante de l'humanité. Telle est l'idée non seulement de toute la doctrine de Mach mais aussi de tout l'idéalisme « physique » en général. Que la vérité absolue résulte de la somme des vérités relatives en voie de développement ; que les vérités relatives soient des reflets relativement exacts d'un objet indépendant de l'humanité ; que ces reflets deviennent de plus en plus exacts ; que chaque vérité scientifique contienne en dépit de sa relativité un élément de vérité absolue, — toutes ces propositions évidentes pour quiconque a réfléchi à l'*Anti-Dühring* d'Engels, sont de l'hébreu pour la théorie « contemporaine » de la connaissance.

Des œuvres telles que *La Théorie physique* de P. Duhem * ou *Les Concepts et théories de la physique moderne*, de Stallo **, particulièrement recommandées par Mach, montrent de toute évidence que ces idéalistes « physiques » attachent précisément la plus grande importance à la démonstration de la relativité de nos connaissances et hésitent, au fond, entre l'idéalisme et le matérialisme dialectique. Les deux auteurs, qui appartiennent à des époques différentes et abordent la question à des points de vue différents (Duhem, physicien, a une expérience de vingt ans ; Stallo, ancien hégélien orthodoxe, rougit d'avoir publié en 1848 une philosophie de la nature conçue dans le vieil esprit hégélien), combattent surtout avec énergie la conception mécano-ato-

---

* P. Duhem, *la Théorie physique, son objet et sa structure*, Paris, 1906.

** J. B. Stallo, *The Concepts and Theories of Modern Physics*, Londres, 1882. Il y a la traduction en français et en allemand.

miste de la nature. Ils s'appliquent à démontrer qu'elle est bornée, qu'il est impossible d'y voir la limite de nos connaissances, qu'elle conduit à des concepts pétrifiés chez les écrivains qui s'en inspirent. Ce défaut du *vieux* matérialisme est indéniable ; l'incompréhension de la relativité de toutes les théories scientifiques, l'ignorance de la dialectique, l'exagération de la valeur du point de vue mécaniste, Engels en fit grief aux matérialistes d'autrefois. Mais Engels a su (contrairement à Stallo) répudier l'idéalisme hégélien *et comprendre* le principe rationnel vraiment génial de la dialectique hégélienne. Il a renoncé au vieux matérialisme métaphysique pour adopter le matérialisme *dialectique*, et non le relativisme qui glisse au subjectivisme. « La théorie mécaniste, dit par exemple Stallo, hypostasie, ainsi que toutes les théories métaphysiques, des groupes d'attributs partiels, idéaux et peut-être purement conventionnels, ou même des attributs isolés qu'elle considère comme des aspects variés de la réalité objective » (p. 150). Cela est vrai tant que vous ne renoncez pas à la reconnaissance de la réalité objective et que vous combattez la métaphysique parce qu'antidialectique. Stallo ne s'en rend pas bien compte. N'ayant pas compris la dialectique matérialiste, il lui arrive fréquemment de glisser par le relativisme au subjectivisme et à l'idéalisme.

Il en est de même de Duhem. Duhem démontre à grand-peine, à l'aide d'un grand nombre d'exemples intéressants et précieux empruntés à l'histoire de la physique, — tels qu'on en rencontre souvent chez Mach, — que « toute loi de physique est provisoire et relative, parce qu'elle est approchée » (p. 280). Pourquoi enfoncer des portes ouvertes ? se demande le marxiste à la lecture des longues dissertations sur ce sujet. Mais le malheur de Duhem, de Stallo, de Mach, de Poincaré, c'est qu'ils ne voient pas la porte ouverte par le matérialisme dialectique. Ne sachant pas donner du relativisme une juste définition, ils glissent à l'idéalisme. « Une loi de physique n'est, à proprement parler, ni vraie ni fausse, mais approchée », écrit Duhem (p. 274). Ce « mais » renferme déjà un germe de faux, le début d'un effacement des limites entre la théorie scientifique qui *reflète* approximativement l'*objet*, ou qui se rapproche de la vérité objective, et la théorie arbitraire, fantaisiste, purement conventionnelle qu'est, par exemple, la théorie de la religion ou celle du jeu d'échecs.

Ce faux prend chez Duhem des proportions telles que cet auteur en arrive à qualifier de *métaphysique* (p. 10) la question de l'existence d'une « réalité matérielle » correspondant aux phénomènes sensibles : A bas le problème de la réalité ! nos concepts et nos hypothèses ne sont que des signes (p. 26), des constructions « arbitraires » (p. 27), etc. De là à l'idéalisme, à la « physique du croyant », prêchée par M. Pierre Duhem dans un esprit kantien (voir Rey, p. 162 ; cf. p. 160), il n'y a qu'un pas. Et cet excellent Adler (Fritz) — encore un disciple de Mach, se réclamant du marxisme ! — n'a rien trouvé de plus intelligent que de « corriger » ainsi Duhem : Duhem, prétend-il, n'évince « les réalités dissimulées derrière les phénomènes qu'en tant qu'objets de la théorie, et non en tant qu'*objets de la réalité** ». Nous retrouvons là une critique qui nous est bien familière, la critique du kantisme selon Hume et Berkeley.

Mais il ne peut être question, chez P. Duhem, d'aucun kantisme conscient. Tout comme Mach, il *erre* simplement sans savoir sur quoi étayer son relativisme. En maints passages, il aborde de près le matérialisme dialectique. Le son nous est connu « tel qu'il est par rapport à nous, non tel qu'il est en lui-même, dans les corps sonores. Cette réalité, dont nos sensations ne sont que le dehors et que le voile, les théories acoustiques vont nous la faire connaître. Elles vont nous apprendre que là où nos perceptions saisissent seulement cette apparence que nous nommons le son, il y a, en réalité, un mouvement périodique, très petit et très rapide... » (p. 7). Les corps ne sont pas les signes des sensations, mais les sensations sont les signes (ou plutôt les images) des corps. « Le développement de la physique provoque une lutte continuelle entre la nature qui ne se lasse pas de fournir et la raison qui ne veut pas se lasser de concevoir » (p. 32). La nature est infinie comme l'est la moindre de ses particules (l'électron y compris), mais l'esprit de même transforme infiniment les « choses en soi » en « choses pour nous ». « Ainsi se continuera indéfiniment cette lutte

---

* Note du traducteur à la traduction allemande du livre de Duhem, Leipzig, 1908, J. Barth.

entre la réalité et les lois de la physique ; à toute loi que formulera la physique, la réalité opposera, tôt ou tard, le brutal démenti d'un fait ; mais, infatigable, la physique retouchera, modifiera, compliquera la loi démentie » (p. 290). Nous aurions là un exposé parfaitement juste du matérialisme dialectique si l'auteur affirmait fermement la réalité objective, indépendante de l'humanité. « ... La théorie physique n'est point un système purement artificiel, aujourd'hui commode et demain sans usage... elle est une classification de plus en plus naturelle, un reflet de plus en plus clair des réalités que la méthode expérimentale ne saurait contempler face à face » (p. 445).

Le disciple de Mach Duhem flirte en cette dernière phrase avec l'idéalisme kantien : comme si un sentier s'ouvrait à une méthode autre que la méthode « expérimentale », comme si nous n'apprenions pas à connaître immédiatement, directement, face à face, les « choses en soi ». Mais si la théorie physique devient de plus en plus naturelle, c'est qu'une « nature », une réalité, « reflétée » par cette théorie, existe indépendamment de notre conscience, tel est précisément le point de vue du matérialisme dialectique.

En un mot, l'idéalisme « physique » d'aujourd'hui, comme l'idéalisme « physiologique » d'hier, montre seulement qu'une école de savants dans une branche des sciences de la nature est tombée dans la philosophie réactionnaire, faute d'avoir su s'élever directement, d'un seul coup, du matérialisme métaphysique au matérialisme dialectique *. Ce

* Le célèbre chimiste William Ramsay dit : « On m'a souvent demandé : L'électricité n'est-elle pas une vibration ? Comment expliquer la télégraphie sans fil par le transport des particules ou des corpuscules ? Voici la réponse à cette question : l'électricité est une *chose*; elle *n'est pas* (c'est Ramsay qui souligne) autre chose que ces corpuscules, mais quand ces corpuscules se détachent de quelque objet, une onde analogue à une onde lumineuse, se propage dans l'éther, et c'est cette onde que l'on utilise dans la télégraphie sans fil » (William Ramsay, *Essays, Biographical and Chemical*, Londres, 1908, p. 126). Après avoir exposé le processus de la transformation du radium en hélium, Ramsay observe : « Un prétendu élément, tout au moins, ne peut plus être considéré comme matière ultime ; il se transforme lui-même en une forme plus simple de la matière » (p. 160). « Il est à peu près certain que l'électricité négative est une forme particulière de la matière ; l'électricité positive est la matière dépourvue d'électricité négative, c'est-à-dire la matière moins cette matière

pas, la physique contemporaine le fait et le fera, mais elle s'achemine vers la seule bonne méthode, vers la seule philosophie juste des sciences de la nature, non en ligne droite, mais en zigzags, non consciemment, mais spontanément, non point guidée par un « but final » nettement aperçu, mais à tâtons, en hésitant et parfois même à reculons. La physique contemporaine est en couche. Elle enfante le matérialisme dialectique. Accouchement douloureux. L'être vivant et viable est inévitablement accompagné de quelques produits morts, déchets destinés à être évacués avec les impuretés. Tout l'idéalisme physique, toute la philosophie empiriocriticiste, avec l'empiriosymbolisme, l'empiriomonisme, etc., sont parmi ces déchets.

électrique » (176). « Qu'est-ce que l'électricité ? On croyait autrefois qu'il y avait deux sortes d'électricité : positive et négative. Il était alors impossible de répondre à la question posée. Mais les recherches les plus récentes rendent probable l'hypothèse que ce que nous avons accoutumé d'appeler électricité négative est en réalité (really) une substance. Le poids relatif de ses particules a, en effet, été mesuré ; il est approximativement égal à un sept centième de la masse de l'atome de l'hydrogène ... Les atomes de l'électricité s'appellent électrons » (p. 196.) Si nos disciples de Mach, auteurs de livres et d'articles traitant de sujets philosophiques, savaient penser, ils comprendraient que les phrases : « la matière disparaît », « la matière se ramène à l'électricité », etc., ne sont que des expressions gnoséologiquement impuissantes de cette vérité que la science parvient à découvrir de nouvelles formes de la matière, de nouvelles formes du mouvement matériel, à ramener les formes anciennes à ces formes nouvelles, etc.

CHAPITRE VI

L'EMPIRIOCRITICISME ET LE MATERIALISME HISTORIQUE

Les disciples russes de Mach se divisent, nous l'avons déjà vu, en deux camps : M. Tchernov et les collaborateurs du *Rousskoïé Bogatstvo* [102] sont, aussi bien en philosophie qu'en histoire, les adversaires conséquents du matérialisme dialectique ; une autre confrérie de disciples de Mach, qui nous intéressent le plus en ce moment, se réclament du marxisme et s'efforcent de persuader leurs lecteurs que la doctrine de Mach est compatible avec le matérialisme historique de Marx et d'Engels. Ces assertions restent, il est vrai, le plus souvent des assertions : aucun disciple de Mach se réclamant du marxisme n'a fait la moindre tentative pour exposer d'une manière plus ou moins systématique les tendances véritables des fondateurs de l'empiriocriticisme dans le domaine des sciences sociales. Nous nous y arrêterons brièvement ; nous examinerons d'abord les déclarations faites à ce sujet par les empiriocriticistes allemands, puis celles de leurs disciples russes.

1. L'EXCURSION DES EMPIRIOCRITICISTES ALLEMANDS DANS LE DOMAINE DES SCIENCES SOCIALES

La revue de philosophie éditée par Avenarius publiait en 1895, du vivant du maître, un article de son élève F. Blei: « La métaphysique dans l'économie politique » *. Les maî-

---

* *Vierteljahrsschrift für wissenschaftliche Philosophie*, 1895, t. XIX, F. Blei, « Die Metaphysik in der Nationalökonomie », pp. 378-390.

tres de l'empiriocriticisme sont unanimes à combattre la « métaphysique », non seulement du matérialisme philosophique franc et conscient, mais aussi des sciences de la nature qui se placent spontanément au point de vue de la théorie matérialiste de la connaissance. Le disciple part en guerre contre la métaphysique dans l'économie politique. Cette guerre vise les écoles les plus différentes de l'économie politique ; mais seul le caractère de l'argumentation empiriocriticiste employée contre l'école de Marx et d'Engels nous intéresse.

« Le but de cette étude, écrit F. Blei, est de montrer que toute l'économie politique contemporaine opère, pour expliquer les phénomènes de la vie économique, sur des prémisses métaphysiques : elle « déduit » les « lois » de l'économie de la « nature » même de cette dernière, et l'homme n'y apparaît que comme un élément fortuit par rapport à ces « lois »... Par toutes ses théories contemporaines, l'économie politique repose sur une base métaphysique ; toutes ses théories sont étrangères à la biologie et, par suite, non scientifiques, sans aucune valeur pour la connaissance... Les théoriciens ignorent sur quoi ils édifient leurs théories, sur quel terrain ces théories ont poussé. Ils se croient des réalistes opérant sans prémisses d'aucune sorte, prétendant ne s'occuper que de phénomènes économiques, bien « simples » (nüchterne), « pratiques », « évidents » (sinnfällige)... Et ils ont tous avec maintes tendances en physiologie cette affinité familiale que confère aux enfants — en l'espèce aux physiologistes et aux économistes — une même ascendance paternelle et maternelle, à savoir : ils descendent de la métaphysique et de la spéculation. Une école d'économistes analyse les « phénomènes » de l'« économie » (Avenarius et ceux de son école mettent entre guillemets des termes ordinaires, afin de souligner qu'ils se rendent bien compte, eux, philosophes authentiques, du caractère « métaphysique » de cet usage vulgaire de termes non épurés par l'« analyse gnoséologique»), sans rattacher ce qu'elle trouve (das Gefundene) dans cette voie au comportement des individus : les physiologistes bannissent de leurs recherches le comportement de l'individu comme « actions de l'âme » (Wirkungen der Selle) ; les économistes de cette tendance déclarent négligeable (eine Negligible) le comportement des individus devant les « lois immanentes de l'économie » (pp. 378-379). Chez Marx la théorie constate les « lois économiques » tirées de processus échafaudés ; ces « lois » se trouvent dans la partie initiale (Initialabschnitt) de la série vitale dépendante, et les processus économiques y figurent à la partie finale (Finalabschnitt)... L'« économie » est devenue pour les économistes une catégorie transcendante où ils savent trouver les « lois » désirées : « lois » du « capital » et du « travail », de la « rente », du « salaire », du « profit ». L'homme s'est réduit chez les économistes aux notions platoniques de « capitaliste », d'« ouvrier », etc. Le socialisme a attribué au « capitaliste » l'« âpreté au gain », le libéralisme a déclaré l'ouvrier « exigeant », ces deux lois étant expliquées par l'« action nécessaire du capital » (pp. 381-382).

« Marx aborda l'étude du socialisme français et de l'économie politique avec une conception socialiste, afin de donner à celle-ci une « assise théorique » dans le domaine de la connaissance, et de lui « assurer » une valeur originelle. Marx avait trouvé chez Ricardo la loi de la valeur, mais... les déductions tirées de Ricardo par les socialistes français ne purent le satisfaire de manière à « assurer » sa valeur-E, amenée à la variété vitale, c'est-à-dire à la « conception du monde », car elles étaient déjà partie intégrante de sa valeur initiale, sous la forme de l'«indignation suscitée par la spoliation des ouvriers », etc. Ces déductions furent repoussées comme « formellement fausses économiquement parlant », car elles étaient simplement « une application de la morale à l'économie ». « Mais ce qui peut être formellement faux au point de vue économique, peut être encore exact au point de vue de l'histoire universelle. Si le sentiment moral de la masse regarde un fait économique comme injuste, cela prouve que ce fait lui-même est une survivance ; que d'autres faits économiques se sont produits grâce auxquels le premier est devenu insupportable, insoutenable. Derrière l'inexactitude économique formelle peut donc se cacher un contenu économique très réel. » (Engels : Préface à la *Misère de la philosophie*.)

Après avoir donné cette citation d'Engels, F. Blei continue : « Dans ce passage la partie médiane (Medialabschnitt) de la série dépendante qui nous intéresse ici, est levée (abgehoben, terme technique employé par Avenarius et signifiant : parvenue à la conscience, s'est dégagée). La « connaissance » d'après laquelle un « fait économique » doit être caché derrière la « conscience morale de l'injustice », est suivie de la partie finale »... (Finalabschnitt : la théorie de Marx est un jugement, c'est-à-dire une valeur-E ou une variété vitale qui passe par trois stades, ou trois parties : commencement, milieu, fin, Initialabschnitt, Medialabschnitt, Finalabschnitt)... « c'est-à-dire la « connaissance » de ce « fait économique ». Ou, en d'autres termes : le problème consiste maintenant à « retrouver » la valeur initiale », c'est-à-dire la « conception du monde » dans les « faits économiques », pour « assurer » cette valeur initiale. Cette variation définie de la série dépendante contient déjà la métaphysique de Marx, quel que soit le « connu » dans la partie finale (Finalabschnitt). La « conception socialiste », en tant que valeur-E distincte, « vérité absolue », est édifiée « après coup » sur une théorie « spéciale » de la connaissance, à savoir : sur le système économique de Marx et la théorie matérialiste de l'histoire... Par la conception de la plus-value, ce qu'il y a de « vrai » « subjectivement » dans la pensée de Marx devient « vérité objective » dans la théorie de la connaissance des « catégories économiques » ; la valeur initiale est désormais assurée, la métaphysique a reçu après coup une critique de la connaissance » (pp. 384-386).

Le lecteur nous en veut sans doute d'avoir si longuement cité ce galimatias d'une banalité incroyable, cette bouffonnerie pseudo-savante drapée dans la terminologie d'Avenarius. Mais : wer den *Feind* will verstehen, muss im *Feindes* Lande gehen (quiconque veut connaître son *ennemi*, doit aller au pays de l'*ennemi*) [103]. Et la revue philosophique de R. Avenarius est vraiment pays ennemi pour les marxistes. Nous invitons donc le lecteur à surmonter un moment le dégoût légitime qu'inspirent les clowns de la science bourgeoise, et à analyser l'argumentation du disciple et collaborateur d'Avenarius.

Premier argument : Marx est un « métaphysicien » qui n'a pas compris la « critique des concepts » gnoséologiques, mais a, sans élaborer une théorie générale de la connaissance, brutalement introduit le matérialisme dans sa « théorie spéciale de la connaissance ».

Cet argument n'a rien qui appartienne personnellement ou uniquement à Blei. Nous avons pu constater des dizaines et des centaines de fois que *tous* les fondateurs de l'empiriocriticisme et *tous* les disciples russes de Mach reprochent au matérialisme la « métaphysique » ou, plus exactement, reprennent les arguments éculés des kantiens, des partisans de Hume, des idéalistes contre la « métaphysique » matérialiste.

Deuxième argument : le marxisme est aussi métaphysique que les sciences de la nature (la physiologie). Ici encore, la « faute » en revient à Mach et à Avenarius et non à Blei, car ils ont déclaré la guerre à la « métaphysique des sciences de la nature », nom qu'ils donnent à la théorie matérialiste spontanée de la connaissance professée (de leur propre aveu et de l'avis de tous ceux qui s'y connaissent tant soit peu) par la grande majorité des savants.

Troisième argument : le marxisme déclare l'« individu » quantité négligeable *, considère l'homme comme « fortuit », soumis à des « lois économiques immanentes », s'abstient d'analyser ce que nous trouvons (des Gefundenen), ce qui nous est donné, etc. Cet argument répète *intégralement* le cycle d'idées de la « coordination de principe » de l'empiriocriticisme, c'est-à-dire le subterfuge *idéaliste* de la théorie d'Avenarius. Blei a parfaitement raison de dire que pas un instant Marx et Engels n'admettent ces absurdités idéalistes, et qu'il faut, ces absurdités une fois admises, rejeter nécessairement le marxisme *en bloc*, à commencer par ses origines, par ses principes philosophiques fondamentaux.

Quatrième argument : la théorie de Marx est « étrangère à la biologie », elle ne veut rien entendre aux « variétés vitales » ni aux autres jeux semblables de termes biologiques qui font la « science » du professeur réactionnaire Avenarius. L'argument de Blei est juste du point de vue de la doctrine de Mach ; l'abîme qui sépare la théorie de Marx des hochets « biologiques » d'Avenarius saute aux yeux. Nous verrons tout à l'heure comment les disciples russes de Mach, se réclamant du marxisme, ont suivi en réalité les traces de Blei.

---

* En français dans le texte. (*N.R.*)

Cinquième argument : l'esprit de parti, la partialité de la théorie de Marx, le caractère préconçu de ses solutions. L'empiriocriticisme *tout entier*, et pas seulement Blei, prétend à l'absence d'esprit de parti en philosophie et dans les sciences sociales. Ni socialisme, ni libéralisme. Pas de différenciation des courants profonds, inconciliables, en philosophie, matérialisme et idéalisme, mais un effort pour s'élever *au-dessus* de ces courants. Nous avons suivi cette tendance de la doctrine de Mach à travers une longue série de questions de gnoséologie, nous n'avons pas à nous étonner de la rencontrer en sociologie.

Sixième « argument »: les railleries concernant la vérité « objective ». Blei n'a pas été long à comprendre, très justement d'ailleurs, que le matérialisme historique et toute la doctrine économique de Marx admettent essentiellement la vérité objective. Et il a bien exprimé les tendances de la doctrine de Mach et d'Avenarius en répudiant, ce qui s'appelle « dès le départ », le marxisme précisément pour sa reconnaissance de la vérité objective, — en proclamant d'emblée qu'en fait la doctrine marxiste n'a rien autre chose pour elle que les idées « subjectives » de Marx.

Et si nos disciples de Mach renient Blei (c'est ce qu'ils feront sans nul doute), nous leur dirons : il ne faut pas s'en prendre au miroir quand on s'y voit laid... Blei est un miroir qui reflète *fidèlement* les tendances de l'empiriocriticisme ; le désaveu de nos disciples de Mach ne témoigne que de leurs bonnes intentions et de leur aspiration éclectique, d'ailleurs absurde, à concilier Marx avec Avenarius.

Passons de Blei à Petzoldt. Si le premier n'est qu'un élève, le second est proclamé maître par des empriocriticistes marquants comme Lessévitch. Tandis que Blei pose sans détours la question du marxisme, Petzoldt, lui, sans s'abaisser à faire cas d'un Marx ou d'un Engels, expose sous une forme positive les vues sociologiques de l'empiriocriticisme, permettant ainsi de les confronter avec celles du marxisme.

Le tome II de l'*Introduction à la philosophie de l'expérience pure* de Petzoldt, est intitulé : « Sur le chemin de la stabilité » (Auf dem Weg zum Dauernden). L'auteur fonde ses recherches sur la tendance à la stabilité. « La stabilité finale (endgültig) de l'humanité peut être révélée au point de vue formel, dans ses grandes lignes. Nous acquérons ainsi les fondements d'une éthique, d'une esthétique et d'une théorie formelle de la connaissance » (p. III). « L'évolution humaine porte sa fin en elle même », elle tend à un « état de stabilité parfaite (vollkommenen) » (p. 60). Des indices nombreux et divers montrent qu'il en est bien ainsi. Existe-t-il, par exemple, beaucoup de radicaux enthousiastes qui ne « s'assagissent », ne s'apaisent avec l'âge ? Il est vrai que cette « stabilité prématurée » (p. 62) est le propre du philistin. Mais les philistins ne forment-ils pas la « majorité compacte » ? (p. 62).

Conclusion de notre philosophe, imprimée en italique : « La stabilité est le trait essentiel de tout ce à quoi tendent notre pensée et notre œuvre créatrice » (p. 72). Explication: beaucoup de gens « ne peuvent pas voir » un tableau accroché de travers sur un mur ou une clef posée de travers sur la table. Ces gens-là « ne sont pas nécessairement des pédants » (p. 72). Ils ont le « *sentiment d'un désordre quelconque* » (p. 72, souligné par Petzoldt). En un mot, « la tendance à la stabilité est une aspiration à l'état final, à l'état ultime de par sa nature même » (p. 73). Nous empruntons tous ces textes au tome II, chapitre V, intitulé : « La tendance psychique à la stabilité. » Les preuves de cette tendance sont de poids. Un exemple : « Les gens aimant à gravir les montagnes suivent la tendance à l'ultime, au plus élevé, dans le sens primitif et spatial. Le désir de voir les choses au loin, de se livrer aux exercices physiques, de respirer l'air pur et de contempler la grande nature, n'est pas toujours le seul mobile ; il y a aussi la tendance profondément ancrée dans tout être vivant à persévérer dans la direction qu'il a donnée une fois pour toutes à son activité, jusqu'à atteindre un but naturel » (p. 73). Autre exemple : Quelles sommes ne dépense-t-on pas pour constituer une collection complète de timbres-poste ! « La tête vous tourne à parcourir le catalogue d'une firme de philatélie... Rien n'est pourtant plus naturel et plus compréhensible que cette tendance à la stabilité » (p. 74).

Les gens dépourvus d'instruction philosophique ne comprennent pas toute l'étendue des principes de stabilité ou d'économie de la pensée. Petzoldt développe tout au long sa « théorie » à l'usage des profanes. «La compassion est l'expression d'un besoin direct de stabilité », lisons-nous au

§ 28... « La compassion n'est pas une répétition, un doublement de la souffrance observée ; elle est une souffrance motivée par cette souffrance... Le caractère immédiat de la compassion doit être mis en avant avec la plus grande énergie. Si nous l'admettons, nous admettrons en même temps que le bien d'autrui peut intéresser l'homme d'une façon aussi immédiate et aussi directe que son propre bien. Nous déclinons ainsi toute justification utilitariste ou eudémoniste de la moralité. La nature humaine est, justement en raison de sa tendance à la stabilité et au repos, dépourvue de toute méchanceté foncière et pénétrée d'un esprit secourable.

« Le caractère immédiat de la compassion se manifeste souvent dans le secours immédiat. Pour sauver quelqu'un qui se noie, on se jette souvent sans réflexion à son secours. La vue d'un homme aux prises avec la mort est intolérable ; elle fait oublier au sauveteur tous ses autres devoirs, elle lui fait risquer sa propre vie et celle de ses proches pour sauver la vie inutile de quelque lamentable ivrogne, c'est-à-dire que la compassion peut, en de certaines circonstances, entraîner à des actes injustifiables au point de vue moral »...

Et ces platitudes sans nom remplissent des dizaines et des centaines de pages de la philosophie empiriocriticiste !

La morale est déduite du concept de « stabilité morale » (2e partie du tome II : *Les états stables de l'âme*, chapitre I : « De la stabilité morale »). « La stabilité, par définition, n'implique dans aucun de ses composants nulle condition de changement. Il en découle sans autres réflexions que cet état ne laisse subsister aucune possibilité de *guerre* » (p. 202). « L'égalité économique et sociale dérive du concept de stabilité définitive (endgültig) » (p. 213). Cette « stabilité » dérive de la « science », et non de la religion. Elle ne sera pas réalisée par la « majorité », comme se l'imaginent les socialistes ; ce n'est pas le pouvoir des socialistes qui « viendra en aide à l'humanité » (p. 207), — non, « c'est le libre développement » qui conduira à l'idéal. En effet, les profits du capital ne diminuent-ils pas, les salaires n'augmentent-ils pas sans cesse ? (p. 223.) Toutes les affirmations concernant l'« esclavage salarié » sont mensongères (p. 229). Autrefois on rompait impunément les jambes aux esclaves, et maintenant ? Non, le « progrès moral » est indéniable ; considérez les colonies universitaires en Angleterre, l'Armée du salut (p. 230), les « associations éthiques » de l'Allemagne. Le « romantisme » est condamné au nom de la « stabilité en esthétique » (chapitre 2, 2e partie). C'est au romantisme que se rapportent encore toutes les variétés d'une extension démesurée du *Moi*, l'idéalisme, la métaphysique, l'occultisme, le solipsisme, l'égoïsme, l'« assujettissement forcé de la minorité à la majorité », l'« idéal social-démocrate de l'organisation du travail par l'Etat » (pp. 240-241) *.

On ne trouve, au fond des excursions sociologiques de Blei, Petzoldt et Mach, que l'insondable stupidité du petit bourgeois heureux d'étaler, à l'abri d'une « nouvelle » terminologie et d'une « nouvelle » systématisation « empiriocriticistes », les plus vieilles friperies. Subterfuges verbaux prétentieusement habillés, laborieuses subtilités syllogistiques, scolastique raffinée : en un mot le même contenu réactionnaire nous est offert, sous la même enseigne bariolée, en sociologie comme en gnoséologie.

Voyons maintenant les disciples russes de Mach.

2. COMMENT BOGDANOV CORRIGE ET « DEVELOPPE » MARX

Dans son article « L'évolution de la vie dans la nature et dans la société » (1902. Voir *Psychologie sociale*, p. 35 et suivantes), Bogdanov cite le célèbre passage de la préface à *Zur Kritik*[104], où « le plus grand des sociologues », c'est-à-dire Marx, expose les bases du matérialisme historique. Bogdanov déclare, après avoir cité Marx, que « l'ancienne définition du monisme historique, sans cesser d'être vraie quant au fond, ne nous satisfait plus entièrement » (p. 37). L'auteur entend donc corriger ou développer la théorie *à partir de ses bases mêmes*. Son argument principal est le suivant :

---

* Mach, imbu du même esprit, se prononce pour le socialisme bureaucratique de Popper et de Menger, qui garantit la « liberté individuelle », tandis que la doctrine des social-démocrates, qui, paraît-il, « diffère désavantageusement » de ce socialisme, menace d'un « asservissement plus général et plus pénible encore que dans l'Etat monarchique ou oligarchique ». Voir *Erkenntnis und Irrtum*, 2. Aufl., 1906, pp. 80-81.

« Nous avons montré que les formes sociales appartiennent à un vaste *genre* d'adaptations biologiques. Mais, par là, nous n'avons pas encore défini le domaine des formes sociales : pour ce faire, il faut établir non seulement le *genre*, mais aussi l'*espèce*... Dans leur lutte pour l'existence, les hommes ne peuvent s'associer autrement que par la *conscience* : sans conscience, pas de vie sociale. C'est pourquoi la *vie sociale est dans toutes ses manifestations une vie psychique consciente*... La socialité est inséparable de la conscience. *L'existence sociale et la conscience sociale sont identiques au sens exact de ces mots* » (pp. 50, 51. C'est Bogdanov qui souligne).

Orthodoxe (*Essais de Philosophie*, Saint-Pétersbourg, 1906, p. 183 et précédentes) a déjà précisé que cette conclusion n'a rien de commun avec le marxisme. A quoi Bogdanov n'a répondu que par des gros mots, arguant de l'*inexactitude* d'une citation : Orthodoxe avait cité « au sens complet de ces mots » au lieu de « au sens exact ». La faute est là, en effet, et notre auteur avait bien le droit de la corriger, mais crier à ce propos à la « mutilation », au « faux », etc. (*Empiriomonisme*, livre III, p. XLIV), c'est tout bonnement *escamoter*, sous de pauvres vocables, le fond même de la controverse. Quel que soit le sens « exact » prêté par Bogdanov aux termes « existence sociale » et « conscience sociale », une chose reste certaine, c'est que sa proposition citée par nous est *fausse*. L'existence sociale et la conscience sociale ne sont pas plus identiques que ne le sont en général l'existence et la conscience. De ce que les hommes, lorsqu'ils entrent en rapport les uns avec les autres, le font comme des êtres conscients, il *ne s'ensuit* nullement que la conscience sociale soit identique à l'existence sociale. Dans toutes les formations sociales plus ou moins complexes, et surtout dans la formation sociale capitaliste, les hommes, lorsqu'ils entrent en rapport les uns avec les autres, *n'ont pas conscience* des relations sociales qui s'établissent entre eux, des lois présidant au développement de celles-ci, etc. Exemple : le paysan qui vend son blé, entre en « rapport » avec les producteurs mondiaux du blé sur le marché mondial, mais sans s'en rendre compte ; il ne se rend pas compte non plus des relations qui s'établissent à la suite de ces échanges. La conscience sociale *reflète* l'existence sociale, telle est la doctrine de Marx.

L'image peut refléter plus ou moins fidèlement l'objet, mais il est absurde de parler ici d'identité. La conscience *reflète* en général l'existence, c'est là une proposition générale du matérialisme *tout entier*. Et il est impossible de ne pas voir quel lien direct et *indissoluble* la rattache à la proposition du matérialisme historique, d'après laquelle la conscience sociale *reflète* l'existence sociale.

La tentative que fait Bogdanov pour corriger et développer Marx, sans qu'on s'en aperçoive, « dans l'esprit des bases » mêmes de la pensée de Marx, est une mutilation évidente de ces bases *matérialistes* dans un esprit *idéaliste*. Il serait ridicule de le nier. Rappelons-nous l'exposé de l'empiriocriticisme (pas celui de l'empiriomonisme, oh, non ! la différence est si grande, si grande, entre ces deux « systèmes » !) donné par Bazarov : « la représentation sensible *est justement* une réalité existant hors de nous ». Idéalisme manifeste, théorie manifeste de l'identité de la conscience et de l'existence. Rappelez-vous ensuite la formule de W.Schuppe, cet immanent qui, tout comme Bazarov et Cie, jurait ses grands dieux qu'il n'était pas idéaliste et, tout comme Bogdanov, insistait particulièrement sur le sens « exact » de ces mots : « l'existence est la conscience ». Confrontez maintenant avec ces textes la *réfutation* du matérialisme historique de Marx par l'immanent Schubert-Soldern : « Tout processus matériel de la production est toujours, à l'égard de celui qui l'observe, un phénomène de conscience... Sous le rapport gnoséologique, ce n'est pas le processus extérieur de la production qui est le *primaire* (prius), mais le sujet ou les sujets ; autrement dit : le processus purement matériel de la production ne (nous) dégage pas non plus des rapports généraux de la conscience » (Bewusstseinszusammenhangs). (Ouvrage cité : *Das menschliche Glück und die soziale Frage*, pp. 293 et 295-296.)

Bogdanov a beau maudire les matérialistes qui « déforment ses idées », aucune malédiction ne changera rien à ce fait simple et clair : la correction apportée à Marx et le développement de Marx, soi-disant dans l'esprit de Marx, par l'« empiriomoniste » Bogdanov ne se distinguent *essentiellement en rien* de la réfutation de Marx par Schubert-Soldern, idéaliste et solipsiste en gnoséologie. Bogdanov affirme n'être pas idéaliste. Schubert-Soldern affirme être réaliste (Bazarov l'a même cru). De nos jours, un philosophe ne peut que se déclarer « réaliste », « ennemi de l'idéalisme ». Il serait temps de le comprendre, messieurs les disciples de Mach !

Immanents, empiriocriticistes et l'empiriomoniste discutent de choses secondaires, de détails, de la définition de l'*idéalisme* ; nous répudions, nous, *dès le départ*, tous les fondements de leur philosophie, communs à cette trinité. Que Bogdanov prêche au sens le meilleur, avec les meilleures intentions du monde, en souscrivant à *toutes les déductions* de Marx, l'« identité » entre existence sociale et conscience sociale, nous dirons : Bogdanov *moins* l'« empiriomonisme » (ou plutôt *moins* la doctrine de Mach), est un marxiste. Car cette théorie de l'identité de l'existence sociale et de la conscience sociale n'est que *pure absurdité*, n'est qu'une théorie *absolument réactionnaire*. S'il en est qui la concilient avec le marxisme, avec le comportement marxiste, force nous est de reconnaître que ces gens valent mieux que leurs théories ; mais nous ne pouvons néanmoins excuser les déformations criantes du marxisme.

Bogdanov ne concilie sa théorie avec les déductions de Marx qu'en sacrifiant l'élémentaire logique. Tout producteur pris à part se rend compte, dans l'économie mondiale, qu'il introduit telle modification dans la technique de la production ; tout propriétaire se rend compte qu'il échange tels produits contre d'autres, mais ces producteurs et ces propriétaires ne se rendent pas compte qu'ils modifient par là l'*existence sociale*. Soixante-dix Marx ne suffiraient pas à embrasser l'ensemble de toutes les modifications de cet ordre dans toutes les branches de l'économie capitaliste mondiale. L'essentiel, c'est qu'on a découvert les *lois* et déterminé dans les grandes lignes le développement historique et la logique *objective* de ces modifications, — objective non pas certes en ce sens qu'une société d'êtres conscients, d'êtres humains puisse exister et se développer indépendamment de l'existence des êtres conscients (par sa « théorie », Bogdanov ne fait que *souligner* ces bagatelles, et pas davantage), mais en ce sens que l'existence sociale est *indépendante* de la *conscience sociale*. Le fait que vous vivez, que vous exercez une activité économique, que vous procréez et que vous fabriquez des produits, que vous les échangez, détermine une succession objectivement nécessaire d'événements, de développements, indépendante de votre conscience *sociale* qui ne l'embrasse jamais dans son intégralité. La tâche la plus noble de l'humanité est d'embrasser cette logique objective de l'évolution économique (évolution de l'existence sociale) dans ses traits généraux et essentiels, afin d'*y* adapter aussi clairement et nettement que possible, avec esprit critique, sa conscience sociale et la conscience des classes avancées de tous les pays capitalistes.

Bogdanov reconnaît tout cela. Qu'est-ce à dire ? Qu'*en réalité* il jette par-dessus bord sa théorie de « l'identité de l'existence sociale et de la conscience sociale », qui ne constitue plus qu'une vaine superfétation scolastique, aussi vaine, aussi morte, aussi nulle que l'est la « théorie de la substitution universelle » ou la doctrine des éléments », de l'« introjection » et toutes les autres bourdes de Mach. Mais « le mort saisit le vif », la morte superfétation scolastique de Bogdanov fait de sa philosophie, *indépendamment de sa conscience et contre sa volonté*, un *instrument au service* de Schubert-Soldern et d'autres réactionnaires, qui, du haut d'une centaine de chaires professorales, substituent, sous des milliers de formes, *justement ce* mort au vif, pour combattre le vif, pour étouffer le vif. Bogdanov est, quant à lui, l'ennemi juré de toute réaction, et plus particulièrement de la réaction bourgeoise. Sa « substitution » et sa théorie de l'« identité de l'existence sociale et de la conscience sociale » *rendent service* à cette réaction. C'est un fait déplorable, mais cependant un fait.

Le matérialisme admet d'une façon générale que l'être réel objectif (la matière) est indépendant de la conscience, des sensations, de l'expérience humaine. Le matérialisme historique admet que l'existence sociale est indépendante de la conscience sociale de l'humanité. La conscience n'est, ici et là, que le reflet de l'être, dans le meilleur des cas un reflet approximativement exact (adéquat, d'une précision idéale). On ne peut retrancher aucun principe fondamental, aucune partie essentielle de cette philosophie du marxisme coulée dans un seul bloc d'acier, sans s'écarter de la vérité objective, sans verser dans le mensonge bourgeois réactionnaire.

Voici encore quelques exemples de cet idéalisme philosophique mort qui se saisit du vivant marxiste Bogdanov.

Article : « Qu'est-ce que l'idéalisme ? », 1901 (*ibid.*, p. 11 et suivantes). « Nous arrivons à cette conclusion que là où les hommes s'accordent ou non dans leurs appréciations du progrès, le sens profond du concept de progrès demeure invariable : *plénitude et harmonie croissantes de l'entendement.* Tel est le contenu objectif du concept de progrès... Si nous comparons maintenant l'expression psychologique du concept de progrès à laquelle nous sommes parvenus, à son expression biologique donnée plus haut (« du point de vue biologique *on appelle progrès l'accroissement de la somme de vie* », p. 14), nous nous convaincrons sans peine que la première proposition coïncide entièrement avec la seconde et peut en être déduite... Comme la vie sociale se ramène à la vie psychique des membres de la société, le contenu du concept de progrès reste ici le même : plénitude et harmonie croissantes de la vie. Il faut seulement y ajouter : de la vie *sociale* des hommes. Certes, le concept de progrès social n'a jamais eu et ne peut avoir aucun autre contenu » (p. 16).

« Nous avons trouvé... que l'idéalisme exprimait la victoire dans l'âme humaine des aspirations plus sociales sur les moins sociales ; que l'idéal de progrès est un reflet de la tendance sociale au progrès dans la mentalité idéaliste » (p. 32).

Il n'est pas besoin de dire que tout ce jeu biologique et sociologique ne contient *pas un grain* de marxisme. Chez Spencer et Mikhaïlovski, on trouvera tant qu'on voudra de définitions qui ne le cèdent en rien à celles-ci, ne définissent rien sinon les « bonnes intentions » de l'auteur et montrent son *incompréhension totale* de « ce qu'est l'idéalisme » et de ce qu'est le matérialisme.

Livre III de l'*Empiriomonisme*, article « La sélection sociale » (les principes d'une méthode), 1906. L'auteur commence par repousser les « tentatives éclectiques de la bio-sociologie de Lange, Ferri, Woltmann et beaucoup d'autres » (p. 1), mais dès la page 15, il expose la conclusion suivante de ses « recherches » : « Nous pouvons formuler comme suit les rapports essentiels de l'énergétique et de la sélection sociale :

« *Tout acte de sélection sociale constitue une augmentation ou une diminution de l'énergie du corps social auquel il se rapporte. Nous avons, dans le premier cas, une « sé-*

lection positive » et, dans l'autre, une sélection « négative ». (Souligné par l'auteur.)

Et l'on voudrait faire passer ces bourdes inqualifiables pour du marxisme ! Est-il possible d'imaginer chose plus stérile, plus morte, plus scolastique que cet assemblage de termes biologiques et énergétiques ne signifiant absolument rien et ne pouvant absolument rien signifier dans les sciences sociales ? Pas l'ombre d'une étude économique concrète, pas la moindre allusion à la *méthode* de Marx, méthode dialectique et conception matérialiste du monde ; de simples définitions *forgées* que l'on tente d'accommoder aux conclusions toutes faites du marxisme. « Le développement rapide des forces productives de la société capitaliste marque, sans contredit, un accroissement de l'énergie du tout social... » — le second membre de cette phrase n'est évidemment qu'une simple répétition du premier, exprimée en termes creux qui semblent « approfondir » la question, mais qui, de fait, ne diffèrent pas, *de l'épaisseur d'un cheveu*, des tentatives éclectiques de la bio-sociologie de Lange et Cie ! — « mais le caractère inharmonique de ce processus amène à une « crise », à une dépense prodigieuse de forces productives, à une brusque diminution d'énergie : la sélection positive fait place à la sélection négative » (p. 18).

Ne croirait-on pas lire du Lange ? A des conclusions toutes faites sur les crises on épingle, sans y ajouter le moindre fait concret et sans élucider la nature des crises, une étiquette bio-énergétique. Tout cela avec les meilleures intentions : l'auteur tenait à confirmer et à approfondir les conclusions de Marx, qu'il *délaie* en réalité dans une scolastique stérile et mortellement ennuyeuse. Il n'y a là de « marxiste » que la *répétition* d'une conclusion connue d'avance, et toute la « nouvelle » justification de cette conclusion, toute cette « *énergétique sociale* » (p. 34), toute cette « sélection sociale », ce n'est qu'un *assemblage de mots*, qu'une dérision du marxisme.

Bogdanov ne se livre à aucune recherche marxiste ; il se contente de présenter les résultats antérieurs de ces recherches sous la parure d'une terminologie bio-énergétique. Tentative entièrement inopérante, car l'application des concepts de « sélection », d'« assimilation et de désassimilation » d'énergie, de bilan énergétique, etc., etc., aux sciences sociales n'est qu'une *phrase vide de sens.* On *ne peut* en réalité se livrer à aucune *étude* des phénomènes sociaux, à aucune mise au point de la *méthode* des sciences sociales, en recourant à ces concepts. Rien n'est plus facile que de coller une étiquette « énergétique » ou « bio-sociologique » à des phénomènes tels que les crises, les révolutions, la lutte des classes, etc. ; mais rien n'est plus stérile, plus scolastique, plus mort que cette entreprise. Peu nous importe que Bogdanov adapte, ce faisant, à Marx *tous* ou « presque » tous ses résultats et conclusions (nous avons vu la « correction » qu'il apporte à la pensée de Marx sur les rapports entre l'existence sociale et la conscience sociale) ; l'important, c'est que les *procédés* de cette adaptation, de cette « énergétique sociale », sont faux d'un bout à l'autre et ne se distinguent absolument en rien de ceux de Lange.

Marx écrivait le 27 juin 1870 à Kugelmann (*Sur la question ouvrière*, etc., 2e édition) : « Monsieur Lange me fait de grands éloges... mais dans le but de se donner de l'importance. M. Lange a, en effet, fait une découverte. Toute l'histoire doit être subordonnée à une seule grande loi de la nature. Cette loi de la nature, c'est la *phrase* (l'expression de Darwin ainsi employée devient une simple phrase) « Struggle for life », la lutte pour l'existence, et le contenu de cette phrase, c'est la loi malthusienne de la population ou plutôt de la surpopulation. Au lieu donc d'analyser le « Struggle for life » tel qu'il se manifeste historiquement dans diverses formes sociales déterminées, il suffit de convertir chaque lutte concrète dans la phrase « Struggle for life » et cette phrase elle-même, dans la fantaisie malthusienne sur la population. Reconnaissons que c'est là une méthode très pénétrante... pour les ignorants et les paresseux d'esprit, rengorgés, pleins d'eux-mêmes et qui prennent des airs savants[105] ».

La critique de Lange par Marx ne se fonde pas sur le reproche qui lui est adressé d'introduire spécialement le malthusianisme en sociologie, mais sur la démonstration selon laquelle l'application des concepts biologiques aux sciences sociales est *en général* une *phrase.* Cette application est-elle motivée par de « bonnes » intentions ou par le désir de confirmer des arguments sociologiques erronés, peu importe : la phrase n'en reste pas moins une phrase. Et l'« énergétique sociale » de Bogdanov comme son adjonction de la doctrine de la sélection sociale au marxisme appartiennent justement à cette catégorie de phrases.

De même qu'en gnoséologie Mach et Avenarius, au lieu de développer l'idéalisme, n'ont fait que surcharger les *vieilles* erreurs idéalistes d'une terminologie sottement prétentieuse (« éléments », « coordination de principe », « introjection », etc.), ainsi en sociologie, l'empiriocriticisme, même quand il sympathise sincèrement avec les conclusions du marxisme, n'arrive qu'à mutiler le matérialisme historique au moyen d'une phraséologie vide et prétentieuse empruntée à la biologie et à l'énergétique.

Le fait suivant constitue une particularité historique de la doctrine contemporaine des disciples russes de Mach (ou plutôt d'un engouement de certains social-démocrates russes pour cette doctrine). Feuerbach fut « matérialiste en bas, idéaliste en haut » ; cela est également vrai, dans une certaine mesure, de Büchner, de Vogt, de Moleschott et de Dühring, avec cette différence essentielle toutefois que tous ces philosophes comparés à Feuerbach n'étaient que des pygmées et de piètres rapetasseurs.

Partis de Feuerbach et mûris dans la lutte contre les rapetasseurs, il est naturel que Marx et Engels se soient attachés surtout à parachever la philosophie matérialiste, c'est-à-dire la conception matérialiste de l'histoire, et non la gnoséologie matérialiste. Par suite, dans leurs œuvres traitant du matérialisme dialectique, ils insistèrent bien plus sur le côté *dialectique* que sur le côté *matérialiste* ; traitant du matérialisme historique, ils insistèrent bien plus sur le côté *historique* que sur le côté *matérialiste*. Nos disciples de Mach se réclamant du marxisme ont abordé le marxisme dans une période de l'histoire tout à fait différente, alors que la philosophie bourgeoise s'est surtout spécialisée dans la gnoséologie et, s'étant assimilé sous une forme unilatérale et altérée certaines parties constituantes de la dialectique (le relativisme, par exemple), portait le plus d'attention à la défense ou la reconstitution de l'idéalisme en bas, et non de l'idéalisme en haut. Le positivisme en général et la doctrine de Mach en particulier se sont surtout préoccupés de falsifier subtilement la gnoséologie, en simulant le matérialisme, en voilant leur idéalisme sous une terminologie prétendument matérialiste, et ils n'ont consacré que fort peu d'attention à la philosophie de l'histoire. Nos disciples de Mach n'ont pas compris le marxisme, pour l'avoir abordé en quelque sorte à *revers*. Ils ont assimilé — parfois moins assimilé qu'appris par cœur, — la théorie économique et historique de Marx, sans en avoir compris les fondements, c'est-à-dire le matérialisme philosophique. Aussi Bogdanov et Cie doivent-ils être appelés des Büchner et des Dürhring russes à rebours. Ils voudraient être matérialistes en haut et ne peuvent se défaire, en bas, d'un idéalisme confus ! « En haut », chez Bogdanov, c'est le matérialisme historique, vulgaire, il est vrai, et fortement mitigé d'idéalisme ; « en bas », c'est l'idéalisme habillé de termes marxistes, accommodé au vocabulaire marxiste. « Expérience socialement organisée », « processus collectif du travail », ce sont là des mots marxistes, mais ce ne sont *que des mots* dissimulant la philosophie idéaliste pour laquelle les choses sont des complexes d'« éléments »-sensations, le monde extérieur est une « expérience » ou un « empiriosymbole » de l'humanité, et la nature physique un « dérivé » du « psychique », etc., etc.

Une falsification de plus en plus subtile du marxisme, des contrefaçons de plus en plus subtiles du marxisme par des doctrines antimatérialistes, voilà ce qui caractérise le revisionnisme contemporain en économie politique comme dans les problèmes de tactique et en philosophie en général, tant en gnoséologie qu'en sociologie.

3. LES « PRINCIPES DE LA PHILOSOPHIE SOCIALE » DE SOUVOROV

Les *Essais* « sur » *la philosophie marxiste* qui se terminent par l'article mentionné du camarade S. Souvorov constituent un bouquet du plus grand effet, précisément en raison du caractère collectif de l'ouvrage. Quand vous voyez prendre tour à tour la parole Bazarov affirmant que d'après Engels « la représentation sensible n'est autre chose que la réalité extérieure » ; Bermann proclamant que la dialectique de Marx et d'Engels est une mystique ; Lounatcharski qui en est venu à la religion ; Iouchkévitch introduisant le « logos dans le torrent irrationnel du donné » ; Bogdanov appelant l'idéalisme philosophie du marxisme ; Hellfond épurant J. Dietzgen du matérialisme ; et, pour finir, S. Souvorov avec son article : les « Principes de la philosophie sociale », — vous vous rendez tout de suite compte de l'« esprit » de la nouvelle école. La quantité s'est changée en qualité. Les « chercheurs » qui jusqu'à présent cherchaient isolément en des articles et en des livres épars, ont accompli un vrai pronunciamiento. Les divergences partielles existant entre eux s'effacent du fait même de leur action collective contre (et non « sur ») la philosophie du marxisme, et les traits réactionnaires de la tendance de Mach, en tant que courant, deviennent alors évidents.

L'article de Souvorov est d'autant plus intéressant, dans ces conditions, que cet auteur n'est ni un empiriomoniste ni un empiriocriticiste ; c'est un « réaliste » tout court. Ce qui le rapproche du reste de la confrérie, ce n'est donc pas ce qui distingue Bazarov, Iouchkévitch, Bogdanov, en tant que philosophes, mais ce qu'ils ont tous de commun *contre* le matérialisme dialectique. Comparer les raisonnements sociologiques de ce « réaliste » avec ceux d'un empiriomoniste, nous facilitera la description de leur tendance *commune*.

Souvorov écrit : « Dans la hiérarchie des lois qui régissent le processus universel, les lois particulières et complexes se ramènent aux lois générales et simples, et toutes obéissent à la loi générale du développement, *à la loi de l'économie des forces*. L'essentiel de cette loi est que *tout système de forces est d'autant plus capable de se conserver et de se développer, qu'il dépense moins, qu'il accumule plus et que ses dépenses contribuent davantage à son accumulation*. Les formes de l'équilibre mobile qui ont depuis longtemps fait naître l'idée d'une finalité objective (système solaire, périodicité des phénomènes terrestres, processus vital), se forment et se développent justement par la conservation et l'accumulation de l'énergie qui leur est propre, en vertu de leur économie intérieure. La loi de l'économie des forces unit et règle toute évolution, inorganique, biologique et sociale » (p. 293, c'est l'auteur qui souligne).

Nos « positivistes » et nos « réalistes » pondent des « lois universelles » avec une extrême aisance ! Il faut seulement déplorer que ces lois n'aient pas plus de valeur que celles que pondait avec autant de rapidité et d'aisance Eugène Dühring. La « loi universelle » de Souvorov est une phrase aussi emphatique et vide de substance que les lois universelles de Dühring. Essayez d'appliquer cette loi au premier des trois domaines désignés par l'auteur : à l'évolution inorganique. Vous verrez qu'*en dehors* de la loi de la conservation et de la transformation de l'énergie vous ne pourrez pas y appliquer, « universellement » surtout, aucune « économie des forces ». Or, la loi de la « conservation de l'énergie », l'auteur l'a déjà classée à part et l'a qualifiée précédemment (p. 292) de loi distincte *. Que reste-t-il donc en dehors de cette loi dans le domaine de l'évolution inorganique ? Que sont devenus les compléments, ou les complications, ou les nouvelles découvertes, ou les faits nouveaux qui ont permis à l'auteur de modifier (de « perfectionner ») la loi de la conservation et de la transformation de l'énergie en une loi de l'« *économie des forces* » ? Il n'y a ni faits ni découvertes de ce genre, et Souvorov n'en a pas même soufflé mot. Il a tout bonnement — histoire d'en imposer, comme dirait le Bazarov de Tourguénev, — jeté sur le papier, d'un grand trait de plume, une nouvelle « loi universelle » de la « philosophie réalo-moniste » (p. 292). Voilà comme nous sommes ! On n'est pas plus mauvais que Dühring !

Considérez le second domaine de l'évolution, le domaine biologique. La loi de l'économie des forces ou la « loi »

---

* Il est caractéristique que la découverte de la loi de la conservation et de la transformation de l'énergie[106] soit définie par Souvorov comme la « confirmation des propositions fondamentales de l'*énergétique* » (p. 292). Notre « réaliste » se réclamant du marxisme a-t-il ouï dire que les matérialistes vulgaires Büchner et Cie et le matérialiste dialectique Engels voyaient dans cette loi la confirmation des propositions fondamentales du *matérialisme* ? Notre « réaliste » s'est-il demandé ce que signifie cette différence ? Oh, non, il a tout bonnement suivi la mode, il a répété Ostwald, rien de plus. Le malheur est justement que les « réalistes » de ce genre s'inclinent devant la mode, alors qu'Engels, par exemple, *s'est assimilé le terme — nouveau pour lui* — d'énergie et s'en est servi dès 1885 (préface à la deuxième édition de l'*Anti-Dühring*) et en 1888 (*L. Feuerbach*), mais comme d'un synonyme des termes « force » et « mouvement ». Engels sut enrichir son *matérialisme* d'une terminologie nouvelle. Les « réalistes » et les autres brouillons qui se sont emparés du terme nouveau n'ont pas aperçu la différence entre le matérialisme et l'énergétique !

du gaspillage des forces est-elle universelle dans le développement des organismes par la lutte pour l'existence et par la sélection ? Qu'importe ! La « philosophie réalo-moniste » permet d'interpréter différemment le « *sens* » de la loi universelle selon les domaines, de comprendre, par exemple, cette loi comme le développement des organismes *supérieurs* à partir des organismes inférieurs. Qu'importe que la loi universelle en devienne une phrase vide ; en revanche, le principe du « monisme » est respecté. Quant au troisième domaine (le domaine social), on peut y interpréter la « loi universelle » d'une troisième façon, comme présidant au développement des forces productives. Une « loi » est « universelle » pour qu'on puisse y ramener tout ce que l'on veut.

« Jeune encore, la science sociale est déjà en possession d'une base solide et de généralisations achevées ; au XIXe siècle, elle s'est élevée à une hauteur théorique, — et c'est là le plus grand mérite de Marx. Il a porté la science sociale au niveau d'une théorie sociale... » Engels disait que Marx avait élevé le socialisme de l'utopie à la science, mais cela ne suffit pas à Souvorov. Nous imposerons davantage si, *de la science* (mais la science sociale existait-elle avant Marx ?), *nous distinguons encore la théorie*. Le beau malheur si cette distinction n'a pas de sens !

« ... par la découverte de la loi fondamentale de la dynamique sociale, loi en vertu de laquelle l'évolution des forces productives détermine le développement économique et social tout entier. Mais le développement des forces productives va de pair avec la productivité accrue du travail, la diminution relative des dépenses et l'accumulation plus rapide de l'énergie »... (vous voyez combien féconde est la « philosophie réalo-moniste » : un nouveau fondement énergétique est assigné au marxisme !)... « c'est là un principe économique. Marx met ainsi à la base de la théorie sociale le principe de l'économie des forces »...

Cet « ainsi » est vraiment impayable ! Rabâchons le *mot* « économie » *puisque* Marx traite de l'économie politique, et appelons le produit de nos rabâchages « philosophie réalo-moniste » !

Non, Marx n'a mis à la base de sa théorie aucun principe de l'économie des forces. Ces sornettes sont imaginées par des gens que les lauriers d'Eugène Dühring empêchent de dormir. Marx a défini très exactement ce qu'est l'accroissement des forces productives et a étudié le processus concret de cet accroissement. Or, Souvorov a imaginé un terme nouveau, très impropre du reste et engendrant la confusion, pour désigner la notion analysée par Marx. Qu'est-ce, en effet, que l'« économie des forces », comment la mesurer, comment appliquer cette notion, quels faits précis et déterminés embrasse-t-elle, Souvorov ne nous l'explique pas et il n'est pas possible de l'expliquer, car on est en pleine confusion. Ecoutez encore :

« ... Cette loi de l'économie sociale n'est pas seulement le principe de l'unité intérieure de la science sociale » (y comprenez-vous quelque chose, lecteur ?), « c'est aussi le maillon qui relie la théorie sociale à la théorie générale de l'existence » (p. 294).

Bien. Bien. La « théorie générale de l'existence » est à nouveau découverte par S. Souvorov, après que de nombreux représentants de la scolastique philosophique l'ont maintes fois découverte sous les formes les plus diverses. Félicitons les disciples russes de Mach de cette nouvelle « théorie générale de l'existence » ! Espérons que leur prochain ouvrage collectif sera entièrement consacré à la justification et au développement de cette grande découverte !

Un nouvel exemple va nous montrer quelle forme revêt la théorie de Marx sous la plume de notre représentant de la philosophie réaliste ou réalo-moniste. « Les forces productives des hommes forment en général une gradation génétique » (ouf !) « et se composent de leur énergie de travail, des forces naturelles soumises par l'homme, de la nature modifiée par la culture et des instruments de travail représentant la technique de production... Ces forces remplissent, à l'égard du processus du travail, une fonction purement économique ; elles épargnent l'énergie du travail et élèvent le rendement de ses dépenses » (p. 298). Les forces productives remplissent à l'égard du processus du travail une fonction économique ? C'est comme si l'on disait que les forces vitales remplissent à l'égard du processus de la vie une fonction vitale. Ce n'est pas exposer Marx, c'est encrasser le marxisme d'un invraisemblable fatras verbal.

De ce fatras il y en a tant et plus dans l'article de Souvorov : « La socialisation d'une classe s'exprime par l'accroissement de son pouvoir collectif sur les hommes et sur leurs biens » (p. 313)... « La lutte de classes tend à l'établissement de formes d'équilibre entre les forces sociales » (p. 322)... Les discordes sociales, les déchirements et les luttes sont, au fond, des faits négatifs, antisociaux. « Le progrès social est essentiellement le développement de la socialité, des liens sociaux entre les hommes » (p. 328). On remplirait des volumes à collectionner ces truismes, et c'est ce que font les représentants de la sociologie bourgeoise ; mais vouloir les faire passer pour la philosophie du marxisme, voilà qui est un peu fort. Si l'article de Souvorov était un essai de vulgarisation du marxisme, on ne pourrait pas le juger trop sévèrement. Chacun dirait que les intentions de l'auteur étaient bonnes, mais que son expérience n'est rien moins que réussie, voilà tout. Mais quand un groupe de disciples de Mach nous sert ces choses sous le titre de *Principes de la philosophie sociale*, et que nous retrouvons les mêmes procédés de « développement » du marxisme dans les opuscules philosophiques de Bogdanov, la conclusion s'impose qu'un lien indissoluble rattache la théorie réactionnaire de la connaissance aux efforts de la réaction en sociologie.

4. LES PARTIS EN PHILOSOPHIE ET LES PHILOSOPHES ACEPHALES

Il nous reste à examiner l'attitude de la doctrine de Mach envers la religion. Mais cette question s'élargit jusqu'à nous amener à nous demander s'il existe, en général, des partis en philosophie et quelle importance a, en philosophie, l'indépendance à l'égard de tout parti.

Nous avons observé plus haut, dans toutes les questions de gnoséologie que nous avons touchées, comme dans toutes les questions de philosophie posées par la physique nouvelle, la lutte entre *le matérialisme et l'idéalisme*. Nous avons toujours trouvé, sans exception, derrière un amoncellement de nouvelles subtilités terminologiques, derrière le fatras d'une docte scolastique, *deux* tendances fondamentales, deux courants principaux, dans la manière de résoudre les questions philosophiques. Faut-il accorder la primauté à la nature, à la matière, au physique, à l'univers extérieur et considérer comme élément secondaire la conscience, l'esprit, la sensation (l'expérience, d'après la terminologie *répandue* de nos jours), le psychique, etc., telle est la question capitale qui continue *en réalité* à diviser les philosophes en *deux grands camps*. La cause de milliers et de milliers d'erreurs et de confusions dans ce domaine, c'est que, sous l'apparence des termes, des définitions, des subterfuges scolastiques, des jongleries verbales, *on n'aperçoit pas* ces deux tendances fondamentales. (Bogdanov, par exemple, ne veut pas avouer son idéalisme parce que, voyez-vous, il a substitué aux concepts « métaphysiques » de « nature » et d'« esprit » les concepts « expérimentaux » du physique et du psychique. Les petits mots ont changé !)

Le génie de Marx et d'Engels consiste précisément en ce que, pendant une très longue période — *près d'un demi-siècle* — ils s'employèrent à développer le matérialisme, à faire progresser une tendance fondamentale de la philosophie ; sans s'attarder à ressasser les questions gnoséologiques déjà résolues, ils appliquèrent avec esprit de suite *ce même* matérialisme et s'attachèrent à montrer *comment* l'appliquer aux sciences sociales, en balayant impitoyablement, comme des ordures, les bourdes, le galimatias emphatique et prétentieux, les innombrables tentatives de « découvrir » une « nouvelle » tendance en philosophie, une « nouvelle » orientation, etc. Le caractère purement verbal des tentatives de ce genre, le jeu scolastique de nouveaux « ismes » philosophiques, l'obscurcissement du fond de la question par des artifices alambiqués, l'incapacité à comprendre et à bien se représenter la lutte de deux tendances fondamentales de la gnoséologie, c'est ce que Marx et Engels combattirent et pourchassèrent tout au long de leur activité.

Pendant près d'un demi-siècle, avons-nous dit. Dès 1843, en effet, alors qu'il ne faisait encore que devenir Marx, c'est-à-dire le fondateur du socialisme en tant que science, le fondateur du *matérialisme contemporain*, infiniment plus riche de contenu et plus conséquent que toutes les formes antérieures du matérialisme, Marx esquissait avec une netteté frappante les tendances essentielles de la philosophie. K. Grün cite une lettre de Marx à Feuerbach datée du 20 octobre 1843. Marx y invite Feuerbach à écrire pour les *Deutsch-Französische Jahrbücher*[107] un article contre Schelling. Ce Schelling, écrit Marx, n'est qu'un fanfaron, avec sa prétention à vouloir embrasser et dépasser toutes les tendances philosophiques antérieures. « Aux romantiques et aux mystiques français, Schelling dit : Je suis la synthèse de la philosophie et de la théologie ; aux matérialistes français : Je suis la synthèse de la chair et des idées ; aux sceptiques français : Je suis le destructeur du dogmatisme *. » Que les « sceptiques », qu'ils se réclament de Hume et de Kant (ou, au XXe siècle, de Mach), s'élèvent contre le « dogmatisme » du matérialisme et de l'idéalisme, Marx le voyait dès ce moment ; et il sut tout de suite, sans se laisser distraire par un des mille misérables petits systèmes philosophiques, en partant de Feuerbach, prendre le chemin du matérialisme contre l'idéalisme. Trente ans plus tard, dans la postface à la deuxième édition du livre 1er du *Capital*, Marx opposait avec la même netteté et la même clarté *son matérialisme* à l'*idéalisme* de Hegel, c'est-à-dire à l'idéalisme le plus développé et le plus conséquent ; il écartait avec mépris le « positivisme » de Comte et qualifiait de piètres épigones les philosophes contemporains qui croient avoir anéanti Hegel, et n'ont fait en réalité que reprendre les erreurs de Kant et de Hume, antérieures à Hegel[108]. Dans une lettre à Kugelmann du 27 juin 1870, Marx traite avec un égal mépris « Büchner, Lange, Dühring, Fechner et autres », pour avoir dédaigné Hegel et n'avoir pas su comprendre sa dialectique **. Prenez enfin les quelques notes philosophiques de Marx dans le *Capital* et ses autres œuvres, et vous y retrouverez *invariablement* la même idée maîtresse : l'affirmation insistante du *matérialisme* et des railleries pleines de mépris à l'adresse de toute atténuation, de toute confusion, de tout recul vers l'*idéalisme*. *Toutes* les notes philosophiques de Marx tour-

---

* Karl Grün, *Ludwig Feuerbach in seinem Briefwechsel und Nachlass, sowie in seiner philosophischen Charakterentwicklung*, t. I, Leipzig, 1874, p. 361.

** Dans une lettre du 13 décembre 1870, Marx dit du positiviste Beesley : « Le professeur Beesley est « comtiste » et, comme tel, obligé de faire valoir toutes sortes d'échappatoires » (crotchets)[109]. Comparez ces lignes à l'appréciation des positivistes à la Huxley, formulée par Engels en 1892[110].

nent dans le cadre de ces deux contraires irréductibles, et, du point de vue de la philosophie professorale, leur défaut réside précisément dans leur « étroitesse », dans leur « caractère unilatéral ». Ce mépris des projets hybrides de conciliation du matérialisme et de l'idéalisme est, en réalité, le plus grand des mérites de Marx qui allait *de l'avant*, suivant en philosophie une voie nettement déterminée.

Animé strictement du même esprit que Marx et en collaboration intime avec lui, Engels, dans toutes ses œuvres philosophiques, oppose lui aussi clairement et brièvement, sur *toutes* les questions, les tendances matérialiste et idéaliste, sans prendre au sérieux, ni en 1878, ni en 1888, ni en 1892[111], les innombrables tentatives de « dépasser » le « caractère unilatéral » du matérialisme et de l'idéalisme, de proclamer une *nouvelle* tendance, qu'il s'agisse du « positivisme », du « réalisme » ou de tout autre charlatanisme professoral. Toute sa campagne contre Dühring, Engels la fit *entièrement* sous le signe d'une application conséquente du matérialisme, en accusant le matérialiste Dühring d'obscurcir le fond de la question avec des mots, de cultiver la phrase, d'user de procédés de raisonnement impliquant une concession à l'idéalisme, le passage à l'idéalisme. Ou le matérialisme conséquent jusqu'au bout, ou les mensonges et la confusion de l'idéalisme philosophique, telle est l'alternative présentée à *chaque paragraphe* de l'*Anti-Dühring* ; seuls les gens au cerveau oblitéré par la philosophie professorale réactionnaire ont pu ne pas s'en apercevoir. Jusqu'en 1894, date à laquelle il écrivit sa dernière préface à l'*Anti-Dühring* qu'il venait de revoir et de compléter pour la dernière fois, Engels qui était au courant de la philosophie nouvelle et des progrès des sciences, ne cessa d'insister avec la même résolution sur ses conceptions claires et fermes, balayant la poussière des nouveaux systèmes, grands ou petits.

Qu'Engels se soit tenu au courant de la philosophie moderne, on le voit par son *Ludwig Feuerbach*. Il y mentionne même, dans la préface de 1888, un fait tel que la renaissance de la philosophie classique allemande en Angleterre et en Scandinavie ; quant au néo-kantisme et à la doctrine de Hume qui dominaient à l'époque, Engels n'a pour ces théories (dans la préface comme dans le texte même) que le plus profond mépris. Il est tout à fait évident que, observant la répétition par la philosophie allemande et anglaise *en vogue* des vieilles erreurs de Kant et de Hume, antérieures à Hegel, il était enclin à attendre quelque bien même *d'un retour à Hegel* (en Angleterre et en Scandinavie), espérant que ce grand idéaliste et dialecticien contribuerait à tirer au clair les erreurs idéalistes et métaphysiques de peu d'importance[112].

Sans entreprendre l'examen des nuances très nombreuses du néo-kantisme en Allemagne et de la doctrine de Hume en Angleterre, Engels condamne *d'emblée* leur écart essentiel par rapport au matérialisme. Il qualifie la *tendance entière* de ces deux écoles de « *recul scientifique* ». Comment apprécie-t-il la tendance, indéniablement « positiviste » du point de vue de la terminologie courante, indéniablement « réaliste », de ces néo-kantiens et de ces partisans de Hume, parmi lesquels il ne pouvait pas ignorer, par exemple, un Huxley ? Engels considérait, *dans le meilleur des cas*, le « positivisme » et le « réalisme », qui séduisaient et séduisent encore quantité de brouillons, *comme un procédé de philistin consistant à introduire subrepticement le matérialisme*, tout en le vilipendant et le reniant ! Il suffit de réfléchir une seconde à *cette* appréciation au sujet de Huxley, le plus grand savant, ce réaliste à coup sûr beaucoup plus réaliste, ce positiviste à coup sûr beaucoup plus positiviste que Mach, Avenarius et consorts, pour concevoir quel mépris ferait naître chez Engels l'engouement actuel d'une poignée de marxistes pour « le positivisme moderne » ou « le réalisme moderne », etc.

Marx et Engels furent en philosophie, du commencement à la fin, des hommes de parti ; ils surent découvrir les déviations du matérialisme et les passe-droits à l'idéalisme et au fidéisme dans toutes les tendances « modernes », quelles qu'elles soient. Aussi n'apprécièrent-ils Huxley *que* du point de vue de sa fidélité au matérialisme. Aussi reprochèrent-ils à Feuerbach de ne pas avoir appliqué le matérialisme jusqu'au bout, d'avoir renié le matérialisme à cause des erreurs de certains matérialistes, d'avoir combattu la religion en vue de la rénover ou d'en confectionner une autre, de n'avoir pas su se défaire, en sociologie, de la phrase idéaliste et de devenir matérialiste.

Cette très grande et précieuse tradition de ses maîtres, J. Dietzgen l'a pleinement appréciée et continuée en dépit de ses erreurs de détail dans l'exposé du matérialisme dialectique. J. Dietzgen a beaucoup péché par ses écarts maladroits du matérialisme, mais il n'a jamais essayé de s'en séparer en principe, ni de déployer un « nouveau » drapeau ; aux moments décisifs il a toujours déclaré fermement et catégoriquement : Je suis matérialiste, notre philosophie est une philosophie matérialiste. « De tous les partis, disait avec raison notre Joseph Dietzgen, le plus méprisable est celui du juste milieu... De même qu'en politique les partis se groupent de plus en plus en deux camps... de même la science se divise en deux classes générales (Generalklassen) : là les métaphysiciens, ici les physiciens ou les matérialistes *. Les éléments intermédiaires et les charlatans conciliateurs, quelles que soient leurs étiquettes, spiritualistes, sensualistes, réalistes et ainsi de suite, tombent soit dans l'un, soit dans l'autre de ces courants. Nous exigeons de la fermeté, nous voulons de la clarté. Les obscurantistes réactionnaires (Retraitebläser) se donnent pour des idéalistes **; tous ceux qui aspirent à émanciper l'esprit humain du charabia métaphysique doivent s'appeler matérialistes... Si nous comparons ces deux partis à un corps solide et à un corps liquide, ce qui tient le milieu n'est que déliquescence ***. »

C'est la vérité ! Les « réalistes » et autres, y compris les « positivistes », les disciples de Mach, etc., tout cela n'est que pure déliquescence ; c'est en philosophie le méprisable *parti du juste milieu* qui confond en toute question les tendances matérialiste et idéaliste. Les tentatives de s'échapper de ces deux courants fondamentaux de la philosophie ne sont que « charlatanisme conciliateur ».

J. Dietzgen ne doutait nullement que le « cléricalisme scientifique » de la philosophie idéaliste ne fût le prélude

* L'expression est encore maladroite et imprécise : il fallait dire « idéalistes » au lieu de « métaphysiciens ». J. Dietzgen oppose lui-même, par ailleurs, les métaphysiciens aux dialecticiens.

** Notez que Dietzgen s'est déjà corrigé et a expliqué en termes *plus précis* quel est le parti des ennemis du matérialisme.

*** Voir dans *Kleinere philosophische Schriften*, 1903, p. 135, l'article « La philosophie social-démocrate », écrit en 1876.

du cléricalisme tout court. « Le cléricalisme scientifique, écrivait-il, s'efforce très sérieusement de venir en aide au cléricalisme religieux (l. c., p. 51). « C'est surtout le domaine de la théorie de la connaissance, l'incompréhension de l'esprit humain, qui est la fosse à poux » (Lausgrube) où ces deux variétés du cléricalisme « déposent leurs œufs ». Les professeurs de philosophie sont, aux yeux de J. Dietzgen, des « laquais diplômés dont les discours sur les « biens idéaux » abrutissent le peuple à l'aide d'un idéalisme plein d'affectation (geschraubter) » (p. 53). « De même que le diable est l'antipode du bon Dieu, le matérialiste est celui du professeur clérical (Kathederpfaffen). » La théorie matérialiste de la connaissance est une « arme universelle contre la foi religieuse » (p. 55), non seulement contre « la religion des curés, religion ordinaire, authentique, connue de tous, mais aussi contre la religion professorale, épurée et élevée, des idéalistes obnubilés (benebelter) » (p. 58).

A l'« équivoque » des universitaires libres-penseurs Dietzgen eût volontiers préféré l'« honnêteté religieuse » (p. 60) : là, « il y a un système », des hommes intègres qui ne séparent pas la théorie de la pratique. Pour MM. les professeurs, « la philsophie n'est pas une science, mais un moyen de défense contre la social-démocratie » (p. 107). « Professeurs et agrégés, tous ceux qui se disent philosophes tombent plus ou moins, en dépit de leur liberté de pensée, dans les préjugés, dans la mystique... par rapport à la social-démocratie... ils ne forment tous qu'une masse réactionnaire » (p. 108). « Il faut, pour suivre le bon chemin sans se laisser démonter par les absurdités (Welsch) religieuses et philosophiques, étudier la fausse route des fausses routes (der Holzweg des Holzwege), la philosophie » (p. 103).

Considérez maintenant Mach, Avenarius et leur école au point de vue des partis en philosophie. Oh, ces messieurs *se piquent d'être indépendants de tout parti*, et s'ils ont un antipode, il n'en ont qu'un et *uniquement... le matérialiste*. A travers *tous* les écrits de *tous* les disciples de Mach, on voit s'affirmer constamment la sotte prétention de « s'élever au-dessus » du matérialisme et de l'idéalisme, de surmonter cette opposition « surannée » ; mais *en réalité*, toute cette confrérie tombe *à chaque instant* dans l'idéalisme et soutient contre le matérialisme une guerre sans trêve ni merci. Les subtilités gnoséologiques d'un Avenarius ne sont que des inventions professorales, une tentative de créer « sa » petite secte philosophique, mais *en réalité*, dans les conditions générales de la lutte des idées et des tendances au sein de la société contemporaine, le rôle *objectif* de ces subtilités gnoséologiques se ramène uniquement à frayer le chemin à l'idéalisme et au fidéisme, à les servir fidèlement. Ce n'est pas par hasard, en effet, que la petite école des empiriocriticistes est devenue si chère aux spiritualistes anglais du type Ward, aux néo-criticistes français qui louent Mach pour sa lutte contre le matérialisme, et aux immanents allemands ! L'épithète de J. Dietzgen : « laquais diplômés du fidéisme » atteint en plein visage Mach, Avenarius et toute leur école *.

Le malheur des disciples russes de Mach qui s'avisent de « concilier » Mach et Marx, c'est de s'être fiés aux professeurs réactionnaires de philosophie et, l'ayant fait, ils ont glissé sur un plan incliné. Leurs diverses tentatives pour développer et compléter Marx se fondent sur des procédés d'une extrême simplicité. On lisait Ostwald, on croyait Ostwald,

---

* Et voici un nouvel exemple de la façon dont les courants largement répandus de la philosophie bourgeoise réactionnaire exploitent en fait la doctrine de Mach. Le « pragmatisme »[113] (philosophie de l'action ; du grec pragma, acte, action) est peut-être le « dernier cri de la mode » de la philosophie américaine la plus récente. C'est peut-être au pragmatisme que les revues philosophiques accordent la part la plus large. Le pragmatisme tourne en dérision la métaphysique du matérialisme et de l'idéalisme, porte aux nues l'expérience et seulement l'expérience, voit dans la pratique l'unique critère, se réclame du courant positiviste en général, *invoque plus spécialement Ostwald, Mach, Pearson, Poincaré, Duhem*, le fait que la science n'est pas une « copie absolue de la réalité », et... déduit de tout cela, le plus tranquillement du monde, l'existence de Dieu, à des fins pratiques, exclusivement pratiques, sans la moindre métaphysique, sans dépasser aucunement les limites de l'expérience (cf. William James, *Pragmatism. A new Name for Some Old Ways of Thinking*, N. Y., and L., 1907, p. 57 et notamment p. 106). La différence entre la doctrine de Mach et le pragmatisme est, du point de vue matérialiste, aussi minime, aussi insignifiante que la différence entre l'empiriocriticisme et l'empiriomonisme. Comparez, pour vous en convaincre, la définition de la vérité formulée par Bogdanov à celle des pragmatistes : « La vérité est pour le pragmatiste une conception générique désignant, dans l'expérience, diverses valeurs déterminées de travail (working-values) » (*ibid.*, p. 68).

on exposait Ostwald, et l'on disait : marxisme. On lisait Mach, on croyait Mach, on exposait Mach, et l'on disait : marxisme. On lisait Poincaré, on croyait Poincaré, on exposait Poincaré, et l'on disait : marxisme ! *Pas un mot* d'*aucun* de ces professeurs, capables d'écrire des ouvrages de très grande valeur dans les domaines spéciaux de la chimie, de l'histoire, de la physique, *ne peut être cru* quand il s'agit de philosophie. Pourquoi ? Pour la raison même qui fait que l'on ne peut croire *un mot* d'*aucun* des professeurs d'économie politique, capables d'écrire des ouvrages de très grande valeur dans le domaine des recherches spéciales, au sujet des faits réels, dès qu'il est question de la théorie générale de l'économie politique. Car cette dernière est, tout autant que la *gnoséologie*, dans la société contemporaine, une science de *parti*. Les professeurs d'économie politique ne sont, de façon générale, que de savants commis de la classe capitaliste ; les professeurs de philosophie ne sont que de savants commis des théologiens.

Les marxistes doivent, ici et là, savoir s'assimiler, en les remaniant, les acquisitions de ces « commis » (ainsi, vous ne ferez pas un pas dans l'étude des nouveaux phénomènes économiques sans avoir recours aux travaux de ces commis), et *savoir* en retrancher la tendance réactionnaire, savoir appliquer *leur propre* ligne de conduite et faire face à *toute la ligne* des forces et des classes qui nous sont hostiles. C'est ce que n'ont pas su faire nos disciples de Mach qui suivent *servilement* la philosophie professorale réactionnaire. « Nous nous fourvoyons peut-être, mais nous cherchons », écrivait Lounatcharski au nom des auteurs des *Essais*. Ce n'est pas *vous qui* cherchez, c'est *vous que l'on cherche*, voilà le malheur ! Ce n'est pas vous qui abordez, de votre point de vue, c'est-à-dire du point de vue marxiste (car vous voulez être marxistes), toutes les variations de la mode en philosophie bourgeoise ; c'est cette mode qui vous aborde, vous impose ses nouvelles contrefaçons au goût de l'idéalisme, à la manière d'Ostwald aujourd'hui, à la manière de Mach demain, à la manière de Poincaré après-demain. Les subterfuges « théoriques » assez sots (« énergétique », « éléments », « introjection », etc.) auxquels vous vous fiez naïvement restent du ressort d'une école étroite et des plus restreintes, mais la *tendance sociale* et idéologique de ces subterfuges devient aussitôt l'instrument des Ward, des néo-criticistes, des immanents, des Lopatine, des pragmatistes et leur *rend les services* qu'ils en attendent. La vogue de l'empiriocriticisme et de l'idéalisme « physique » passe aussi vite que celle du néo-kantisme et de l'idéalisme « physiologique » ; mais le fidéisme prélève son tribut sur chacune de ces vogues, en modifiant de mille manières ses subtilités au profit de l'idéalisme philosophique.

L'attitude envers la religion et les sciences de la nature illustre à merveille cette utilisation *réelle* de l'empiriocriticisme faite dans un esprit de classe par la bourgeoisie réactionnaire.

Prenons la première question. Croyez-vous que ce soit par hasard que Lounatcharski en arrive à parler, dans un ouvrage collectif dirigé *contre* la philosophie du marxisme, de la « divinisation du potentiel humain supérieur », de l'« athéisme religieux » *, etc. ? Si tel est votre avis, c'est uniquement parce que les disciples russes de Mach ont donné au public une information erronée sur *toute* la tendance de Mach en Europe et sur son attitude envers la religion. Cette attitude ne ressemble en rien à celle de Marx, d'Engels, de Dietzgen et même de Feuerbach ; elle lui est *directement contraire*, à commencer par la déclaration de Petzoldt: l'empiriocriticisme « n'est en contradiction ni avec le théisme ni avec l'athéisme » (*Einführung in die Philosophie der reinen Erfahrung*, t. I, p. 351), ou par celle de Mach : « les opinions religieuses sont affaire privée » (traduction française, p. 434), pour finir par le *fidéisme avoué*, par la *tendance réactionnaire* avouée de Cornélius, — qui loue Mach et est loué de Mach, — de Carus et de tous les immanents. La neutralité du *philosophe* dans cette question, *c'est déjà* de la servilité à l'égard du fidéisme. Or, en raison des points de départ de leur gnoséologie, Mach et Avenarius ne s'élèvent ni ne peuvent s'élever au-dessus de cette neutralité.

Du moment que vous niez la réalité objective qui nous est donnée dans la sensation, vous perdez toute arme contre

* *Essais*, pp. 157,159. Cet auteur traite aussi, dans la *Zagranitchnaïa Gazéta*[114] «du socialisme scientifique et de sa valeur religieuse » (n° 3, p. 5) ; il écrit explicitement dans l'*Obrazovanié* [115] (l'Enseignement), 1908, n° 1, p. 164 : « Une nouvelle religion mûrit depuis longtemps en moi. »

le fidéisme, car alors vous tombez dans l'agnosticisme ou le subjectivisme, et le fidéisme ne vous en demande pas davantage. Si le monde sensible est une réalité objective, la porte est fermée à toute autre « réalité » ou pseudo-réalité (souvenez-vous que Bazarov a cru au « réalisme » des immanents qui déclaraient Dieu « conception réaliste »). Si le monde est matière en mouvement, on peut et on doit l'étudier indéfiniment jusqu'aux moindres manifestations et ramifications infiniment complexes de *ce* mouvement, du mouvement de *cette* matière ; mais il ne peut rien y avoir en dehors de cette matière, en dehors du monde extérieur, « physique », familier à tous et à chacun. La haine du matérialisme et les calomnies accumulées contre les matérialistes sont à l'ordre du jour dans l'Europe civilisée et démocratique. Tout cela continue jusqu'à présent. Tout cela est *dissimulé* au public par les disciples russes de Mach qui n'ont pas tenté *une seule fois* de confronter tout bonnement les sorties de Mach, d'Avenarius, de Petzoldt et Cie contre le matérialisme, avec les affirmations *favorables* au matérialisme de Feuerbach, de Marx, d'Engels et de J. Dietzgen.

Mais il ne servira à rien de « dissimuler » l'attitude de Mach et d'Avenarius à l'égard du fidéisme. Les faits parlent d'eux-mêmes. Aucun effort n'arrachera ces professeurs réactionnaires du poteau d'infamie où les ont cloués les embrassements de Ward, des néo-criticistes, de Schuppe, de Schubert-Soldern, de Leclair, des pragmatistes, etc. L'influence des personnes que je viens de nommer en tant que philosophes et professeurs, la diffusion de leurs idées parmi le public « instruit », c'est-à-dire bourgeois, la littérature spéciale qu'ils ont créée, sont dix fois plus riches et plus larges que la petite école spéciale de Mach et d'Avenarius. Cette école sert ceux qu'elle doit servir. On se sert de cette école comme on doit s'en servir.

Les faits honteux auxquels en est arrivé Lounatcharski ne sont pas une exception ; ils sont le fruit de l'empiriocriticisme et russe et allemand. On ne saurait les défendre en arguant des « bonnes intentions » de l'auteur, ni du « sens particulier » de ses paroles : s'il s'agissait de leur sens direct et coutumier, c'est-à-dire franchement fidéiste, nous ne nous donnerions pas la peine de polémiquer avec l'auteur, car il ne se trouverait sans doute pas un marxiste qui, à la suite de ces déclarations, *n'ait pas* mis *sans réserve* Anatoli Lounatcharski sur le même plan que Piotr Strouvé. S'il n'en est pas ainsi (et il n'en est pas *encore* ainsi), c'est uniquement parce que nous voyons dans les paroles du premier un sens « particulier » que *nous combattons tant qu'il nous reste un terrain* pour le combattre en camarades. La honte des affirmations de Lounatcharski, c'est justement qu'il a *pu* les rattacher à ses « bonnes » intentions. La nocivité de sa « théorie », c'est justement qu'elle admet de *tels* moyens ou de *telles* conclusions pour réaliser de bonnes intentions. Le malheur est justement que les « bonnes » intentions demeurent *tout au plus* l'affaire subjective de Pierre, Jean ou Paul, tandis que la *portée sociale* de semblables affirmations est certaine, indiscutable, et ne saurait être infirmée par aucune restriction ou explication.

Seuls les aveugles ne voient pas la parenté idéologique entre la « divinisation du potentiel humain supérieur » de Lounatcharski et la « substitution universelle » du psychique à toute la nature physique de Bogdanov. La pensée est la même, mais, dans un cas, elle est exprimée principalement au point de vue de l'esthétique et, dans l'autre, au point de vue de la gnoséologie. La « substitution », qui aborde la question *tacitement* et d'un autre côté, *divinise déjà* le « potentiel humain supérieur » en détachant le « psychique » de l'homme et en substituant le « psychique en général », immensément élargi, abstrait et divinement mort, à *toute la nature physique*. Et le « logos » de Iouchkévitch introduit « dans le torrent irrationnel du donné » ?

Mettez un doigt dans l'engrenage, la main y passe. Or, nos disciples de Mach sont tous pris dans l'engrenage de l'idéalisme, c'est-à-dire dans un fidéisme atténué, affiné, enlisés depuis qu'ils ont commencé à considérer la « sensation » comme un « élément » particulier, et non comme une image du monde extérieur. A ne point reconnaître la théorie matérialiste d'après laquelle la conscience humaine *reflète* le monde extérieur objectivement réel, on glisse nécessairement à la sensation et au psychique désincarnés, à la volonté et à l'esprit désincarnés.

5. ERNST HAECKEL ET ERNST MACH

Examinons les rapports de la doctrine de Mach, *courant philosophique*, avec les sciences de la nature. La doctrine de Mach tout entière *combat* à outrance la « métaphysique » des sciences — nom qu'elle donne au *matérialisme des sciences de la nature*, c'est-à-dire à la conviction spontanée, non consciente, diffuse, philosophiquement inconsciente, qu'a l'immense majorité des savants, de la réalité objective du monde extérieur reflété par notre conscience. Nos disciples de Mach taisent hypocritement ce *fait*, en estompant ou brouillant les attaches *indissolubles* du matérialisme spontané des savants et du *matérialisme philosophique*, connu de longue date en tant que tendance et confirmé des centaines de fois par Marx et Engels.

Voyez Avenarius. Dès son premier ouvrage *La philosophie, conception du monde d'après le principe du moindre effort*, paru en 1876, il combat la métaphysique des sciences *, c'est-à-dire le matérialisme des sciences de la nature, et cela, comme il l'avouait lui-même en 1891 (sans, du reste, avoir « rectifié » ses vues !), en se plaçant au point de vue de la théorie idéaliste de la connaissance.

Voyez Mach. Dès 1872, et même avant, jusqu'en 1906, il ne cesse de combattre la métaphysique de la science ; et il a la bonne foi de convenir que « bon nombre de philosophes » (les immanents y compris) le suivent, mais « *fort peu* de savants » (*Analyse des sensations*, p. 9). Mach reconnaît de bonne foi, en 1906, que « la plupart des savants s'en tiennent au matérialisme » (*Erkenntnis und Irrtum*, 2e édition, p. 4).

Voyez Petzoldt. Il déclare en 1900 que « les sciences de la nature sont entièrement (ganz und gar) imprégnées de métaphysique ». « Leur expérience a encore besoin d'être épurée » (*Einführung in die Philosophie der reinen Erfahrung*, t. I, p. 343). Nous savons qu'Avenarius et Petzoldt « épurent » l'expérience de toute admission de la réalité objective qui nous est donnée dans la sensation. En 1904 Petzoldt déclare que « la conception mécaniste du savant contemporain n'est pas, quant au fond, supérieure à celle des

---

* 79, 114, etc.

Indiens de l'ancien temps ». « Il est absolument indifférent de penser que le monde repose sur un éléphant légendaire ou de le croire constitué de molécules et d'atomes, si molécules et atomes sont conçus comme réels au point de vue de la gnoséologie, au lieu de n'être que de simples métaphores (bloss bildlich) usuelles » (t. II, p. 176).

Voyez Willy, le seul des disciples de Mach qui soit assez honnête pour rougir de sa parenté avec les immanents. Il déclare lui aussi en 1905... « Les sciences en fin de compte constituent, à de nombreux égards, une autorité dont nous devons nous défaire » (*Gegen die Schulweisheit*, p. 158).

Tout cela n'est *d'un bout à l'autre* qu'*obscurantisme* réactionnaire le plus avéré. Considérer les atomes, les molécules, les électrons, etc., comme des reflets approximativement fidèles, formés dans notre esprit, du *mouvement objectivement réel de la matière*, c'est croire qu'un éléphant porte sur lui le monde ! On conçoit que les immanents se soient cramponnés *des deux mains* aux basques de cet *obscurantiste* grotesquement habillé en positiviste à la mode. Il n'est *pas un seul* immanent qui ne s'attaque, l'écume aux lèvres, à la « métaphysique » de la science et au « matérialisme » des savants *justement* parce que ces derniers *reconnaissent* la réalité objective de la matière (et de ses particules), du temps, de l'espace, des lois de la nature, etc., etc. Bien avant les nouvelles découvertes de la physique, qui donnèrent naissance à l'« idéalisme physique », Leclair combattit, appuyé à Mach, « le courant matérialiste dominant (Grundzug) de la science contemporaine » (titre du § 6 dans *Der Realismus der modernen Naturwissenschaft im Lichte der von Berkeley und Kant angebahnten Erkenntniskritik*, 1879); Schubert-Soldern guerroya contre la métaphysique de la science (titre du chapitre II dans *Grundlagen einer Erkenntnistheorie*, 1884); Rehmke pourfendit le « matérialisme » des sciences de la nature, cette « *métaphysique de la rue* » (*Philosophie und Kantianismus*, 1882, p. 17), etc., etc.

Les immanents tiraient à bon droit, de cette conception du « caractère métaphysique » du matérialisme des sciences *propre aux disciples de Mach*, des conclusions *nettement et ouvertement* fidéistes. Si les sciences de la nature nous donnent, dans leurs théories, *uniquement* des métaphores, des symboles, des formes de l'expérience humaine, etc., et non une image de la réalité objective, il est absolument indiscutable que l'humanité est en droit de se créer, dans un autre domaine, des « concepts » *non moins « réels »* : Dieu, etc.

La philosophie du savant Mach est aux sciences de la nature ce que le baiser du chrétien Judas fut au Christ. Se ralliant, au fond, à l'déalisme philosophique, Mach livre les sciences au fidéisme. Son reniement du matérialisme des sciences est réactionnaire à tous les points de vue : nous l'avons vu assez nettement en traitant de la lutte des « idéalistes physiques » contre *la plupart* des savants demeurés sur les positions de la vieille philosophie. Nous le verrons encore plus clairement, en comparant le célèbre savant Ernst Haeckel au philosophe célèbre (parmi la petite bourgeoisie réactionnaire), Ernst Mach.

La tempête soulevée dans les pays civilisés par les *Enigmes de l'Univers* de E. Haeckel a fait ressortir avec un singulier relief l'*esprit de parti* en philosophie, dans la société contemporaine d'une part et, de l'autre, la véritable portée sociale de la lutte du matérialisme contre l'idéalisme et l'agnosticisme. La diffusion de ce livre par *centaines de milliers* d'exemplaires, immédiatement, traduit dans toutes les langues et répandu en éditions à bon marché, atteste avec évidence que cet ouvrage « est allé au peuple », et que E. Haeckel a du coup conquis des *masses* de lecteurs. Ce petit livre populaire est devenu une arme de la lutte de classe. Dans tous les pays du monde, les professeurs de philosophie et de théologie se sont mis de mille manières à réfuter et à pourfendre Haeckel. Le célèbre physicien anglais Lodge a entrepris la défense de Dieu contre Haeckel. M. Chwolson, physicien russe, s'est rendu en Allemagne pour y faire paraître un triste libelle ultra-réactionnaire contre Haeckel et certifier aux très-honorés philistins que toutes les sciences de la nature ne professent pas le « réalisme naïf » *. Les théologiens partis en guerre contre Haeckel sont légion. Pas d'injures furieuses que les professeurs de la philosophie officielle ne lui aient adressées **. Il est réjouissant

* O. D. Chwolson, *Hegel, Haeckel, Kossuth und das zwölfte Gebot*, 1906, cf. p. 80.

** La plaquette de Heinrich Schmidt, *La lutte autour des « Enigmes de l'Univers »* (Bonn, 1900), donne un tableau assez réussi de la campagne des professeurs de philosophie et de théologie contre Haeckel. Cette brochure a cependant vieilli aujourd'hui.

de voir — peut-être pour la première fois de leur vie, — chez ces momies desséchées par une scolastique morte, les yeux s'animer et les joues se colorer sous les soufflets que leur a administrés Ernst Haeckel. Les pontifes de la science pure et de la théorie, semble-t-il, la plus abstraite poussent véritablement des clameurs de rage et, dans tout ce rugissement des bonzes de la philosophie (l'idéaliste Paulsen, l'immanent Rehmke, le kantien Adickes et tant d'autres, dont seul tu connais les noms, Seigneur !), l'oreille discerne ce motif essentiel : contre la « *métaphysique* » des sciences de la nature, contre le « dogmatisme », contre l'« exagération de la valeur et de la portée des sciences », contre le « *matérialisme* des sciences ». — Il est matérialiste, haro sur lui ! Haro sur le matérialiste ! Il trompe le public en ne se qualifiant pas expressément de matérialiste. Voilà ce qui provoque surtout des crises d'hystérie chez les très-honorés professeurs.

Le plus caractéristique dans toute cette tragi-comédie *, c'est que Haeckel *répudie* lui-même le *matérialisme* et repousse l'appellation de matérialiste. Bien plus : loin de répudier toute religion, il imagine la sienne propre (quelque chose comme la « foi athéiste » de Boulgakov ou l'« athéisme religieux » de Lounatcharski), et il défend *en principe* l'union de la religion et de la science ! De quoi s'agit-il donc ? Quel « fatal malentendu » a déchaîné ce tohu-bohu ?

C'est que la naïveté philosophique de E. Haeckel, l'absence chez lui de tout but politique, son désir de compter avec le préjugé dominant des philistins contre le matérialisme, ses tendances personnelles à la conciliation et ses propositions concernant la religion, n'ont fait qu'apparaître avec relief le *caractère d'ensemble* de son livre, l'*indestructibilité* du matérialisme des sciences de la nature et son *incompatibilité* avec *toute* la philosophie et la théologie professorales officielles. Pour sa part, Haeckel ne veut pas rompre avec les philistins ; mais ce qu'il expose avec une conviction aussi naïve qu'inébranlable ne se concilie *absolument* avec aucune des nuances de l'idéalisme philosophique domi-

* L'élément tragique y a été introduit par l'attentat commis au printemps de cette année (1908) contre Haeckel. Le savant avait reçu de nombreuses lettres anonymes, où il était traité de « chien », d'« impie », de « singe », etc. ; à Iéna un « bon Allemand » jeta dans son cabinet de travail une pierre d'assez belle dimension.

nant. Ces nuances — à commencer par les théories réactionnaires les plus grossières d'un Hartmann pour finir par le prétendu dernier mot du positivisme progressiste et avancé de Petzoldt ou par l'empiriocriticisme de Mach, — ont *toutes* ceci de commun que le matérialisme des sciences de la nature est pour elles de la « métaphysique », que l'admission de la vérité objective des théories et des conclusions des sciences témoigne du plus « naïf réalisme », etc. Et c'est cette doctrine « sacro-sainte » de *toute* la philosophie et de la théologie professorales qui est *souffletée* à chaque page du livre de Haeckel. Le savant qui exprime assurément les opinions, les dispositions d'esprit et les tendances les plus durables, quoique insuffisamment cristallisées, de la plupart des savants de la fin du XIXe et du commencement du XXe siècle, montre d'emblée, avec aisance et simplicité, ce que la philosophie professorale tentait de cacher au public et de se cacher à elle-même, à savoir : qu'il existe une base de plus en plus large et puissante, contre laquelle viennent se briser les vains efforts des mille et une écoles de l'idéalisme philosophique, du positivisme, du réalisme, de l'empiriocriticisme et de tout autre confusionnisme. Cette base, c'est le *matérialisme des sciences de la nature.* La conviction des « réalistes naïfs » (c'est-à-dire de l'humanité entière) que nos sensations sont des images du monde extérieur objectivement réel, est aussi la conviction sans cesse grandissante, sans cesse affermie, de la masse des savants.

La cause des fondateurs de nouvelles petites écoles philosophiques, la cause des inventeurs d'« ismes » gnoséologiques nouveaux est perdue pour toujours, sans espoir de revanche. Ils auront beau barboter dans leurs petits systèmes pleins d'« originalité », s'évertuer à amuser quelques admirateurs à l'aide de discussions intéressantes sur le point de savoir si c'est l'empiriocriticiste Bobtchinski ou l'empiriomoniste Dobtchinski[116] qui, le premier, a dit « Eh !», ils pourront même créer une vaste littérature « spéciale » comme l'ont fait les « immanents », peu importe : en dépit de toutes ses oscillations et hésitations, en dépit de toute l'inconscience du matérialisme des savants, en dépit des engouements d'hier pour l'« idéalisme physiologique » à la mode, ou d'aujourd'hui pour l'« idéalisme physique » à la mode, le développement des sciences de la nature rejette *loin de lui* tous les menus systèmes et toutes les subtilités, faisant encore et encore ressortir au premier plan la « métaphysique » du *matérialisme des sciences de la nature*.

Ce qui précède peut être illustré par un exemple tiré de Haeckel. L'auteur confronte dans les *Merveilles de la vie* les théories de la connaissance moniste et dualiste. Nous citons les passages les plus intéressants de cette confrontation :

THEORIE MONISTE DE LA CONNAISSANCE :	THEORIE DUALISTE DE LA CONNAISSANCE :
. . . .	. . . .
3. La connaissance est un phénomène physiologique, dont l'organe anatomique est le cerveau.	3. La connaissance n'est pas un phénomène physiologique, mais un processus tout spirituel.
4. La seule partie du cerveau humain où la connaissance a lieu est un territoire limité de l'écorce, le phronéma.	4. La partie du cerveau qui semble fonctionner comme organe de la connaissance, n'est en réalité que l'instrument qui fait apparaître le phénomène intellectuel.
5. Le phronéma est une dynamo très perfectionnée dont les parties composantes sont constituées par des millions de cellules physiques (phronétales). De même que pour les autres organes du corps, la fonction (spirituelle) de celui-ci est le résultat final des fonctions des cellules composantes *.	5. Le phronéma comme *organe* de la raison n'est pas autonome, mais n'est à l'aide de ses parties composantes (cellules phronétales) que l'intermédiaire entre l'esprit immatériel et le monde extérieur. La raison humaine est essentiellement différente de l'intelligence des animaux supérieurs et des instincts des animaux inférieurs.

Cet extrait typique des œuvres de Haeckel montre que l'auteur n'entre pas dans le détail des questions philosophi-

* J'use de la traduction française : *les Merveilles de la vie*, Paris, Schleicher, Tabl. I et XVI.

ques et ne sait pas opposer l'une à l'autre les théories matérialiste et idéaliste de la connaissance. Il *se moque* de *toutes* les subtilités idéalistes, ou plutôt des subtilités philosophiques spéciales, au point de vue de la science, *n'admettant même pas l'idée* qu'il puisse y avoir une théorie de la connaissance autre que celle du *matérialisme des sciences de la nature.* Il se moque des philosophes en matérialiste, *sans même s'apercevoir* qu'il se place au point de vue matérialiste !

On comprendra la rage impuissante des philosophes devant ce matérialisme omnipotent. Nous citons plus haut l'opinion du « vrai Russe » Lopatine. Voici maintenant celle de M. Rudolf Willy, l'« empiriocriticiste » le plus avancé, irréductiblement hostile à l'idéalisme (plaisanterie à part !) : « mélange chaotique de certaines lois scientifiques, telles que la loi de la conservation de l'énergie, etc., et de diverses traditions scolastiques sur la substance et la chose en soi » (*Gegen die Schulweisheit*, p. 128).

D'où vient la colère du très-honorable « positiviste moderne » ? Le moyen de ne pas se mettre en colère, quand il a compris d'emblée que toutes les grandes idées de son maître Avenarius — exemples : le cerveau n'est pas l'organe de la pensée, les sensations ne sont pas l'image du monde extérieur, la matière (« substance ») ou la « chose en soi » n'a pas de réalité objective, etc., — ne sont, au point de vue de Haeckel, *du commencement à la fin, qu'un galimatias idéaliste* ! ? Haeckel ne le dit pas, car il ne s'adonne pas à la philosophie et ne s'occupe pas de l'« empiriocriticisme » *comme tel.* Mais R. Willy ne peut que constater que les cent mille lecteurs de Haeckel équivalent à cent mille crachats à l'adresse de la *philosophie* de Mach et d'Avenarius. Et Willy de s'essuyer à l'avance, *à la manière de Lopatine.* Car *le fond* des arguments de M. Lopatine et de M. Willy contre tout matérialisme en général et contre le matérialisme des sciences de la nature en particulier, est tout à fait le même. Pour nous, marxistes, la différence entre M. Lopatine et MM. Willy, Petzoldt, Mach et Cie, n'est pas plus grande que la différence entre un théologien protestant et un théologien catholique.

La « guerre » faite à Haeckel a *prouvé* que ce point de vue qui est le nôtre correspond à la *réalité objective*, c'est-à-dire à la nature de classe de la société contemporaine et à ses tendances idéologiques de classe.

Encore un petit exemple. Le disciple de Mach Kleinpeter a traduit de l'anglais en allemand le livre de Carl Snyder : *Tableau de l'univers d'après les sciences modernes* (*Das Weltbild der modernen Naturwissenschaft*, Lpz., 1905), ouvrage très répandu en Amérique. Ce livre expose, en un langage clair et simple, les diverses découvertes les plus récentes de la physique et des autres sciences de la nature. Et le disciple de Mach Kleinpeter a dû le pourvoir d'une préface où il fait des *réserves* et constate notamment l'« insuffisance » de la gnoséologie de Snyder (p. V). Pourquoi ? Parce que Snyder ne doute pas un instant que le tableau du monde est un tableau qui montre comment la matière se meut et comment la « *matière pense* » (l. c., p. 228). Dans son livre suivant : *La machine de l'univers* (Lond. and N. Y., 1907, Carl Snyder : *The World Machine*), parlant de Démocrite d'Abdère, qui vécut vers 460-360 avant J.-C. et auquel le livre est dédié, l'auteur dit : « On a souvent nommé Démocrite le père du matérialisme. Cette école philosophique n'est guère aujourd'hui à la mode ; il n'est cependant pas superflu d'observer que tout le progrès moderne de nos idées sur le monde se fonde, en réalité, sur les principes du matérialisme. A dire vrai (practically speaking), les principes du matérialisme sont tout bonnement *inéluctables* (unescapable) dans les recherches scientifiques » (p. 140).

« On peut certes, si l'on y trouve agrément, rêver avec le bon évêque Berkeley que tout est rêve ici-bas. Mais quel que soit l'agrément des prestidigitations de l'idéalisme éthéré, il se trouvera peu de gens pour douter, malgré la diversité des opinions sur le problème du monde extérieur, de leur propre existence. Il n'est pas besoin de courir après les feux follets de toute sorte de *Moi* et de *Non-Moi* pour se convaincre qu'en admettant notre propre existence nous ouvrons les six portes de nos sens à diverses apparences. L'hypothèse des masses nébuleuses, la théorie de la lumière en tant que mouvement de l'éther, la théorie des atomes et toutes les autres doctrines semblables, peuvent être déclarées de commodes « hypothèses de travail » ; mais, rappelons-le, tant que ces doctrines ne sont pas réfutées, elles reposent plus ou moins sur la même base que l'hypothèse suivant laquelle l'être que vous appelez moi, cher lecteur, parcourt en ce moment ces lignes » (pp. 31-32).

Imaginez-vous le sort infortuné du disciple de Mach qui voit ses chères et subtiles constructions ramenant les catégories des sciences de la nature à de simples hypothèses de travail, tournées en dérision, comme pur galimatias, par les savants des deux côtés de l'océan ! Faut-il s'étonner qu'un Rudolf Willy combatte *en 1905* Démocrite comme un ennemi vivant, ce qui illustre admirablement *l'esprit de parti de la philosophie* et révèle encore et encore la véritable attitude de l'auteur dans cette bataille des partis ? « Sans doute, écrit Willy, Démocrite n'a-t-il pas la moindre idée que les atomes et l'espace vide ne sont que des concepts fictifs, utiles à titre auxiliaire (blosse Handlangerdienste) et adoptés pour des raisons d'utilité tant qu'ils sont d'un usage commode. Démocrite n'était pas assez libre pour le comprendre ; mais nos savants contemporains ne sont pas libres non plus, à quelques exceptions près. La foi du vieux Démocrite est aussi la leur » (l. c., p. 57).

C'est à désespérer ! Il a été démontré tout à fait « d'une manière nouvelle », « empiriocritique », que l'espace et les atomes sont des « hypothèses de travail » ; or, les savants se moquent de ce *berkeleyisme* et suivent Haeckel ! Nous ne sommes pas du tout des idéalistes, le contraire serait une calomnie, nous ne faisons que travailler (avec les idéalistes) à réfuter la tendance gnoséologique de Démocrite ; nous y travaillons depuis plus de 2000 ans, — en pure perte ! Il ne reste plus à notre leader, Ernst Mach, qu'à dédier son dernier ouvrage, le bilan de sa vie et de sa philosophie, *Connaissance et Erreur*, à *Wilhelm Schuppe*, et à noter dans le texte avec regret que la plupart des savants sont des matérialistes, et que nous *sympathisons*, « nous aussi », avec Haeckel... pour sa « liberté d'esprit » (p. 14).

L'idéologue de la petite bourgeoisie réactionnaire, *qui suit* l'obscurantiste W. Schuppe et « *sympathise* » avec la liberté d'esprit de Haeckel, apparaît ici dans toute sa prestance. Ils sont tous pareils, ces philistins humanitaires d'Europe, avec leur amour de la liberté et leur soumission idéologique (tant économique que politique) aux Wilhelm

Schuppe *. L'indépendance à l'égard de tout parti n'est, en philosophie, que servilité misérablement camouflée à l'égard de l'idéalisme et du fidéisme.

Comparez enfin à ce qui précède l'appréciation donnée de Haeckel par Franz Mehring qui non seulement désire être marxiste, mais qui sait l'être. Dès la parution des *Enigmes de l'Univers*, à la fin de 1899, Mehring observait que « le livre de Haeckel, précieux tant par ses insuffisances que par ses qualités, contribuera à éclairer les opinions devenues assez confuses sur ce qu'est pour notre parti le matérialisme *historique* d'une part et le *matérialisme* historique, de l'autre » **. L'insuffisance de Haeckel est qu'il n'a pas la moindre idée du matérialisme *historique* et en arrive à énoncer des absurdités criantes, tant sur la politique que sur la « religion moniste », etc., etc. « Matérialiste et moniste, Haeckel professe le matérialisme des sciences de la nature, et non le matérialisme *historique* » (*ibid.*).

« Que ceux-là lisent l'ouvrage de Haeckel qui veulent se rendre compte par eux-mêmes de cette incapacité (du matérialisme des sciences de la nature en présence des questions sociales), et prendre conscience de l'impérieuse nécessité d'élargir le matérialisme des sciences de la nature jusqu'au matérialisme historique, afin d'en faire une arme vraiment invincible dans la grande lutte de l'humanité pour son émancipation.

« Telle n'est d'ailleurs pas le seule raison de lire cet ouvrage. Le côté le plus faible de ce dernier est indissolublement lié à son côté le plus fort, à l'exposé si brillant et si clair du développement des sciences de la nature en ce (XIXe) siècle, — partie la plus vaste et la plus importante de ce livre, — autrement dit : à un exposé de la *marche triomphale du matérialisme des sciences de la nature.**** »

---

* Plékhanov cherche moins dans ses notes contre la doctrine de Mach à réfuter Mach qu'à nuire au bolchévisme par esprit de fraction. La parution de deux petits livres dus à la plume de menchéviks disciples de Mach[117] le punit déjà, en fait, d'avoir exploité d'aussi piètre et misérable façon les controverses théoriques fondamentales.

** F. Mehring, *Die Welträtsel*, *Neue Zeit*, 1899-1900, t. 18, 1, 418.

*** *Ibid.*, p. 419.

CONCLUSION

Le marxiste doit aborder l'appréciation de l'empiriocriticisme en partant de quatre points de vue.

Il est, en premier lieu et par-dessus tout, nécessaire de comparer les fondements théoriques de cette philosophie et du matérialisme dialectique. Cette comparaison, à laquelle nous avons consacré nos trois premiers chapitres, montre *dans toute la série* des problèmes de gnoséologie, le caractère *foncièrement réactionnaire* de l'empiriocriticisme qui dissimule, sous de nouveaux subterfuges, termes prétentieux et subtilités, les vieilles erreurs *de l'idéalisme et de l'agnosticisme*. Une ignorance absolue du matérialisme philosophique en général et de la méthode dialectique de Marx et Engels, permet seule de parler de « fusion » de l'empiriocriticisme et du marxisme.

Il est, en second lieu, nécessaire de situer l'empiriocriticisme, école toute minuscule de philosophes spécialistes, parmi les autres écoles philosophiques contemporaines. Partis de Kant, Mach et Avenarius sont allés non au matérialisme, mais en sens inverse, à Hume et à Berkeley. Croyant « épurer l'expérience » en général, Avenarius n'a fait en réalité qu'épurer l'agnosticisme en le débarrassant du kantisme. Toute l'école de Mach et d'Avenarius, étroitement unie à l'une des écoles idéalistes les plus réactionnaires, école dite des immanents, va de plus en plus nettement à l'idéalisme.

Il faut, en troisième lieu, tenir compte de la liaison certaine de la doctrine de Mach avec une école dans une branche des sciences modernes. L'immense majorité des savants en général et des spécialistes de la physique en particulier se rallient sans réserve au matérialisme. La minorité des nouveaux physiciens, influencés par les graves contrecoups des grandes découvertes de ces dernières années sur les vieilles théories, — influencés de même par la crise de la physique moderne qui a révélé nettement la relativité de nos connaissances, — ont glissé, faute de connaître la dialectique, par le relativisme à l'idéalisme. L'idéalisme physique en vogue se réduit à un engouement tout aussi réactionnaire et tout aussi éphémère que l'idéalisme des physiologistes naguère encore à la mode.

Il est impossible, en quatrième lieu, de ne pas discerner derrière la scolastique gnoséologique de l'empiriocriticisme, la lutte des partis en philosophie, lutte qui traduit en dernière analyse les tendances et l'idéologie des classes ennemies de la société contemporaine. La philosophie moderne est tout aussi imprégnée de l'esprit de parti que celle d'il y a deux mille ans. Quelles que soient les nouvelles étiquettes ou la médiocre impartialité dont usent les pédants et les charlatans pour dissimuler le fond de la question, le matérialisme et l'idéalisme sont bien des partis aux prises. L'idéalisme n'est qu'une forme subtile et raffinée du fidéisme qui, demeuré dans sa toute-puissance, dispose de très vastes organisations et, tirant profit des moindres flottements de la pensée philosophique, continue incessamment son action sur les masses. Le rôle objectif, le rôle de classe de l'empiriocriticisme se réduit entièrement à servir les fidéistes dans leur lutte contre le matérialisme en général et contre le matérialisme historique en particulier.

Supplément au § 1 du chapitre IV *[118]

DE QUEL COTE N. TCHERNYCHEVSKI ABORDAIT-IL LA CRITIQUE DU KANTISME ?

Nous avons montré avec force détails, au § 1 du chapitre IV, que les matérialistes ont critiqué et continuent de critiquer Kant d'un point de vue diamétralement opposé à celui de Mach et d'Avenarius. Nous ne croyons pas superflu d'indiquer ici, brièvement au moins, l'attitude adoptée en gnoséologie par le grand hégélien et matérialiste russe, N. Tchernychevski.

Peu après la critique de Kant par Albrecht Rau, disciple allemand de Feuerbach, le grand écrivain russe Tchernychevski, disciple lui aussi de Feuerbach, essaya pour la première fois de préciser son attitude envers Feuerbach et Kant. Dès les années 50 du siècle dernier, Tchernychevski se déclarait, parmi les écrivains russes, partisan de Feuerbach dont notre censure ne lui permettait pas même de prononcer le nom. Tchernychevski tentait, en 1888, dans la préface à une 3e édition, alors en préparation, de ses *Rapports esthétiques de l'art et de la réalité*, de citer Feuerbach, mais cette année-là encore la censure russe interdisait la moindre référence à Feuerbach ! La préface n'a vu le jour qu'en 1906 : voir *Œuvres complètes* de N. Tchernychevski, t. X, 2e partie, pp. 190-197. Tchernychevski y consacre une demi-page à la critique de Kant et des savants qui s'inspirent de Kant dans leurs conclusions philosophiques.

* Voir la présente édition, pp. 201-212. (*N.R.*)

Voici donc ce raisonnement remarquable de N. Tchernychevski, émis en 1888.

« Ceux des savants qui se croient des bâtisseurs de théories universelles demeurent en réalité des élèves, généralement de faibles élèves des anciens penseurs qui créèrent des systèmes métaphysiques et généralement des penseurs dont les systèmes ont déjà été détruits partiellement par Schelling et définitivement par Hegel. Il suffit de rappeler que la plupart des savants qui s'attachent à édifier les larges théories des lois de l'activité de la pensée humaine, répètent la théorie métaphysique de Kant sur la subjectivité de notre connaissance »... (avis aux disciples russes de Mach, qui ont tout confondu : Tchernychevski est inférieur à Engels, puisque dans sa terminologie il confond l'opposition du matérialisme et de l'idéalisme avec celle de la pensée métaphysique et de la pensée dialectique ; mais Tchernychevski est bien à la hauteur d'Engels quand il reproche à Kant non pas son réalisme, mais son agnosticisme et son subjectivisme ; non pas d'admettre la « chose en soi », mais de ne pas savoir déduire de cette source objective notre connaissance)... « se fiant à Kant, ils répètent que les formes de notre perception sensible ne ressemblent pas à celles de l'existence réelle des objets »... (avis aux disciples russes de Mach, qui ont tout confondu : la critique de Kant par Tchernychevski est diamétralement opposée à celle de Kant par Avenarius-Mach et par les immanents ; pour Tchernychevski, en effet, comme pour tout matérialiste, les formes de notre perception sensible ressemblent aux formes de l'existence réelle des objets, c'est-à-dire de l'existence réelle objective)... « que les objets existant dans la réalité, leurs propriétés réelles, les rapports réels existant entre eux nous sont, par conséquent, inconnaissables », ... (avis aux disciples russes de Mach, qui ont tout confondu : pour Tchernychevski, comme pour tout matérialiste, les objets ou, pour employer le langage alambiqué de Kant, les « choses en soi » existent *réellement* et nous sont *parfaitement* connaissables, tant dans leur existence que par leurs propriétés et leurs rapports réciproques réels)... « et que s'ils étaient connaissables, ils ne pourraient être l'objet de notre pensée, celle-ci introduisant toute la matière de la connaissance en des formes tout à fait différentes de celle de l'existence réelle ; que les lois mêmes de la pensée n'ont qu'une valeur subjective », ... (avis aux machistes brouillons : pour Tchernychevski, comme pour tout matérialiste, les lois de la pensée n'ont pas uniquement une valeur subjective ; elles reflètent, en d'autres termes, les formes de l'existence réelle des objets ; loin de différer, elles ont une parfaite ressemblance avec ces formes)... « que la réalité ne renferme rien de ce qui nous paraît être le lien de la cause à l'effet, car il n'y a ni antérieur, ni subséquent, ni tout, ni parties, et ainsi de suite »... (Avis aux machistes brouillons : pour Tchernychevski comme pour tout matérialiste, la réalité renferme ce qui nous paraît être le lien de la cause à l'effet ; il y a une causalité objective ou une nécessité dans la nature)... « Quand les savants cesseront de débiter ces bourdes métaphysiques et d'autres analogues, ils seront capables d'élaborer et élaboreront sans doute, sur la base des sciences de la nature, un système de concepts plus précis et plus complets que ceux exposés par Feuerbach »... (Avis aux machistes brouillons : Tchernychevski qualifie de bourdes métaphysiques *toutes* les déviations du matérialisme vers l'idéalisme et vers l'agnosticisme)... « En attendant, l'exposé le meilleur des concepts scientifiques sur les questions dites fondamentales posées par la curiosité humaine est celui de Feuerbach » (pp. 195-196). Pour Tchernychevski les questions fondamentales posées par la curiosité humaine sont celles que l'on nomme aujourd'hui les questions fondamentales de la théorie de la connaissance ou de la gnoséologie. Tchernychevski est vraiment le seul grand écrivain russe qui ait su écarter les misérables bourdes des néo-kantiens, des positivistes, des disciples de Mach et de maints autres brouillons, et rester depuis les années 50 jusqu'en 1888 à la hauteur du matérialisme philosophique conséquent. Mais Tchernychevski n'a pas su, ou plutôt n'a pas pu, par suite de l'état arriéré de la vie russe, s'élever jusqu'au matérialisme dialectique de Marx et Engels.

NOTES

1. « *Dix questions au conférencier* », rédigées par Lénine dans la première quinzaine de mai 1908 à Londres, où il se rendait de Genève pour travailler à son ouvrage *Matérialisme et empiriocriticisme* ; le texte fut envoyé à I. Doubrovinski, membre du centre bolchévik et de la rédaction du journal *Prolétari* (Le Prolétaire), pour servir de thèses à son intervention à la conférence de A. Bogdanov « Aventures d'une école philosophique », qui eut lieu à Genève le 15 (28) mai 1908.

   Profitant du départ de Lénine, Bogdanov, Lounatcharski et d'autres, qui en philosophie se plaçaient sur les positions de Mach, intensifièrent leur activité. Sous la bannière de la critique du « matérialisme de l'école plékhanovienne » ils entreprirent la révision de la philosophie marxiste, essayant à démontrer que ce n'était pas le matérialisme dialectique, mais une variété de la doctrine de Mach, inventée par Bogdanov, l'empiriomonisme, qui constituait la philosophie du bolchévisme.

   Se préparant à cette intervention Doubrovinski apporta des modifications dans les deuxième, troisième et dixième questions et biffa la septième question. Dans son intervention basée sur les thèses de Lénine, Doubrovinski (sous le pseudonyme Dorov) soumit à une critique serrée les vues de Bogdanov ; il déclara que le bolchévisme n'a rien à voir avec l'empiriomonisme, montra l'incompatibilité de la propagande de la « construction de Dieu » avec le matérialisme dialectique. — P. 9.

2. F. Engels : *Ludwig Feuerbach et la fin de la philosophie classique allemande*, Editions Sociales, Paris 1946, pp. 15-16. — P. 11.

3. F. Engels : *Socialisme utopique et socialisme scientifique*, « Introduction à l'édition anglaise », Editions Sociales, Paris 1948, pp. 18-22 ; *Ludwig Feuerbach et la fin de la philosophie classique allemande*, pp. 16-17. — P. 11.

4. F. Engels : *Anti-Dühring*, Editions Sociales, Paris 1956, p. 75.— P. 11.

5. F. Engels : *Anti-Dühring*, p. 92.—P. 11.

6. F. Engels : *Anti-Dühring*, pp. 67-68, 146. — P. 12.

7. Allusion au livre d'Ernst Mach *Erkenntnis und Irrtum. Skizzen zur Psychologie der Forschung*, dédié à « Wilhelm Schuppe en témoignage d'estime cordiale ». La première édition du livre parut en 1905, à Leipzig.
   Voir la caractéristique de l'école immanente, par Lénine, dans *Matérialisme et empiriocriticisme*, notamment le paragraphe 3 du chapitre IV (le présent tome, pp. 216-225). — P. 12.

8. Allusion au chapitre « Empiriomonisme de A. Bogdanov » dans le livre de P. Iouchkévitch *Matérialisme et réalisme critique. A propos des tendances philosophiques dans le marxisme*, St.-Pétersbourg 1908, pp. 161-193. — P. 12.

9. Il s'agit du livre de Joseph Petzoldt : *Das Weltproblem von positivistischem Standpunkte aus*. — P. 12.

10. Voir lettre de Lénine à Gorki en date du 12 (25) février 1908 (Œuvres, 4e éd. russe, t. 13, pp. 411-417). — P. 12.

11. *Matérialisme et empiriocriticisme. Notes critiques sur une philosophie réactionnaire.* Rédigé par Lénine en février-octobre 1908 à Genève et Londres. Parut à Moscou en mai 1909 aux Editions « Zvéno ». Le manuscrit et les textes préparatoires n'ont pas été retrouvés jusqu'à présent.
   Matérialisme et empiriocriticisme est le fruit d'un immense travail créateur de recherche scientifique, réalisé par son auteur en neuf mois. Lénine y travailla surtout dans les bibliothèques de Genève. Soucieux de prendre largement connaissance de la littérature philosophique et scientifique moderne, il se rendit en mai 1908 à Londres où il travailla un mois environ à la bibliothèque du British Museum. La liste des sources citées et mentionnées dans l'ouvrage de Lénine comporte plus de 200 titres.
   En décembre 1908 Lénine quitte Genève pour Paris. Il y revoit jusqu'en avril 1909 les épreuves de son livre. Il se vit obligé d'atténuer certains passages pour ne pas fournir l'occasion à la censure tsariste d'en interdire la publication. L'édition de *Matérialisme et empiriocriticisme* se fit en Russie au prix de grandes difficultés. En affirmant la nécessité impérieuse de hâter la publication du livre, Lénine souligna que de « sérieuses obligations politiques, pas seulement littéraires », se trouvaient liées à la parution de cet ouvrage.
   Matérialisme et empiriocriticisme joua un rôle décisif dans la lutte contre la révision du marxisme dans l'esprit de Mach. Il contribua aussi à une large diffusion parmi les membres du parti des idées philosophiques du marxisme et aida les cadres du parti et les ouvriers avancés à s'assimiler le matérialisme dialectique et historique.
   Cette œuvre classique de Lénine a connu une diffusion considérable dans maints pays. Elle fut publiée en plus de

20 langues. En U.R.S.S. de 1917 à 1960, elle fut tirée à plus de 5 millions d'exemplaires. — P. 13.

12. Dans une lettre à Oulianova-Elizarova du 26 octobre (8 novembre 1908), Lénine écrivait : « ... si la censure se montrait *très* sévère, on pourrait remplacer partout le mot « cléricalisme » par le mot « fidéisme » avec une note explicative (« Fidéisme : une doctrine substituant la foi à la science ou, par extension, attribuant à la foi une certaine importance »). Cela au cas où il serait nécessaire *d'expliquer* le caractère des concessions que je consentirais » (Œuvres, 4e éd. russe, t. 37, p. 316). Dans une autre lettre à sa sœur Lénine proposait de remplacer le mot « cléricalisme » par le mot « chamanisme », à quoi elle répondit : « Le « chamanisme » arrive trop tard. Mais est-ce mieux ? » (*ibid.*, p. 586). Le texte de *Matérialisme et empiriocriticisme* montre que le mot « cléricalisme » qui était initialement dans le manuscrit de Lénine avait été remplacé par le mot « fidéisme » ; toutefois, dans certains passages le mot restait. La note proposée par Lénine a été donnée dans la première édition du livre et conservée dans les éditions ultérieures. — P. 16.

13. Lénine fait allusion au courant dit « la construction de Dieu », courant philosophique religieux hostile au marxisme, qui prit naissance dans la période de réaction parmi certains intellectuels du parti qui avaient abandonné le marxisme après la défaite de la révolution de 1905-1907. Les « constructeurs de Dieu » (A. Lounatcharski, V. Bazarov et d'autres) préconisaient la création d'une nouvelle religion, « socialiste », cherchant à concilier le marxisme avec la religion. A un moment donné M. Gorki appartint aussi à ce groupe.

La rédaction élargie du *Prolétari* condamna la « construction de Dieu » (1909) et déclara dans une résolution spéciale que la fraction bolchévique n'avait rien à voir « avec une semblable déformation du socialisme scientifique ». La nature réactionnaire de la « construction de Dieu » est dénoncée par Lénine dans *Matérialisme et empiriocriticisme* et dans des lettres à Gorki de février-avril 1908 et novembre-décembre 1913.— P. 16.

14. L'article de V. Nevski « Le matérialisme dialectique et la philosophie d'une réaction morte » a été imprimé en 1920 sous forme d'annexe à la deuxième édition de *Matérialisme et empiriocriticisme*. — P. 18.

15. A. Bogdanov mit en avant, dès 1909, l'idée de « culture prolétarienne », entendant par là la nécessité pour le prolétariat d'élaborer une culture « propre », qui s'opposerait à la culture du passé.

Après la Révolution socialiste d'Octobre Bogdanov et ses partisans choisirent comme champ d'activité les organisations éducatives prolétariennes (Proletkult) et, ayant reçu une tribune appropriée, se mirent en devoir de propager activement des conceptions antimarxistes, niant en fait la valeur de l'héritage culturel du passé ; ils s'efforcèrent de créer en marge de la vie, de manière factice, la culture du prolétariat qu'ils opposaient aux autres travailleurs et, avant tout, à la paysannerie.

Lénine soutint une lutte conséquente contre le séparatisme et le sectarisme du Proletkult, contre les conceptions antimarxistes de ses idéologues. En 1920, le Comité central du parti adoptait une résolution sur la nécessité de soumettre l'activité du Proletkult au Commissariat du Peuple à l'Instruction. A partir des années 20, les organisations du Proletkult commencent à décliner ; en 1932, le Proletkult cesse de fonctionner.— P. 18.

16. F. Engels : *Ludwig Feuerbach et la fin de la philosophie classique allemande*, pp. 15-16, — P. 31.

17. F. Engels : *Socialisme utopique et socialisme scientifique*, p. 20.—P. 31.

18. Le *néo-kantisme*, tendance réactionnaire de la philosophie bourgeoise, qui préconisait l'idéalisme subjectif sous le mot d'ordre de renaissance de la philosophie de Kant ; apparut au milieu du XIXe siècle en Allemagne, où l'intérêt pour le kantisme grandit à cette époque. En 1865 paraissait l'ouvrage de O. Liebmann *Kant et ses épigones*, dont chaque chapitre se terminait par un appel à « faire retour à Kant ». Liebmann proposait de corriger l'« erreur fondamentale » de Kant, consistant à reconnaître l'existence des « choses en soi ». Ce sont les travaux de K. Fischer et E. Zeller qui contribuèrent à la renaissance du kantisme. Un des premiers représentants du néo-kantisme fut F. Lange, qui prétendit utiliser la physiologie pour justifier l'agnosticisme.

Plus tard on vit se constituer au sein du néo-kantisme deux écoles fondamentales : celle de Marburg (H. Cohen, P. Natorp, etc.) et celle de Fribourg ou de Baden (W. Windelband, H. Rickert et autres). La première défendait l'idéalisme, en spéculant sur les succès des sciences de la nature, notamment sur la pénétration des méthodes mathématiques en physique ; la seconde opposait aux sciences de la nature les sciences sociales, en démontrant que les phénomènes historiques sont rigoureusement individuels et n'obéissent à aucune loi. Les deux écoles substituaient la question des fondements logiques de la science à la question fondamentale de la philosophie. En critiquant Kant « par la droite », les néo-kantiens proclamaient la « chose en soi » un « concept-limite », vers lequel tendait la connaissance. En niant l'existence objective du monde matériel ils considéraient comme objet de la connaissance, non point les lois de la nature et de la société, mais uniquement les phénomènes de la conscience. A la différence de l'agnosticisme des savants, l'agnosticisme des néo-kantiens n'était pas un « matérialisme honteux », puisqu'il affirmait l'impuissance de la science quant à la connaissance et aux modifications de la réalité. Les néo-kantiens s'élevaient ouvertement contre le marxisme, auquel ils opposaient le « socialisme éthique ». Conformément à leur théorie de la connaissance ils proclamaient le socialisme un « idéal éthique » de la société humaine vers lequel l'humanité tendait, mais qu'elle était impuissante à atteindre. Cette « théorie » des néo-kantiens a été reprise par les révisionnistes, Bernstein en tête, qui mit en avant le mot d'ordre « Le mouvement est tout, le but final n'est rien. » Le néo-kantisme fut un des fondements philosophiques de la IIe Internationale. En Russie les « marxistes légaux » tentèrent de « conjuguer » le néo-kantisme avec le marxisme. Contre la révision du marxisme par les néo-kantiens s'élevaient G. Plékhanov, Paul Lafargue, F. Mehring. Lénine dénonça la nature réactionnaire du néo-kantisme et montra sa liaison avec les autres courants de la philosophie bourgeoise (immanents, doctrine de Mach, pragmatisme, etc.).

A l'heure actuelle les représentants du néo-kantisme se groupent autour de la revue *Kantstudien*, publiée en Allemagne occidentale (Cologne). — P. 31.

19. « *Die Neue Zeit* », revue théorique de la social-démocratie allemande ; paraît à Stuttgart de 1883 à 1923. K. Kautsky en fut le rédacteur en chef jusqu'en octobre 1917 ; H. Cunow le remplace. C'est dans *Die Neue Zeit* que furent publiés pour la première fois quelques écrits de Marx et d'Engels : *Critique du programme de Gotha* de Karl Marx, *Contribution à la critique du projet de programme social-démocrate 1891* de Friedrich Engels, etc. Celui-ci par ses conseils aida constamment la rédaction de la revue et souvent critiqua ses écarts du marxisme. Dans *Die Neue Zeit* collaboraient des militants en vue du mouvement ouvrier allemand et international de la fin du XIXe et du début du XXe siècle : A. Bebel, W. Liebknecht, R. Luxembourg, F. Mehring, Clara Zetkin, G. Plékhanov, Paul Lafargue, d'autres encore. A partir de la seconde moitié des années 90, après la mort d'Engels, la revue fit paraître systématiquement des articles de révisionnistes, y compris une série d'articles de Bernstein « Les problèmes du socialisme », qui ouvrit la campagne des révisionnistes contre le marxisme. Pendant la première guerre mondiale la revue occupa une position centriste, en soutenant pratiquement les social-chauvins. — P. 31.

20. F. Engels : *Anti-Dühring*, pp. 67-68. — P. 40.

21. « *Revue Néo-Scolastique* », revue théologico-philosophique, fondée par une société philosophique catholique de Louvain (Belgique) ; parut de 1894 à 1909 sous la direction du cardinal Mercier. Aujourd'hui elle porte le nom de *Revue philosophique de Louvain*. — P. 47.

22. « *Der Kampf* », revue mensuelle de la social-démocratie autrichienne ; paraît à Vienne de 1907 à 1934 ; occupa une position centriste opportuniste, sous le couvert de phrases gauchistes. Les rédacteurs de la revue étaient O. Bauer. A. Braun, K. Renner, F. Adler, etc. — P. 52.

23. « *The International Socialist Review* », revue mensuelle américaine à tendance révisionniste ; paraît à Chicago de 1900 à 1918. — P. 52.

24. « *Vierteljahrsschrift für wisssenchaftliche Philosophie* », revue des empiriocriticistes (disciples de Mach); paraît à Leipzig de 1877 à 1916 (à partir de 1902 sous le titre de *Vierteljahrsschrift für wissenschaftliche Philosophie und Soziologie)*. Fondée par R. Avenarius, elle paraît jusqu'en 1896 sous sa direction ; après 1896, avec le concours de Mach. Y collaborèrent W. Wundt, A. Riel, W. Schuppe et d'autres.

Voir à la page 330 l' appréciation donnée de la revue par Lénine. — P. 56.

25. *Spinozisme*, doctrine du philosophe matérialiste hollandais du XVIIe siècle, Baruch Spinoza, selon laquelle toutes les choses sont les affections (modes) d'une substance unique, universelle, qui est sa propre cause, identique à «Dieu ou à la nature». La substance est douée d'une infinité d'attributs dont les plus importants sont l'étendue et la pensée. La forme de liaison entre les divers phénomènes de la nature est, selon Spinoza, la causalité, qu'il entend comme interaction directe des corps, dont la cause première est la substance. L'action de tous les modes de la substance, y compris de l'homme, est strictement nécessaire : l'idée du hasard ne surgit que lorsqu'on ignore l'ensemble des causes agissantes. La penseé étant un des attributs de la substance universelle, la relation et l'ordre des idées et des choses sont en principe les mêmes et les possibilités de la connaissance du monde par l'homme sont illimitées. Pour la même raison, des trois degrés de connaissance — perception, imagination et intuition, le plus authentique est le dernier, lorsque la chose est conçue uniquement par son essence ou par la connaissance de sa cause immédiate. Ainsi, l'homme peut connaître également ses propres passions et en devenir le maître ; la liberté de l'homme réside dans la connaissance de la nécessité de la nature et des passions de son âme.

Le spinozisme fut une des formes non seulement du matérialisme, mais aussi de l'athéisme, puisqu'il abandonnait l'idée de Dieu, en tant qu'être surnaturel qui a crée le monde et le dirige. En même temps, en identifiant Dieu et la nature, il fait une concession à la théologie. Ce fait de même que le caractère mécaniste du matérialisme de Spinoza était conditionné, d'une part, par le niveau des connaissances de l'époque, d'autre part, par les limites étroites du caractère progressif de la jeune bourgeoisie hollandaise, dont la philosophie de Spinoza exprimait les intérêts. Plus tard, autour de l'héritage philosophique du grand penseur hollandais s'est déroulée une âpre lutte idéologique qui se poursuit encore de nos jours. La philosophie idéaliste, spéculant sur l'étroitesse historiquement inévitable des conceptions de Spinoza, dénature l'essence matérialiste de sa doctrine, étape importante dans le développement de la conception matérialiste du monde. — P. 61.

26. « *Philosophische Studien* », revue à tendance idéaliste, consacrée principalement aux problèmes de psychologie. Editée par W. Wundt à Leipzig de 1881 à 1904 ; à partir de 1905, paraît sous le titre *Psychologische Studien*. — P. 61.

27. *Pétrouchka*, domestique serf, personnage des *Ames mortes* de Gogol ; il lisait en épelant, sans pénétrer le contenu, s'intéressant uniquement au mécanisme de la lecture. — P. 61.

28. F. Engels : *Ludwig Feuerbach et la fin de la philosophie classique allemande*, p. 4. — P. 63.

29. « *Mind* », revue à tendance idéaliste, consacrée aux problèmes de philosophie et de psychologie ; paraît à Londres depuis 1876 ; actuellement publié à Edimbourg. Le premier directeur de la revue fut le professeur C. Robertson. — P. 71.

30. *Strouvé P.*, ex-« marxiste légal », un des fondateurs du parti cadet (voir note 67), monarchiste, contre-révolutionnaire. *Menchikov M.*, collaborateur au journal réactionnaire *Novoïé Vrémia* (Temps Nouveaux). Lénine l'appelle le « fidèle chien de garde des Cents-Noirs tsaristes ». — P. 73.

31. Comme il ressort de la lettre de Lénine à Oulianova-Elizarova du 6(19) décembre 1908, l'expression initiale « Lounatcharski s'est même « adjoint mentalement » une bondieuserie », a été mitigée pour des raisons de censure. Lénine écrivait : « Il faudra remplacer » s'est « adjoint mentalement » une bondieuserie » par « s'est même adjoint mentalement »... disons, par euphémisme, des idées religieuses », ou quelque chose dans ce genre. » (Œuvres, 4e éd. russe, t. 37, p. 324). — P. 79.

32. F. Engels : *Anti-Dühring*, p. 68. — P. 88.

33. F. Engels : *Ludwig Feuerbach et la fin de la philosophie classique allemande*, pp. 18, 8. — P. 88.

34. Personnage d'un poème en prose de Tourguénev « La règle de vie ». — P. 89.

35. « *Archiv für systematische Philosophie* », revue à tendance idéaliste ; paraît à Berlin de 1895 à 1931 ; seconde section de la revue *Archiv für Philosophie* (voir note 86). P. Natorp fut le

premier directeur de la revue. A partir de 1931 elle paraît sous le titre *Archiv für systematische Philosophie und Soziologie.* — P. 95.

36. « *Kantstudien* », revue philosophique allemande à tendance idéaliste, organe des néo-kantiens fondé par H. Vaihinger ; parut de façon intermittente de 1897 à 1944 (Hambourg-Berlin-Cologne). En 1954, la revue réapparaît. Une place de choix y est réservée à des articles consacrés à la philosophie de Kant. A côté des néo-kantiens, y collaborent aussi des représentants d'autres tendances idéalistes. — P. 96.

37. « *Nature* », revue hebdomadaire illustrée des sciences de la nature ; paraît à Londres à partir de 1869. — P. 96.

38. Lors de la préparation de la première édition de *Matérialisme et empiriocriticisme*, Oulianova-Elizarova a substitué aux mots « un adversaire littéraire *plus* honnête » les mots « un adversaire littéraire *plus* à cheval sur les principes ». Lénine a protesté contre cette rectification et, le 27 février (12 mars) 1909, il écrit à sa sœur : « *Je t'en prie*, il ne faut rien atténuer dans les passages contre Bogdanov, *Lounatcharski* et compagnie. Il est impossible de rien atténuer. Tu as supprimé que Tchernov est un adversaire « plus honnête » qu'eux. Et c'est bien dommage. La nuance n'est plus la même. Il n'y a plus de continuité dans le caractère de mes accusations. Le plus important, c'est que nos disciples de Mach sont des ennemis *malhonnêtes*, bassement pusillanimes du marxisme en philosophie. » (Œuvres, 4e éd. russe, t. 37, p. 341.) — P. 100.

39. F. Engels: *Ludwig Feuerbach et la fin de la philosophie classique allemande*, pp. 14-16. — P. 101.

40. Personnage du roman de Tourguénev *La fumée*, type du pseudo-savant, de l'exégète. Lénine en donne la caractéristique dans son ouvrage *La question agraire et les « critiques de Marx »* (Œuvres, 4e éd. russe, t. 5, p. 134). — P. 102.

41. F. Engels : *Ludwig Feuerbach et la fin de la philosophie classique allemande*, p. 16. — P. 102.

42. K. Marx : *Thèses sur Feuerbach* (voir F. Engels : *Ludwig Feuerbach et la fin de la philosophie classique allemande*, p. 51). — P. 106.

43. F. Engels : *Socialisme utopique et socialisme scientifique*, pp. 19-20 — P. 109.

44. F. Engels : *Socialisme utopique et socialisme scientifique*, p. 20.— P. 112.

45. F. Engels : *Anti-Dühring*, p. 75. — P. 119.

46. *Beltov N.*, pseudonyme de G. Plékhanov. — P. 124.

47. F. Engels : *Ludwig Feuerbach et la fin de la philosophie classique allemande*, p. 16. — P. 129.

48. *Scepticisme*, courant philosophique prêchant le doute quant aux possibilités de connaître la réalité objective. Le scepticisme naquit dès le IVe-IIIe siècle avant notre ère dans la Grèce ancienne (Pyrrhon, Aenésidème, Sextus Empiricus). Les partisans du scepticisme antique tiraient des prémisses sensualistes des conclusions agnostiques. En portant à l'absolu le caractère subjectif des sensations, les sceptiques appelaient à s'abstenir de tout jugement précis sur les objets ; ils estimaient que l'homme ne peut dépasser les limites de ses sensations ni établir laquelle d'entre elles est véridique.

A l'époque de la Renaissance, les philosophes français Montaigne, Charron, Bayle ont utilisé le scepticisme pour combattre la scolastique moyenâgeuse et l'Eglise.

Au XVIIIe siècle, le scepticisme renaît dans l'agnosticisme de Hume et de Kant. Gottlib Ernst Schulze (Aenésidème) fait une tentative pour moderniser le scepticisme antique. Les arguments du scepticisme sont utilisés par les disciples de Mach, les néo-kantiens et autres écoles philosophiques idéalistes du milieu du XIXe siècle-début du XXe siècle.

Epicurisme, doctrine d'Epicure, philosophe grec du IVe-IIIe siècle avant notre ère, et de ses disciples. L'épicurisme considérait que le bonheur de l'homme, la suppression des souffrances, la félicité, était le but de la philosophie. La philosophie, enseignait-il, est appelée à surmonter les obstacles sur le chemin conduisant au bonheur : la peur de la mort, suscitée par l'ignorance des lois de la nature et qui, à son tour, engendre la foi en des forces surnaturelles, divines.

Dans la théorie de la connaissance Epicure est sensualiste. Selon lui, les choses irradient les images les plus subtiles qui, à travers les organes des sens pénètrent dans l'âme humaine. Les concepts des choses se forment à partir des perceptions sensibles de l'âme, dans laquelle la mémoire ne conserve que les traits généraux des images. Epicure considérait les perceptions sensibles comme le critère de la vérité et il voyait la source des erreurs dans le caractère accidentel de telles ou telles sensations ou dans la prompte formation des jugements.

L'épicurisme, bien plus que les autres théories philosophiques de l'antiquité, a été en butte aux attaques des idéalistes qui mutilaient la doctrine du grand matérialiste grec.

Dans la définition du sensualisme citée par Lénine, Franck considère à juste titre l'épicurisme comme une de ses variétés ; cependant il différencie à tort l'épicurisme d'avec le sensualisme objectif, matérialiste. — P. 133.

49. F. Engels : *Anti-Dühring*, pp. 118-120. — P. 137.

50. F. Engels : *Anti-Dühring*, p. 123. — P. 138.

51. Lettre de K. Marx à L. Kugelmann du 5 décembre 1868 (K.Marx : *Lettres à Kugelmann*. Editions Sociales Internationales, Paris 1930, pp. 108-111). — P. 138.

52. Lénine fait allusion aux ouvrages de K. Marx *Thèses sur Feuerbach* (1845), de F. Engels *Ludwig Feuerbach et la fin de la philosophie classique allemande* (1888) et l'« Introduction à l'édition anglaise » (1892) de *Socialisme utopique et socialisme scientifique*. — P. 141.

53. F. Engels : *Socialisme utopique et socialisme scientifique*, p. 20.— P. 141.

54. *Euloge*, évêque, membre de la Douma d'Etat, monarchiste et ultra-réactionnaire. — P. 143.

55. « *Revue de philosophie* », publication française d'inspiration idéaliste, fondée par E. Peillaube ; paraît à Paris de 1900 à 1939. — P. 154.

56. F. Engels : *Anti-Dühring*, pp. 52-54, 68. — P. 161.

57. F. Engels : *Ludwig Feuerbach et la fin de la philosophie classique allemande*, pp. 34, 36. — P. 161.

58. « *Annalen der Naturphilosophie* », revue à tendance positiviste ; éditée par W. Ostwald à Leipzig de 1901 à 1921. Parmi les collaborateurs de la revue, on compte E. Mach, P. Volkmann, d'autres encore. — P. 170.

59. F. Engels : *Anti-Dühring*, p. 75. — P. 178.

60. F. Engels : *Anti-Dühring*, p. 84. — P. 181.

61. « *The Natural Science* », revue mensuelle ; éditée à Londres de 1892 à 1899. — P. 190.

62. « *The Philosophical Review* », revue américaine à tendance idéaliste, fondée par J. Schurman ; paraît depuis 1892. — P. 190.

63. La première édition du livre porte, au lieu de « ne font pas sourire, elles écœurent », «ne font pas seulement sourire ». Après avoir revu les épreuves, Lénine propose à Oulianova-Elizarova de corriger ce passage ou de le mentionner dans les errata. La correction de Lénine figure dans la liste des principaux errata, annexée à la première édition du livre. — P. 194.

64. F. Engels : *Anti-Dühring*, pp. 146-147. — P. 194.

65. « La méthode subjective en sociologie », conception idéaliste antiscientifique du processus historique, qui nie les lois objectives de l'évolution sociale, les ramène à une activité arbitraire de « personnages marquants ». Aux années 30-40 du XIXe siècle, les partisans de l'école subjective en sociologie étaient les Jeunes Hégéliens B. Bauer, D. Strauss, M. Stirner et d'autres, qui taxaient le peuple de « masse dépourvue d'esprit critique », suivant aveuglément « les personnes pourvues d'esprit critique ». K. Marx et F. Engels, dans la *Sainte Famille*, *L'idéologie allemande* et dans d'autres travaux ont soumis à une profonde et ample critique les vues des Jeunes Hégéliens. En Russie, les populistes libéraux (P. Lavrov, N. Mikhaïlovski et d'autres) se sont affirmés dans la seconde moitié de XIXe siècle les représentants de la méthode subjective en sociologie ; ils niaient le caractère objectif des lois d'évolution de la société et réduisaient l'histoire à l'activité des héros, de « personnalités marquantes ».

Ayant révélé la carence absolue de l'orientation idéaliste subjectiviste en sociologie, le marxisme-léninisme a créé un corps de doctrine authentiquement scientifique sur le développement de la société humaine, le rôle décisif des masses populaires dans l'histoire et le rôle de l'individu. — P. 198.

66. *Les cadets*, membres du parti constitutionnel démocrate, parti dirigeant de la bourgeoisie libéralo-monarchiste en Russie. Fondé en octobre 1905, ce parti comprenait les représentants de la bourgeoisie, des intellectuels bourgeois et les dirigeants des zemstvos appartenant au milieu des propriétaires fonciers. Les leaders des cadets étaient P. Milioukov, S. Mouromtsev, V. Maklakov, A. Chingarev, P. Strouvé, F. Roditchev, etc. Afin de mystifier les masses laborieuses, les cadets ont pris le faux nom de « parti de la liberté du peuple » ; en réalité ils n'allaient pas au-delà de la revendication de la monarchie constitutionnelle. Leur but principal était de combattre le mouvement révolutionnaire, et ils s'efforçaient de partager le pouvoir avec le tsar et les propriétaires fonciers. Au cours de la première guerre mondiale, ils appuyaient activement la politique de conquête du gouvernement tsariste. A l'époque de la révolution démocratique bourgeoise de Février, ils s'attachèrent à sauvegarder la monarchie. Occupant une position dirigeante dans le Gouvernement provisoire bourgeois, ils pratiquèrent une politique antipopulaire, contre-révolutionnaire, pour se faire bien venir des impérialistes américano-anglo-français. Après la victoire de la Révolution socialiste d'Octobre les cadets s'affirmèrent les ennemis irréconciliables du pouvoir des Soviets, prirent une part active à toutes les manifestations contre-révolutionnaires armées, aux campagnes des interventionnistes. Après la défaite de l'intervention et des gardes

blancs, les cadets émigrèrent et n'abandonnèrent pas leur activité contre-révolutionnaire antisoviétique.

V. Pourichkévitch, représentant des partis d'extrême droite à la Douma d'Etat, gros propriétaire foncier, réactionnaire forcené. — P. 206.

67. Il s'agit d'un courant opportuniste qui s'est formé à l'intérieur du parti social-démocrate d'Allemagne dans la seconde moitié des années 70. Les principaux idéologues de ce mouvement étaient : K. Höchberg, E. Bernstein, K. Schramm, qui subissaient l'influence de Dühring. Bernstein et L. Viereck, à côté de J. Most et d'autres, contribuèrent activement à la diffusion des conceptions éclectiques de Dühring, au sein de la social-démocratie allemande. Höchberg qui, selon Marx, avait pu « s'insinuer » dans le parti à prix d'argent, appela à faire du socialisme un mouvement « universellement humain », fondé sur le « sentiment d'équité » tant des classes opprimées que des représentants des « classes supérieures ». Sur l'initiative de Viereck on fonda à Berlin le « Club des Maures », où dominaient les idées de Dühring et qui se donnait pour but d'associer les « personnes instruites » au « socialisme », de rechercher la collaboration de classe entre ouvriers et bourgeoisie. Après la mise en vigueur en Allemagne de la loi d'exception contre les socialistes (1878), les dirigeants du « Club des Maures » se rendirent à Zürich où ils poursuivirent leurs efforts pour gagner la bourgeoisie aux côtés du « socialisme ».

Le caractère opportuniste, antimarxiste du groupe Höchberg s'est manifesté avec éclat dans le problème de la création à Zürich d'un organe central du parti social-démocrate allemand. Höchberg et ses partisans estimaient que le journal ne devait pas pratiquer la politique révolutionnaire du parti, qu'il devait se contenter d'une propagande abstraite des idéaux socialistes. La direction du parti, notamment A. Bebel, W. Liebknecht, a sous-estimé le danger opportuniste, en confiant au groupe zürichois la publication du journal.

En juillet 1879, la revue *Jahrbuch für Sozialwissenschaft und Sozialpolitik*, rédigée par Höchberg, publiait un article « Coup d'œil rétrospectif sur le mouvement socialiste en Allemagne », traitant de la tactique révolutionnaire du parti. Les signataires de l'article, Höchberg, Schramm et Bernstein, reprochaient au parti d'avoir provoqué la loi d'exception par leurs attaques contre la bourgeoisie ; ils appelaient à s'associer et à se soumettre à celle-ci, estimant que la classe ouvrière n'était pas à même de se libérer par ses propres forces. Ces vues opportunistes, réformistes, suscitèrent la plus vive protestation de Marx et d'Engels, qui y virent très justement une trahison à l'égard du parti et qui, en septembre 1879, lancèrent la célèbre « Lettre circulaire » (voir la lettre de K. Marx et F. Engels à A. Bebel, W. Liebknecht, à W. Bracke et aux autres du 17-18 septembre). « L'attaque « furieuse » de Marx, écrivait Lénine, caractérisant la lutte des fondateurs du marxisme contre l'opportunisme, aboutit au fait que les opportunistes battirent en retraite et... s'effacèrent. Dans sa lettre du 19 novembre 1879, Marx annonce que Höchberg a été éloigné du Comité de rédaction, et que tous les chefs influents du parti, Bebel, Liebknecht, Bracke, etc., ont répudié ses idées ». (Œuvres, 4e éd. russe, t. 12, p. 327.)

Par la suite Höchberg et Schramm abandonnèrent le mouvement ouvrier. Bernstein, lui, ayant renoncé temporairement à la propagande opportuniste, devint un des leaders de la social-démocratie allemande. Cependant la confusion théorique et la position opportuniste, occupée par Bernstein à la fin des années 70, ne furent pas un effet du hasard : après la mort d'Engels, il entreprit ouvertement la révision du marxisme, en formulant ce mot d'ordre opportuniste : « Le mouvement est tout, le but final n'est rien », mot d'ordre qui fut le prolongement des thèses fondamentales de l'article de 1879. — P. 210.

68. « *Le Socialiste* », journal hebdomadaire, organe théorique du Parti ouvrier français ; paraît à partir de 1885 ; de 1902 à 1905 organe du Parti socialiste de France et à partir de 1905, le journal devient l'organe du Parti socialiste français. Le journal reproduisait les articles de K. Marx et F. Engels, publiait les articles de militants en vue du mouvement ouvrier français et international de la fin du XIXe siècle-début du XXe : Paul Lafargue, Wilhelm Liebknecht, Clara Zetkin, Georges Plékhanov et d'autres ; le journal cesse de paraître en 1915. — P. 211.

69. F. Engels : *Ludwig Feuerbach et la fin de la philosophie classique allemande*, p. 21. — P. 213.

70. Il s'agit des écrits de F. Engels : *Ludwig Feuerbach et la fin de la philosophie classique allemande* (1888) et l'« Introduction à l'édition anglaise » (1892) de *Socialisme utopique et socialisme scientifique*. — P. 213.

71. F. Engels : *Ludwig Feuerbach et la fin de la philosophie classique allemande*, p. 23. — P. 214.

72. F. Engels : *Socialisme utopique et socialisme scientifique*. (« Introduction à l'édition anglaise »), p. 19. — P. 215.

73. « *Zeitschrift für immanente Philosophie* », revue réactionnaire allemande ; paraît à Berlin de 1895 à 1900, sous la direction de M. Kaufmann avec la collaboration de W. Schuppe et R. Schubert-Soldern. — P. 219.

74. « *Année philosophique* », organe des « néo-criticistes » français ; édité à Paris de 1890 à 1914 sous la direction de F. Pillon. — P. 219.

75. Allusion à la fausse déclaration du président du Conseil des ministres Stolypine, qui niait l'existence auprès des bureaux

de poste de « cabinets noirs », où l'on soumettait à la censure les lettres de personnes suspectes au gouvernement tsariste. — P. 229.

76. *Nozdrev*, personnage des *Ames mortes* de Gogol ; propriétaire foncier, aigrefin et fauteur de scandales. Gogol a qualifié Nozdrev d'« homme historique », car partout où il paraissait éclataient des « histoires » et des scandales. — P. 232.

77. « *Revue philosophique de la France et de l'Etranger* » fondée à Paris en 1876 par T. Ribot, psychologue français. — P. 232.

78. « *The Open Court* », revue à tendance religieuse ; paraît à Chicago de 1887 à 1936. — P. 233.

79. « *The Monist* », revue philosophique américaine à tendance idéaliste, éditée par P. Carus. Paraît à Chicago de 1890 à 1936.— P. 233.

80. F. Engels : *Anti-Dühring*, pp. 335-357. — P. 237.

81. En 1892 paraissait à Genève la première édition russe de l'ouvrage de F. Engels *Ludwig Feuerbach et la fin de la philosophie classique allemande*, traduit, préfacé et annoté par G. Plékhanov. Commentant la formulation donnée par F. Engels du problème fondamental de la philosophie et sa caractéristique de l'agnosticisme, Plékhanov expose avec esprit critique la théorie de la connaissance d'une série de courants de la philosophie idéaliste (de Hume, de Kant, des néo-kantiens, etc.) et leur oppose la théorie matérialiste de la connaissance. Ce faisant, il commet une erreur ; « Nos sensations, dit-il, sont des sortes d'hiéroglyphes, qui portent à notre connaissance ce qui se passe dans la réalité. Ces hiéroglyphes ne ressemblent pas aux faits dont ils nous informent. Mais ils nous informent *avec une fidélité parfaite* aussi bien des faits que — et c'est le principal — des rapports qui existent entre eux ». (G. Plékhanov, *Œuvres philosophiques*, t. I, Moscou, 1961, p. 492.) En 1905, dans les notes pour la deuxième édition de l'ouvrage d'Engels, Plékhanov avoue s'être « exprimé avec quelque imprécision » (*ibid.*, p. 482). L'erreur de Plékhanov, bien que d'ordre terminologique, était une concession faite à l'agnosticisme et témoignait d'une compréhension insuffisamment profonde de la dialectique du processus de la connaissance. — P. 241.

82. « *Archiv für Philosophie* », revue philosophique allemande à tendance idéaliste, organe des néo-kantiens et des disciples de Mach ; parut à Berlin de 1895 à 1931 en deux éditions parallèles : la première *Archiv für Geschichte der Philosophie* sous la direction de L. Stein, et la seconde *Archiv für systematische Philosophie* sous la direction de P. Natorp. A partir de 1931

elle paraît sous le nom de *Archiv für Philosophie und Soziologie.* — P. 245.

83. F. Engels: *Ludwig Feuerbach et la fin de la philosophie classique allemande*, p. 20. — P. 249.

84. Les Archives centrales du Parti, à l'Institut de marxisme-léninisme auprès du Comité central du P.C.U.S., possèdent un exemplaire de l'ouvrage de J. Dietzgen *Kleinere philosophische Schriften. Eine Auswahl*, Stuttgart. Dietz, 1903, avec des annotations de Lénine. Le livre comprend 7 articles publiés de 1870 à 1878 dans les journaux *Volksstaat* et *Vorwärts*, ainsi que *Streifzuge eines Sozialisten in das Gebiet der Erkenntnistheorie.*
Une grande partie des annotations ont été faites pendant que Lénine travaillait au *Matérialisme et empiriocriticisme.* Ce sont des passages soulignés et des notes effectuées dans le texte et en marge du livre ; Lénine souligne souvent les idées justes de Dietzgen par la lettre « α » et les écarts du matérialisme dialectique par la lettre « β ». Dans ses notes, Lénine fait ressortir la caractéristique donnée par Dietzgen de l'esprit de parti de la philosophie, des rapports entre la philosophie et les sciences de la nature, de l'objet de la philosophie, des catégories philosophiques fondamentales, de la question relative à la connaissance du monde, son appréciation de Kant, Hegel, Feuerbach, son attitude à l'égard de Marx et Engels, l'athéisme militant de Joseph Dietzgen. Lénine souligne d'autre part la confusion que commet Dietzgen dans les catégories philosophiques, sa tentative « d'élargir » le concept de matière, en y intégrant « tous les phénomènes réels, par suite notre faculté de connaître », etc. — P. 253.

85. Lettre de K. Marx à L. Kugelmann du 5 décembre 1868. *Lettres à Kugelmann*, p. 108. — P. 256.

86. *Rayons X, rayons Becquerel, radium*, découvertes qui ont marqué le début du développement de la physique atomique.
Rayons X (rayons Rœntgen), radiation électromagnétique de courte longueur d'onde, qui pénètre les milieux non transparents pour la lumière visible. Les rayons X ont été découverts par W. Rœntgen, physicien allemand en décembre 1895. C'est encore lui qui a exposé les propriétés fondamentales de cette nouvelle forme de radiation, dont la nature allait être éclaircie plus tard.
En 1896, H. Becquerel, physicien français, en étudiant l'action de diverses substances luminescentes sur une plaque photographique, découvrit que le sel d'uranium l'impressionnait dans l'obscurité, même sans rayonnement préliminaire. Les expériences ultérieures de Becquerel montrèrent qu'il s'agissait d'une nouvelle radiation, se différenciant de celle de Rœntgen.
Pierre Curie et Marie Sklodowska-Curie étudièrent la nou-

velle radiation ; ils établirent qu'elle était une propriété jusqu'alors inconnue de la substance, propriété à laquelle ils donnèrent le nom de radio-activité. A la suite des expériences de Curie deux nouveaux éléments radioactifs furent découverts : le polonium et le radium (1898). Par la suite il fut établi que les rayons Becquerel avaient trois composants (rayons alpha, bêta et gamma). — P. 260.

87. Cette découverte appartient à James Maxwell. Généralisant les expériences de Faraday touchant les phénomènes électromagnétiques, il crée une théorie dite de champ électromagnétique, selon laquelle les variations du champ électromagnétique se propagent à la vitesse de la lumière. Partant de ces recherches Maxwell concluait en 1865 que la lumière représentait des oscillations électromagnétiques. La théorie de Maxwell a été confirmée expérimentalement en 1887-1888 par Hertz qui a démontré l'existence d'ondes électromagnétiques. — P. 261.

88. L'étude de la radioactivité a permis de découvrir les rayons alpha, bêta et gamma. En 1903 Rutherford et F. Soddy ont émis l'hypothèse que la radioactivité est une transmutation spontanée d'éléments chimiques en d'autres. Cette hypothèse fut bientôt confirmée par Ramsey et Soddy, qui ont trouvé de l'hélium parmi les produits de la désintégration radioactive du radon (1903). Ensuite il fut établi que l'hélium se forme lors de la désintégration du radium et d'autres éléments radioactifs possédant la radioactivité alpha. C'était un argument important en faveur de la théorie des transmutations radioactives. On ne pouvait expliquer entièrement ce fait qu'en supposant que les rayons alpha sont les noyaux des atomes d'hélium, ce qui a été confirmé en 1909 par les expériences de Rutherford et de Royds. — P. 261.

89. Lénine utilise la notion d'éther, telle que la physique l'employait au début du XXe siècle. L'idée d'éther, en tant que milieu matériel particulier qui remplit tout l'espace, et en tant que support de la lumière, des forces de gravitation, etc., a été mise en avant au XVIIe siècle. Plus tard, pour expliquer les divers phénomènes, on introduisit des types d'éther indépendants les uns des autres (électrique, magnétique, etc.). La notion d'éther lumineux (Ch. Huygens, Aug. Fresnel, etc.) a pris un développement particulier grâce aux succès de la théorie ondulatoire de la lumière. Plus tard apparut l'hypothèse de l'éther unique. Cependant, à mesure que la science progressait, la notion d'éther entrait en contradiction avec les faits nouveaux. L'inconsistance de l'hypothèse de l'éther, en tant que milieu mécanique universel, a été démontrée par la théorie de la relativité ; les éléments rationnels contenus dans cette hypothèse ont trouvé leur reflet dans la théorie quantique du champ (notion du vide). — P. 261.

90. Lénine a montré maintes fois le caractère limité de la critique

de la doctrine de Mach par Plékhanov. En 1905, à l'occasion de sa préface à la deuxième édition russe de l'ouvrage d'Engels *Ludwig Feuerbach et la fin de la philosophie classique allemande*, Lénine écrivait : « A quel point ses attaques et ses « coups d'épingle » contre les disciples de Mach sont mesquins ! Pour ma part, ils sont d'autant plus fâcheux que, dans le fond, la critique de Mach me paraît juste chez Plékhanov » (recueil Lénine XXVI, p. 21). En 1907-1908, dans les « Questions fondamentales du marxisme », « Matérialismus militans », etc., Plékhanov critiqua la doctrine de Mach et ses partisans en Russie (Bogdanov, Lounatcharski et d'autres) et dénonça la vanité de leurs tentatives pour associer le marxisme avec la philosophie idéaliste subjective de Mach et d'Avenarius. Ce faisant, Plékhanov « chercha moins... à réfuter Mach qu'à nuire au bolchévisme par esprit de fraction. » (Voir le présent tome, p. 370.)

La lutte de Plékhanov contre la doctrine de Mach a joué un rôle positif dans la défense de la philosophie marxiste contre les attaques des révisionnistes. Cependant, il n'a pas donné une analyse théorique profonde de l'empiriocriticisme, ni révélé le lien direct de la doctrine de Mach avec la crise des sciences de la nature ; il s'est contenté de critiquer la gnoséologie idéaliste de certains de ses représentants. — P. 261.

91. F. Engels : *Ludwig Feuerbach et la fin de la philosophie classique allemande*, p. 18. — P. 261.

92. F. Engels : *Anti-Dühring*, p. 92. — P. 262.

93. La caractéristique donnée par H. Poincaré de la notion de masse et reproduite par Lénine, répond au niveau de développement de la physique de l'époque. Le progrès de la théorie électronique, consécutif à la découverte de l'électron, a permis d'expliquer la nature de la masse de l'électron. J. Thomson émit l'hypothèse selon laquelle la masse propre de l'électron est conditionnée par l'énergie du champ électromagnétique (c'est-à-dire l'inertie de l'électron est due à l'inertie du champ) ; on a introduit le concept de la masse électromagnétique de l'électron, laquelle se trouva être dépendante de la vitesse de son mouvement ; quant à la masse mécanique de l'électron, de même que de toute autre particule, elle était tenue pour invariable. Les expériences sur la dépendance de la masse électromagnétique de l'électron vis-à-vis de la vitesse, entreprises en 1901-1902 par W. Kaufmann, devaient découvrir la masse mécanique. Or, elles ont montré inopinément que l'électron se comporte de façon à faire croire que toute sa masse était électromagnétique. D'où l'on inférait que la masse mécanique antérieurement considérée comme une propriété inséparable de la matière, disparaissait dans l'électron. Ceci devait permettre toutes sortes de spéculations philosophiques, de déclarations relatives à la « disparition de la matière », dont le malfondé a été démontré par Lénine. Le développement de

la physique (la théorie de la relativité) a fait apparaître que la masse mécanique dépend aussi de la vitesse du mouvement et que l'on ne peut ramener entièrement la masse de l'électron à la masse électromagnétique. — P. 263.

94. « *Année psychologique* », organe d'un groupe de psychologues idéalistes bourgeois français ; paraît à Paris depuis 1894. Editée d'abord par A. Binet, plus tard par H. Piéron. — P. 269.

95. L'idée de la constitution complexe de l'atome apparut à fa fin du XIXe siècle, après la découverte du système périodique des éléments de Mendéléev, de la nature électromagnétique de la lumière, de l'électron, du phénomène de radioactivité. Plusieurs modèles d'atome furent offerts. Lénine considère comme le plus probable le modèle planétaire de l'atome dont l'idée avait été formulée, à titre d'hypothèse, à la fin du XIXe siècle. La confirmation expérimentale en a été faite dans les recherches de Rutherford, qui a observé le passage des particules alpha (noyaux d'hélium à charge positive) à travers des substances variées et est arrivé à cette conclusion que la charge positive est concentrée au centre de l'atome et en occupe une partie infime. En 1911 il propose un modèle où un noyau à charge positive se trouve au centre de l'atome, avec une masse à peu près égale à toute la masse de l'atome, et autour du noyau, sur différentes orbites, de même que les planètes du système solaire, les électrons sont en révolution ; toutefois ce modèle ne pouvait expliquer la stabilité de l'atome. La première tentative heureuse pour créer la théorie de la structure de l'atome était basée sur le modèle de Rutherford et se trouvait liée à l'introduction des postulats quantiques de N. Bohr (1913). Conformément à cette première théorie des quanta de l'atome, l'électron se meut sur une des orbites « stables » (qui correspondent à des valeurs discrètes de l'énergie) sans radiation. La radiation ou l'absorption par l'atome d'un quantum d'énergie n'a lieu que lorsque l'électron passe d'une orbite à une autre.

Le développement de la physique devait enrichir la notion de structure atomique. Un rôle important a été joué, en l'occurrence, par l'hypothèse de L. de Broglie sur le caractère ondulatoire des micro-objets et la création de la mécanique quantique par Schrödinger, Heisenberg, etc. Selon les représentations actuelles le noyau de l'atome est entouré d'un nuage d'électrons, placés sur différentes orbites auxquelles correspondent des valeurs déterminées d'énergie et qui sont reliées avec le noyau en un système unique.

Au cours du développement de la physique il a été établi que le noyau de l'atome est constitué par des particules élémentaires — nucléons (protons et neutrons) ; chez l'électron, outre la masse et la charge qui étaient connues dès le début du XXe siècle, de nouvelles propriétés ont été découvertes, ainsi que la possibilité de sa transformation en d'autres particules. Parallèlement à l'électron on détecta une série de nouvelles particules élémentaires aux propriétés variées (photons, protons, neutrons, neutrinos, toutes sortes de mésons et hypérons). On a pu également découvrir des particules dont certaines caractéristiques sont égales en valeur mais sont de signe opposé (dites antiparticules).

La connaissance de la structure de la substance a permis à l'homme de connaître les processus nucléaires, d'utiliser l'énergie nucléaire, ce qui marque le début d'une nouvelle révolution technique, ayant une portée énorme pour l'avenir de l'humanité. — P. 270.

96. « *Revue générale des Sciences pures et appliquées* », publie des articles traitant des sciences de la nature ; éditée à Paris depuis 1890 ; fondée par L. Olivier. — P. 271.

97. Il s'agit apparemment de la masse mécanique, considérée dans la physique classique comme une propriété perpétuelle et invariable de la matière. — P. 271.

98. Allusion à l'intervention au IIe Congrès du P.O.S.D.R., de l'« économiste » Akimov, qui répudiait le programme du parti, proposé par l'*Iskra*. Un de ses arguments était que le mot « prolétariat » figure dans le programme non pas comme sujet, mais comme complément. — P. 281.

99. *Néo-vitalisme*, courant idéaliste en biologie, apparu à la fin du XIXe siècle pour combattre le darwinisme, la conception matérialiste du monde. Ses représentants (W. Roux, H. Driesch, J. Uexküll et d'autres) ont fait renaître les conceptions antiscientifiques du vitalisme, cherchant à expliquer les phénomènes vitaux et l'utilité des organismes vivants par l'action de facteurs immatériels particuliers (« force vitale », « entéléchies », etc.), et séparer par là, en principe, la nature organique de la nature inorganique. L'inconsistance et le caractère antiscientifique du néo-vitalisme ont été démontrés dans les travaux des biologistes matérialistes (E. Haeckel, K. Timiriazev, I. Pavlov, etc.). — P. 287.

100. « *Problèmes de philosophie et de psychologie* », revue à tendance idéaliste ; fondée par le professeur N. Groth ; parut à Moscou de novembre 1889 à avril 1918 (à partir de 1894, éditée par la Société de psychologie de Moscou). La revue publiait des articles de philosophie, de psychologie, de logique, d'éthique, d'esthétique, des notes critiques et analyses de doctrines et ouvrages de philosophes et psychologues d'Europe occidentale, des comptes rendus de livres philosophiques et de revues de philosophie étrangères, ainsi que d'autres textes. Dans les années 90, y collaborèrent les « marxistes légaux » Strouvé, Boulgakov, et à l'époque de la réaction, Bogdanov et autres disciples de Mach. A partir de 1894 la revue parut sous la direction de L. Lopatine. — P. 312.

101. « *Union du peuple russe* », organisation ultra-réactionnaire des Cent-Noirs monarchistes ; fondée en octobre 1905 à Pétersbourg pour lutter contre le mouvement révolutionnaire. L'« Union »

groupait les propriétaires fonciers réactionnaires, les propriétaires de grands immeubles, négociants, policiers, clergé, petits-bourgeois des villes, koulaks, éléments déclassés et criminels. A la tête de l'« Union » se trouvaient Bobrinski, Doubrovine, Krouchévan, Markov 2, Pourichkévitch, etc. Les organes de presse de l'« Union » étaient *Rousskoïé Znamia* (Drapeau russe), *Obiédinénié* (Union) et *Groza* (Orage). Les sections de l'« Union » fonctionnaient dans maintes villes de Russie.

L'« Union prônait le caractère immuable de l'autocratie tsariste, le maintien de l'économie semi-féodale des propriétaires fonciers, des privilèges de la noblesse. A son programme figurait le mot d'ordre nationaliste monarchique du servage : « orthodoxie, autocratie, nationalisme ». Sa principale méthode de lutte contre la révolution était les pogroms et les assassinats. Ses membres, avec le concours et les complaisances de la police, rouaient de coups et assassinaient traîtreusement et impunément les ouvriers révolutionnaires d'avant-garde et les représentants des intellectuels démocrates, dissipaient et fusillaient les meetings, organisaient des pogroms, traquaient rageusement les nationalités non russes.

Après la dissolution de la IIe Douma, l'« union » se scinda en deux organisations : « La Chambre de Michel l'Archange » avec à sa tête Pourichkévitch, qui préconisait l'utilisation de la IIIe Douma à des fins contre-révolutionnaires, et proprement l'«Union du peuple russe » avec à sa tête Doubrovine, qui poursuivait la tactique de terreur. Les deux organisations ultra-réactionnaires furent liquidées pendant la révolution démocratique bourgeoise de février 1917. Après la Révolution socialiste d'Octobre les ex-membres de ces organisations prirent une part active aux émeutes contre-révolutionnaires et aux complots tramés contre le pouvoir des Soviets. — P. 312.

102. « *Rousskoïé Bogatstvo* » (Richesse russe), revue mensuelle, parut de 1876 à 1918 à Pétersbourg. Après 1890, elle passe aux populistes libéraux, N. Mikhaïlovski en tête. Autour de *Rousskoïé Bogatstvo* se groupaient des publicistes, devenus plus tard membres influents du parti socialiste-révolutionnaire, du parti des « socialistes populaires » et des groupes « troudoviks » dans les Doumas d'Etat. En 1906 la revue devient l'organe du parti socialiste-populaire troudovik à demi cadet. — P. 327.

103. Les mots *Wer den Feind*, paraphrase d'un vers de Gœthe, que Lénine emprunte au roman de Tourguénev *Terres vierges*.— P. 330.

104. Il s'agit de la préface à l'ouvrage de K. Marx *Zur Kritik der politischen Ökonomie*. — P. 335.

105. Voir la lettre de K. Marx à L. Kugelmann du 27 juin 1870. *Lettres à Kugelmann*, p. 147. — P. 342.

106. Loi de la conservation et de la transformation de l'énergie, dont

la découverte avait été préparée par le développement des sciences de la nature, notamment par les travaux de Lomonossov et plusieurs autres savants, a été établie dans les années 40 du XIXe siècle (R. Mayer, J. Joule, H. Helmholtz). La notion d'énergie dans sa signification actuelle a été introduite en 1853 par Rankine, mais ne se répand qu'à partir de 1870-1880. La plupart des physiciens se montrèrent hésitants à l'égard de la nouvelle loi, mais bientôt son bien-fondé fut démontré pour toutes les branches des sciences de la nature. Engels considérait la loi de la conservation et de la transformation de l'énergie comme un des progrès les plus importants du XIXe siècle, comme une loi générale de la nature, traduisant, dans le langage de la physique, l'unité du monde matériel. « L'unité de tout le mouvement dans la nature, écrivait-il, n'est plus une « affirmation philosophique, mais un fait scientifique ».

Certains savant mettaient en doute le caractère universel de cette loi ; ils s'essayèrent à l'interpréter dans l'esprit de l'idéalisme. Ainsi, Mach refusait de la considérer comme une loi universelle de la nature ; elle se réduit, disait-il, à constater la causalité des phénomènes. Ostwald estimait que la loi de la conservation et de la transformation de l'énergie était l'unique loi universelle de la nature, s'attachait à nier la réalité objective de la substance, à abandonner le concept de matière, à démontrer que l'énergie existait sans matière, à ramener à l'énergie tous les phénomènes de la nature, de la société et de la pensée. Bogdanov tenta d'envisager les transformations sociales comme augmentation ou diminution d'énergie.

Lénine soumit à la critique l'« énergétisme » comme une des manifestations de l'« idéalisme physique » et montra l'inconsistance de principe des tentatives faites pour reporter les lois des sciences de la nature sur les phénomènes sociaux. Le développement des sciences, l'étude des phénomènes du microcosme ont confirmé le caractère général de la loi de la conservation et de la transformation de l'énergie ; la théorie de la relativité établit un rapport universel entre l'énergie et la masse. — P. 346.

107. « *Deutsch-Französische Jahrbücher* », revue éditée à Paris sous la direction de K. Marx et A. Ruge. Il en parut un numéro (double) en février 1844, avec les écrits de K. Marx *Contribution à la question juive*, *Contribution à la critique de la philosophie du droit de Hegel*, *Introduction*, ainsi que les écrits de F. Engels *Esquisses pour la critique de l'économie politique* et *La situation en Angleterre. Thomas Carlyle. Le Passé et le Présent.* Ces travaux marquent le passage définitif de Marx et d'Engels au matérialisme et au communisme. La cause principale de la suspension de la revue était les divergences de principe entre Marx et le radical bourgeois Ruge. — P. 351.

108. Lettre de K. Marx à F. Engels du 10 mai 1861. — P. 351.

109. Lettre de K. Marx à L. Kugelmann du 13 décembre 1870. *Lettres à Kugelmann*, p. 150. — P. 351.

110. F. Engels : *Socialisme utopique et socialisme scientifique* (« Introduction à l'édition anglaise »), pp. 18-23. — P. 351.

111. Voir *Anti-Dühring* (1878), *Ludwig Feuerbach et la fin de la philosophie classique allemande* (1888), « Introduction à l'édition anglaise » (1892) de l'ouvrage *Socialisme utopique et socialisme scientifique*. — P. 352.

112. F. Engels : *Ludwig Feuerbach et la fin de la philosophie classique allemande*, p. 4. Le retour à Hegel dans la seconde moitié du XIXe siècle fut caractéristique du développement de la philosophie bourgeoise de plusieurs pays d'Europe et des Etats-Unis. En Angleterre il débuta par la publication en 1865 du livre de James Hutchison Stirling *The Secret of Hegel*. L'attention des idéologues de la bourgeoisie a été retenue par l'idéalisme absolu de Hegel qui ouvrait de larges possibilités en vue de donner un fondement théorique à la religion. Il s'était constitué une singulière tendance philosophique, qui prit le nom de « anglo-hégélianisme », et dont les représentants (Th. Green, les frères Edward et John Caird, Francis Bradley, etc.), combattirent activement le matérialisme, en utilisant les côtés réactionnaires de la doctrine de Hegel.

Dans les pays scandinaves (Suède, Norvège, Danemark) l'influence de la philosophie de Hegel s'est également accrue dans la seconde moitié du XIXe siècle. C'est Johan Jacob Borelius qui tenta de la faire renaître en Suède, en l'opposant à la philosophie idéaliste subjective qui y dominait. En Norvège les hégéliens de droite Marcus Jacob Monrad, Georg Wilhelm Ling et d'autres interprétaient la philosophie de Hegel dans un esprit mystique, en rejetant le noyau rationnel, en s'attachant à subordonner la science à la religion. C'est à partir de ces mêmes positions que la philosophie hégélienne fut critiquée au Danemark où elle connut un développement encore du vivant de Hegel.

La diffusion de la philosophie hégélienne ne la fit point renaître : les épigones bourgeois de Hegel « développaient » (principalement dans l'esprit de l'idéalisme subjectif) les différents aspects de son système philosophique conservateur. Tout cela eut pour effet de préparer le terrain en vue de faire naître, à la fin du XIXe-début du XXe siècle, le néo-hégélianisme, tendance réactionnaire de la pensée philosophique bourgeoise de l'époque de l'impérialisme, visant à adapter la philosophie de Hegel à l'idéologie fasciste. — P. 353.

113. *Pragmatisme*, courant idéaliste subjectif de la philosophie bourgeoise (principalement américaine) de l'époque de l'impérialisme; parut dans les années 70 aux Etats-Unis, où il remplaca la philosophie religieuse qui régnait jusque-là ; reflétait les traits spécifiques de l'évolution du capitalisme américain. Les thèses fondamentales du pragmatisme furent formulées par Charles Peirce. En tant que courant philosophique indépendant, il prit forme à la fin du XIXe-début du XXe siècle dans les travaux de

William James et Ferdinand Schiller ; l'instrumentalisme de John Dewey en fut le développement.

Le problème central de la philosophie pour les pragmatistes consiste à atteindre la connaissance véritable. Cependant ils dénaturent complètement la notion même de vérité ; déjà Peirce considérait la connaissance comme un processus purement psychologique, subjectif, en vue d'accéder à la foi. James substituait au concept de vérité, c'est-à-dire reflet objectivement fidèle de la réalité dans la conscience, la notion de l'« utilité », du succès, de l'avantage. De son point de vue toutes les notions, y compris les notions religieuses, sont véridiques dans la mesure où elles sont utiles. Dewey va encore plus loin : il déclare que toutes les théories scientifiques, tous les principes moraux et tous les établissements sociaux ne sont que des « instruments » pour atteindre le but personnel de l'individu. Le critère de « vérité » (de l'utilité) de la connaissance est, pour les pragmatistes, l'expérience considérée non comme la pratique sociale de l'homme, mais comme un flux ininterrompu d'épreuves individuelles, de phénomènes subjectifs de la conscience. Cette expérience, ils la considèrent comme la seule réalité, proclamant les concepts de matière et d'esprit « périmés ». De même que les disciples de Mach, les pragmatistes prétendent fonder une « troisième voie » en philosophie ; ils cherchent à se placer au-dessus du matérialisme et de l'idéalisme, en défendant en fait une des variétés de celui-ci. Au monisme matérialiste le pragmatisme oppose le point de vue du « pluralisme », selon lequel il n'existe dans l'univers aucune relation interne, aucun ordre régi par des lois ; il ressemble à un tableau en mosaïque que toute personne compose à sa manière, avec ses propres émotions. Aussi, en partant des nécessités de l'heure le pragmatisme estime possible de donner à un seul et même fait des explications diverses, voire contradictoires ; la continuité, quelle qu'elle soit, est déclarée inutile : si l'on y trouve avantage, on peut être déterministe ou indéterministe,on peut reconnaître ou nier l'existence de Dieu, etc.

Prenant appui sur la tradition idéaliste subjective de la philosophie anglaise, depuis Berkeley et Hume jusqu'à John Stuart Mill, mettant à profit tels ou tels aspects des doctrines de Kant, Mach et Avenarius, Nietzsche et Henri Bergson, les pragmatistes américains ont créé un des courants philosophiques les plus réactionnaires de l'époque contemporaine, qui sert avantageusement à la défense théorique des intérêts de la bourgeoisie impérialiste. Aussi le pragmatisme a-t-il connu une très large diffusion aux U. S. A. où il est devenu la philosophie quasi-officielle. Les partisans du pragmatisme existaient à des époques différentes en Italie, Allemagne, France, Tchécoslovaquie et dans d'autres pays. — P. 356.

114. « *Zagranitchnaïa Gazéta* » (Journal de l'Etranger), hebdomadaire d'un groupe d'émigrés russes ; parut à Genève du 16 mars au 13 avril 1908. Les quatre numéros du journal, publiés pendant ce laps de temps,retraçaient la vie des émigrés russes,les événements

en Russie et à l'étranger. Le deuxième numéro publia le discours prononcé par Lénine à un meeting international tenu à Genève le 18 mars 1908 « Les leçons de la Commune ». Le journal faisait la propagande de la « construction de Dieu » et de la doctrine de Mach (articles de Bogdanov et de Lounatcharski).

Lénine cite les termes des « Essais sur la littérature russe moderne » de Lounatcharski, parus dans les nos 2 et 3 du journal. — P. 358.

115. « *Obrazovanié* » (l'Enseignement), revue mensuelle légale (littéraire, politique, sociale et de vulgarisation scientifique) ; parut à Pétersbourg de 1892 à 1909. En 1902-1908 la revue publiait les articles des social-démocrates. Dans son n° 2 pour 1906, elle fit paraître les chapitres V-IX de l'ouvrage de Lénine : *La question agraire et les « critiques de Marx »*. — P. 358.

116. Bobtchinski et Dobtchinski, personnages de la comédie *Réviseur* de Gogol, types de bavards et de potiniers. — P. 365.

117. Il s'agit de deux brochures de menchéviks disciples de Mach, parues en 1908 : *Les Constructions philosophiques du marxisme* de Valentinov et *Matérialisme et réalisme critique* de Iouchkévitch. — P. 370.

118. Le manuscrit « *Supplément au § 1 du chapitre IV. « De quel côté N. Tchernychevski abordait-il la critique du kantisme ?* » a été envoyé par Lénine à Oulianova-Elizarova dans la seconde quinzaine de mars, alors que le livre était déjà sous presse. Dans une lettre à sa sœur du 10 ou 11 (23 ou 24) mars 1909 Lénine écrivait : « J'envoie un supplément. Pas la peine de retarder l'impression pour cela. Mais si le temps le permet, fais-le imprimer à la fin du livre, après la conclusion, en petits caractères, par exemple. J'estime qu'il est très important d'opposer Tchernychevski aux disciples de Mach. » (Œuvres, 4e éd. russe, t. 37, p. 345.) — P. 373.

LA VIE ET L'ŒUVRE
DE V. LENINE
CHRONOLOGIE

(février 1908-juin 1909)

1908

Première quinzaine de février	Lénine commence à travailler au livre *Matérialisme et empiriocriticisme* ; il adhère à la Société de lecture de Genève, dont il fréquente la bibliothèque où il lit les œuvres philosophiques.
25 janvier (7 février)	Dans une lettre à Gorki Lénine lui fait part qu'il lit attentivement les écrits de Bogdanov, Bazarov, Lounatcharski et d'autres disciples de Mach, se rend compte de la fausseté de leurs conceptions philosophiques. « Je suis pour le matérialisme, contre l'« empirio », etc. », écrit Lénine.
31 janvier (13 février)	Dans une lettre à Gorki Lénine conteste la position de celui-ci en matière de philosophie ; il prend la défense du matérialisme de Marx et d'Engels.
11 (24) février	Lénine prend part à la réunion de la rédaction du *Prolétari*, à propos de la note parue dans *Die Neue Zeit* sur la lutte au sein du P. O. S. D. R. en matière de philosophie. Le texte de la déclaration rédigée par Lénine sous forme de note de la rédaction du *Prolétari*, est approuvé à l'unanimité. On y souligne que le débat philosophique n'est pas une lutte fractionnelle et que la tentative de présenter ainsi les divergences en philosophie est radicalement fausse.
Avant le 12 (25) février	Lénine écrit à sa famille, à Pétersbourg ; il demande que l'on retrouve et lui fasse parvenir son manuscrit philosophique de 1906, visant l'empiriomonisme de Bogdanov, manuscrit que Lénine se proposait de publier sous le titre « Notes d'un simple marxiste sur la philosophie ».
12 (25) février	Lénine écrit à Gorki sur la nécessité d'une lutte intransigeante contre la doctrine de Mach et ses disciples russes (Bogdanov,etc.) : il fait l'historique des divergences parmi les bolchéviks sur les pro-

blèmes de philosophie, qui se sont aggravées après la parution du livre des disciples de Mach *Essais sur la philosophie marxiste.*

11 (24) mars — Dans une lettre à Gorki Lénine donne une appréciation nettement négative du livre des disciples de Mach *Essais sur la philosophie marxiste* ; il souligne que la lutte contre ces derniers en matière de philosophie est inévitable.

Seconde quinzaine de mars, 3 (16) avril au plus tard — Lénine rédige l'article « Marxisme et révisionnisme » pour le recueil *Karl Marx* (1818-1883). Dans une note à cet article Lénine annonce son intention de se prononcer très prochainement contre le livre *Essais sur la philosophie marxiste* dans une série d'articles ou spécialement dans une brochure.

Pas avant mars, le 14 (27) octobre au plus tard — Lénine lit l'ouvrage de J. Dietzgen *Kleinere philosophische Schriften. Eine Auswahl.* Stuttgart Dietz 1903. Il y fait des annotations. Lénine utilise largement ce livre dans *Matérialisme et empiriocriticisme.*

3 (16) avril — Dans une lettre à Gorki Lénine lui fait part d'une « déclaration de guerre formelle » contre les disciples de Mach, faisant allusion à son article « Marxisme et révisionnisme ».

Dans une lettre à Lounatcharski, Lénine écrit que son chemin s'écarte de celui des propagandistes d'une « association du socialisme scientifique avec la religion », et de tous les disciples de Mach.

Entre 10 et 17 (23 et 30) avril — A la demande de Gorki, Lénine lui rend visite à Capri. Lénine déclare à Bogdanov, Bazarov et Lounatcharski son désaccord absolu avec eux dans les questions de philosophie.

Avril — Lénine lit l'article de F. Engels « Über historischen Materialismus », publié dans *Die Neue Zeit* n° 1, XI Année, t. I, 1892-1893, et y fait des annotations. Lénine utilise l'article d'Engels dans *Matérialisme et empiriocriticisme.*

Mai — Lénine prend connaissance au British Museum des publications philosophiques et scientifiques absentes dans les bibliothèques de Genève. Ces publications lui étaient nécessaires pour écrire *Matérialisme et empiriocriticisme.*

Lénine écrit les « Dix questions au conférencier » qu'il envoie de Londres pour servir de thèses à I. Doubrovinski (Innokenti) qui interviendra à la conférence de Bogdanov « Aventures d'une école philosophique », le 15 (28) mai 1908, à Genève.

Fin mai-début juin	Revenu de Londres à Genève, Lénine et Doubrovinski repoussent, à la réunion de la rédaction du *Prolétari*, le projet de résolution de Bogdanov, où il était dit que la propagande de l'empiriocriticisme « n'est pas contraire » aux intérêts de la fraction bolchévique et où l'on proposait de désapprouver l'intervention de Doubrovinski à la conférence de Bogdanov.
Pas avant mai	Lénine lit le livre de Plékhanov *Les questions fondamentales du marxisme* (St.-Pétersbourg, 1908) et y fait des annotations.
7 (20) juin	Dans une lettre à M. Oulianova, Lénine exprime ses regrets à propos du refus du « philosophe-éditeur de Moscou » P. Daugue d'éditer *Matérialisme et empiriocriticisme* et demande que l'on en trouve un autre.
18 juin (1er juillet)	Dans une lettre à Vorovski, à Odessa, Lénine parle de l'aggravation des désaccords avec Bogdanov et Alexinski, ainsi que de la rupture inévitable avec eux. Il s'informe de la possibilité de faire éditer son ouvrage philosophique.
30 juin (13 juillet)	Dans une lettre à M. Oulianova, Lénine lui fait part de son travail sur *Matérialisme et empiriocriticisme* et lui demande de lui envoyer deux livres de G. Tchelpanov *Avenarius et son école* et *Philosophie immanente*.
Août	Au nom de la rédaction du *Prolétari*, Lénine demande à Bogdanov de faire un franc exposé dans la presse de ses conceptions philosophiques et politiques.
Septembre	Lénine rédige la préface à *Matérialisme et empiriocriticisme*. Lénine remet le manuscrit de son livre à Gorine (Galkine).
14 (27) octobre	Dans une lettre à Oulianova-Elizarova, Lénine lui annonce l'achèvement de *Matérialisme et empiriocriticisme*, lui demande une adresse sûre pour y envoyer le manuscrit et de passer, dès que possible, un contrat pour la publication de l'ouvrage.
26 octobre (8 novembre)	Dans une lettre à Oulianova-Elizarova Lénine demande de lui faire parvenir l'adresse pour l'envoi du manuscrit de *Matérialisme et empiriocriticisme*. Il veut bien, au cas où la censure se montrerait particulièrement sévère, remplacer dans le livre le mot « cléricalisme » par le mot « fidéisme », quitte à faire une note pour en expliquer la signification.

28 octobre (10 novembre)	Dans une lettre au menchévik, disciple de Mach, Iouchkévitch à Pétersbourg, Lénine décline les offres de collaboration dans les recueils littéraires et philosophiques dont on projetait la publication.
Avant le 4 (17) novembre	Lénine envoie à Podolsk, à l'adresse de V. Lévitski, le manuscrit de *Matérialisme et empiriocriticisme.*
13 (26) novembre	Lénine écrit à Oulianova-Elizarova qu'il a reçu sa lettre du 9 (22) novembre, où elle annonçait la réception du manuscrit de *Matérialisme et empiriocriticisme* ; il propose, à défaut d'un autre éditeur de réexpédier le manuscrit à Bontch-Brouévitch aux éditions « Jizn i Znanié » ; il demande d'ajouter à la fin de l'*Introduction*, un texte où il est parlé de N. Valentinov.
27 novembre (10 décembre)	Dans un télégramme adressé à Oulianova-Elizarova, Lénine accepte les conditions de la maison d'éditions de Moscou « Zvéno », relatives à la publication de *Matérialisme et empiriocriticisme.*
	Dans une lettre à M. A. Oulianova Lénine demande à A. Oulianova-Elizarova de hâter la signature du contrat avec les Editions « Zvéno » et insiste pour que celui-ci stipule la publication immédiate de *Matérialisme et empiriocriticisme* ; il recommande de conclure le contrat à son nom, et non pas à celui d'Anna Ilinitchna pour ne pas lui faire encourir la responsabilité d'après les lois de la presse.
Entre le 29 novembre et le 1er (12 et 14) décembre	Lénine et Kroupskaïa quittent Genève pour Paris, où paraîtra le *Prolétari.*
6 (19) décembre	Dans une lettre à Oulianova-Elizarova, Lénine consent à adoucir les termes à l'égard de Bazarov et Bogdanov et s'oppose à en faire autant pour Iouchkévitch et Valentinov dans *Matérialisme et empiriocriticisme* ; il fait part de son accord pour remplacer les mots « cléricalisme », « s'est adjoint mentalement une bondieuserie », etc., dans le seul cas où l'éditeur l'exigerait expressément pour des raisons de censure.
11 (24) décembre	Dans une lettre à Oulianova-Elizarova, Lénine demande qu'on lui envoie un exemplaire des épreuves non corrigées, et puis les feuilles de *Matérialisme et empiriocriticisme* afin qu'il puisse y apporter des corrections importantes ; il indique les caractères d'imprimerie à choisir pour les titres des

	paragraphes, et fait part des deux lettres expédiées précédemment avec un supplément sur l'ouvrage de E. Becher, ainsi que certaines corrections au texte.
30 décembre (12 janvier) 1909	Dans une lettre (rédigée en français) au directeur de la Bibliothèque Nationale à Paris, il le prie de lui délivrer une carte d'entrée à la bibliothèque.
1908	Lénine lit les œuvres de Ludwig Feuerbach *Sämtliche Werke*, t. 2. Leipzig, 1846, et y fait des annotations. Lénine s'en sert dans *Matérialisme et empiriocriticisme.*
Pas avant 1908	Lénine lit l'ouvrage de V. Chouliatikov *Justification du capitalisme dans la philosophie de l'Europe occidentale. De Descartes à Mach*, il y fait des annotations et, pour terminer, il donne une appréciation du livre.
Plus tard que 1908	Lénine lit l'ouvrage de A. Rey *La philosophie moderne.* Paris, 1908, et y fait des annotations.

1909

Début de l'année 1909	Lénine fait des conférences sur la philosophie dans un cercle bolchévik, à Paris.
Janvier-juin	Lénine travaille à la Bibliothèque Nationale et à celle de la Sorbonne sur les problèmes de philosophie et des sciences de la nature.
24 janvier (6 février)	Dans une lettre à Oulianova-Elizarova, Lénine lui dit avoir reçu les premières épreuves de *Matérialisme et empiriocriticisme.*
Janvier-avril	Lénine travaille à la correction des épreuves de *Matérialisme et empiriocriticisme.*
1er (14) février	A la réunion de la rédaction du *Prolétari*, Lénine insiste pour que la rédaction condamne ouvertement « la construction de Dieu » préconisée par Lounatcharski. L'éditorial contre « la construction de Dieu » (« Nos chemins bifurquent ») a été publié le 12 (25) février dans le n° 42 du *Prolétari.*
4 ou 5 (17 ou 18) février	Dans une lettre à Oulianova-Elizarova, Lénine envoie ses corrections pour les dernières feuilles, fait part de l'omission dans les épreuves de 27 pages du manuscrit et lui demande instamment de veiller à ce que ce défaut ne se reproduise pas lors de l'impression du livre.

10 (23) février

Dans une lettre à Oulianova-Elizarova, Lénine lui accuse réception des 8e et 9e feuilles (épreuves), lui dit qu'il n'y avait pas d'omissions, que les épreuves ont été soigneusement vérifiées ; il lui envoie les corrections pour ces feuilles.

24 février (9 mars)

Lénine envoie à Oulianova une lettre contenant les corrections pour les 10e et 11e feuilles. Il annonce sa rupture avec Bogdanov et Lounatcharski, et lui demande de ne pas adoucir les formulations contre eux et de hâter la sortie du livre ; il remercie Skvortsov-Stépanov pour le concours qu'il prête à la publication de l'ouvrage.

27 février (12 mars)

Dans une lettre à Oulianova-Elizarova Lénine envoie l'Errata pour les feuilles 6-9 et 13; il demande à nouveau d'accélérer la publication du livre. En post-scriptum, Lénine insiste une fois de plus pour ne rien estomper dans le texte concernant Bogdanov, Lounatcharski et autres disciples de Mach.

8-9 (21-22) mars

Dans une lettre à Oulianova-Elizarova Lénine demande une nouvelle fois de ne pas estomper, sous aucun prétexte, les passages concernant Bogdanov, Lounatcharski et autres, et envoie l'Errata pour les 1-5 feuilles déjà imprimées.

10 ou 11 (23 ou 24) mars

Lénine envoie à Moscou, à Oulianova-Elizarova un supplément : « De quel côté N. Tchernychevski abordait-il la critique du kantisme ? » pour le premier paragraphe du chapitre IV de *Matérialisme et empiriocriticisme.*

13 (26) mars

Lénine envoie à Oulianova-Elizarova l'Errata pour les feuilles 15-18 et demande qu'on lui fasse savoir quand la sortie du livre est attendue.

23 mars (5 avril)

Lénine envoie à Oulianova-Elizarova l'Errata pour la 14e feuille et demande que l'on corrige ou que l'on spécifie, en ce qui concerne Vernadski, dans l'Errata, qu'au lieu de « penseur-matérialiste » il faut lire « penseur-naturaliste ».

24 mars (6 avril)

Dans une lettre à Oulianova-Elizarova Lénine accuse réception des feuilles 10-12, ainsi que de la 21e feuille ; il envoie la liste des errata pour ces feuilles.

26 mars (8 avril)

Dans une lettre à Oulianova-Elizarova Lénine accuse réception de la 22e feuille et annonce l'envoi des corrections pour cette feuille. Il demande que l'on fasse tout le possible pour que *Matérialisme et empiriocriticisme* paraisse dans la première quinzaine d'avril. « De sérieuses obligations politiques,

	écrivait Lénine, pas seulement littéraires se trouvent liées pour moi à la parution du livre ».
21 avril (4 mai)	Dans une lettre à Doubrovinski Lénine lui fait savoir qu'il a été informé de la sortie de *Matérialisme et empiriocriticisme*, et qu'on promet de lui envoyer le livre à Paris vers le 25-26 avril (8-9 mai).
Entre le 29 avril et le 4 mai (12 et 17 mai)	A Moscou, aux Editions « Zvéno », paraît le livre de Lénine *Matérialisme et empiriocriticisme*.
4 (17) mai	*Notes critiques sur une philosophie réactionnaire.* Lénine envoie à Rosa Luxembourg son livre *Matérialisme et empiriocriticisme*, et lui demande d'annoncer la sortie du livre dans *Die Neue Zeit*, ce qui a été fait (voir *Die Neue Zeit* nº 2, 8 octobre 1909, p. 64).
8 (21) mai	Dans une lettre à M. A. Oulianova, Lénine annonce la réception du *Matérialisme et empiriocriticisme*, et donne une appréciation favorable de la présentation du livre.
Avant le 12 (25) mai	Lénine fait don d'un exemplaire de *Matérialisme et empiriocriticisme* à Gorine (Galkine).
13 (26) mai	Dans une lettre à Oulianova-Elizarova Lénine annonce la réception du *Matérialisme et empiriocriticisme*, donne une appréciation favorable de présentation de l'ouvrage, écrit à propos de la rupture imminente avec les otzovistes et les ultimatistes.
Mai-septembre	Les revues *Vozrojdénié* nºs 7-8, *Sovremmny Mir* nº 7, *Krititcheskoïé Obozrénié*, fascicule V et le journal *Rousskié Viédomosti* nº 22, publient des comptes-rendus d'auteurs bourgeois et menchéviks sur l'ouvrage de Lénine *Matérialisme et empiriocriticisme*.
5 (18) juin	Dans le journal *Odesskoïé Obozrénié* nº 436, figure une note de V. Vorovski sur l'ouvrage de Lénine ; pour des raisons de censure, la note a été consacrée au livre de Max Verworn *Le naturalisme et la vision du monde. Problème de vie* (Moscou, 1909).
Début de l'été	Lénine envoie un exemplaire de *Matérialisme et empiriocriticisme* à Skvortsov-Stépanov.
Eté	Lénine rend visite à Paul Lafargue, s'entretient avec lui sur des problèmes philosophiques et sur *Matérialisme et empiriocriticisme*.

LA TRADUCTION DE CE VOLUME A ÉTÉ REVUE PAR ROGER GARAUDY

Achevé d'imprimer en octobre 1962 par les Editions en langues étrangères, Moscou

TABLE DES MATIERES

ILLUSTRATIONS